MIGRATION OCH MÅNGFALD

UPPSALA UNIVERSITET

Uppsala i december 1999

Kära/e subskribent,

Vi har härmed glädjen att överskicka de/t exemplar av vänboken till Harald Runblom, *Migration och mångfald,* som du/ni haft vänligheten att subskribera till. Vi är väldigt glada att ha kunnat föra detta projekt i hamn och sätter stort värde på de bidrag som gjorde detta möjligt. Det är vår förhoppning att volymen ska motsvara era förväntningar på en god bok inom sitt område och att den skall komma till användning efter förtjänst.

Det råder inget som helst tvivel om att festföremålet har satt stort värde på gåvan, och vi vet att han glädjer sig åt alla namnen i bokens *tabula gratulatoria.*

Redaktionskommittén.

Centrum för multietnisk forskning *Centre for Multiethnic Research*

Visiting address
Gamla Torget 3
Postal address
Box 514
SE-751 20 Uppsala SWEDEN

Telephone
+46-(0)18-471 23 59
+46-(0)18-471 ....
Fax
+46-(0)18-471 23 63

E-mail
multietn@multietn.uu.se
http://www.multietn.uu.se//

.....................................@multietn.uu.se

Tabula gratulatoria

ADDENDUM

Föreningen Norden, Uppsala-avdelningen

Det danske Udvandrerarkiv, *Aalborg*

Uile Kärk-Remes, *Tallinn*

Laurie Weinstein, *Stockholm*

Migration och mångfald

ESSÄER OM KULTURKONTAKT OCH MINORITETSFRÅGOR

TILLÄGNADE

Harald Runblom

CENTRUM FÖR MULTIETNISK FORSKNING · UPPSALA 1999

Centrum för multietnisk forskning
BOX 514 · 751 20 UPPSALA
TFN 018 · 471 23 59
FAX 018 · 471 23 63
e-post multietn@multietn.uu.se
url http://www.multietn.uu.se

Uppsala Multiethnic Papers 42
Migration och mångfald.
Essäer om kulturkontakt och minoritetsfrågor
tillägnade Harald Runblom

ISSN 0281-448-x
ISBN 91-86624-45-8

Innehåll

Förord

MIGRATION OCH MÅNGFALD är och har alltid varit två nyckelord i Harald Runbloms verksamhet som forskare och lärare, först vid Historiska institutionen och senare vid Centrum för multietnisk forskning, båda vid Uppsala universitet. Denna bok innehåller tjugo kapitel som belyser dessa och andra ämnen inom forskningsfältet internationell migration och etniska relationer. Artiklarna är organiserade i tre avsnitt – »Mångkultur och minoritet«, »De nya världarna och den gamla« samt »Norden och Östersjöområdet« – efter områden som engagerar Harald särskilt mycket. Bidragen kommer från olika discipliner och länder, vilket speglar Haralds tvärvetenskapliga och internationella orientering. Med denna bok vill kolleger och vänner gratulera honom på hans bemärkelsedag den 20 november 1999.

Hjärtliga gratulationer på högtidsdagen!

Vi vill särskilt tacka Ina Peña Zagal, Uppsala universitet, för värdefull hjälp i arbetet. Ett tack även till Claes-Göran Jönsson, Stockholm.

Uppsala i november 1999

Redaktionskommittén

I.

MÅNGKULTUR OCH MINORITET

Konsten att ligga på tvären vid universitetet

Tankar om den multietniska forskningens villkor

TOMAS HAMMAR

UNDER DEN TID Centrum för multietnisk forskning verkat vid Uppsala universitet har den multietniska forskningen utvecklats starkt i Sverige. Ett efterlängtat genombrott är idag på väg vid flera nya högskolor. Forskning om migration och etnicitet har länge prioriterats av riksdag och regering och kunskapsbehovet är stort. Ändå riskerar forskningen inom det här området att vissna likt en planta, så snart den inte längre tillförs bevattning. Vad är det som fattas, när forskarmiljöer inte kan stå på egna ben efter 15 år, och varför går långsiktig forskarkompetens så lätt förlorad? Går det å andra sidan att få till stånd tvärvetenskaplig forskning och utbildning inom de gamla etablerade ämnena? Och går det idag att bilda nya ämnen i den hårda konkurrensen om knappa resurser? Stämmer ryktet att tvärvetenskap betyder låg kvalitet och bristande kontroll? Har 15 års multietnisk forskning lärt oss något om konsten att ligga på tvären vid ett svenskt universitet? Och hur ser framtiden ut för den multietniska vetenskapen?

Harald Runblom var med och tog de första initiativen till en kraftsamling för multietnisk forskning vid Uppsala universitet. Harald har ända sedan dess kommit att betyda mycket för utvecklandet av forskningen om etnicitet och om internationell migration inom den humanistiska fakulteten vid universitetet. Som föreståndare har han under många år framgångsrikt arbetat för att skapa bästa möjliga förutsättningar för universitetets Centrum för multietnisk forskning. Han har varit dess samlande kraft och dess ansikte utåt. Under den allra senaste tiden har Harald lyckats ge än mer fart och än större bredd åt den redan tidigare stora verksamheten. Själv har jag, på sju mils avstånd, följt utvecklingen i Uppsala med stort intresse. Vid Stockholms universitet har jag ställts inför liknande uppgifter inom den samhällsvetenskapliga fakulteten. Vi har båda gjort erfarenheter av sådan multietnisk forskning som ligger på tvären vid dessa två stora universitet, och jag tror, att våra erfarenheter har varit på en gång ganska likartade och tämligen olika. Det är troligt att våra slutsatser inte är helt desamma, och jag känner ett behov av att få diskutera dessa likheter och olikheter. I det följande skall jag försöka presentera mina tankar. Jag hoppas att de kan ligga till grund för en replik.

Initiativet till att bilda ett centrum för multietnisk forskning kom, som vi vet, från en grupp engagerade forskare vid universitetet i Uppsala, och resurser togs fram genom uppoffringar internt och inom universitetets ramar. I Stockholm kom förslaget till ett centrum för invandringsforskning inte inifrån utan utifrån och uppifrån. Det var regeringen som föreslog att särskilda medel skulle anslås i statsbudgeten och riksdagen som fattade beslutet. Den samhällsvetenskapliga fakulteten vid Stockholms universitet hade aldrig begärt att få anslag till något centrum för invandringsforskning, och fakulteten betraktade länge den nya enheten snarare med skepsis än med entusiasm. Redan här skiljer sig erfarenheterna åt, men också på många andra sätt har våra två syskon-centra i Uppsala och i Stockholm levt under olika villkor. Det har gällt forskningsresurser och forskningsprojekt, personal, verksamhetsformer, publikationsserier och mycket annat. Ändå har målsättningen i huvudsak varit densamma, nämligen, för att citera från Uppsala centrums utmärkta tidskrift *Multiethnica*, »att bidra till en mångvetenskaplig belysning av etniska problem«.[1]

Detta år, 1999, har arbetet pågått i 15–20 år, och mycket har uträttats. Plötsligt tycks också de större perspektivens resultat visa sig. Det är som om den multietniska forskningen idag står inför ett genombrott vid flera högskolor i Sverige och kanske också vid universiteten.[2] Det senare gäller i hög grad centret i Uppsala, men kanske ännu mer Norrköpings-filialen till Linköpings universitet där två nya professurer i det nya ämnet etnicitet har tillsatts 1998. En stor ny kraftsamling kring forskning om internationell migration har de senaste åren skett vid Växjö universitet, och Södertörns nya högskola har förklarat att mångvetenskaplig multietnisk forskning skall vara en av dess profiler. Grundutbildning har 1998–99 kommit i gång som ett led i ett omfattande IMER-program vid Malmö högskola, och den första forskarutbildningen i etnicitet kommer snart att börja i Norrköping. Överallt är det fråga om utbildning och forskning som går över de traditionella ämnenas gränser, dvs. som kan kallas tvärvetenskaplig. Är detta en trend som kommer att bli bestående? Hur kommer det sig att skördetiden kommit nu och att skörden hämtas hem i Norrköping, Växjö och Malmö i stället för vid de universitet där sådden gjordes – i Uppsala och i Stockholm? Vad kan vi lära oss om konsten att »ligga på tvären« vid ett universitet?

Migration och etnicitet

Vi har olika namn för forskningsområdet: vi säger »multietnisk forskning« i Uppsala, men officiellt alltjämt »invandringsforskning« i Stockholm, även om den gamla beteckningen är på väg att skrotas för att ersättas med »Internationell migration och etniska relationer« (förkortat IMER). Så heter det också redan vid högskolan i Malmö. »Migration and Ethnic Relations« (MERGE) är namnet i Umeå. »Etnicitet« heter tema-området i Norrköping/Linköping, och en samarbetsgrupp i Lund kallas »forum för etnicitetsforskning« (FEF). Göteborg och Örebro vill undvika begreppet etnicitet och kallar i stället sin samverkan »kulturkontakt och internationell migration« (KIM) respektive »forum för invandring och kultur« (FIK). Andra variationer förekommer, men alla har kunnat förenas i ett »IMER-förbund«, som Harald Runblom varit ordförande för under två års tid. Skillnader i namnen antyder att intresseinriktningen varierar något och att tyngdpunkten i forskningen förlagts något olika. Gemensam är uppgiften att utveckla ett nytt forsknings- och utbildningsområde (kanske ett nytt ämne?) som omfattar etnicitet, etniska relationer, kulturella kontakter och internationell migration och att göra detta på tvären över disciplinernas gränser.[3]

Universitetens forskare hade inte själva tagit på sig denna uppgift. Den kom framför allt utifrån som svar på det påtagliga kunskapsbehov som fanns i samhället. Det hade redan tidigare bedrivits forskning i Sverige med relevans för arbetet, framför allt forskningen om utvandringen till Amerika. Det främsta exemplet är det stora forskningsprojekt om emigrationen som leddes av historikern Sten Carlsson, och just det projektet har naturligtvis haft direkt betydelse för Haralds arbete och för centrets tillkomst i Uppsala.[4] De allra första ansatserna att forska om efterkrigstidens växande invandring till Sverige hade också gjorts på 1960-talet. Invandrarutredningen 1968–74 hade tagit flera initiativ och bl.a. föreslagit att en forskargrupp skulle inrättas vid något universitet. Det ledde aldrig till något, men som ett slags ersättning inrättades

1975 expertgruppen för invandringsforskning (Eifo). Den senare efterträddes 1983 av delegationen för invandringsforskning (DEIFO) i vilken både Harald och jag blev ledamöter och representanter för de centra som just då bildades i Uppsala och Stockholm.[5]

Det var den stora och varaktiga invandringen och den debatt som den framkallat i Sverige som hade fått statsmakterna att prioritera forskningsområdet. Först hade det varit fråga om arbetskraftsinvandring, i Sverige redan tidigt förenad med familjeinvandring. En stor del av invandringen kom från de nordiska länderna (och då främst från Finland), men efter hand antog också jugoslavisk, grekisk och turkisk invandring stora proportioner. Samtidigt förekom hela tiden flyktinginvandring, men först när rekryteringen av utländsk arbetskraft upphörde 1972, kunde flyktingar skiljas från andra invandrare. När kontrollen skärptes genom att arbetstillstånd skulle sökas före inresan, måste t.ex. flyktingar från juntans Grekland öppet vidgå att de kom för att söka asyl, eftersom de annars inte skulle få stanna och arbeta i Sverige. Flyktinginvandringen förblev under 1970-talet relativt liten, men det kom en grupp flyktingar som väckte stor uppmärksamhet, assyrierna. Många av dem hade sökt sig till Södertälje och några andra kommuner, vilka snart krävde att staten skulle kompensera dem för deras extra kostnader för flyktingarna.[6] Tio år senare började den omfattande flyktinginvandring som snart ledde till en ny flyktingpolitik, och bland annat den s.k. »hela Sverige-strategin«, som fördelade asylsökande och flyktingar över hela landet.[7]

Åren 1968–74 var en planerings- och utredningsperiod under vilken statsmakterna för första gången formulerade målen och beslutade om principerna för den svenska invandrings- och integrationspolitiken.[8] Under de följande tio åren då den nya politiken genomfördes, kom mycket av forskningen att bli ett slags utvärdering, dels av reformer på olika områden, dels av de olika invandrargruppernas situation och möjligheter att delta i samhället. Gång på gång förklarade riksdagen att forskning om migration och etnicitet hörde till det som skulle prioriteras, men det talades aldrig om att Sverige egentligen saknade den kompetens som behövdes för detta. Det fanns visserligen forskare (historiker och språkvetare, ekonomer, sociologer, antropologer, geografer, statsvetare, teologer osv.) som hade en god allmän kompetens vilken samtidigt var relevant just för denna forskning. Men ännu hade ingen blivit utbildad för ändamålet. Det rådde också brist på forskare med den erfarenhet och vana vid att överskrida ämnesgränser som krävs för att forska om etnicitet och migration på ett tvärvetenskapligt sätt.

Man kan fråga sig varför det i första hand var statsmakterna som efterlyste forskning om invandringen och invandrarnas situation, om migration och etnicitet, och varför det inte var ämnesinstitutioner vid universiteten som slog larm. Varför tog så få forskare vid svenska universitet själva initiativ? Såg de inte hur samhället förändrades? Eller ansåg de att forskning om migration och etnicitet inte hörde till deras ansvarsområde? Finns det systematiska fel inbyggda i universitetens organisation som kan ha hindrat utvecklingen av vårt forskningsområde och som kan hindra tvärvetenskapliga innovationer inom utbildning och forskning också inom andra forskningsområden? Om det är så, vad kan vi göra för att avlägsna hindren?

Plantan har växt, men bara så länge den fått vatten

På socialforskningsrådets (SFR) uppdrag har jag skrivit en rapport om hur forskningen om internationell migration och etniska relationer utvecklats i Sverige 1964–1994. Det är en historik som visar hur staten sökte universitetens och forskarnas hjälp. I propositioner och riksdagsbeslut betonade man forsknings- och kunskapsbehoven. Vissa områden pekades ut som särskilt viktiga, som t.ex. arbetsmarknadsfrågor, familjer och barn. Man efterlyste förbättrad statistik om invandringen, och man ville att särskilda undersökningar skulle göras av svenskarnas attityder till invandring och invandrare. Särskilda kommittéer, som de redan nämnda Eifo och DEIFO, knöts till arbetsmarknadsdepartementet och invandrarministern, och från 1990 övertog SFR dessa specialorgans uppgift att som forskningsråd med prioritet initiera och stödja IMER-forskning. Genom sektorsorganen delade staten under 1980-talet ut ungefär 2 miljoner kronor per år till forskningsprojekt (i 1990 års penningvärde). Det var alltså relativt blygsamma belopp, ända tills SFR tog över ansvaret och under ett antal år gjorde en något kraftfullare satsning på IMER-området. På 1990-talet steg beloppen kraftigt till 10–12 miljoner kronor per år (och över 14 miljoner 1997).[9] Härtill gav Humanistisk-samhällsvetenskapliga forskningsrådet (HSFR), Riksbankens jubileumsfond (RBJ) och Skolverket fram till 1993 anslag som tillsammans uppgick till c:a 5 miljoner kronor per år.

I min slutsummering av rapporten till SFR skrev jag att jag tyckte mig finna vissa hoppfulla tendenser. Vid flera fakulteter hade antalet disputationer ökat något inom flera ämnen. SFR hade påverkat utvecklingen genom att ge större resurser än tidigare och bl.a. också fleråriga programstöd till IMER-forskningen vid flera universitet. Med åren hade en inte helt obetydlig forskarkompetens byggts upp, men samtidigt hade en stor del av den kompetensen omedelbart gått förlorad, eftersom det nästan helt hade saknats undervisnings- och forskartjänster för färdigutbildade forskare att söka. Statens satsningar, som pågått i mer än 30 år, hade alltså spelat en viktig roll, men de hade inte varit tillräckliga för att åstadkomma en så gynnsam situation att forskningen vid universiteten kunde fortsätta att växa av egen kraft. I stället var läget sådant att forskningen knappt orkade fortsätta, om stödet plötsligt minskade eller uteblev. IMER-forskningen var som en planta som växte bara så länge som den fick konstgjord bevattning.

IMER som ämne i filosofie kandidat-examen i Malmö

Sedan jag skrev den sammanfattningen för fem år sedan, har som redan nämnts mycket inträffat. Det som har skett kan t.o.m. betecknas som ett genombrott för forskning och undervisning vid flera nya högskolor. Varför har ännu inte något liknande skett vid universiteten?

Frågan kan tyckas retorisk, men den förtjänar en förklarande utläggning. Svaret är troligen först att det är lättare att skapa nya former, nya utbildningsvägar, nya tjänster osv. vid en ny högskola, där man inte är bunden av beslut och utfästelser som gjorts tidigare. En ny högskola har utrymme för att experimentera friare och dess ledning har kanske också mer intresse av att visa upp en speciell profil och t.ex. som högskolan i Malmö knyta an till lokala intressen och förhållanden. Det var med hänvisning till att andelen utrikes födda personer är hög i Malmöområdet som Malmö högskola lanserade IMER som ett centralt samhällsvetenskapligt utbildningsämne, i vilket en grundutbildning på upp till fyra terminer IMER leder till kandidatexamen med möjlighet att gå vidare till en kompletterande master-utbildning.

Universitet och högskolor med fasta forskningsresurser har sedan 1993 examensrätt inom grundutbildningen, medan däremot högskolor utan fasta forskningsresurser saknar sådan rätt. Det finns alltså inte några formella hinder för t.ex. Uppsala eller Stockholms universitet att göra på samma sätt som Malmö högskola nu har gjort. Universiteten behöver inte begära högskoleverkets tillstånd för att få utfärda kandidatexamen i IMER. Det var däremot den nya högskolan i Malmö tvungen att göra. Efter att ha gjort en särskild granskning konstaterade högskoleverket i ett utlåtande 1998 att den IMER-undervisning som redan pågick i Malmö uppfyllde »de krav som skall ställas vad gäller ämnesdjup, ämnesbredd och ämnesavgränsning, kritisk och kreativ miljö, lärarkompetens och kompetensutveckling liksom också forskningsanknytning«.[10]

Vid Stockholms universitet har Ceifo under hand hört sig för om möjligheterna att inrätta en fristående kurs i IMER, utifrån tvärvetenskapligt perspektiv. Svaret blev negativt. Undervisning skall inte bedrivas annat än vid en ämnesinstitution, hette det. Ceifo är inte en sådan institution utan en oberoende tvärvetenskaplig forskningsenhet, som är knuten till den samhällsvetenskapliga fakulteten. Under de år som gått har däremot flera ämnesinstitutioner anordnat kurser med IMER-inriktning, i Stockholm bl.a. institutionerna för socialantropologi, etnologi och statsvetenskap, och i Göteborg och Uppsala och Umeå särskilt institutionerna för sociologi. Men medan den nya högskolan i Malmö snabbt har startat grundutbildning och bildat en ny ämnesinstitution har de stora universiteten härvidlag förblivit ointresserade och passiva.

Makten över anslagen

Orsakerna till detta är bland annat att utbildningsresurserna vid de stora universiteten redan sedan länge är intecknade och fördelade efter »nycklar« som förhandlats fram genom åren mellan företrädare för de etablerade ämnena. Makten över de pengar som universiteten disponerar för utbildning ligger i hög grad hos ämnesinstitutionerna, och dessa har inget egenintresse av att dela med sig till nya ämnen. Om förnyelse behövs, skall den enligt deras mening ske inom de existerande ämnena, och inte genom att nya ämnen tillskapas på tvären över ämnesgränserna.

Alla må vara ense om att forskning om migration och etnicitet *också* kan göras av forskare som t.ex. ekonomer, statsvetare, historiker, geografer, antropologer, sociologer, språkvetare... ja, uppräkningen omfattar all samhällsvetenskap och all humaniora men också teologi och juridik och viss medicin osv. I större eller mindre utsträckning har alla dessa ämnen någon kunskap, några teorier och några viktiga perspektiv att tillföra. De till synes ööverkomliga problemen uppstår när vi vill föra samman perspektiv från flera av dessa etablerade ämnen och bilda ett nytt tvärvetenskapligt ämne. Det innebär att de etablerade ämnenas inmutade revir hotas av en inkräktare.

»Det är vi som studerar bostadssegregation«, säger kanske sociologen, alltså även den segregation som drabbar invandrade minoriteter. Valdeltagande hör till statsvetenskapen eller den politiska sociologin, säger andra, även när det gäller invandrarnas politiska deltagande. Exemplen kan mångfaldigas. Revirtänkandet bygger på den etablerade ämnesindelningen och de resultat som denna för med sig för hur vi delar in kunskaper och kunskapssökande, och därmed också för vad vi forskar om. Bakom revirtänkandet finns det starka ekonomiska intressen. Hur mycket ämnesinstitutionerna får i anslag internt från universitetet och hur mycket som kommer externt från olika uppdragsgivare beror på om ämnets utbildning och forskning är efterfrågad. Mått på detta är hur många studenter som följer undervisningen och hur många forskningsprojekt som bedrivs. Ämnesinstitutionerna äger en viss autonomi inom universitetets ram. Det finns ett samförstånd att ömsesidigt visa varandra respekt och inte i onödan lägga sig i eller klampa in på andra ämnens områden. Den som inom ett sådant universitet söker bilda ett nytt ämne för ett tvärvetenskapligt forskningsfält vilket likt migration och etnicitet »ligger på tvären« över många ämnen, begär att få ta delar av vad många anser sig ha rätt till. Detta är en utmaning mot den ekonomiska ordning och det naturliga samförstånd som råder i fakulteterna, och motståndet blir kompakt.

Universitetsämnet

Ett ämne och en ämnesinstitutionen kan beskrivas på flera sätt. Det är först en utbildningsenhet i universitetets organisation, en skola med ledning och lärarstab och med studenter som kommit olika långt i sin utbildning, från de första årens grundutbildning och till den avslutande forskarutbildningen. Ämnet är också en forskningsenhet där professorer, docenter och forskare bedriver egen forskning och forskar enskilt eller tillsammans i olika projekt. Viktig forskning bedrivs också av de forskarstuderande som arbetar med sina doktorsavhandlingar. Ämnesinstitutionen har kompetens att besluta om utbildning och forskning. Den har ansvar för sin egen budget och är arbetsgivare för sina anställda. Den är samtidigt den gemensamma arbetsplatsen för ett antal forskare, lärare och studenter som forskar och utbildar sig i samma ämne.

Ämne (eller disciplin) är också beteckning på ett ämnesinnehåll, en bestämning av vad som är föremål för studiet (en ämnesbeskrivning som också anger ämnets avgränsning, bredd och djup). Ämnen kan karakteriseras efter de teorier, frågeställningar och forskningsproblem som anses relevanta och efter de arbetssätt och den metodologi som tillämpas. Men ett ämne är härutöver också en fråga om identitet och tillhörighet. De som t.ex. är historiker, ekonomer, filosofer eller geografer har efter långvariga studier inom »sitt ämne« tillägnat sig en viss litteratur och för ämnet centrala perspektiv och frågeställningar. De undervisar och forskar inte sällan vid den ämnesinstitution där de själva en gång fick sin utbildning, och det gör de tillsammans med andra som har samma ämnesinriktning. I förhållande till forskare vid andra institutioner företräder de »sina egna ämnen«, och de kan i den egenskapen agera med en viss autonomi eftersom deras omdöme sällan ifrågasätts så länge det enbart gäller deras egna ämnen. Ämnet är slutligen också karriärvägen: det är inom ämnet som universitetets lärare och forskare kan söka tjänster och vinna befordran. Men detta betyder också att de är beroende av sina chefer och överordnade och av seniora forskare i samma karriär, eftersom dessa kan komma att uttala sig om deras meriter.

Det finns en tendens att betrakta universitetens ämnen som självklara, som naturliga resultat av en lång, historisk lärdomsprocess, och det synsättet är vanligt både inom och utom universiteten. Då glömmer man att ämnena inte är givna en gång för alla utan i stället ständigt förändras. De är tillskapade, artefakter, konstruktioner som gjorts för forskningens och undervisningens skull men också av praktiska skäl och för att tillfredsställa olika inblandade intressen.

Genom åren har antalet ämnen eller discipliner kommit att öka starkt vid universiteten i Sverige liksom också utomlands. Specialiseringen har krävt detta och många nya ämnen har kommit till genom delning, eller avknoppning. Företagsekonomi och internationell ekonomi hör till dem som knoppats av från nationalekonomin. Spanska och franska har kanske uppstått ur romanska språk. I andra fall har man inte inrättat ett nytt ämne, utan nöjt sig med att ange en specialisering inom ämnet. En tjänst i psykologi har t.ex. inriktats på särskilt kognitionspsykologi, eller inom pedagogik särskilt vuxenutbildning etc. Variationerna är ota-liga, och inte sällan går ämnena och ämnesinriktningarna delvis över i varandra. Vidare har fakulteterna olika traditioner. Universitet i olika länder använder olika ämnesbeteckningar och utvecklas på skilda sätt. Men viktigast i vår diskussion är att inget ämnessystem är givet *a priori*. Forskningens uppgift är att ifrågasätta, pröva och finna ny kunskap. Den borde inte vara bunden av administrativa system och konstruktio-ner, men den är det.

Kompetens och karriär

Ämnesinstitutionen är alltså hemmabasen för universitetens forskare och lärare, och för de flesta gäller att den basen varar livet ut. Det finns visserligen forskare som vandrar över från ett ämne till ett annat under sin karriär, men de hör till undantagen. Det normala är att den som söker en tjänst vid en institution har avlagt doktorsexamen i ämnet. Det är institutionerna som ger forskarutbildning, och det är kompetens i ämnet som räknas som meritvärde. När dessutom en stor del av univer-sitetens forskning sker inom forskarutbildningen och redovisas som doktorsavhandlingar, har våra multietniska forskningscentra fått utom-ordentliga svårigheter att bygga upp forskarkompetens. Utan egen fors-karutbildning kan vi inte hävda oss i konkurrensen om de bästa dokto-randerna, och vi kan bara i enstaka fall hjälpa fram bra avhandlingar, som då presenteras vid någon ämnesinstitution. Men också i sådana fall är doktoranderna beroende av sina handledare och examinatorer i äm-net. Professorer och docentkompetenta handledare (som själva vill me-ritera sig i ämnet) ser ogärna att doktoranderna skriver avhandlingar som inte otvetydigt ligger inom det egna ämnet. En avhandling som behandlar »centrala« frågeställningar anses vanligen vara något förmer än en avhandling vars tema är mer perifert ur ämnets synpunkt. Dokto-rander bör dessutom helst inte ge sig in på andra ämnens domäner, till en del därför att deras handledare inte har formell kompetens till det, till en annan därför att detta inte ger dem själva meriter i ämnet, och till en tredje därför att doktoranderna lätt kan dra på sig kritik från företrä-dare för andra ämnen. På samma sätt är det för den som har avlagt doktorsexamen liksom för den som fått docentkompetens: karriären går inom ämnet, det är ämnesmeriter som räknas och det är i sista hand professorer i ämnet som värderar meriterna.

Med denna strikta ämnesindelning skulle man kunna tro att det inte skulle finnas några doktorsavhandlingar med tvärvetenskaplig karaktär, men riktigt så illa är det inte. Det system som jag beskriver gäller i stort, men det tillämpas inte lika strikt inom alla ämnen och det knakar åtskilligt i systemets fogar. Undantagen från huvudregeln har blivit allt fler. I vissa fall kan undantagen sägas vara avarter. Inom samhällsvetenskaperna – där annars ämnesindelningen upprätthålls särskilt noga – har det t.ex. hänt att ämnesinstitutioner uppträtt med »imperialistiska tendenser«. Så var det framför allt en tid inom pedagogikämnet vid Stockholms universitet. Pedagogik, som annars brukar handla om socialisation, uppfostran, skola och utbildning, omtolkades då till att betyda studiet av all slags »påverkan« på alla nivåer och i hela samhället. Exemplet visar också att ledningen för en institution har relativt stor frihet att sätta sin prägel på ämnet, och att personskiften och generationsskiften därför kan medföra stora förändringar. Inom fakulteterna brukar man visa stor tolerans mot kollegor i andra ämnen. Vad de gör, lägger man sig inte gärna i, om man bara får sköta sitt eget fögderi själv.

Det som är sant i Uppsala kan i den här meningen vara lögn i Stockholm. Universitetsämnen definieras inte på samma sätt vid alla universitet och högskolor, och definitioner och tillämpningar varierar med tiden. Nya ämnen kommer ständigt till. Men trots detta uppfattas ämnena som ett slags fasta grundstenar för utbildning och forskning och som en livsvarig hemmabas för lärare och forskare. I allt väsentligt gäller doktrinen att meriter, kompetens och karriärer inom universiteten regleras och bedöms inom ämnesinstitutionernas ramar.

Kompetensuppbyggnad

Grundutbildning och vanligen också forskarutbildning ges bara av ämnesinstitutioner. Vissa andra kurser, som kan ges på olika nivåer också av andra enheter, äger inte samma värde för studenternas examina. Utan grundutbildning är det dessutom svårt att rekrytera doktorander till forskning om migration och etnicitet. När detta ändå lyckas – och det händer, eftersom många är starkt intresserade och personligt berörda – sker forskarutbildningen i det ämne som varit huvudämne i kandidatexamen, och på detta ämnes villkor. Målet är att avlägga en doktorsexamen i ämnet, och forskarutbildningen äger rum på ämnesinstitutionens ansvar. Doktoranden tilldelas handledare och examinator inom ämnet, och bör följa deras råd och synpunkter både vid val av avhandlingstema och under arbetets gång. Som forskare vid ett mångvetenskapligt centrum kan vi visserligen fungera som extra handledare, men i sådana fall som ett slags konsulter vid sidan av de ordinarie lärarna.

När forskarutbildningen på detta sätt sker helt på ämnesinstitutionens villkor, är det svårt eller nästan omöjligt att bygga upp tvärvetenskaplig forskningskompetens. Rekryteringen av unga forskare försvåras. Ämneslärarnas inriktning styr valet av avhandlingsämnen. Forskarstuderande avråds från försök att överskrida ämnesgränserna, och insatser som betraktas som perifera inom ämnet ges lägre meritvärde. Under åren har ändå många avhandlingar lagts fram i många ämnen inom nästan alla fakulteter, avhandlingar som varit tvärvetenskapliga och som gett kompetens inom forskningsområdet migration och etnicitet. Detta är utmärkt, och det beror inte till liten del på den redan omtalade konstgjorda bevattningen av den prioriterade plantan »invandringsforskning«. Men tyvärr, resultatet har inte blivit den långsiktiga kompetens som vi eftersträvat. I stället har kompetensen alltför snabbt gått förlorad, eftersom universitet och högskolor inte kunnat erbjuda mer än ett fåtal multietniska lärar- och forskartjänster. I slutänden av cirkeln beror denna brist på tjänster i sin tur ytterst på att vi inte själva bedriver grund- och forskarutbildning.

Kvalitet och tvärvetenskap

Rubriken på min artikel, »Konsten att ligga på tvären vid universitetet«, är avsedd att ge uttryck för min förargelse och oppositionslusta. Den forskning vi arbetar med har fastnat i ett administrativt system och den kan inte utvecklas vidare. Vi ligger inte på tvären av lättja och är inte »överliggare«. Vi är moderna forskare som ligger i och jobbar över och som är präglade av konkurrens och hårda meriteringsvillkor. Själva begreppet »tvärvetenskap« har en tid haft dålig klang i många akademikers öron och gett associationer till forskning som inte håller måttet, som har låg eller t.o.m. dålig kvalitet.

Jag håller ändå fast vid begreppet och har med tillfredsställelse märkt att ryktet håller på att bli bättre, allteftersom allt mer tvärvetenskaplig forskning visat sig vara framgångsrik. Till en del kan det dåliga ryktet bero på att de som bedömer forskningens kvalitet, ofta är ämnesforskare som anser att den forskning är bra som bedrivs inom en disciplin och som bidrar till att utveckla denna. Dessa bedömare är som alla andra ämnesföreträdare vana att avgöra vad som är bra eller dåligt inom sitt eget ämne. Men när de ställs inför forskning som överskrider ämnenas gränser, krävs det en annan och bredare kompetens. Prövar de enbart efter de vanliga kriterierna för kvalitet inom det egna ämnet, blir omdömet lätt alltför negativt.

Men det finns flera orsaker till det skeptiska ryktet. Inom all forskning växlar kvaliteten, och det borde inte förvåna om den svänger mer i tvärvetenskapliga projekt än i andra. Forskarna är själva ofta ovana vid de nya förutsättningarna, tränade som de är inom ämnesinstitutionerna. Det tar tid att bygga upp en god forskningsmiljö, särskilt om de medverkande kommer direkt från olika ämnesbakgrund. Ju fler ämnen som är representerade inom ett projekt, desto mer kraft går det åt för att etablera samarbetet. Ett forskningsprojekt pågår dessutom relativt kort tid, och om inte samarbetet har inletts redan tidigare, blir två–tre år i många fall bara ett inledande forskningsskede. Det fordras kanske flera projekt, innan arbetet blir effektivt och de intressanta resultaten kan skönjas. Kvaliteten kan med andra ord inte utvärderas ordentligt innan den tvärvetenskapliga forskningen fått tid att utveckla sin miljö med den särskilda kompetens som den behöver.

Den tvärvetenskapliga forskning om migration och etnicitet som både Harald Runblom och jag under många år strävat efter att utveckla, ger oss ett utmärkt exempel både på goda resultat och på betydande svårigheter. Vi har mött en problematik med många generella drag, som talar för att erfarenheter från olika tvärvetenskapliga forskningsområden borde jämföras med varandra. Centrumbildningarna i Uppsala och Stockholm har, när detta skrivs, bedrivit sin verksamhet i mer än 15 år. Bägge har initierat och genomfört flera större tvärvetenskapliga projekt. I Uppsala har forskarna främst kommit från humanistiska ämnen (som historia, finska och slaviska språk, och många andra), medan samhällsvetare dominerat i Stockholm (från pedagogik, socialantropologi, sociologi, statsvetenskap m.fl.). I vissa projekt har varje forskare ställts inför en bestämd uppgift, i andra har ett intensivt samarbete pågått under hela forskningsprocessen och resulterat i skrifter som flera forskare svarat för gemensamt. Vi kan och skall naturligtvis inte själva sätta betyg på vårt arbete, men vi kan försäkra att vi på båda håll gjort stora ansträngningar just när det gäller kvalitet. Vi har haft klart för oss att detta var viktigt, inte minst eftersom vi kunde komma att mötas av misstro mot tvärvetenskapligt forskningsarbete.

Vi har arbetat med relativt små resurser. Få forskare har varit anställda för längre tid, och nästan ingen på en något fastare tjänst. De som arbetade i projekten lärde efter hand känna varandra, och några fortsatte i det ena projektet efter det andra. Detta var den kompetensuppbyggnad som vi kunde åstadkomma, och så småningom växte ett slags forskningsmiljöer fram. Men hela tiden förlorade vi kompetens, vanligen till ämnesinstitutionerna.

Multietnisk och mångsektoriell forskning

Kanske är detta platsen att också nämna att forskning om migration och etnicitet inte bara kräver att forskarna har mycket bred bakgrund i flera ämnen och kan samverka med andra forskare över ämnesgränserna. Den kräver också att forskarna har etnisk kompetens och förmåga att samverka med sektorsforskare med olika inriktning. Denna forskning är med andra ord inte bara mångvetenskaplig, den är också multietnisk och mångsektoriell.

Det multietniska perspektivet gäller gemensamt för all forskning om migration och etnicitet. Men härutöver fordrar många projekt att forskare med en viss etnisk kompetens, kulturell och lingvistisk, medverkar. Av den anledningen har forskare med invandrarbakgrund efterfrågats till nästan alla projekt. De har bidragit med helt nödvändiga kunskaper om etniska gruppers bakgrund, deras livsmönster och tänkesätt, deras språk osv. De har berikat arbetet, men ibland också komplicerat det. Deras medverkan har lett till att andra frågor har ställts och andra resultat uppnåtts, och detta har krävt mer tid och större engagemang av alla forskare i de gemensamma projekten.

Det mångsektoriella perspektivet är av politisk och administrativ natur. Forskning om migration till Sverige och om etnicitet i landet berör alla samhällets sektorer: utbildning, hälsovård, bostad, social välfärd osv. Universiteten bedriver mycket forskning inom var och en av dessa sektorer, och många offentliga utredningar görs också sektorsvis. Vårt forskningsområde omfattar inte en särskild sektor utan alla sektorerna, även om enskilda projekt naturligtvis ofta kan inriktas på en eller ett par av dessa. Kriminologer forskar främst inom en sektor, kriminalvårdssektorn. Bostadsforskare, socialforskare, trafikforskare osv. är också sektorsspecialister. I sina studier bör de naturligtvis också ägna uppmärksamhet åt invandrade etniska minoriteter, och några har ägnat sig åt detta, vilket vi fått utbyte av genom åren. Men det är vår uppgift att anlägga det övergripande perspektivet: forskning om migration och etnicitet inom alla samhällets sektorer och i ett allmänt samhällsperspektiv.

Kraven på samverkan över olika gränser är alltså till slut mycket stora: de är samtidigt tvärvetenskapliga, multietniska och mångsektoriella. Det är just för att skapa en forskningsmiljö som kan klara den uppgiften som våra centrumbildningar har kommit till stånd. Endast tvärvetenskapliga enheter vid universitet och högskolor med resurser att bygga upp långsiktig forskningskompetens, kan lösa den komplicerade uppgiften över ämnesgränserna, sektorsgränserna och de etniska och kulturella gränserna i samhället. På längre sikt har det visat sig att det ändå är svårt att åstadkomma detta vid universiteten med deras traditionella ämnesindelning. Då finns det en lösning, nämligen den som den nya högskolan i Malmö tillämpar.

Ett nytt ämne på tvären

Är då migration och etnicitet (IMER) ett ämne som lämpar sig för utbildning och forskning vid universitet? Det har tydligt framgått att mitt svar är ett klart ja, men jag vill bemöta ett motargument. Det finns de som påstår att migration och etnicitet inte är något »riktigt« ämne. Tanken är då inte truismen att så länge universitetet inte har infört ett ämne, så finns detta ämne inte vid universitetet. Nej, argumentet »riktigt ämne« brukar syfta på att ett ämne skall ha ett forskningsperspektiv, ett ämnesinnehåll, teorier och metoder, och detta skulle då migration och etnicitet sakna. Detta knyter an till vad som sagts här tidigare om hur ämnen bildar egna världar inom universiteten med sina traditioner och nätverk, sina karriärer och interna maktsystem.

Om det vore så att forskning och utbildning om migration och etnicitet inte skulle tillföra nya perspektiv och nytt innehåll och inte ge något utöver vad som redan erbjuds vid universiteten, då behövdes det inget nytt ämne. Men på det sättet förhåller det sig uppenbart inte. De vanliga ämnesinstitutionerna vid universiteten har inte kunnat erbjuda det som vi kan och vill ge. Därför har Centrum för multietnisk forskning i Uppsala bildats, liksom andra forskningsmiljöer runt om i landet. Vid dessa centra och fora har nya ämnesövergripande traditioner börjat växa fram, en viss kompetens utvecklats, och bidrag har getts också till utbildningen. I forskningen har nya perspektiv lyfts fram, teorier kombinerats på nya sätt, och metoder för etnisk forskning utprovats. Men konsten att »ligga på tvären« blir i längden för svår. Kompetens går förlorad, karriärvägar saknas, och resurserna förblir otillräckliga. Halvt på skämt har vi ibland sagt till varandra, att vår status vid universiteten kan liknas vid invandrarnas i det svenska storsamhället.

Teorier och metoder är arbetsredskap som vi som forskare använder allt efter den uppgift vi står inför. I några ämnen används vissa metoder särskilt ofta, i andra har andra metoder utvecklats till en verklig specialitet. På motsvarande sätt kan vissa teorier vara ämnesspecifika, medan andra, ofta på mer abstrakt nivå, är mer generella. Men såväl teorier som metoder är allmän egendom. Företrädare för ett visst ämne har inte patent eller monopol på dem. När forskningsuppgiften är preciserad, söker forskaren de teorier och metoder som är bäst lämpade för uppgiften. I en tvärvetenskaplig forskningsmiljö är medvetenheten hög om att portarna skall hållas öppna mellan ämnena. Där hämtas därför teorier och metoder från olika håll, jämförs och prövas mot och med varandra. Härigenom kan ett möte komma till stånd som erbjuder något nytt och oväntat för alla parter. Det är också här som en beprövad forskningserfarenhet efter hand växer fram som t.ex. säger att det finns vissa teorier och metoder som visat sig fungera bra just vid forskning om internationell migration eller om etniska relationer. Också i detta avseende har vi redan kommit en bit på vägen i vår forskning.

En utkastad slutkläm

Forskning om migration och etnicitet är och måste vara mångvetenskaplig. Den kräver att olika perspektiv kommer till användning, att teorier hämtas från flera ämnens traditioner och att hårda och mjuka metoder tillämpas där de passar bäst. Den fordrar förmåga att samverka över ämnesgränserna med forskare och lärare som har annan utbildning och sin grund i andra forskningstraditioner. »Att ligga på tvären vid universitetet« är en konst främst därför att de som gör detta kommer i konflikt med den etablerade ämnesindelningen vid universiteten. Det handlar om makten över de medel som finns anslagna för utbildning och forskning, om rätten att bedriva tvärvetenskaplig undervisning och examination på olika nivåer. Den tvärvetenskapliga forskningen uppfattas som ett hot mot etablerade intressen. Den möter ett bestämt och ofta oförstående motstånd. Men detta är egentligen inte ett problem bara för tvärvetenskapare utan i stället och framför allt för universiteten. Löser universiteten sin uppgift? Eller hindrar de i praktiken förnyelse? Vad händer om bara de nya högskolorna klarar uppgiften?

Vad jag skrivit här bygger förstås på mina personliga slutsatser, främst hämtade från Stockholm och sedda genom mina dubbelslipade glasögon. Om nu det här i stället hade varit en skrivelse till regeringen skulle jag ha försökt sammanfatta den i en kläm som kanske kunde ha fått följande lydelse:

»Såväl Uppsala som Stockholms universitet har inrättat särskilda forskningscentra för att få fart på den tvärvetenskapliga, multietniska och mångsektoriella forskningen om migration och etnicitet. Under många år har vi gjort stora ansträngningar, men vi tvingas idag konstatera att vi ändå inte lyckats bereda vårt forsknings- och undervisningsområde den plats och uppmärksamhet som det borde ha, och som inte minst riksdag och regering vid upprepade tillfällen ställt krav på. Vår ställning vid universitetet har förblivit perifer, och vi behöver ett rejält lyft i resurser och status. Vår forskning behövs i det svenska samhället. Vi är attraktiva för studerande vid universiteten, men erbjuds inte möjlighet att ta emot dem. Vi vill kunna erbjuda kompetent undervisning och handledning och karriärvägar öppna för forskarstuderande, men vi saknar det erkännande och de medel som krävs för detta.

Vi tror att lösningen är ökade anslag till forskning och forskartjänster med inriktning på migration och etnicitet (IMER), och därtill universitetets uppdrag att bedriva såväl grundutbildningen som forskarutbildningen. Som framgått är det som hindrar lösningen bl.a. de etablerade ämnenas oro att de skulle komma att förlora studenter och anslag genom en omfördelning av resurser inom fakulteternas ramar. Men hinder är också en del mindre realistiska föreställningar om vad ett ämne egentligen är, om hur kompetens och karriärvägar skall bedömas och om den tvärvetenskapliga forskningens kvalitet. De nya högskolornas snabba utveckling av undervisning och forskning visar hur angeläget vårt forskningsområde är. En snabb lösning kan nås genom att särskilda, nya budgetmedel ges till universiteten med uppgift att göra migration och etnicitet (IMER) till ett nytt undervisnings- och forskningsämne.

Samtidigt borde den tvärvetenskapliga forskningens villkor vid universiteten göras till föremål för särskild granskning.«

Nu är detta inte en skrivelse, och slutklämmen därför bara ett utkast i denna artikel, tillägnad Harald Runblom med förhoppningen om fortsatt samverkan och tankeutbyte.

Noter

1. »Förslag till ramprogram för multietnisk forskning vid humanistiska fakulteten, Uppsala universitet, utarbetat av multietniska samarbetskommittén MESK, mars 1982«; »Rapport om Centrum för multietnisk forskning«; *Multiethnica. Meddelande från Centrum för multietnisk forskning, Uppsala universitet* (Uppsala); »Ceifo, Centre for Research in International Migration and Ethnic Relations at Stockholm University. A Presentation« (Stockholm 1992); Tomas Hammar, *Om IMER under 30 år. En översikt av svensk forskning om internationell migration och etniska relationer* (Stockholm: SFR, 1995), ss. 8 ff.

2. Se också på internet med rapportering från universitet och centra. En lämplig ingång går via <http://www.ceifo.su.se>.

3. Hammar, *Om IMER under 30 år*, ss. 26 ff.

4. Harald Runblom & Hans Norman, red., *From Sweden to America. A History of the Migration* (Minneapolis; Uppsala: University of Minnesota Press; Acta Universitatis Upsaliensis, 1976).

5. Hammar, *Om IMER under 30 år*, ss. 15 ff. Jfr också mitt försök (s. 10) att ge en koncis definition av IMER: »I kort sammanfattning handlar IMER-forskning om utvandring, invandring och återvandring, om den internationella migrationens dynamik, om migrationspolitik, om integrationsprocesser och om etniska relationer under en eller flera generationer som grund för migration eller som en följd av migration, samt om såväl invandrade som inhemska minoriteter.«

6. Ulf Björklund, *Från ofärd till välfärd*, Eifo-rapport 14 (Stockholm 1980); Birgitta Ornbrant, *Möte med välfärdens byråkrater. Svenska myndigheters mottagande av en kristen minoritetsgrupp från Mellersta Östern*, Eifo-rapport 16 (Stockholm 1981).

7. Tomas Hammar, »Flyktingpolitiken i hetluften«, i Leif Leifland et al., red., *Brobyggare. En vänbok till Nils Andrén* (Stockholm: Nerenius och Santérus förlag, 1997).

8. Hammar, *Om IMER under 30 år*, ss. 10 ff.

9. Ibid., ss. 18 ff.; Socialvetenskapliga forskningsrådet, »Årsredovisning (resultatredovisning)«, otryckt material, Stockholm 1993/94–1997. En kraftig ökning av anslaget till IMER-forskning skedde när SFR 1995/96 efter särskilt ansökningsförfarande tillsatte en forskartjänst och två forskarassistenttjänster.

10. Högskoleverket, »Examensrättsprövningar 1997. Utbildningar vid Malmö högskola«, otryckt material, 1997.

Rasfrågan i 1933 års tyska kyrkobekännelser

En liten test av *Goldhagens tes om Hitlers villiga bödlar*

ROLF NYGREN

UNDER DE SENASTE tjugo åren har den nazistiska raspolitiken och inte minst Holocaust, den industriella utrotningen av »mindervärdiga raser«, uppmärksammats i en rad vetenskapliga och populära arbeten. Idag tycks frågorna ställas något annorlunda än tidigare. Man frågar inte bara efter vad som hände och hur utan även varför det hände utifrån helt nya utgångspunkter. Två exempel kan nämnas.

Brigitte Hamann har i arbetet *Hitlers Wien. Die Lehrjahre eines Diktators*[1] ställt frågan vad som skapade Hitler som politisk person, vad som kort sagt gjorde Hitler till en hitler. Hamann anlägger ett annat perspektiv på Hitler än tidigare hitlerbiografer gjort. Hon utgår från att personligheten formas genom de erfarenheter man gör tidigt i livet. Det är i och för sig inte något nytt inom hitlerlitteraturen, som på ett inte alltid särskilt övertygande sätt psykologiserat kring Hitlers uppväxtförhållanden. Hamann sätter förstoringsglaset på de sju åren i Wien som föregick Hitlers avflyttning till München 1913 i stället för på barnaåren i Linz som varit det vanliga. Hamann är nämligen övertygad om att det var i Wien som Hitler lärde sig det högerextremistiska och antisemitiska budskapet. Vilka erfarenheter tog Hitler med sig från Wien till München? Vilka umgicks han med? Vad läste han, hur såg lokalpolitiken ut och framför allt, vilken antisemitism mötte han i Wien? Hur, varför och av vem lärde han sig bli en så rabiat och brinnande judehatare? Hamanns stora vetenskapliga förtjänst är att hon kartlägger Hitlers liv praktiskt taget kvartal för kvartal, stundtals vecka för vecka. Hon blir härigenom i stånd att visa hur och varför Hitler hämtade en stor del av sin politiska rekvisita från den wienska miljön. Hamanns resultat är övertygande. Av de många enskilda detaljerna kan hon måla den stora tavla som visar vad som formade Hitler, vad som gjorde honom till just en hitler. Hamann har producerat en monumental empirisk forskning som kommer att stå sig i framtiden.

Ungefär samtidigt med Hamanns arbete utkom Daniel Jonah Goldhagens *Hitler's Willing Executioners. Ordinary Germans and the Holocaust.*[2] Goldhagens tes är att Holocaust bara var möjlig därför att den nazistiska judepolitiken även i sin mest brutala form hade ett brett stöd hos den tyska befolkningen. Goldhagen vill visa att det bland vanliga tyskar fanns en så stor animositet mot judar att naziregimen aldrig behövde leta efter sina villiga bödlar. De anmälde sig nämligen frivilligt. I Goldhagens historieskrivning förvandlas Holocaust till en fråga om hela den tyska nationens kollektiva skuld.

Goldhagens framställning är skakande därför att han beskriver ett helt kriminellt folk. Det är naturligtvis lätt att hålla med Goldhagen om att det fanns både villiga medhjälpare i utrotningspolitiken och enskilda tyskar som passade på att slå och trakassera judar så snart tillfälle gavs. De var dessutom väldigt många till antalet, men hur många? Det har vi inga säkra mått på. Goldhagen låter oss däremot inte komma i kontakt med dem som varken utrotade, trakasserade eller slog judar, inte heller med de många som under intrycket av polisterrorn valde att hålla inne med sina egna uppfattningar därför att de ville behålla frihet och liv för både sin egen del och sina närmastes. Redan det faktum att det behövdes en väldig polisapparat för övervakning och kontroll av det tyska folket visar om något att regimen inte kunde lita på att den folkliga uppslutningen var fullt så stor som man önskade. De första koncentrationslägren byggdes faktiskt för tyskar, inte minst för personer som stod politiskt till vänster.

Trots alla invändningar är Goldhagens arbete av central betydelse för förståelsen av varför utrotningsapparaten faktiskt fungerade så effektivt som den gjorde. Frågan är bara hur långt hans teori om tyskarnas kollektiva skuld i Holocaust faktiskt kan räcka. Goldhagens tolkning är vidöppen för justeringar i takt med att nya fakta läggs fram som visar att den historiska bilden är mer mångfacetterad än hans tolkningskoncept medger.

I denna uppsats ska vi testa Goldhagens teori på en enda liten punkt genom att fråga vad den tyska evangelisk-lutherska kyrkan hade att säga i rasfrågan under Hitlers första år vid makten, alltså vid en tidpunkt då polis- och övervakningsterrorn fortfarande medgav någon form av avvikande mening. Längre fram tvingades ju som bekant all opposition gå under jorden. Valet av den evangeliska kyrkogruppen är rent tillfällig. Valet kunde lika gärna ha fallit på någon annan av de grupper som Goldhagen granskar.

Goldhagen beskriver den tyska lutherska kyrkan som en av många medlöpare till nazismen i det tyska samhället: redan under Weimarrepubliken dominerades den av antisemitism, menar Goldhagen. Prästerna var huvudsakligen konservativa med antisemitiska böjelser och den inflytelserika protestantiska pressen spred under många år ett antisemitiskt budskap, eller, som Goldhagen sammanfattar:

> It should be said that – as these and many other Church leaders, whether opponents or supporters of Nazism, showed by their statements – it was not the anti-Semites who were the exceptions among the Christian leadership in Germany. The rarities were those who remained untouched by anti-Semitism. Those few within the churches who took up the Jew's cause found, if anytime, but a few others to stand with them.[3]

Inom den evangeliska kyrkokretsen uppstod som bekant också nazistiska rörelser, mest kända bland dem de s.k. tyska kristna, som försökte förena luthersk tro och nazistisk raslära. Hittills tycks historieskrivningen ha gått ut på att det var de tyska kristna som mer än något annat fick den tyska lutherdomen att reagera. Enligt Goldhagen förhöll det sig däremot på ett helt annat sätt:

> Indeed, regarding the Jews, there was but little difference between the mainstream Protestant churches and the breakaway, avowedly racist and anti-Semitic »German Christians« who sought to merge Christian theology with racism and the other principles of Nazism. In the many letters that mainstream Protestant pastors wrote explaining their rejection of the German Christian movement, they emphasized the German Christians' impermissible mixing of religion and politics, but not a single one the ongoing persecution of the Jews, which was so central to the German Christians politics and theology.[4]

Problemet med de långtgående slutsatser Goldhagen drar i de nu återgivna textsekvenserna består i att han bygger på källor och litteratur som styrker hans övergripande hypotes att nazisternas raspolitik åtnjöt allmänt stöd från de lutherska kyrkoledningarna och prästerskapet. Han söker däremot inte efter källor och litteratur som händelsevis pekar i en annan riktning. Vi ska nu testa Goldhagens hypotes genom att använda

just ett sådant källmaterial som han inte tar i beaktande, nämligen de
»bekännelser« som tillkom just som reaktion mot framför allt de tyska
kristnas inträde på den lutherska kyrkoarenan.[5]

I såväl Hitlers *Mein Kampf* som i det nazistiska partiprogrammet fanns
förvånansvärt återhållsamma uttalanden om kyrkornas förhållande till
staten. Skrivningarna var säkerligen tillkomna för att inte verka onö-
digt stötande på de många konservativa som Hitler sist och slutligen
behövde i kampen om politiskt inflytande. I partiprogrammet fram-
hölls att partiet företrädde en »positiv kristendom« dock utan att binda
sig vid någon särskild bekännelse. Partiet utgav sig för att stödja religi-
onsfrihet utom för rörelser vilkas förkunnelse stred mot »den german-
ska rasens sedlighets- och moralkänsla«. Partiprogrammet höll en låg
profil beträffande den världsliga maktens inblandning i den andliga sfä-
ren: de religiösa frågorna var av den storleken, hette det, att de gick
utöver till och med ett så omstörtande program som nationalsocialism-
ens.[6]

Samma låga profil i kyrkofrågorna gav Hitler själv uttryck för i *Mein
Kampf*. Det var fel att tunna ut kyrkoläran, skrev han;[7] religion och
kyrka fick inte göras till partiangelägenheter; nationalsocialismen var
ingen religiös reformrörelse; partiet skulle inte sträva efter religiös re-
formation utan efter »vårt folks politiska reorganisation«,[8] dess upp-
gift var att skapa en germansk stat byggd på rasen och blodet, uttryckt
på tyska med det hart när oöversättbara ordet »Volkstum«. Men på den
punkten var partiets inställning glasklar: skyddet av den ariska rasen
och blodet var nationalsocialismens grundläggande mål med vilket par-
tiet inte kunde kompromissa.[9]

I rörelsen fanns dock personer som uttryckte det ideologiska bud-
skapet desto tydligare även i religiösa frågor. Vi kan som exempel ta
Alfred Rosenberg, som framstod som en av nazirörelsens ledande ideo-
loger redan under 1920-talet. I sitt huvudverk *Mythus des XX. Jahrhun-
derts*[10] behandlade han den nazistiska rasläran i en mer intellektuell form
än Hitler gjort utan att rasläran för den skull blev särskilt mycket klara-
re. Rosenberg kan beskrivas som historiefilosof utan historikerkompe-
tens, vilket nog delvis förklarar de minst sagt snåriga historiska resone-
mang han låter sin läsare ta del av. Kontentan var emellertid att kam-
pen mellan raserna var historiens centrala drivkraft, den nordiska, »aris-
ka« rasen visade sig vara den härskande och skapande genom hela his-

torien, den semitisk-judiska »motrasen« däremot konstant parasiterande.

Därmed var Rosenberg framme vid kyrkopolitiken: för kärlekstanken fanns ingen plats i den nya tyska kyrka som gjorde säkerställandet av den nordiska rasen till en huvuduppgift; kristendomens lära om människokärlek återspeglade bara alltför väl judendomens parasitära hållning. Allt judiskt-semitiskt måste rensas ut inom det religiösa området, inte minst semitiskt präglade delar av bibeln, och med det menade Rosenberg hela Gamla testamentet, Paulusbreven samt Matteus- och Lukasevangelierna. Det skulle alltså inte bli så mycket kvar av Skriften sedan Rosenberg väl fått städa i bibelkanon. Den religion Rosenberg ville se praktiserad på tysk mark var inte ens en »avsemitiserad« kristendom utan en helt ny heroreligion, vars anhängare inte firade mässa på söndagarna utan samlades till kult vid tyska hjältegravar. Den nya religionens »myt« byggde på att den ariska rasens blod var heligt; att ära den ariska rasen var detsamma som att ära Gud; kristendomens dygder, som kärlek, ödmjukhet och försakelse skulle ersättas av de ariska dygderna ära, värdighet, självhävdelse och stolthet.[11]

På ett sätt som få andra ideologiska arbeten tillkomna före Hitlers makttillträde visade Rosenbergs *Mythus* att partiets bekännelse till den »positiva« kristendomen var något helt annat än bekännelse till from lutherdom. Rosenberg var kort och gott en hedning som förkunnade ett helt antikristligt budskap, ett faktum som blev desto hotfullare för kyrkorna i Tyskland som nationalsocialismen framträdde med anspråk att vara en »världsåskådning«, alltså något väsentligt mycket mer än bara en politisk rörelse.[12] Hos Rosenberg kunde man läsa vad den nya världsåskådningens myt gick ut på. Det borde rimligtvis ha fått partiprogrammets utfästelse om religionsfrihet att framstå som ett politiskt bondfångarnummer, eftersom religionsfrihet ju inte fick tillkomma rörelser vilkas budskap stred mot den germanska rasens sedlighets- och moralkänsla. Men i en stat, där enligt partiprogrammet »den gemensamma nyttan« alltid skulle gå före »den enskilda nyttan«, låg det så att säga i sakens natur att det till sist måste vara den politiska makten som avgjorde vad den gemensamma nyttan krävde och den enskilda nyttan måste tåla av inskränkning och anpassning.[13]

Under månaderna efter Hitlers makttillträde gällde det för den evangeliska kyrkan att anpassa sig till den nya situationen. Vissa inomkyrkliga grupper höll fast vid en klart profilerad luthersk kristendom och avgav trosdeklarationer, »bekännelser«, som preciserade den kyrkliga ståndpunkten i förhållande till nazismen både inom och utom de egna samfundsleden. Andra knöt medvetet an till det nya statsbärande partiets idévärld. Den mest kända gruppen bland de nazistiska medlöparna var *Glaubensbewegung Deutsche Christen*, eller kort »Deutsche Christen«. Dess program antogs redan på försommaren 1932. De tyskkristna organiserades alltså vid en tidpunkt då de politiska omständigheterna ingalunda pekade på att Hitler inom kort skulle bli Tysklands regeringschef. Rörelsen hade målet att ena Tysklands splittrade protestantiska landskyrkor. Enigheten i sin tur ansågs betydelsefull för att uppbygga staten; ett folk av tysk art krävde nämligen en tysk kyrka, ur vilken personer av »främmande blod« måste uteslutas.[14]

Deutsche Christen var knappast något homogent samfund. Det fanns grupper bland de tyska kristna som uppfattade rörelsen som luthersk,[15] som försvarade Gamla testamentets ställning i bibelkanon och avfärdade rosenbergskt präglade nymytologiseringar av religionen. Men samtidigt tunnade andra, mer inflytelserika delar av rörelsen ut trosläran till en sorts svävande teism: det fanns en Gud som skapat världen, Kristus var reducerad till en idealmänniska »som gör oss starka i vår svaghet och ofullkomlighet«, medan kyrkan hade till uppgift att kungöra Guds vilja.[16]

Redan före *Machtübernahme* hade de tyskkristna intagit ståndpunkter som direkt visade rörelsens nazistiska rötter. I programformuleringen från 1932 hette det att rörelsen stod på »den positiva kristendomens« grund och bekände sig till en »artegen« kristen tro av det slag som ansågs rymma både Luthers anda och en hjältebetonande fromhet. Man hade alltså till och med lånat formuleringen om den positiva kristendomen från NSDAP:s partiprogram.[17] Att hålla den ariska rasen ren sågs som en Gudi behaglig uppgift;[18] de olika raserna var element i den gudomliga skapelseordningen och därmed uttryck för skapelsens mångsidighet. Vissa grupper inom Deutsche Christen kunde tänka sig att tona ner rasläran, eftersom kyrkan var en trosgemenskap, inte en blodsgemenskap. Andra hävdade i uttalat nazistisk anda att kyrkans förkunnelse borde avpassas efter olika folkkaraktärer; olika folk hade olika seder och tänkesätt; kristna av andra raser var inte mindervärdiga kristna utan »kristna av en annan art«; med hänsyn till att den tyska kyrkan arbetade i en nationalsocialistisk stat, fanns det skäl att kräva att kyrkliga ämbetsbärare och funktionärer var arier.[19] Judar skulle därför avlägsnas ur den tyska kyrkan och särskilda judekristna församlingar byggas upp;[20] kyrkolivet måste renas från judiska drag, t.ex. genom att Gamla testamentet avskaffades som biblisk skrift. Kyrkans uppgift var att slutföra Martin Luthers »tyska revolution«, hette det, vilket tenderade att flyta samman med Hitlers egen revolution: »Adolf Hitlers stat kallar kyrkan, kyrkan måste höra denna kallelse.«[21] Man avfattade till och med en egen trosbekännelse, som blandade samman nazistisk rasmytologi och helt utvattnad teologi till en riktig häxbrygd.[22]

Deutsche Christens tillkomst tvingade Tysklands lutherska kyrkoledare att ta ställning till nazisterna både inom och utom de egna samfundsleden, trots att det fortfarande hösten 1932 inte var särskilt mycket som talade för ett nära förestående nazistiskt maktövertagande. De värjde sig mot de tyskkristnas försök att politisera kyrkan och svepa in rasideologin i luthersk dräkt. Om raserna nu var något genom skapelsen givet, så kunde ingen ras framhävas framför en annan, hette det; någon särskild tysk kristendom fanns inte.[23]

Bland de före *Machtübernahme* tillkomna bekännelserna framstår i ett historiskt perspektiv den s.k. Altonabekännelsen, avgiven den 17 januari 1933, som särskilt intressant. Bekännelsens undertecknare anslog i och för sig nationellt klingande tongångar – man talade t.ex. om att överheten hade en av Gud given uppgift att bevara folket och staten tysk. Men man tog avstånd från nazismens krav på ideologisk konformism och förutsåg att kamp måste komma mellan staten och kyrkorna, om Hitler kom till makten. Kyrkan fick inte blandas samman med statsmakten, eftersom kyrkan var bunden endast vid »Ordet«, framhölls det. Uppenbart plågades kyrkoledarna minst lika mycket av tanken på kommande politiska ingrepp i kyrkornas inre liv som av nazismens föreställningar om den nya tyska blod- och rasreligionen.[24]

Efter *Machtübernahme* i slutet av januari 1933 förändrades situationen radikalt. Redan under våren samma år tillkom en lagstiftning (»arierparagraferna«) byggd på den nazistiska rasläran. Statsförvaltningen skulle göras »judenrein«, vilket fick följden att tusentals personer med judisk bakgrund avskedades från sina anställningar i offentlig verksamhet. Samtidigt stärkte Deutsche Christen sin ställning, inte utan visst bistånd från regimen och polisen.

Frågan om kyrkornas förhållande till den nazistiska staten var naturligtvis diplomatiskt känslig att hantera. Det gällde att göra klart vad som hörde till kejsaren och vad som hörde till Gud. I god luthersk anda medgav kyrkliga företrädare att kyrkans befogenheter inte fick innefatta statlig maktutövning. Men inte heller staten borde ha ambitionen att skapa något himmelrike på jorden. En karakteristik av bekännelserna borde kunna utmynna i omdömet att de var försiktigt avvaktande. Kyrkoledarnas målsättning var klar men sättet att uttrycka densamma tvekande.[25]

Förmodligen var det lättare för kyrkorna att väcka en opinion i Volkstumfrågan, som ju mer entydigt kunde riktas mot Deutsche Christen och inte det statsbärande partiet. Ras och Volkstum var visserligen givna genom skapelsen, kunde det heta, men saknade likväl teologisk betydelse;[26] alla människor var nämligen lika inför Gud oavsett rastillhörighet. Huvudlinjen i bekännelserna var klar: Volkstumtanken betecknades som något främmande för teologin och kyrkoläran; allt tal om en »artegen« kristendom stred mot kyrkoläran; att göra rastillhörigheten till en grunddogm i ett världsåskådningssystem eller till något för kyrkans väsen centralt ansågs omöjligt; för att på bästa sätt utföra sin uppgift borde kyrkan naturligtvis anpassa sig efter sina yttre samhällsförhållanden; men det var ett missförstånd att tro att kyrkan var nationell i den meningen att det låg i dess uppgift att stärka det specifikt tyska; den nationella kyrkan var nämligen bara en del av den stora, världsvida kyrkogemenskapen, som i sin tur var universell till naturen, därför att den riktade sig till jordens alla folk.[27]

Medlem i kyrkan blev man inte genom att tillhöra en särskild stat eller nation, hette det vidare, utan genom dop och delaktighet i kyrkans sakramentala gemenskap. Därför fanns det ingen »artgemässen Christentum«, av vilket följde att »judekristendom« inte kunde beskrivas som en »annan kristendom«; en motsatt uppfattning skulle ödelägga kyrkans grundläggande universalitet. Alla raser var därför likvärdiga; det fanns bara en art människor, låt vara att den arten under historiens gång uppdelats i olika undergrupper. Den judekristne var redan genom sin närvaro i den kristna församlingen ett hinder mot att den kristna tron förvandlades till en nationalreligion utövad i en särskild nationalkyrka.[28]

Därmed var man framme vid den springande punkten om judarnas ställning i den evangeliska kyrkogemenskapen: det ansågs inte möjligt att utesluta personer med judisk bakgrund ur församlingarna eller reservera kyrkliga ämbeten åt personer av arisk ras; att tillämpa de nya arierparagraferna, som gjorde statsförvaltningen »judenrein«, bröt mot både trosläran och kyrkoordningen, det var »en skandal för kyrkan«, som det uttrycktes i en bekännelse. Man argumenterade inte för ståndpunkten, den ansågs tydligen självklar.[29]

Några teologiska fakulteter fick ta till orda i rasfrågan, vilket är intressant inte minst därför att universiteten drabbats hårt av den nämnda arierlagstiftningens tillämpning. Hundratals professorer med judisk bakgrund avskedades under 1933. Fakulteten i Marburg fann arierparagrafens tillämpning inom kyrkorna oförenlig med kyrkans väsen, om nu kyrkans bekännelse skulle tas på allvar. Erlangenfakulteten svarade genom två av sina professorer, vilka i princip anslöt till vad som yttrats från Marburg, dock med det förbehållet att det kunde anses önskvärt om kyrkliga ämbetsbärare hade samma nationalitet som sina församlingsmedlemmar för att lättare kunna dela deras gemenskap. Erlangenuttalandet innebar kanske en glidning: eftersom staten tillämpade en raskvalifikation för innehav av tjänst, så kunde det finnas anledning att använda något motsvarande inom kyrkan, dock aldrig så att det innebar att personer med icke-arisk bakgrund fick uteslutas ur kyrkogemenskapen. En tredje Erlangenprofessor kom dock med ett tillrättaläggande: att utestänga icke-arier från kyrkliga ämbeten eller kyrkogemenskapen var mot kyrkoläran. Han frågade sig emellertid pragmatiskt om kyrkligt arbete över huvud taget var möjligt i en nationalsocialistisk stat om judar innehade kyrkliga ämbeten. Vad som föresvävade honom var förmodligen risken för politiska och polisiära provokationer mot kyrkan och inte minst mot judiska kyrkofunktionärer.[30]

En antal exegeter gjorde på sensommaren 1933 klart att de nytestamentliga skrifterna var främmande för rastänkande eftersom de programmatiskt upphävde skillnaden mellan jude och icke-jude i församlingen; att bryta ut en judekristen kyrka ur den stora kyrkogemenskapen stred mot det bibliska budskapet. »Vi är därför av den uppfattningen att en kristen kyrka i lära och liv inte kan uppge denna grundläggande ståndpunkt.« Ett likartat budskap sändes ut från fakulteten i Kiel som fått att yttra sig över om man i en kyrkoordning kunde stipulera att »folkkyrkan bekänner sig till ras och blod« med fortsättningen: »[M]edlem i folkkyrkan kan därför bara den vara som efter statlig lag är medborgare«.[31] Fakulteten yttrade kortfattat och kärvt att uttrycket »folkkyr-kan bekänner sig till blod och ras« inte var förenligt med den kristna be-kännelsen och varnade för en »mekanisk tillämpning« av arierparagra ferna vid tillsättning av kyrkliga tjänster.[32]

Den här opretentiösa läsningen av ett antal bekännelsedokument från inledningen av vad som skulle komma att kallas »den tyska kyrkostri-den« ger inte stöd åt Goldhagens teori om de protestantiska kyrkornas delaktighet i den påbörjade sociala isoleringen av judarna i det tyska samhället – en isolering som i sin tur banade väg för det mer radikala projektet att fysiskt utrota dem. Bekännelsetexterna var i första hand riktade mot tyskkristna femtekolonnare inom kyrkorna och de försva-rade judarnas ställning som kyrkomedlemmar.

I så måtto har Goldhagen alltså fel när han skär alla kyrkoledare och präster över en kam. Hans historieskrivning fordrar därför en nyanse-ring. Möjligen har han rätt i så måtto att de evangeliska kyrkorna inte var särskilt villiga att kritisera de vidriga arierparagraferna. Eller var det kanske helt enkelt så att de fick prioritera striden mot de tyskkrist-na? När fienden väl stod inom den egna kyrkmuren måste han först drivas ut. Att ta strid med Hitler och partiet var däremot ett från början dödsdömt projekt. Det blev man om inte annat varse när koncentra-tionslägren väl börjat byggas under 1934. Senast då var tiden ute för tyskarna själva att kritiskt granska sina egna herrar. Men detta enkla och självklara faktum är alldeles för komplicerat för att passa in i Gold-hagens holocaustmodell.

Noter

1. B. Hamann, *Hitlers Wien. Die Lehrjahre eines Diktators* (München: Piper Verlag, 1996).

2. D. J. Goldhagen, *Hitler's Willing Executioners. Ordinary Germans and the Holocaust* (London: Vintage Books, 1997).

3. Ibid., s. 113.

4. Ibid., s. 114.

5. »Bekännelserna« finns samlade i K. D. Schmidt, *Die Bekenntnisse und grundsätzlichen Äusserungen zur Kirchenfrage des Jahres 1933* (1934). De citeras här efter utgivarens numrering. Utgåvan omfattar även pronazistiska »bekännelser«.

6. »Wir fordern die Freiheit aller religiösen Bekenntnisse im Staat, sowie sie nicht dessen Bestand gefährden oder gegen das Sittlichkeits- und Moralgefühl der germanischen Rasse verstossen. Die Partei als solche vertritt den Standpunkt eines positiven Christentums, ohne sich konfessionell an ein bestimmtes Bekenntnis zu binden… « G. Feder, *Programm der NSDAP und seine weltanschaulichen Grundgedanken*, Aufl. 146–155 (1934), s. 57.

7. »[Der] Angriff gegen die Dogmen an sich gleicht deshalb auch sehr stark dem Kampfe gegen die allgemeinen, gesetzlichen Grundlagen des Staates, und sowie dieser sein Ende in einer vollständigen staatlichen Anarchie finden würde, so der andere in einem wertlosen, religiösen Nihilismus.« A. Hitler, *Mein Kampf*, Aufl. 342–346 (1938), s. 293.

8. »Am ärgsten jedoch sind die Verwüstungen, die durch den Missbrauch der religiösen Überzeugung zu politischen Zwekken hervorgerufen werden. Man kann wirklich gar nicht scharf genug gegen jene elenden Schieber auftreten, die in der Religion ein Mittel sehen wollen, das ihnen politische, besser geschäftliche Dienste zu leisten habe.« Ibid., ss. 294, 379.

9. Ibid., s. 380.

10. A. Rosenberg, *Mythus des XX. Jahrhunderts*, Aufl. 107–110 (1937).

11. Ibid., ss. 23 ff., 462, 603, 611 ff., 621.

12. »Politische Parteien sind zu Kompromissen geneigt, Weltanschauungen niemals. Politische Parteien rechnen selbst mit Gegenspielern, Weltanschauungen proklamieren ihre Unfehlbarkeit… Eine Weltanschauung fordert gebieterlich ihre eigene, ausgeschlissliche und restlose Anerkennung sowie die vollkommene Umstellung des gesamten öffentlichen Lebens nach ihren Anschauungen. Sie kann also das gleichzeitige Weiterbestehen einer Vertretung des frühren Zustandes nicht dulden. Das gilt genau so für Religionen.« Ibid., s. 507.

13. Jfr Partiprogrammet § 10: »Die Tätigkeit des Einzelnen darf nicht gegen die Interessen der Allgemeinkeit verstossen, sondern muss im Rahmen des Gesamten und zum Nutzen aller erfolgen.« Paragraf 18 uppmanade till kamp mot dem som genom sin verksamhet skadade allmänintresset.

14. Schmidt, *Die Bekenntnisse*, nr 35–37, 41.

15. »Die unantastbare Grundlage der Deutschen Evangelischen Kirche ist das Evangelium von Jesus Christus, wie es uns in der Heiligen Schrift bezeugt und in den Bekenntnissen der Reformation ans Licht gebracht ist.« Schmidt, *Die Bekenntnisse*, nr 19.

16. Schmidt, *Die Bekenntnisse*, nr 12, 18–19, 33.

17. »Wir stehen auf dem Boden des positiven Christentums. Wir bekennen uns zu einem bejahenden, artgemässen Christus-Glauben, wie er deutschen Luther-Geist und heldischer Frömmigkeit entspricht.« Schmidt, *Die Bekenntnisse*, nr 37.

18. »Wir sehen im Rasse, Volkstum und Nation uns von Gott geschenkte und anvertraute Lebensordnungen, für deren Erhaltung zu sorgen Gottes Gesetz ist. Daher ist der Rassenvermischung entgegenzutreten.« Schmidt, *Die Bekenntnisse*, nr 37.

19. Schmidt, *Die Bekenntnisse*, nr 19, 23, 28, 30, 33, 37.

20. »Wir erwarten von unserer Landeskirche, dass sie den Arier-Paragraphen [...] schleunigst und ohne Abschwächung durchführt, dass sie darüber hinaus alle fremdblütigen evangelischen Christen in besonderen Gemeinden ihrer Art zusammenfasst und für die Begründung einer jüdechristlichen Kirche sorgt.« Schmidt, *Die Bekenntnisse*, nr 35. »Wir fordern daraus, dass evangelische Christen jüdischer Abstammung zu jüdechristlichen Gemeinden zusammengeschlossen werden.« Ibid., nr 48.

21. Schmidt, *Die Bekenntnisse*, nr 6, 35. Kallelsen kunde uttryckas med orden att den tyska människan hade en »eingeborene, gottheitliche Bestimmung [...] zum Führer der Menschheit zu werden, wie es einst seine nordischen Ahnen waren«. Ibid., nr 34.

22. »Ich glaube an den Gott der Deutschreligion, der in der Natur, im hohen Menschengeist und in der Kraft seines Wesens wirkt. Und an den Nothelfer Christ, der um die Edelheit der Menschenseele kämpft. Und an Deutschland, das Bildungsland der neuen Menschheit.« Schmidt, *Die Bekenntnisse*, nr 32.

23. Schmidt, *Die Bekenntnisse*, nr 1–2.

24. »So gewiss jede Nation Lebensrecht und Lebenspflicht hat, so gewiss haben wir Deutsche es auch. Wo immer wir in unserem Deutschsein bedroht werden, hat eine deutsche Obrigkeit die Aufgabe von Gott, Volk und Staat in ihrer Deutschheit zu bewahren.« Schmidt, *Die Bekenntnisse*, nr 3.

25. Schmidt, *Die Bekenntnisse*, nr 4–5, 7–8, 10.

26. »Wir erkennen Volkstum, Rasse und Staat als von Gott gesetzte Lebensordnungen an, die zu erhalten wir berufen sind. Wir wissen aber, dass in einer Welt der Sünde all diese Ordnungen keine ausschliessliche Gültigkeit und keine erlösende Kraft haben.« Schmidt, *Die Bekenntnisse*, nr 4.

27. Schmidt, *Die Bekenntnisse*, nr 7–8, 13, 22, 27, 31.

28. Schmidt, *Die Bekenntnisse*, nr 6, 14–15, 22, 26. »Sowohl die Menschheitsträumer wie die Rasseschwärmer sind zuchtlose Rationalisten ohne heilsgeschichtliche biblische Bindung... Der Judenchrist korrigiert durch sein blosses Dabeisein innerhalb der Gemeinde die Verfälschung des Christenglaubens in der Richtung auf eine Nationalreligion in den Nationalkirchen.« Ibid., nr 15.

29. Schmidt, *Die Bekenntnisse*, nr 14–15, 17, 20, 22, 27, 31, 44, 56, 61, 65.

30. Schmidt, *Die Bekenntnisse*, nr 70–72. »...mit seiner Gemeinde in ihrer irdischen Existenz so verbunden sein, dass die ihr daraus erwachsenden Bindungen auch die seinen sind. Dazu gehört die Bindung an das gleiche Volkstum.« Ibid., nr 71.

31. Formuleringen (Schmidt, *Die Bekenntnisse*, nr 28) var ett plagiat på den punkt i NSDAP:s partiprogram som begränsade statsmedborgarskapet till personer av ariskt blod, vilket uteslöt att judar skulle kunna ha tyskt medborgarskap.

32. Schmidt, *Die Bekenntnisse*, nr 73, 75.

Etnicitet och territorialitet

Några utgångspunkter för statlig organisation i Europa

SVEN TÄGIL

I TRADITIONELLA ANALYSER av internationell politik har *staterna* spelat en huvudroll som det internationella systemets viktigaste aktörer. Med stater har i det här sammanhanget åsyftats territoriellt avgränsade områden med tillhörande befolkning samlad under ett gemensamt styre och med egen kontroll och självständighet i förhållande till andra enheter i det internationella systemet. En grundläggande förutsättning har varit, att staten haft ett internt maktmonopol gentemot de egna medborgarna och att staten externt representerat medborgarna i deras kontakter med andra stater.

Så har det i princip sett ut i Europa sedan slutet av medeltiden. Territorialstaterna har successivt befäst sin position som systemets grundläggande organisatoriska enheter, hur olika de än sedan kan ha tett sig i fråga om makt och befogenheter. Principen har i slutändan fått en global tillämpning, och allt territorium på jordklotet är nu uppdelat och avgränsat mellan stater.

Territorialitetsprincipen som obligatorisk grundval för statsbildning är emellertid en tids- och kulturbestämd företeelse. Under tidigare epoker, som vi européer brukar benämna antiken och medeltiden, har vi haft andra mönster för internationell organisation, och i vår egen samtid kan vi urskilja tendenser som tycks rubba staternas traditionella anspråk på att vara de enda viktiga aktörerna.

Att staterna under de senaste två, tre hundra åren haft en så unik position betyder inte att systemet varit statiskt. Statsbildning är tvärtom en dynamisk process. Nya stater bildas, verkar och förändras, splittras upp, slås ihop och går under. Det är en mångfald processer som påverkar staters liv. En del processer sker i långsam takt, andra gånger sker förändringarna i desto snabbare tempo, ofta då i samband med krig och internationella omvälvningar, under tidigare epoker inte så sällan som effekter av furstlig dynastipolitik.

Varje stat har en territoriell kärna, och detta statsterritorium har av befolkningen uppfattats som dess exklusiva egendom. Problemet har varit att avgränsa det mot en yttervärld och att hävda kontrollen över territoriet. En biolog skulle beskriva fenomenet som revirbeteende men det fångar trots allt inte hela sanningen. Det som komplicerar bilden är vad som egentligen menas med *folk*. Och vidare hur människors anknytning till ett visst territorium – territorialiteten – tar sig uttryck. Det är möjligt att biologerna kan ha rätt när de ser människors förhållande till territorium och revir som en nedärvd egenskap som vi i så fall delar med många andra djur. Men det finns trots allt ännu starkare skäl att betrakta territorialiteten som ett medel, ett förhållningssätt som man kan välja för att uppnå vissa mål.

I diskussionen om vad som kan menas med »folk« har begreppen »nation« och »etnisk grupp« spelat en viktig roll. Begreppet nation har terminologiskt liksom begreppet »stat« sitt ursprung i latinet. Verbet *nascor* (födas) har på substantivsidan redan i klassiskt latin termen *natio* och användes om folk, grupper av människor med gemensamt ursprung.

I modernt språkbruk har vi en uppsättning termer som i vardagsspråket täcker in ungefärligen samma företeelse. Förutom nationer och nationaliteter finns det också stammar, klaner och sedan ett par årtionden tillbaka modeordet etnisk grupp. Terminologin är oklar. Vardagsspråket säger en sak, det vetenskapliga språket försöker upprätthålla vissa distinktioner.

Terminologin är kanske inte så oskyldig som man i hastigheten kan förledas att tro. Stammar och klaner reserveras gärna för folk i tredje världen, och skulle man tala om exempelvis den svenska stammen kan det numera knappast vara annat än i parodiska sammanhang.

Med etnicitet förhåller det sig annorlunda. Termen har bildats på basis av grekiskans *ethnos*, som också det har grundbetydelsen folk. Termen myntades på allvar först av amerikanska sociologer vid mitten av 1940-talet och användes då för att beskriva och analysera rasrelationer i USA. Det är möjligt, att den biologiska associationen fortfarande uppfattas som tydligare i etnicitet än i nationalitet. I båda fallen finns vid sidan av den biologiska konnotationen också en kulturellt definierad komponent som innefattar gemensamt språk, delade erfarenheter och värderingar.

Etniciteten består således av både medfödda och förvärvade egenskaper, och kriterierna beror endast på vad vi människor väljer att betrakta som signifikant. En del egenskaper är synbara (hudfärg, kroppslängd etc.), andra är hörbara (t.ex. språk, dialekt), men många är på annat sätt märkbara (värderingar, beteenden osv.). Sådana kriterier kan vara både objektiva och subjektiva, både tillskrivna och av individerna själva upplevda. De ingår i det som kan kallas för etnisk identitet, föreställningar om en viss särart som kan vara nog så verkliga för oss som individer.

Hur förhåller sig då etnicitetsbegreppet till nation? I massmedia och dagligt tal används termerna nuförtiden ofta som utbytbara, och det är i allmänhet kontexten – eller slumpen – som avgör bruket. De som vill behålla en distinktion mellan nation och etnisk grupp betonar för det första politiseringsgraden – nationen ses som en politiserad etnisk grupp – och för det andra förekomsten av en tydlig vilja att skapa en egen stat hos folkgruppen i fråga. Nation och stat kopplas således ihop, och allra tydligast har detta kommit till uttryck under de senaste två seklerna i samband med framväxten av en ideologi som nationalismen, som främjat framför allt en viss typ av stat, den s.k. nationalstaten.

Territorialiteten är alltså viktig för en folkgrupps identitet, men är inte en nödvändig förutsättning. Territorialiteten har också med bosättningsmönstret att göra. Grupper med gemensamma kännetecken som bor samlade inom ett visst område identifierar sig gärna med området ifråga och upplever sig ha rätt till detta territorium. Man talar i så fall om etnoterritoriella grupper. Om en sådan grupp upplever sin ställning som hotad inom territoriet kan detta leda till en mobilisering inom gruppen och därmed i vissa fall till att de utgör ett direkt hot mot den stat som gruppen är medlem av. Man kan i det här sammanhanget fästa uppmärksamheten på skillnaden mellan territoriella och invandrade minoriteter. De senare bor i allmänhet utspridda inom statsterritoriet och identifierar sig därmed inte med någon speciell del av detta (vilket i och för sig inte utesluter ghettobildningar). I ännu högre grad än statsbildningsprocessen är nationsbyggandet uttryck för något ständigt pågående. En stat kan ibland etableras eller försvinna med ett enda penndrag, en nation däremot behöver lång tid på sig för att utvecklas. Den låter sig inte heller så lätt upplösas, och inte ens hårdhänta metoder som massfördrivning och etnisk rensning ger alltid de resultat som upphovsmännen åsyftat.

Själva poängen är emellertid, att det etniska och nationella medvetandet kan påverkas. Det kan förstärkas och försvagas, och i vissa fall också ändra inriktning. Det finns många forskare som menar att den nationella identiteten är ett direkt resultat av medveten propaganda och indoktrinering. De s.k. nationalstaterna är ett tämligen modernt fenomen, ett slags »konstprodukter«. Helt skapade av ingenting är nationalstaterna dock inte, utan någon sorts kärna behövs säkert att utgå ifrån, hur man nu skall definiera den.

Nationalstaten (eller nationsstaten) med fullständig överensstämmelse mellan folk och territorium har sedan förra århundradet varit idealmodellen för statsbildningarna; en modell som bara i sällsynta fall förekommer i verkligheten, om man inte tänjer på definitionen och räknar in i kategorin också sådana stater där nationsbildningen gått före staten och där den dominerande nationen skapat en fullständig kontroll av territoriet ifråga.

En vanligare typ av stat är den multinationella staten, där två eller flera nationer ryms innanför de gemensamma statsgränserna. Kopplingarna mellan nationerna kan se ut på olika sätt. Antingen finns *en* dominerande statsbärande nation, som diskriminerar de andra och med olika metoder försöker göra om staten till en nationsstat (genom centralisering, assimilering och bortstötning, inklusive etnisk rensning). Eller också har den multinationella staten en federativ struktur, som i vissa fall är reell (som i exempelvis Schweiz), men i andra bara formell (som i den gamla, ryssdominerade Sovjetunionen).

I fall som dessa har nationsbildningen gått före statsbildningen. Men det finns också exempel på att tågordningen varit den omvända. Statsbildningen har gått före nationsbildningen. Så har fallet varit med invandrarstater med ett flertal olika etniska grupper, exempelvis USA och Australien. I sådana statsnationsstater har de olika identiteterna tunnats ut efter några generationer (den s.k. smältdegelseffekten), utom i vissa fall där de biologiska skillnaderna varit särskilt synliga. En förutsättning för att en ny gemensam identitet utvecklas i sådana länder är att de etniska gruppernas bosättning inte är territoriellt sluten utan spridd över territoriet i sin helhet.

Oavsett typen av stat gäller att själva territoriet – och kontrollen av detta – är viktigt och ingår som en central del i själva identiteten. Det är inte minst denna starka koppling som ger staterna legitimitet i medborgarnas ögon. Om denna koppling saknas – eller rättare sagt om grupper av medborgare upplever eller tolkar det så att den saknas eller är ofullständig – då hotas hela statskonstruktionen inifrån, så som vi exempelvis kunnat se på så många håll i den postkommunistiska världen vid slutet av 1900-talet.

Det är uppenbart att själva tidsaspekten är betydelsefull för uppkomsten och utvecklandet av nationella identiteter och också för förutsättningarna för att statsbildningar skall kunna existera. En snabb tillbakablick på Europas historia ger stöd för tanken. Stora integrationsprojekt har motverkats och slagits sönder av partikularistiska krafter som haft speciella territoriella förankringar. Det medeltida tyskromerska kejsardömet med sina uttalat universalistiska ambitioner underminerades av de framväxande furstestaterna med sina territoriella baser. De på samma grund verkande nationalkyrkorna ryckte på liknande sätt undan förutsättningarna för påvekyrkans anspråk på överhöghet. Nationalitetsrörelser med olika territoriella förankringar bekämpade under 1800-talet med framgång imperiala skapelser som Napoleons franskbaserade kejsardöme, det habsburgska imperiet och det osmanska. Etno-nationalismen har som vi i slutet av 1900-talet sett i sydöstra Europa ännu långt ifrån spelat ut sin roll. Och för varje gång man tror sig ha löst *ett* etno-territoriellt problem, har man skapat minst ytterligare ett annat.

Mot bakgrund av vad som här sagts om territorialstaternas problem kan det vara dags att fråga sig, dels om staterna i sina traditionella former och roller har någon framtid i vår världsdel, dels om det finns några livskraftiga alternativ till den nuvarande uppsättningen huvudaktörer på den internationella arenan.

Det brukar sägas, att staterna i Europa i ljuset av det pågående EU-projektet håller på att spela ut sina traditionella roller. Den starka maktpositionen undergrävs, säger man, både uppifrån av ett framväxande övernationellt styrsystem, EU-maskineriet, och inifrån/nerifrån av olika partikularistiska krafter. Denna erodering av den traditionella statens makt anses till och med kunna leda till att staterna helt kommer att försvinna, först de som saknar legitimitet och förtroende i den egna befolkningens ögon, sedan också resten som en konsekvens av den pågående integrationens inneboende styrka.

Dödförklaringen är förmodligen förhastad, av olika skäl. Alla tidigare integrationsförsök har stupat på motståndet från starka strukturer i Europa, på den existerande mångfalden ifråga om folk, språk, kulturer och politiska erfarenheter. Till detta kommer historiskt framvuxna identiteter som i många fall innefattar starka bindningar till bestämda territorier. Allt detta utgör starka hinder för skapandet av en ny superstat, en ny stats-nation som skulle kunna se ut som USA. Inte heller det faktum, att staterna låter överföra traditionella statliga prerogativ till nyskapade övernationella organ i Bryssel med omnejd, kan anföras som belägg för statens förestående sotdöd. Den pågående integrationsprocessen hanteras ju bokstavligt talat av staterna själva, och implementeringen ligger i händerna på medlemsstaterna. Även om de enskilda staterna överlåter beslutsansvaret för vissa, förvisso stora, kompetensområden (som de i praktiken ändå inte längre kan styra: försvar/säkerhet, ekonomi, övergripande regelsystem och liknande), så tillkommer samtidigt många nya uppgifter, där staten fortfarande kommer att ha hand om effektuering och kontroll. Staterna kommer fortsatt att vara aktörer, även om själva uppsättningen inte behöver vara identiskt densamma som idag.

Men hur kommer staterna att stå emot de uppsplittrande krafter som verkar inifrån, från olika särintressen, från olika periferier och diverse alternativ till enhetsstaten? I det här sammanhanget är det främst regionen som kommer i centrum för intresset, både som territoriell bas och som utgångspunkt för människors engagemang och verksamhet.

Att definiera en region kan vara en svårare uppgift än att definiera vad en stat är. Det är uppenbart, att det finns grundläggande likheter dem emellan. I båda fallen finns en territoriell bas, innanför vilken mänskliga aktiviteter utspelas på ett någorlunda likformigt sätt. En region är alltså ett i någon mening socialt fält, och vi lämnar utanför diskussionen rent naturgeografiska klassifikationer, växtzoner, klimatzoner och liknande, som ju också kan beskrivas som regioner.

Det är framförallt inom kulturgeografin som de begreppsmässiga och teoretiska resonemangen kring regionbegreppet utvecklats, föga överraskande med tanke på den territoriella dimensionens betydelse för denna vetenskap. I princip kan regioner variera i storlek ganska avsevärt, men i praktiken brukar man reservera regionbegreppet för en mellannivå, som ligger över lokalsamhället men under den statliga nivån. En sådan kategorisering kan betraktas som konventionell, och det råder egentligen inga avgörande kvalitativa skillnader mellan å ena sidan en makroregion som Europa (med i alla fall någon form av gemensam kulturell identitet) och å andra sidan territorialstaten, som i sig kan beskrivas som region. Statsgränser behöver heller inte innebära några absoluta hinder för kulturellt definierade regioner. I själva verket skapar just den bristande överensstämmelsen mellan rådande statsgränser och

46

historiska regioner en speciell situation med hög konfliktpotential, ett för staterna ofta svårbemästrat problem.

Också avgränsningen neråt mot lokalsamhället är godtycklig, men en viss minimistorlek för en region krävs för att en institutionalisering skall komma till stånd, en förutsättning för uppkomst av regional identitet, för att anknyta till den finländske geografen Anssi Paasi. Paasi skiljer på två aspekter av den regionala identiteten, å ena sidan ett regionalt medvetande (»regional consciousness«) hos människorna i fråga och å andra sidan regionens identitet (»identity of the region«).[1]

Det är uppenbart, att det finns flera likheter mellan stat och region som begrepp. Båda är knutna till ett specifikt territorium, som ingår i en folkgrupps egen identifikation. Den grundläggande skillnaden ligger i fördelningen av makt och kontrollen av territoriet ifråga. Men ofta är det just detta som de regionala företrädarna velat ändra, och i många fall kan man se deras metoder och handlingsmönster som likartade dem vi stött på i så många stats- och nationsbildningsprocesser från 1800-talet och framåt.

I den moderna forskningen om uppkomsten av nationsstater har stor vikt lagts vid betydelsen av symboler och kulturella faktorer, vilka medvetet skapats för att stärka den nationella identiteten. Den moderna nationsstaten har setts som en konstruktion, en medveten skapelse och formation (»an imagined community«), inte som något organiskt eller spontant framvuxet.

Samma typ av resonemang är tillämpligt också på den regionala process som nu framträder alltmera tydligt i Europa. Åtminstone gäller detta för regioner som redan har en grundläggande kontinuitet och värdegemenskap. En viktig distinktion är i detta fall relevant: den mellan organiskt framvuxna s.k. historiska regioner och nyare, på administrativ väg tillskapade regioner, oftast med ett funktionellt syfte, t.ex. att underlätta en ekonomisk integration.

Under historiens gång skapas och fördjupas regioner genom att olika nätverk byggs upp, ofta med expansiva städer som bas och utgångspunkt. Ibland sammanfaller sådana kraftfält med ännu äldre figurationer vilka i så fall kan ge extra tyngd åt regionen ifråga. Just historiska regioner har en stor mobiliseringspotential och kan i befolkningens ögon framstå som alternativ till själva staten som primärt identifikationsobjekt.

De historiska regionerna utgör ett specialproblem särskilt genom deras förhållande till de traditionella nationsstaterna. För inomstatliga historiska regioner kan lösningar i princip uppnås utan att befintliga strukturer slås sönder, men för regioner som sträcker sig över befintliga statsgränser är läget annorlunda. Idag är mellanstatliga regionbaserade konflikter ett svårbemästrat internationellt problem, som de involverade staterna är försiktiga med att hantera.

Historiska djupstrukturer är svåra att komma ifrån, och historien kan alltid användas – både brukas och missbrukas – för att legitimera både statliga och regionala projekt av olika slag.[2]

Noter

1. Anssi Paasi, *The Institutionalization of Regions. Theory and Comparative Case Studies* (Joensuu: Joensuun Yliopisto, 1986).
2. För referenser till ämnet i denna artikel, se vidare R. Johansson, R. Rönnquist & S. Tägil, »Territorialstaten i kris?«, i S. Tägil, red., *Europa. Historiens återkomst*, 3:e uppl. (Hedemora: Gidlunds, 1998); R. Johansson, »The Impact of Imagination. History, Territoriality and Perceived Affinity«, i S. Tägil, red., *Regions in the History of Central Europe* (London: Christopher Hurst, under utgivning); S. Tägil, »Historical Space«, i Ch. Jönsson, S. Tägil & G. Törnqvist, *Organizing European Space* (London: Sage, under utgivning).

Från nationellt till officiellt språk

Om rätoromanskans nya status och dess ställning i Schweiz

INGMAR SÖHRMAN

En la votaziun dals 10 da mars 1996 ha il pievel svizzer reconuschì cun respectabla pluralitat il rumantsch sco linguatg ufficial.[1]

NÄR MUSSOLINI 1938 gjorde anspråk på Graubünden genom att påstå att rätoromanska var en italiensk dialekt och att kantonen därför borde tillhöra Italien, hölls en folkomröstning i Schweiz som resulterade i att rätoromanskan erkändes som Schweiz fjärde nationella språk. De tidigare erkända språken var tyska, franska och italienska. Rätoromanskan blev alltså förklarat som *nationellt*, men inte *officiellt*, språk i Schweiz. Detta innebar – och innebär – att man har rätt att använda rätoromanska i kontakt med lokala och regionala myndigheter men inte med andra myndigheter utanför den egna kantonen. Fram till Mussolinis territoriella anspråk och ifrågasättandet av Schweiz politiska enhet och självständighet var det egentligen ingen som hade visat något intresse för att erkänna rätoromanernas kultur och språk. Endast vissa rätoromanska intellektuella hade under 1800-talets allmänna nationella uppvaknande gjort litterära och kulturhistoriska insatser för språkets bevarande.

År 1996 utökades rätten till att också omfatta kontakter med nationella myndigheter. Rätoromanskan höjdes från att enbart ha varit ett regionalt använt språk till att bli halvofficiellt (s.k. delvis officiellt språk, »Teilamtssprache« eller »lingua ufficiala parziala« på rätoromanska). De rätoromansktalande behövde inte längre lära sig något av de andra språken (oftast tyska) för att kunna vända sig till landets myndigheter. I dagsläget är den praktiska nyttan av det här mer tveksam än för bara något decennium sedan, eftersom nästan hela den rätoromanska befolkningen är mer eller mindre tvåspråkig, även om många fortfarande har lättare att uttrycka sig på sitt modersmål. Symboliskt har emellertid lagen en stor betydelse. Den ger rätoromanskan en mer jämbördig ställning med de andra officiella språken, och ger därmed talarna en känsla av likaberättigande i stället för underlägsenhet. Frågan är givetvis om

49

denna prestigehöjning i praktiken kommer att befrämja användningen av rätoromanska eller om den bara blir ett slags sista smörjelse för att i ett »terminalskede« döva övriga schweizares möjligen dåliga samvete. Trots det officiella erkännandet har flera rätoromanskspråkiga berättat om en avoghet hos tjänstemän och andra nationella befattningshavare när rätoromanska tjänstemän använder sitt språk för kommunikation sinsemellan, i synnerhet om denna sker skriftligt eller i form av e-post. Förklaringen är naturligtvis att andra lätt känner sig uteslutna och misstänker argan list när man använder den för dem »obegripliga« rätoromanskan internt och inte bara i information till folket i de avlägsna dalarna i sydost.

Schweiz språkliga situation är relativt komplicerad, trots att landet ofta lyfts fram som exempel på samexisterande och väl samverkande folk med olika språk. Numera finns inte bara de fyra nationella språken, tyska, franska, italienska och rätoromanska, utan också ett stort antal invandrarspråk som talas av stora delar av de 17 procenten av befolkningen som utgörs av invandrare.[2] Den traditionella språkliga situationen med de fyra numera officiella språken är heller inte helt okomplicerad. Inte minst problematisk är den tyska dialektrikedomen och bristen på talat tyskt högspråk i Schweiz. De fransspråkiga, som lär sig högtyska i skolorna klagar ständigt i tidningarna över att schweizertyskarna inte vill tala den tyska (högtyska) de själva har lärt sig i skolan. Nyligen, i februari 1999, har den schweiziska televisionen på initiativ av de fransktalande i Genève startat en kurs i schweizertyska.[3] I samma programserie har tidigare givits kurser i franska, italienska, engelska och spanska. Något liknande initiativ för rätoromanskan verkar inte aktuellt, trots att många schweizare omhuldar myten om detta som det riktigt schweiziska språket. Denna stolthet över det egna sträcker sig sällan till ett aktivt intresse för språket och studier i detta.

I debatten framförs ofta det provocerande slagordet »Schweiz 2 1/2-språkigt?«, och med detta avses den allt starkare tyska dominansen, vilken tillsammans med den relativt sett starka franskan helt skjutit bort rätoromanskan ur perspektivet och reducerat italienskan till ett »halvt språk«.[4] Franskan dominerar västra Schweiz och tyskan resten, utom den italiensktalande kantonen Tessin. Italienska talas dessutom i sydvästra Graubünden. Detta gör givetvis Graubünden extra särpräglat genom att denna kanton är den enda med tre nationella språk inom sina gränser. I övrigt är kantonerna en- eller i några fall tvåspråkiga.

Under den allra senaste tiden har ett nytt begrepp lyfts fram, *det latinska Schweiz*,[5] som betonar den språkliga och kulturella gemenskapen mellan talarna av de tre romanska språken. Som begrepp är detta intressant, eftersom det innebär att något aktivt för första gången görs för att se den romansksspråkiga delen av Schweiz som en enhet. Nyligen publicerades en presentation av de tre litteraturerna i en volym som behandlar de senaste årens publikationer, men den rätoromanska litteraturen representeras där av endast en enda författare.[6] På sikt kan detta kanske bli bättre. Nu förefaller denne ende, Fortunat Kauer, vara något slags »gisslan« för att ge legitimitet åt begreppet det latinska Schweiz. Detta begrepp skall ses som en följd av en allt starkare tyskspråkig dominans. Samtidigt måste man dock vara medveten om att Schweiz i mycket stor utsträckning har decentraliserat besluten till de lokala politikerna och tjänstemännen, vilket gör att förhållandevis få politiska beslut, och då även språkpolitiska, hittills tagits på en kantonal eller nationell nivå. Huruvida det kommer att förbli så är dock tveksamt i en tid där omvärlden (läs EU) får allt starkare inflytande över Europas länder oavsett om de tillhör den Europeiska unionen eller inte.

Vad innebär då en förstärkt legal status i praktiken för ett språk? Först och främst måste vi konstatera att vi i det föreliggande fallet har att göra med en språklig situation i ett europeiskt land med en lång djupt demokratisk tradition, vilket rimligen borde gynna rätoromanskan. En komplikation inför framtiden finns, och det är förslaget om att man borde överge det traditionella schweiziska mönstret med kantoner och långt driven decentralisering för att i stället dela in landet i sju storregioner, vilket skulle innebära att Graubünden skulle ingå i regionen Ostschweiz tillsammans med ytterligare sex kantoner.[7] Detta skulle kunna medföra en marginalisering av rätoromanskan, vilken procentuellt skulle förlora kraftigt gentemot de övriga kantonernas tysktalande befolkning, men flera analytiker anser att en sådan förändring skulle göra de små kantonerna mer attraktiva.[8] Liknande förhållanden gäller för italienskan. Detta språk har emellertid liksom franskan en helt annan styrka genom att tillhöra en språklig kultur som bärs upp av ett grannland där franska respektive italienska är det dominerande språket. Den schweiziska rätoromanskan står i denna bemärkelse ensam. I ett annat avseende, i förhållande till den rätoromanska världen i övrigt, är rätoromanskan dock rentav, åtminstone i viss utsträckning, den starkare parten: de ladinska dialekterna i Dolomiterna i Italien liksom friuliskan nordväst om Venedig har en svagare ställning gentemot centralmakten och den italienska majoritetskulturen.[9]

Innan jag går närmare in på den aktuella situationen finns det anledning att i korthet sammanfatta rätoromanskans tidigare användning och historia.[10] I Schweiz med dess starka decentralisering har rätoromanskan levt sitt eget liv i Graubündens dalar under århundraden – sedan romarnas erövring år 15 f.Kr. Allmänt anses att rätoromanska hade sin största utbredning på 400-talet då det sannolikt fanns rätoromansktalande från Donaus övre lopp ända till Adriatiska havet, men med alemannernas och andra germanska folkstammars framträngande under 500-talet splittrades den rätoromanska världen. Därmed påbörjades den fortgående germaniseringen av det rätoromanska området. En viktig händelse i denna process var den stora stadsbranden 1464, då stora delar av Graubündens huvudstad Chur förstördes, efter vilken man inkallade tysktalande byggarbetare för återuppbyggnaden av staden. Detta förde med sig en snabb förtyskning av stadsbefolkningen. Dessutom ledde detta till att rätoromanskan kom att ersättas av tyska som administrativt språk. Vid samma tid kan man också se hur det som tidigare var ett sammanhängande rätoromanskt område i Graubünden delas upp av den framträngande tyskan. Tidigare fanns rätoromanskan inte bara i Graubündens dalar utan även en bit in i dagens Österrike. Vid mitten av 1200-talet talades rätoromanska av invånare i staden Innsbruck och ända fram på 1600-talet finns rapporter om rätoromansktalande i Vintschgau i västra Österrike. Förlusten av en stadsbefolkning är alltid ett dåligt tecken för ett språks fortsatta användning, och rätoromanskans nya ställning som minoritetsspråk i Chur var ett mycket allvarligt bakslag för språkets status och framtid.

Graubünden har sitt namn efter det nordvästra förbundet av städer och byar i Graubünden. Detta kallades just det Grå förbundet och bildades omkring 1400, samtidigt med de två andra förbunden, Gotteshausbund och Zehngerichtebund, vilka tillsammans utgjort grunden för dagens kanton. Historiskt var Graubünden någorlunda självständigt fram till Napoleonkrigen, då det moderna Schweiz bildades (1803).

Rätoromanskan var länge föga uppmärksammad och användes huvudsakligen i de relativt isolerade dalgångarna i Graubünden. De som lämnade sina dalar för att arbeta utanför hemtrakten var tvungna att lära sig andra språk, främst tyska och italienska. En hel del arbetsvandringar företogs. De rätoromanska sockerbagarna var mycket anlitade i Venedig och nordöstra Italien, och under senare delen av 1800-talet och början av 1900-talet vandrade stora grupper av lite äldre barn och ungdomar (s.k. Schwabengänger) norrut för att under sommarhalvåret försöka tjäna ihop till nya kläder och förstärka familjeekonomin, som vissa år kunde vara ytterst bräcklig.¹¹ De förbättrade kommunikationerna över Alperna bidrog också till en förstärkning av den tyska delen av Graubünden.

Trots att antalet rätoromansktalande i Schweiz procentuellt har minskat till mindre än 1 procent av Schweiz befolkning i dag, har det förmodligen aldrig funnits så många rätoromansktalande som just nu, cirka 50.000. Vissa källor uppger så många som 65.000.¹² Cirka 14.000 av de rätoromansktalande bor utanför Graubünden. De som bor kvar (36.000) svarar mot omkring 23% av kantonens befolkning. Ett problem är givetvis att Chur inte har något riktigt universitet utan bara en lärarhögskola för stadierna upp t.o.m. klass sex. Övriga studenter som söker sig till högre utbildning reser antingen till det protestantiska Zürich eller det katolska Fribourg, och många stannar också där. Det är fråga om det eviga glesbygdsproblemet som här också har en språklig konsekvens. Många av de intellektuella som skulle bära upp språket och kulturen finns inte kvar i kärnområdet utan stannar i universitetsstäderna eller andra städer där möjligheter till kvalificerat arbete av mer intellektuell, kommersiell eller teknologisk karaktär finns.

Den språkliga situationen för rätoromanskan är emellertid ännu mer komplicerad. Trots den lilla mängden talare är språket delat i fem dialekter. Relativt närbesläktade är som vi tidigare sett dessutom de ladinska dialekterna (knappt 30.000 talare) och, något längre bort såväl språkligt som geografiskt, friuliskan, som talas av uppskattningsvis omkring 700.000 personer.¹³ De fem schweiziska dialekterna har likt t.ex. baskiskan och sardiskan inte haft något enhetligt högspråk, även om diskussionen om att skapa ett rätoromanskt standardspråk pågått sedan ett århundrade tillbaka.

De fem dialekterna kan delas upp i två grupper om två plus en mellanliggande dialekt. I nordväst talas *surselviska* av ungefär hälften av samtliga rätoromaner (43%).¹⁴ Vissa mindre vokabulärskillnader av rent konfessionell karaktär finns inom dialekten, och dessa har tidigare använts för att skapa motsättningarna mellan de två grupperna. Så heter »ära« *gloria* på katolsk surselviska och *gliera* på protestantisk. Detta påminner

53

om skillnaderna mellan bosniska och serbiska.[15] Surselviskans systerdialekt, *sutselviska* (3 %), har egentligen bara betraktats som en egen dialekt under de senaste 50 åren.[16] Å andra sidan finns en rätt särpräglad variant av de sydostliga dialekterna som talas i Val Müstair, men som ändå inte kommit att räknas som egen dialekt. Vad som får status som dialekt med egen mer eller mindre standardiserad skriftspråksnorm kan därför ses som något tämligen godtyckligt. I sydost talas de engadinska dialekterna *puter* (13 %) och *vallader* (15 %), och dessutom talas *surmiran* (8 %) i ett område mitt emellan dessa två dialektgrupper. För närvarande skriver och publicerar man normalt på fyra dialekter (ej sutselviska). Endast i de surselviska och valladertalande områdena är huvuddelen av invånarna fortfarande rätoromansktalande.[17] I övriga dialektområden gäller detta endast vissa byar. I Schweiz är byarna en viktigare faktor än på andra håll på grund av den starka decentraliseringen och stora självbeslutanderätten för i praktiken varje enskild by.

Olika religiös samfundstillhörighet har också kunnat splittra språkligt och etniskt närstående folkgrupper. De rätoromanska dialekterna är relativt klart skilda åt, men inte mer än att man med god vilja och lite ansträngning kan förstå varandra. Nu råkar emellertid de sydöstra delarna vara kalvinistiskt protestantiska och de nordvästra vara katolska till följd av motreformationen, då denna del »återerövrades« från den framgångsrika kalvinistiska väckelsen. Under lång tid kände man därför stark motvilja mot de språkliga syskonen på andra sidan bergen. Religiösa skillnader kom att förstärka en mindre språklig skillnad. Först i modern tid har de olika grupperna funnit varandra igen och ser sig åter som delar av en och samma folkgrupp. Här har radions rätoromanska program med inslag på de olika dialekterna enligt många talare spelat en viktig roll. Inte minst har den långa serien utbildningsprogram *Radioscola* (som även publicerats i form av häften) under en följd av år haft den största betydelse för att skapa kunskap på rätoromanska om sådant som många bara hade lärt sig på tyska och att dessutom fördjupa kunskaperna om den egna kulturen.

År 1919 bildades en rätoromansk samlingsorganisation, *Lia Rumantscha* (engadinska) eller *Ligia Romontscha* (surselviska), med säte i Chur, som verkar för att stödja olika projekt inom den rätoromanska kultursfären och som representerar den rätoromanska kulturen utåt utan att på något sätt vara partipolitiskt eller religiöst bunden. Det är intressant att se hur det som kan kallas den regionala nationalismen i olika länder följt

mer eller mindre samma vägar och ungefär samtidigt kommit att ta ställ-
ning till vissa vägval och problem.[18] Lia Rumantscha har tagit på sig att
försöka ena de olika rätoromanska områdena och kanalisera gemensam-
ma intressen samt att stödja tryckning av verk på de olika dialekterna.

Flera försök att smälta samman de olika dialekterna i ett standardiserat
skriftspråk har gjorts, men dessvärre har ofta förslagsställarna framställt
sin egen dialekt som mest lämpad att väljas som norm. Ett förslag att
samsas om två standardiserade varianter – en nordvästlig och en sydost-
lig – motarbetades av dem som talade centraldialekten, och efter ett or-
tografiskt närmande av dialekterna genomfördes i början av 1950-talet
ett försök att använda centraldialekten i samtliga skolor. Detta misslyc-
kades dock, eftersom det inte fick något folkligt stöd. Givetvis har myn-
digheternas krav på ett enda språk för att trycka officiella handlingar på
rätoromanska gjort att rätoromanerna i stor utsträckning tvingats använda
tyskspråkig information fram till dess att ett standardspråk skapats.

Efter den nästan sekellånga diskussionen om hur man skulle kunna
standardisera rätoromanskan föreslog *la Lia* 1978 att man skulle skapa
ett standardspråk för att använda som administrativt språk, med syftet
att befästa rätoromanskans ställning och få myndigheterna att publicera
mer på språket. Man skulle emellertid behålla de litterära standarddia-
lekterna för skönlitteratur. Eftersom det tidigare visat sig svårt att få
någon rätoroman att opartiskt väga samman dialekterna, gick uppdra-
get att skapa riktlinjer för ett nytt rätoromanskt standardspråk till den
tyskspråkige språkvetaren Heinrich Schmid. Denne kunde 1982 lägga
fram ett förslag till *Rumantsch Grischun*. Han hade inte baserat detta
standardspråk på någon av dialekterna utan använt den så kallade statis-
tiska metoden,[19] och då utgått från surselviska, den stora dialekten i
nordväst, en av de sydostliga dialekterna, vallader, samt centraldialek-
ten, surmiran. Genom Lia Rumantscha kom detta nya språk att använ-
das och spridas snabbt. Efter att först ha publicerat ett litet handlexikon
med grundläggande grammatik[20] håller nu ett forskarlag på att fram-
ställa en mycket omfattande ordbok. I dag omfattar denna 186.000 ord.
Effekten blev den avsedda. Användningen av rätoromanska i officiella
skrifter tycks ha ökat 20 gånger sedan rumantsch grischun blev en verk-
lighet. Viss facklitteratur har också börjat publiceras på detta språk, som
till sin karaktär är sådant, att alla rätoromaner begriper det utan skol-
ning. Det finns dessutom särskilda kurser i denna språkliga variant. Sko-

lorna använder emellertid de fem standarddialekterna, liksom de skön-litterära författarna. På sikt kan man med viss sannolikhet förutse en ökning av användningsområdena för detta nya språk också inom skön-litteratur och skolor, vilket blivit fallet med motsvarande standardspråk på baskiskt område.[21] Detta sker antagligen allteftersom gemensamma handböcker och andra skrifter produceras på standardspråket. På så sätt kan man leva upp till devisen i den första ordboken och grammatiken: »Al pievel rumantsch per rinforzar l'unitad en la diversitad« – »Till det rätoromanska folket för att stärka enheten i olikheten.«

Nu skall man inte förledas att tro, att detta har varit en smärtfri pro-cess. Debattens vågor har gått höga. För- och nackdelarna har diskute-rats mycket häftigt, och en del föredrar tyska framför detta, som de ser det, »konstspråk«, även om en opinionsundersökning visat på en över-vägande positiv attityd. Det kan emellertid bli enhetsspråket som knäcker rätoromanskan, om detta nya standardspråk inte vinner allmänt accep-terande utan får folk att i ökad utsträckning gå över till att använda tyska. Å andra sidan har regionala varianter i just Schweiz (och i Norge) accepterats på ett sätt som har få motsvarigheter i Europa, där dialekter ofta ansetts vara något som skall »tvättas bort« i skolan. Riksnormen är den som skall tillämpas överallt.

Rätoromanerna valde alltså den statistiska metoden och favoriserade inte direkt någon redan existerande dialekt, även om talarna av de två icke medtagna dialekterna i viss mån kan känna sig förfördelade. Detta har ändå inte varit något ofta förekommande argument mot rumantsch grischun, utan det som hävdats mot denna språkliga variant har varit just att »om inte min dialekt duger pratar jag hellre tyska som jag kan, än en ny konstlad variant«.

Det kan även vara värt att konstatera, att det fortfarande finns någor-lunda stora språk med flera miljoner talare i Europa som saknar ett stan-dardspråk. Som exempel kan nämnas occitanska och sardiska. Occi-tanskans ställning är mycket bräcklig i ett centralistiskt Frankrike, med-an oviljan att ge upp den egna dialektala varianten till förmån för något slags standardsardiska har varit ett tungt vägande argument i den sardis-ka debatten. Dessutom är sardiskans redan svaga ställning undergrävd av det närbesläktade nationalspråket italienska.

Det finns alltså ingen okomplicerad väg till standardisering och ett allmänt accepterande av nya normer. Uppenbarligen är situationen oerhört mycket mer prekär och känslig när det gäller minoritetsspråk som också måste hävda sin ställning gentemot ett dominerande majoritetsspråk. För en ny nationalstat som Albanien efter balkankrigen eller Bosnien i dag är behovet av ett samlande språk mycket starkare, och där är det också lättare att vinna gehör för en mer radikal språkpolitik, som befrämjar det egna nationalspråket, vars betydelse för en politisk samling kring den nya nationen och staten är uppenbar.

Redan dialektskillnader och svårigheter att förstå varandra kan leda till ett visst spontant motstånd mot ansträngningen att överbrygga förståelseklyftorna, vilket i sin tur skapar främlingskänslor hos den som känner sig utanför. Detta förhållande underblåstes dessutom under lång tid i och med att myndigheter och skolor framhöll minoritetsspråkens och dialekternas underlägsenhet på många håll i Europa, och att det var underförstått att det bara var med den dominerande kulturens språk som man kunde nå långt i samhället. Själva begreppet *dialekt* underordnar ett tungomål och ställer upp en annan språklig variant som norm.

Det sena 1800-talets allmänna intresse för folkkultur resulterade i många stora forskarinsatser ifråga om regionala språkliga och litterära traditioner. Så var fallet med bröderna Grimm i Tyskland och Elias Lönnrot i Finland. Motsvarande insats på rätoromanskans område gjorde Caspar Decurtins med sitt storverk *Rätoromanische Chrestomatie* i 13 delar (1896–1919). Rätoromanska texter finns från början av 1500-talet, men det är först på 1800-talet som en egen litteraturtradition skapas, med Caspar Muoth och Peder Lansel.[22] Den senare skapade också den slogan som ofta hörs upprepas: »Ni Talians, ni Tudais-chs Rumantschs vulains restar« – »Varken italienare eller tyskar, vi vill förbli rätoromaner.«

Trots insatser av det slaget är det först när lärare och präster inte bara samlar in traditioner och sägner utan börjar använda språket i skolor, kyrkor och bönhus, som det får något riktigt värde i talarens ögon. Detta är emellertid inte nog. Frågan måste politiseras, det vill säga det måste väckas en vilja hos alla dem som talar ett språk att förstärka användningen av det och att kräva rätten att använda det också i andra sammanhang. Om folket självt inte är intresserat varför skall man då utifrån försöka bevara språket?

En vanföreställning som tydligt märks i kritiken av skapandet av rumantsch grischun är att våra nu existerande språk skulle ha vuxit fram helt naturligt utan varje form av ans och tuktan eller medvetna beslut, och att det därför skulle vara helt förkastligt att i dag försöka skapa nya standardspråksnormer. Påtaglig i debatten är den lika bisarra som vanligt förekommande idén om den språkliga normens oföränderlighet, vilken indirekt är en konsekvens av att språket har en så grundläggande betydelse för människans kulturella identitet. Den kulturella identiteten är ofta förankrad i den språkbild som skapas under de formbara åren i skolan. Varje form av mer genomgripande språklig normförändring kostar med andra ord på. Det är inte bara fråga om att komma fram till ett genomtänkt förslag och få detta accepterat utan detta måste sedan också få faktisk spridning.

Det måste anses vara varje folks rätt att själv välja *hur* och *när* deras språk skall standardiseras eller förändras. Medvetna språkreformer initieras oftast av akademier eller språkvårdsinstitut, men vad dessa gör sedan språket en gång givits en standardform är vanligen att sanktionera eller förkasta redan existerande språkbruk. Språkliga förändringar tillkommer ju ständigt, och medan skolorna strävar efter att sprida det av språkvårdsmyndigheterna sanktionerade språket, så sprider massmedier, litteratur och populärkultur såväl den sanktionerade normen som innovationer av mer eller mindre varaktig karaktär. Detta senare är sannolikt av avgörande betydelse för i vilken utsträckning rumantsch grischun kommer att användas utanför skolans värld.

Under slutet av 1800-talet och början av 1900-talet skapades nya stater i Europa. Detta ledde till en standardisering av »nya« nationalspråk som finska, norska med sina två språk, tjeckiska, bulgariska och albanska med flera språk. De senaste decennierna har vi sett en förändrad bild: regionernas betydelse har stärkts, och många språkliga minoriteter har blivit mer medvetna om sin egen etniska identitet och om språkets roll som en av de mest grundläggande komponenterna i denna identitet. Tillsammans har det lett till en växande vilja att etablera språkliga normer för språk eller för dialekter som tidigare saknat sådana. Detta talar för rätoromanskans överlevnad, i synnerhet i ett land som Schweiz där dialekterna accepteras och respekteras i stor utsträckning.

Avsikten med att skapa en språklig norm kan skifta. Generellt sett vill man etablera en norm för ett existerande standardspråk eller skapa en sådan för ett icke-existerande standardspråk som skall skapas med utgångspunkt från en eller flera dialekter. Det är emellertid inte säkert att man dessutom vill skapa ett litteraturspråk. Denna distinktion är viktig i fallet rätoromanska, där tanken är att dialekterna också i fortsättningen skall användas för litterär produktion och skriftlig kontakt inom respektive dialektområde. I den händelse det nya standardspråket för hela regionen lyckas bli allmänt accepterat är det dock troligt att det förr eller senare också blir litteraturspråk, och då antagligen till förfång för dialekterna. Om rätoromanskan revitaliseras är detta en sannolik utveckling.

När väl en norm blivit etablerad gäller det inte bara att få den accepterad bland de egna talarna utan också att ge den en starkare position i förhållande till majoritetsspråket inom det egna landet. Det allra mest grundläggande steget är att barnen uppfostras på språket, och att föräldrar i tvåspråkiga familjer någorlunda konsekvent använder sina respektive modersmål när de talar med barnen. Det märks tydligt hur snabbt språket försvinner hos utflyttade rätoromaner, även om det finns rätoromanskspråkiga förskolor på flera håll utanför Graubünden.

Den 10 mars 1996 erkändes alltså i artikel 116:4 i den schweiziska konstitutionen rätoromanskan som »Amtssprache« eller officiellt språk. Även om rätoromanskan till skillnad från de andra tre officiella språken bara fick karaktären av delvis officiellt, så innebär den nya statusen för de rätoromansktalandes del att man trots allt lämnat stadiet som regionalt språk, vilket satte gränsen för användning av språket vid kantongränsen. Utanför denna var det inte utan vidare möjligt att använda språket. Nu har man rätt att i officiella sammanhang (skrivelser, information, beslut) uteslutande använda det egna språket. I första hand översätts nu grundlag, olycksfallsförsäkringsförordningen, strafflagen och jämställdhetslagen till rätoromanska. En inskränkning i användningen är att det i dessa utomkantonala sammanhang är begränsat till skriftliga inlagor och svar.[23]

Redan i oktober 1995 lagstadgades rätten till finansiell hjälp för italienska och rätoromanska i Tessin och Graubünden, och enligt förordningen från den 26 juni 1996 stadgades ekonomiskt understöd till språkpolitiska åtgärder, press- och litteraturproduktion. En vecka efter rätoromanskans upphöjande till officiellt språk skrev Schweiz under Europarådets konvention om regionala språk eller minoritetsspråk, och i november 1997 Europarådets konvention om skydd för nationella minoriteter. I förtexten till beslutet om att skriva under konventionen om minoritetsspråk finns i klartext rätoromanskans speciella situation beskriven: »Das Rätoromanische ist die einzige der vier Landessprachen, die nicht auf ein sprachliches und kulturelles Hinterland zählen kann. Deshalb kann der Sprachenausbau und der Spracherneuerung nur von der räto-

romanischen Bevölkerung selbst ausgehen.«[24] Detta är som tidigare på-
pekats en viktig skillnad gentemot italienskan och många andra minori-
tetsspråk som kan »luta sig« mot en annan stats kultur och språk.

En anmärkningsvärd detalj i 1996 års folkomröstning om att göra räto-
romanskan till officiellt språk är att resultatet i hela landet utföll med
76,1 % som röstade ja och 23,9 % som röstade nej medan Graubünden-
borna endast hade 68,3 % ja-röster och hela 29,5 % nej-röster. 29,8 %
av landets röstberättigade befolkningen deltog. Endast kantonerna Uri
och Schwyz hade procentuellt sett något färre ja-röster än så.[25] Däremot
hade flera franskspråkiga kantoner uppemot eller mer än 80 % ja-röster
liksom den största kantonen, Zürich (79,5 %). Procenten röstande i
Graubünden låg på riksgenomsnittet.[26] Utan närmare uppgifter om de
röstande är det svårt att dra några säkra slutsatser, men det är knappast
för djärvt att anta att den språkliga verkligheten skapat visst motstånd
mot rätoromanskan bland Graubündens tyskspråkiga befolkning, vilket
inte tycks ha varit fallet bland övriga tyskspråkiga schweizare att döma
av valresultatet.

Den kantonala regeringen i Graubünden slog den 17 december 1996
fast att det påbörjade arbetet med att göra rumantsch grischun till det
gemensamma rätoromanska språket skulle genomföras i praktiken.[27] Alla
lagar och förordningar som gällde hela kantonen eller de rätoromanska
områdena skulle översättas till detta språk och tidigare begränsningar
upphävdes. Kantonala regerings- och myndighetsprotokoll skulle skri-
vas på rumantsch grischun liksom alla officiella pressmeddelanden samt
korrespondens med rätoromanska företrädare och talare. Vidare skulle
alla skyltar och texter på offentliga byggnader innehålla en översättning
till rumantsch grischun. Detta gällde från den 1 januari 1997[28] och
skulle genomföras i samarbete med kulturdepartementet. Slutligen måste
översättningskapaciteten till och från rätoromanska utvidgas och en över-
sättarbyrå byggas upp. Detta arbete pågår. I praktiken är det emellertid
la Lia som ombesörjer det mesta av denna verksamhet. Översättarverk-
samheten och språktjänsten har ökat kraftigt på la Lia enligt medarbeta-
re där.[29] Denna verksamhet gäller samtliga fem dialekter, men det är
rumantsch grischun som kommit att ta allt större del av kapaciteten i
anspråk.[30] En del av denna verksamhet ombesörjs också av Bundesamt
für Kultur i Bern.

Enligt en större undersökning om språkliga attityder som genomfördes i mars 1995 framkom att attityden gentemot rumantsch grischun var positiv eller mycket positiv hos 44% av rätoromanerna medan 11% sade sig föredra mellandialekten surmiran som enhetsform. Övriga lyfte i praktiken fram den egna dialekten. Mest negativa till rumantsch grischun var personer äldre än 75 år. I övriga åldersgrupper var fördelningen jämn, men man kunde konstatera att de högutbildade var mer positiva än flertalet.[31] Vid samtal med lärare och representanter för *la Lia* verkar det som om intresset för rumantsch grischun har ökat med den nya lagen, och detta stämmer ju med resultaten för de högutbildade. Lärarnas attityd till och användning av rumantsch grischun kommer med all säkerhet att påverka attityden generellt gentemot detta språk. Den ökade användningen av språket i administrativa sammanhang, på skyltar och över huvud taget i människors liv kommer med all sannolikhet att aktivt medverka till en ökad prestige både för rumantsch grischun och rätoromanskan generellt.[32] Nio av tio tillfrågade var emellertid bekymrade över språkets ställning och användning, men en majoritet var förhållandevis optimistisk. Såväl tillgängligheten till som tillgången på material på rätoromanska ansågs god. Vidare framkom att de flesta rätoromansktalande inte så mycket var bekymrade över huruvida rumantsch grischun eller något annat enhetsspråk skulle komma att användas, utan över i vilka sammanhang detta skulle vara påbjudet. Det framstod då klart att invändningarna var små gällande press, skolböcker samt administrativa sammanhang, medan en stor majoritet föredrog den egna dialekten i talsituationer.[33]

Symbolvärdet av att det egna språket utgör ett erkänt universitetsämne är stort. Universitetslärarna anlitas och citeras ofta. Det finns i dag två professurer i rätoromanska, en med språkvetenskaplig inriktning i Fribourg och en med litteraturvetenskaplig i Zürich. Hur viktiga dessa är reellt och symboliskt för de rätoromansktalande visar det starka engagemanget för att behålla Zürichprofessuren sedan dess senaste innehavare, Iso Camartins, lämnat sin tjänst. Detta framgår av mängden artiklar och insändare i *La Quotidiana* under våren 1999 om vikten av att återbesätta tjänsten. Det är alltså inte universitetets ensak att välja undervisningsämnen, utan det är en angelägenhet för talarna av ett språk att se till att språkets akademiska status upprätthålls.

Skolan är givetvis av största betydelse inte bara för att sprida kunskap om och i det nya standardspråket utan också för att det är där som de språkliga kunskaperna befästs. För närvarande pågår också en stor dis-

kussion om olika modeller för undervisningen inte bara i utan framför-
allt på rätoromanska i skolorna, särskilt i förhållande till tyskan. Här
finns olika modeller, från ett par timmar rätoromanska till att uteslu-
tande använda rätoromanska under de första skolåren. Högre upp, från
sjunde klass, är det bara fråga om en till två veckotimmar rätoromanska,
men olika försök pågår.[34] Ytterligare en känslig fråga i detta fyrspråkiga
land är engelskans ställning. När skall undervisning i detta språk börja
och på bekostnad av vilket nationellt språk?[35] Traditionellt har man inte
läst så många språk i schweiziska skolor, och med dagens anglofila kul-
tur finns det fog för en viss rädsla för ökad okunskap i de egna språken.
Schweiz är visserligen mångkulturellt men endast i vissa kantoner fler-
språkigt. De flesta schweizare är inte tvåspråkiga, även om de allra flesta
kan tala minst ett språk till. Bara rätoromanerna och de italensktalande
i Graubünden är tvåspråkiga i ordets etablerade betydelse. Alf Åbergs
ord, »[d]et schweiziska statsförbundet visar att folkgemenskap och soli-
daritet är möjliga mellan skilda raser, språk och religioner«,[36] är kanske
riktiga men väl optimistiska eller döljer i alla fall en mer komplicerad
verklighet.

I en intressant insändare i *La Quotidiana* påpekar Max Kettnaker att det
finns två slags tvåspråkighet: den personliga och den regionala. Han
belyser vikten av att tvåspråkigheten inte bara ligger på familjeplanet
utan förstärks av en instrumentell användning av modersmålet (här rä-
toromanskan) i olika miljöer samt att inflyttade lär sig språket.[37] Ett led
i denna riktning är intresset för att skapa fler språkkurser för nybörjare
och avancerade förutom de två traditionella i Laax (surselviska) och Sa-
medan (puter) samt kursen i rumantsch grischun i Scuol.

Inom Bundesamt für Kultur har en arbetsgrupp tillsatts med uppgift
att föreslå åtgärder för forskning, utveckling och befrämjande av två-
språkighet, skolungdoms- och lärarutbyten samt för skapandet av fler-
språkighetscentra och framställandet av läromedel och samarbete mel-
lan universiteten m.m. Nu pågår försök till en bättre koordinering mel-
lan olika organ på kantonal och nationell nivå. Översättningsverksam-
heten fungerar inte tillfredsställande, trots det arbete som sker vid *la Lia*.
Resurser fattas, eftersom det i stor utsträckning varit marknadskrafter-
na som fått råda. Det är dessutom svårt att få kompetent personal, vilket
kan innebära att det som produceras, om än användbart, inte kommer
till konkret användning. Ett problem är också regionaliseringen av pres-

sen i Schweiz, vilket medfört en sänkning av kunskaper om andra delar av landet, utanför den egna kantonen.[38] Brist på kunskap om övriga kantoner och kulturgemenskaper finns också belagda i den undersökning som genomfördes i slutet av 1994.[39] Den rätoromanska radion är relativt väl utvecklad i Graubünden, men utanför kantonen kan det vara svårt att få in dessa kanaler. Ännu är det bara enstaka teveprogram som sänds på rätoromanska. Positivt för rätoromanskan har grundandet av tidningen *La Quotidiana* 1996 varit. Den ersätter de tidigare mer lokala tidningarna, som *Fögl Ladin* och *Gasetta Romontscha*, vilka utkom ett par gånger i veckan. Nu utkommer en daglig tidning på rätoromanska, och i den används alla standarddialekterna samt rumantsch grischun.

Avslutningsvis kan vi se att det är för tidigt att idag, bara tre år efter dess genomförande, fastställa riktigt märkbara effekter av den nya lagen. Detta hindrar inte att vi kan konstatera att det i allmänhet råder en känsla av behärskad optimism och att språkets närvaro i olika sammanhang klart har förstärkts. Det är varken särskilt sensationellt eller oväntat att lagen verkar ha haft en prestige- och symbolmässigt stor betydelse som tillsammans med standardiseringen av språket åtminstone på kort sikt klart förbättrat språkets möjligheter att bibehålla sin ställning som levande tungomål och stärkas i användningen som skriftspråk. Detta borde båda gott för språkets ställning på lång sikt, men vi har sett att dess framtid inte är oproblematisk, allra minst i en värld med allt starkare internationella band och en förstärkning av de stora språkens ställning. Två världsspråk talas i Schweiz, och det tredje språket, italienska, har också en stark ställning i Europa, så rätoromanskan har ingen lätt position vare sig inom den egna gruppen av talare eller inom landet Schweiz, trots landets starka decentralisering och det traditionella hävdandet av de lokala beslutens vikt gentemot riksnivån. Många rätoromaner som jag har talat med, inte minst intellektuella, ser pessimistiskt på genomförandet av befrämjande åtgärder och därmed på språkets framtid. Å andra sidan syns många positiva tecken. Det är naturligtvis utomordentligt svårt att samla in »hårddata« om hur olika faktorer påverkar språkanvändningen. Icke desto mindre kan man konstatera att flera samverkande faktorer har stor betydelse för rätoromanskans framtid:

1) skapandet av ett standardspråk, som högst signifikativt ökat rätoromanskans användning i framförallt officiella sammanhang,

2) skolans undervisning i rätoromanska och introducering av
standardspråket,

3) användningen av rätoromanska i massmedia,

4) officiell status jämbördig med övriga språk,

5) statens stöd och den icke-rätoromanska befolkningens
accepterande av språket,

6) rätoromanernas egen vilja att behålla sitt språk.

Sammantaget har dessa faktorer mycket klart förbättrat rätoromanskans
ställning, men frågan om det är för sent kvarstår. Kan ett språk överleva
när alla talare i praktiken är tvåspråkiga? Enligt Haugens klassiska mo-
dell är detta en station på en väg som kan leda till att ett språk går förlo-
rat.[40] Följer man Fishmans skala för »reversing language shift«, som är
åttagradig – där den åttonde graden är den mest prekära situationen och
den första graden den mest framgångsrika – så skulle rätoromanskan
hamna på grad två till tre, och nu med den förändrade statusen även
inkludera vissa kriterier för grad ett.[41] Under senare år har en aktiv
revitalisering ägt rum på ett flertal håll i världen, och språk har återtagit
sina tidigare positioner, och för rätoromanskans del finns det idag flera
gynnsamma faktorer, som skulle kunna vända utvecklingen. Svårighe-
ter är naturligtvis Graubündens svaga ekonomiska ställning och dess
beroende av det tyska Schweiz, bristen på högre utbildning på rätoro-
manska i kantonen, den språkliga splittringen m.m.[42] De närmaste de-
cennierna kommer att visa sig ytterst intressanta. Åtgärderna blir allt-
mer konkreta och revitaliseringen starkare. Trots allt är det inte så lätt
att döda ett språk. Ytterst hänger det på talarnas egen attityd och vilja
att bevara språket, och denna verkar ha stärkts under de senaste åren, i
Graubünden såväl som bland rätoromaner på andra håll.[43]

Noter

1. Toni Berther, »En favur dal rumantsch grischun«, *La Quotidiana* 4/2 1999, s. 19.
Texten är skriven på enhetsspråket rumantsch grischun (se längre fram i artikeln)

och den citerade meningen betyder: »I en [folk]omröstning den 10 mars 1996 erkände det schweiziska folket med en ansenlig majoritet rätoromanska som officiellt språk.«

2. Till denna siffra kommer de personer som pendlar till sitt arbete i Schweiz från omgivande länder.

3. Evelyn Kobelt, »Schwiizertütsch leichtgemacht«, *Der Bund* 15/2 1999, s. 15. Den variant man lär ut är Zürichdialekten, som är den mest studerade och analyserade samt den där det finns tillgängligt läromedel.

4. H. R. Dörig & C. Reichenau, red., *La Svizra – 2 1/2 lungatgs?* (Disentis 1982).

5. Att man inte säger *det romanska* beror säkerligen dels på att man vill betona ursprunget, dels att man inte vill förväxla termerna: *romanche* och *Romanisch*, dvs. rätoromanska respektive *la Suisse romande*, som är det franskspråkiga Schweiz.

6. *Quoi de neuf en littérature? Catalogue d'auteurs de la Suisse latine* (Frankfurt 1998). Se även <www.editorg.ch>.

7. *Tages-Anzeiger* (Zürich) 11/2 1999, s. 9.

8. Ibid.

9. Se t.ex. Tullio Telmon, *Le minoranze linguistiche in Italia* (Torino 1992), ss. 99–115 samt Paola Beninca, »Dolomitic Ladin« och Laura Vanelli, »Friulian«, i G. Price, red., *Encyclopedia of the Languages of Europe* (Oxford 1998), ss. 262–263 och 265–266. En del forskare, som Pierre Bec, undviker problemet med vilka språk och dialekter som egentligen skall räknas som rätoromanska genom att tala om »rätofriuliska«. Se Pierre Bec, *Manuel pratique de philologie romane*, band II (Paris 1971), ss. 305–356.

10. Se vidare Ingmar Söhrman, »Romansh«, i Price, *Encyclopedia of the Languages of Europe*, ss. 388–393. Se också de åtta artiklarna under »Bündnerromanisch« i G. Holtus, G. Metzeltin & C. Schmitt, red., *Lexikon der Romanistischen Linguistik*, band 3 (Tübingen 1989), ss. 764–912.

11. Denna företeelse är relativt lite dokumenterad.

12. Lia Rumantschas hemsida, <http://www.spin.ch/liarumantscha/index.html>. Märk att beteckningen *Lia Rumantscha*, som nu används officiellt som enhetsbeteckning, är namnet på rumantsch grischun. Se även nedan för ytterligare förklaring.

13. Beninca, »Dolomitic Ladin« och Vanelli, »Friulian«.

14. Lia Rumantschas hemsida. Se även Lars-Göran Sundell, »Om rätoromanskan i Schweiz«, *Moderna Språk* (Linköping) 78 (1984).

15. Se Svein Mønnesland, »Finns det ett slaviskt språk – bosniska«, i Sven Gustavsson & Ingvar Svanberg, red., *Bosnier. En flyktinggrupp i Sverige och dess bakgrund*, Uppsala Multiethnic Papers 35 (Uppsala 1995), ss. 77–92.

16. De har sina namn »överskogiska« och »underskogiska« efter vilken sida om skogen vid skidorten Flims dialekterna talades.

17. Lia Rumantschas hemsida.

18. Jämför motsvarande händelser i t.ex. Spanien och de keltiska områdena. Se Ingmar Söhrman, *Ethnic Pluralism in Spain*, Uppsala Multiethnic Papers 29 (Uppsala 1993) och Derick S. Thomson, red., *The Companion to Gaelic Scotland* (Oxford 1983).

19. *Den statistiska metoden*, som använts för att skapa den standardiserade rätoromanskan, går ut på att man försöker välja de former och ord som har störst utbredning. Det är emellertid inte helt självklart om metoden avser att man skall välja den variant som har den största geografiska utbredningen eller den som används av flest talare, men oftast avser man den geografiska utbredningen. Se vidare kapitlet »Att standardisera ett språk« i Ingmar Söhrman, *Språk, nationer och andra farligheter* (Stockholm 1997).

20. *Pledari e gramatica* (Chur 1985).

21. Se Söhrman, *Språk, nationer och andra farligheter.*

22. G. Mützenberg, *Destin de la langue et de la littérature rhéto-romanes* (Lausanne 1974).

23. Martin Philip Wyss, »Das Sprachenrecht der Schweiz nach der Revision von Art. 116 BV«, *Zeitschrift für Schweizerisches Recht*, band 116 (1997), ss. 157–159.

24. *Botschaft über die Europäische Charta der Regional- oder Minderheitensprachen* (96.098), s. 11.

25. Dessa kantoner har en liten befolkning.

26. *Resultate der eidg. Volksabstimmung vom 10.03.1996*, Bundeskanzlei, Informationsdienst.

27. Art. 4 i den kantonala språkförordningen fastställer rumantsch grischun som språket för alla kantongemensamma texter. Die Regierung des Kantons Graubünden, Protokoll Nr. 2832, »Teilrevision der Weisungen betreffend die Übersetzung von amtlichen Texten in die italienische und romanische Sprache«, Von der Regierung beschlossen am 17. Dezember 1996 (Chur).

28. Artikel 2, lit. b, d, g, h, i samt k i den kantonala språkförordningen.

29. Samtal i februari 1999.

30. Enligt uppgift från Lia Rumantscha.

31. Daniela Gloor et al., *Fünf Idiome – eine Schriftsprache?* (Chur 1996), ss. 127–136.

32. Se Leena Huss studier i inledningen till *Reversing Language Shift in the Far North. Linguistic Revitalization in Northern Scandinavia and Finland* (Uppsala 1999).

33. Gloor, *Fünf Idiome.*

34. »Rumantsch near tagliàn an la scol d'Andeer«, *La Quotidiana* 11/2 1998, s. 8.

35. »Il far caprizius e funest da Turitg pertutgant l'englais«, *La Quotidiana* 9/2 1999, s. 10.

36. Alf Åberg, *Schweiz* (Stockholm 1958), ss. 179–180.

37. »La bilinguitad viulta«, *La Quotidiana* 11/2 1999, s. 15.

38. Enligt samtal med Constantin Pitsch, ansvarig för rätoromanskan vid Bundesamt für Kultur.

39. Hanspeter Kriesi et al., *Le Clivage linguistique* (Bern 1996).

40. Einar Haugen, *The Norwegian Language in America* (Bloomington 1953), s. 370.

41. Joshua A. Fishman, *Reversing Language Shift. Theoretical and Empirical Foundations of Assistance to Threatened Languages* (Clevedon 1991).

42. *Rätoromanisch. Facts and Figures*, utg. av Lia Rumantscha (Chur 1996), ss. 28–29.

43. *Le Romanche en péril? Évolution et perspective* (Bern 1996), ss. 299–305.

Kroatiska, serbiska och bosniska i de nya ortografierna

SVEN GUSTAVSSON

Inledning

SPRÅKFRÅGAN HAR VARIT ett mer eller mindre akut problem i Jugoslavien sedan landet bildades efter första världskriget. Utvecklingen har pendlat mellan ett accepterande av skillnaderna mellan kroatiska och serbiska och försök att skapa ett något så när enhetligt standardspråk. Språkfrågan har varit och är en del av de nationella strävandena. Efter 1974 hävdade kroaterna i princip att det fanns två litteraturspråk, serbiska och kroatiska, medan serberna talade om ett serbokroatiskt språk med varianter. Detta avspeglades också i författningarna av 1974, där i den kroatiska författningen det kroatiska litteraturspråket nämndes medan den serbiska författningen hade benämningen serbokroatiska. Bosnien-Hercegovina hade däremot benämningen serbokroatiska respektive kroatoserbiska. I princip bygger alla litteraturspråk på samma dialekter, de s.k. nyštokaviska dialekterna, vilket har som resultat att grammatiken i stort sett är densamma för samtliga, såväl för de redan existerande som för sådana i vardande, och att ordförrådet till större delen är gemensamt. Skillnaderna mellan de olika litteraturspråken ligger framför allt i ordförrådet och i viss mån inom ordbildningen, vilket är ett resultat av den skilda kulturella och historiska bakgrund som serber, kroater, montenegriner och bosnier/bosnjaker har.

Efter Jugoslaviens sönderfall har det officiella namnet på språket i Kroatien blivit kroatiska, i Serbien och Montenegro serbiska, och i Bosnien bosniska, serbiska eller kroatiska. Vissa kretsar i Montenegro vill också ha språkbenämningen montenegrinska.[1] Utan att närmare gå in på frågan om det rör sig om separata litteraturspråk/standardspråk eller ej, kan konstateras att den nya situationen lett till en livlig verksamhet på det språkvårdande området, främst vad gäller ortografiska handböcker (*pravopisi*): i Kroatien har utkommit en ortografi i flera upplagor,[2] i Serbien tre[3] och i Bosnien och Hercegovina en.[4] De olika ortografierna kommer i fortsättningen att förkortas K, S1, S2, S3 och B.

Min undersökning tar i första hand upp frågan om de nya ortografierna följer tidigare tradition och i andra hand om de språkpolitiska ställningstaganden som kan utläsas explicit eller implicit kommer att leda till skarpare gränser mellan serbiska, kroatiska och bosniska. Därför tar jag upp följande moment:

1. En kort historik över tidigare ortografier inklusive den för det serbokroatiska språkområdet gemensamma från 1960, dvs. *Pravopis hrvatskosrpskoga jezika* (förkortn. SKR 60).[5]

2. De nya ortografiernas förhållande till ortografin från 1960 och till andra tidigare ortografier.

3. De nya ortografiernas position vad beträffar:
   språknamnet,
   relationen ekaviska–(i)jekaviska,[6]
   relationen kyrilliskt–latinskt alfabet,
   etymologisk (morfonologisk) contra fonetisk (fonologisk) stavning.

4. Element av styrning i ortografierna: konvergens eller separation?

5. Sammanfattning och slutsatser.

1. Historik

Under 1800-talet normaliserades långsamt ortografin på det serbokroatiska språkområdet. Serben Vuk Stefanović Karadžić och kroaten Ljudevit Gaj gjorde därvid stora insatser. Efter mötet i Wien 1850 strävade kroater och serber efter ett gemensamt litteraturspråk och en gemensam stavning – då med undantag för skriften, dvs. kyrilliskt eller latinskt alfabete. Kroaterna anammade i princip den vukska regeln om att skriva som du talar och tala som det är skrivet. Situationen var dock länge tämligen oklar vilken typ av ortografisk princip som skulle segra, den fonologiska (eller fonetiska) eller en mer morfonologisk (eller etymologisk). Situationen före slutet av 1800-talet behandlas på ett utmärkt sätt av Lada Badurina i boken *Kratka osnova hrvatskoga pravopisanja* (Kort grund för den kroatiska rättskrivningen).[7]

Med Ivan Broz' *Hrvatski pravopis* (Kroatisk ortografi) från år 1892 segrar en moderat fonologisk eller snarare fonetisk princip.[8] Från senare delen av 1800-talet gäller i princip att man i skriften följer uttalet inom ordet, men följer en mer morfologisk/etymologisk princip mellan orden. Man skriver alltså *Srbin* (serb) men *srpski* (serbisk), *rob* (slav), men *ropski* (adj. av *rob*), *stan* (lägenhet) men *stambeni* (adj. av *stan*), *podbaciti* men *potkresati*. Prefixet *pod* skrives alltså *pot* före tonlös konsonant. Om orden står särskrivna, som i exemplen med preposition plus substantiv (*kod kuće, bez puške, s bratom*) har vi dock etymologisk stavning trots uttalet *kotkuće, bespuške, zbratom*. Inom ordet, framför allt vad beträffar stavningen av fonemet /d/ vid morfemskarv före /s/, /š/, /c/, /č/ och /ć/, finns också vissa undantag från huvudregeln, t.ex. *podsticati* trots uttalet *potsticati*. Dessa huvudregler har i princip alla kroatiska ortografier hållit fast vid med undantag för de som kom under andra världskriget. Även de serbiska har hållit fast vid denna regel även om de vacklat mera vad beträffar stavningen av /d/ före /s/, /š/, /c/, /č/ och /ć/.[9]

När kroater och serber förenades i ett rike efter första världskriget stod det emellertid klart att det hade utvecklats olika varianter av språket, dvs. en västlig och en östlig norm. Detta kom i någon utsträckning också att gälla på det ortografiska området eftersom kroaterna ända fram till 1950-talet med vissa avbrott kom att förlita sig på D. Boranićs *Pravopis hrvatskoga ili srpskoga jezika* (Ortografi för det kroatiska eller serbiska språket) som kom för första gången i Zagreb 1921.[10] Under motsvarande period använde serberna A. Belićs *Pravopis književnog srpskohrvatskog jezika* (Ortografi för det serbokroatiska litteraturspråket) som publicerades först i Belgrad 1923.[11] Under den kungliga diktaturen på 1930-talet omarbetades Boranićs ortografi i Belićs anda och Belićs ortografi kom att användas i alla statliga skolor. Efter överenskommelsen mellan serber och kroater 1939 fick Boranićs ortografi tillbaka sin gamla plats i det kroatiska området. Denna ortografi fick en efterföljare 1941 i F. Cipras, P. Guberinas och K. Krstićs *Hrvatski Pravopis* (Kroatisk ortografi), en ortografi som dock aldrig kom ut men som 1998 givits ut i en fotoutgåva i Zagreb.[12] Denna ortografi ersattes i stället i det s.k. oavhängiga Kroatien 1941–45 av en mer etymologisk ortografi som skilde sig betydligt från tidigare ortografier. Den finns kodifierad i två böcker: A. B. Klaić, *Etimološko pisanje* (Etymologisk skrivning), 1942 och F. Cipra och A. B. Klaić, *Hrvatski pravopis* (Kroatisk ortografi), 1944. I denna ortografi skrev man t.ex. *mlieko* (mjölk, *ie* från långt *jat*), *mljekar* (avledning av *mlieko, je* från kort *jat*), *izpad, odpadak–odpadci* (subst. n. sing. och pl.), *težak–težka* (adj. n., mask. och fem.), *častan–častna* (adj. n., mask.

och fem.), *obseg, svat–svatba* (avledning av *svat*), *opaziti–opazka* (avledning av *opaziti*), där dagens ortografier har *mlijeko, mljekar, otpadak–otpaci, težak–teška, častan–časna, opseg, svat–svadba, opaziti–opaska*.

Efter andra världskriget återinfördes Boranićs ortografi. År 1954 hade kroaterna en ny ortografi färdig men den blev aldrig godkänd av myndigheterna. Jugoslavismen hade kommit emellan och man talade återigen om *ett* språk. I stället kom den s.k. Novi Sad-överenskommelsen där 25 vetenskapsmän och kulturpersonligheter från Kroatien, Serbien och Montenegro kom »överens« (efter politiska påtryckningar) om att ge ut en gemensam ortografi och ett gemensamt lexikon. Den gemensamma ortografin kom också ut 1960 i en serbokroatisk och en kroatoserbisk version. Kroaterna var dock aldrig nöjda med denna ortografi. Detta kroatiska missnöje med den språkliga situationen kunde komma till uttryck först efter Aleksandar Rankovićs fall 1966. År 1967 kom »Deklarationen om det kroatiska litteraturspråkets namn och status« från 140 kroatiska författare och lingvister. Bland annat ansåg de att kroatiskan hade förvisats till dialektnivå medan serbiskan hade blivit det officiella språket i Jugoslavien. Utvecklingen därefter, som var en period av nationell självhävdelse i alla jugoslaviska republiker, ledde också till att kroaterna sade upp Novi Sad-avtalet 1971. Samma år tryckte de i 40.000 exemplar en ny kroatisk ortografi, men då Tito slog tillbaka mot de nationella strävandena drogs upplagan in, och boken förklarades vara »en nationalistisk diversion«.

Det är denna ortografi som för närvarande används i Kroatien. Den kom, efter det att den dragits in, ut i två upplagor i London och har sedan 1990 kommit ut i fyra upplagor i Kroatien. Den har därmed ersatt V. Anićs och J. Silićs *Pravopisni priručnik hrvatskoga ili srpskoga jezika*[13] (Ortografisk handbok för det kroatiska eller serbiska språket) från 1986, som bl.a. ansågs ligga för nära SKR 60.

I Serbien följde man efter 1960 SKR 60 i skolutgåvor och liknande. Från 1989 har i takt med splittringen och sönderfallet av Jugoslavien intresset för de ortografiska frågorna ökat. 1989–90 diskuterades de ortografiska frågorna för sista gången gemensamt i Jugoslavien i ett gemensamt akademiskt forum där akademierna i Kroatien, Serbien, Bosnien-Hercegovina, Montenegro och Vojvodina deltog. År 1993 utkom så S1 och S2, vilket föranlett en häftig och ganska förgiftad debatt i Serbien. Denna debatt är tämligen svår att förstå om man inte antar att den har sin grund i personliga motsättningar och i motsättningar mellan akademi och universitet. Kanske finns det också en politisk dimension eftersom S1 lär ha fått officiellt godkännande. Möjligen kan också regionala motsättningar ha spelat in eftersom S1 är utgiven i Novi Sad och S2 i Belgrad och Nikšić, dvs. även i Montenegro.[14]

I Bosnien var man inte heller särskilt nöjd med SKR 60. I takt med det ökande självmedvetandet hos den muslimska gruppen, numera med självbenämningen bosjnjaker, klagade man mer och mer över att det specifikt bosniska inte fick plats i det normerade språket. Bosnien-Hercegovina fick också under 1970- och 1980-talet en egen språkpolitik som i viss mån var en kompromiss mellan den serbiska och det kroatiska. Redan 1972 utkom dock i Sarajevo en ortografi som varken var helt serbisk eller helt kroatisk, Markovićs, Ajanovićs och Diklićs *Pravopisni priručnik srpskohrvatskog–hrvatskosrpskog jezika* (Ortografisk handbok för det serbokroatiska–kroatoserbiska språket).[15]

2. De fem ortografiernas relation till SKR 60 och till varandra

Att de fem ortografierna alla relaterar till SKR 60 är självklart. S1, S2 och S3 anger (s. 9, s. 4 resp. s. 7) att SKR 60 ligger till grund för deras lösningar även om de också skriver att de på vissa punkter avvikit från eller förbättrat dessa lösningar.[16] B påpekar vad beträffar SKR 60:

> Från 1960 har vi betjänat oss av ortografiska handböcker som bygger på Novi Sad-avtalets grunder. Dessa handböcker tog inte hänsyn till de specifika dragen i den bosjnjakiska språkliga verkligheten, och förstörde den skoningslöst, vilket samtidigt resulterade i en klyfta mellan den gällande normen och själva livet som i många detaljer förkastade normen såsom icke lämplig. Endast Markovićs, Ajanovićs och Diklićs ortografi utgjorde ett visst framsteg i önskad riktning. Behovet av en ortografi för det bosniska språket har alltså länge varit för handen. (B, s. 6)[17]

K nämner inte med ett ord någon annan ortografi än Broz 1892 och Boranićs olika utgåvor. Indirekt framgår dock av den recension som professor Radoslav Katičić skrev i *Hrvatski tjednik* (nr 333, 3/12 1971) att författarna utgått från SKR 60:

> Reglerna i deras ortografi avviker alltså inte från Novi Sad-ortografins. Man tar inte principiellt och i sin helhet avstånd från dagens tillstånd, utan tvärtemot accepteras allt som visat sig antagbart, nyttigt och livskraftigt, som en del av den kroatiska språkhistorien. Därmed har man

förverkligat den grundläggande pragmatiska principen att stabilitet är den högsta dygden för varje ortografisk lösning och att man på detta område inte utan trängande behov bör göra plötsliga hopp.[18]

Just det faktum att den ortografiska traditionen måste vara stabil är också K:s författare mycket medvetna om:

> Då författarna började arbetet på den andra upplagan, undersökte de först vilken riktning den allmänna opinionen ville att ortografiarbetet skulle ta. Eftersom de vetenskapliga och kulturella institutionerna visade att de inte ville ha några större förändringar, höll vi oss till principen att man inte bör ändra de ortografiska lösningar som man vant sig vid hos oss och som fungerar bra. Därmed uppfylls ett av de viktigaste kraven som ställs på en bra ortografi, dvs. stabilitet i den ortografiska normen och ett undvikande av allt som skulle kunna rubba och störa den kulturella miljön och därmed sänka nivån på dess läs- och skrivförmåga.[19]

K hänvisar alltså explicit enbart till den kroatiska traditionen men implicit bygger man också på den gemensamma.

S1, S2 och S3 hänvisar explicit till SKR och därmed till den gemensamma traditionen, men en skillnad synes vara att S2 och S3 är större Vukanhängare än S1. S2 förefaller också ha inspirerats av Belić i högre grad än de övriga:

> Det finns mycket få och med hänsyn till materialets omfång mycket obetydliga fall där våra lösningar avviker från Novi Sad-ortografins. Några av dessa lösningar [...] påminner till sitt väsen om Belićs ortografi [...] Beograd 1923. (S2, s. 4)

I övrigt håller sig alla i sitt val av referenser till den egna traditionen. Inga verk från de andra sidorna citeras eller nämns. Man kan dock ändå anta att respektive författare varit väl medveten om utvecklingen av normen hos de »andra«. För detta talar vissa fakta i avsnitt 3 och 4 nedan.

3. De nya ortografiernas positionering i olika frågor

3.1. Språknamnet

Namnet på språket/språken har varit en av de mest svårlösta frågorna i den jugoslaviska historien. Åtskilliga namn har varit i omlopp: illyriska, serbokroatiska, kroatoserbiska, kroatiska eller serbiska, ibland jugoslaviska, nyštokaviska och vid sidan av dessa serbiska, kroatiska och bosniska. Här finns inte plats att gå in på vad som föranlett de olika namnen. I dag är som konstaterats i inledningen, serbiska, kroatiska och bosniska legala benämningar på språket/språken i respektive republiker även om i en lag i Serbien och Montenegro också benämningen serbokroatiska förekommer. Dessutom kan påpekas att den bosniska språklagen egentligen anger tre språknamn, bosniska, kroatiska och serbiska. Den nya situationen reflekteras i titlarna på de olika ortografierna. Trots detta är användningen av språknamn väl värd att kommentera. De mest okomplicerade är S2 och S3. De använder syntagmet »srpski jezik« (det serbiska språket) helt utan inskränkningar. Inga hänvisningar finns så vitt jag kunnat finna till kroatiskan eller bosniskan. Inte heller är serbokroatiskan omnämnd annat än som titel på äldre böcker.

S1:s förhållande till språknamnet är mer komplicerat. Syntagmet »srpski jezik« (det serbiska språket) förekommer visserligen i titeln och i förordet »Uz pravopis srpskoga jezika« (Angående det serbiska språkets ortografi). I övrigt har jag funnit syntagmet enbart på tre ställen (med risk för att jag missat något).[20] Det förefaller som om det finns en viss tvekan att använda detta syntagm, vilket kan bero på att författarna står kvar vid den tidigare ståndpunkten att serbokroatiskan är »ett språk, dock icke enhetligt«. Denna tvekan framgår på många ställen. Författarna talar om »srpska jezička kultura« (den serbiska språkliga kulturen), »srpski standard« (den serbiska standarden), »jezička kultura istočnijeg dela štokavskog narečja« (den språkliga kulturen i den östligare delen av det štokaviska dialektområdet) (s. 10), »preovladajući srpski izražajni uzus« (den förhärskande serbiska uttrycksusus/en/)[21] (s. 11), »srpski književnojezički izraz« (det serbiska litteraturspråkliga uttrycket) (s. 126), »srpskohrvatski jezički standard« (den serbokroatiska språkliga standarden), »srpska kulturna i običajna norma« (den serbiska kultur- och sedvanenormen), »srpski standardni izraz« (det serbiska standarduttrycket), »srpska književnojezička sredina« (den serbiska litteraturspråkliga miljön) (s. 140), »standardni sistem« (standardsystemet) (s. 161), »glavni srpski jezički uzus« (den serbiska språkliga huvudusus/en/) (s. 162), »uzus srpske jezičke kulture« (den serbiska språkliga kulturens usus), »srpski izraz« (det serbiska uttrycket) (ss. 163–164 etc.), »srpski izražajni uzus« (den serbiska uttrycksusus/en/) (s. 165), »srpski uzus« (den serbiska usus/en/) (s. 166 etc.), »srpska kulturna sredina« (den serbiska kulturella miljön), »Srbija« (Serbien) (s. 168), »naš jezik« (vårt språk) (ss. 169, 170, 174, 175 etc.), »srpska, i uopšte istočnija strana« (den serbiska och överhuvudtaget den östligare sidan), »srpska kultura« (den serbiska kulturen) (s. 182), »naš književni jezik« (vårt litteraturspråk) (s. 185), »naš standardni jezik« (vårt standardspråk) (s. 188), »sh. jezik« (skr. [serbokroatiska] språket) (s. 197), »naš kulturni izraz« (vårt kulturella uttryck) (s. 232), »naša jezička kultura« (vår språkliga kultur) (s. 239), etc. I många av dessa fall skulle det ha varit möjligt att använda syntagmet »srpski (književni) jezik« (det serbiska (litteratur-) språket) om författarna så hade önskat.

Attityden gentemot syntagmet »srpski jezik« förklarar också varför syntagmet »hrvatski jezik« (det kroatiska språket) eller »hrvatski književni jezik« (det kroatiska litteraturspråket) inte förekommer alls trots att författarna inte undviker att diskutera situationen också i den västliga eller kroatiska delen av språkområdet. Attityden gentemot kroatiskan framgår av följande citat:

> Denna ortografi är främst avsedd för att användas för att tillfredsställa behoven hos den serbiska språkliga kulturen – serbisk i traditionell och lingvistisk betydelse, dvs. de kulturella behoven och behoven inom utbildningen i nuvarande Federativa Republiken Jugoslavien liksom även i de litteraturspråkliga miljöer som kvarstår i en språklig och kulturell gemenskap med detta område. Med anledning av detta avsedda användningsområde söker handbokens text inte att skapa (som de båda Maticornas första ortografi gjorde) en formell symmetri mellan östligt och västligt material, respektive serbisk och kroatisk standard eller usus, utan opererar företrädesvis med exempel och omdömen vad beträffar användningen som är typiska för den språkliga kulturen i den östligare delen av det štokaviska dialektområdet; emellertid utesluter vår handbok inte denna andra komponent på informationsplanet, inte heller desavouerar den denna komponent på det normativa planet. I den mån bearbetningen av materialet krävt en hänvisning till den kroatiska standardiseringen (eller med ett vidare begrepp den västliga standardiseringen) har denna anförts i princip i den form som den, under namnet »kroatoserbiska«, fått i den gemensamma ortografin av år 1960 (förkortat hs.) och som tillämpas i Matica srpskas sexbandslexikon (RMS), och på motsvarande sätt i de hittills färdiga volymerna av Serbiska akademiens lexikon (RSA).
>
> Man måste hålla i minnet att särdragen för detta [språkliga] uttryck, mera genomfört eller delvis, också finns hos många serbiska författare. Detta faktum utesluter emellertid inte deras [språkliga] uttryck från det serbiska språket, inte blott för att författarna är serber utan även för att själva den kroatiska standardiseringen – efter Vuks reform – i realiteten är kroatoserbisk eftersom den bland sina viktigaste grunder har Vuks

Srpski rječnik [Serbiskt lexikon] och Vuks i första hand serbiska språk.
(S1, s. 10)

Kroatiskan omnämns bl.a. som »hrvatska standardizacija« (den kroatiska standardiseringen), »hrvatska književna štokavština« (den kroatiska litterära štokaviskan) (s. 167), »hrvatski uzus« (den kroatiska usus), »hrvatska kultura« (den kroatiska kulturen), »hrvatska strana« (den kroatiska sidan) (s. 182), »hrvatski izraz« (det kroatiska uttrycket) (s. 183), »hs.« (krs.) (s. 184), och »hrvatski standard« (den kroatiska standarden) (s. 184).

B konstaterar i inledningen att ortografin är avsedd för bosjnjakerna och för andra som erkänner det bosniska språket som sitt:

> Detta är den första ortografin för det bosniska språket. Den är avsedd för bosjnjakerna, som har det bosniska språket som modersmål (det är med just detta språknamn och inte med namnet bosjnjakiska som bosjnjakerna benämner hela sin kultur; och detta bekräftades i folkräkningen 1991: omkring 90% av bosjnjakerna, respektive 38% av invånarna i Bosnien och Hercegovina deklarerade att det bosniska språket var deras modersmål) och företrädare för andra folk i Bosnien och Hercegovina och ute i världen som accepterar det bosniska språket som sitt. (B, s. 10)

I övrigt har jag inte funnit något omnämnande av serbiska eller kroatiska annat än i förkortningslistan: *hrv.* – hrvatski (kroatiska), *srp.* – srpski (serbiska). Den sammansatta benämningen serbokroatiska resp. kroatoserbiska finns inte alls omnämnd i texten trots att den var den officiella i Bosnien-Hercegovina före självständigheten.

K har titeln *Hrvatski pravopis* (Kroatisk ortografi). Denna benämning är ju flertydig, vilket tycks ha vållat vissa problem redan från början. Professor Katičić tar nämligen upp frågan i sin recension:

> Tanken har också hörts att titeln »Ortografi över det kroatiska litteraturspråket« skulle passa bättre. Ortografin är verkligen detta, och denna andra titel beskriver dess innehåll på ett riktigt sätt men är dessutom onödigt omfattande eftersom »Kroatisk ortografi« betyder detsamma. Ortografier gäller enbart språk och bland språken endast litteraturspråken.[22]

Också författarna till K tar upp samma fråga men med en något annorlunda tolkning av titeln:

> Dagens ortografi används inte bara av kroater utan också av företrädare för andra folk i vårt land och ute i världen, vilka brukar det kroatiska

språket. Med utgångspunkt i detta betecknas med begreppet Kroatisk ortografi två saker: för det första att det är en ortografi för kroaterna (kroatisk ortografi = kroaternas ortografi), för det andra att det är en ortografi för alla kroatiska invånare (kroatisk ortografi = Kroatiens ortografi). Kroatisk ortografi är alltså en ortografisk handbok över det kroatiska litteraturspråket i lika mån avsedd för brukare i Kroatien som för alla de individer eller grupper var som helst i världen som använder detta språk.[23]

I detta citat förekommer de båda syntagmen »hrvatski jezik« (det kroatiska språket) och »hrvatski književni jezik« (det kroatiska litteraturspråket), benämningar som sedan används flitigt i boken. Däremot nämns inte alls i boken »srpski jezik« (det serbiska språket) eller »bosanski jezik« (det bosniska språket). Det närmaste man kommer att tala om serbiska är i en passus om translitterering:

> Egennamn från det serbiska och montenegrinska folket som (och när man) använder sig av det kyrilliska alfabetet, överförs till det latinska alfabetet enligt uttalet, liksom alla andra ord.[24]

Inte heller förekommer någon hänvisning till de sammansatta benämningarna. Däremot förekommer ordet *srpski* (serbisk, serbiska) i lexikonet.

S1 är alltså den enda handbok som egentligen berör de »andras« ortografier, i detta fall kroaternas. Övriga gör inte detta explicit även om det implicit finns en klar medvetenhet om dem eftersom man bygger på samma grund och i textavsnitten behandlar i stort sett samma frågor. Men om man ser till själva texterna normerar alltså såväl serber och kroater som bosnjaker sitt språk utan egentliga sidoblickar eller tillbakablickar.

3.2. Relationen ekaviska–ijekaviska

Samtliga serbiska handböcker hävdar att ekaviska och ijekaviska är likvärdiga. Av S1 finns dessutom både en ekavisk och en ijekavisk version vad gäller själva regeltexten medan lexikonet är detsamma (eftersom det ger både ekavisk och ijekavisk stavning) i båda utgåvorna. I S2 är regeltexten ijekavisk och i S3 ekavisk. I båda fallen ger dock lexikonet såväl ekaviska som ijekaviska former. Övergången från ijekaviska till ekaviska i Republika Srpska i Bosnien-Hercegovina hade därför knappast något större stöd bland de serbiska lingvisterna. Den kom till för att serberna där skulle skilja sig från den övriga normen i Bosnien-Hercegovina.

B har enbart ijekaviska som norm. Förkortningen *ek.* – ekavski, eka-vizam förekommer dock i förkortningslistan. Under rubriken »Pravila ijekavskog izgovora« (Regler för ijekaviskt uttal) (ss. 124–131) som ju förutsätter förefintligheten av ekaviska, ges reglerna för den ijekaviska stavningen.

K talar inte om ijekaviskt uttal utan i stället i tidigare utgåvor om »glasovni skupovi *ije* i *je*« (ljudgrupperna *ije* och *je*) och i senare utgåvor om »dvoglasnik *ie*« (diftongen *ie*). Trots detta finns fram till och med tredje upplagan av Zagrebutgåvan ett avsnitt med där ijekaviskan fram-hävs som mer entydig än ekaviskan. Detta gäller för ordpar som *beg* (beg/bej/bey)–*bijeg* (flykt), *deci* (deciliter)–*djeci* (barn, koll. dat. lok. sing.), *med* (honung)–*mjed* (koppar) etc. där ju ekaviskan har samma skriftliga form i båda fallen. Detta – för en ortografisk handbok onödiga – avsnitt har utgått i den senaste upplagan. Ekaviska nämns i denna senaste utgå-va endast i för kroatiskan felaktiga fall som *prevejan* (kroatiskan skulle här ha *previjan*) (s. 45).

Trots att alltså alla tar upp ijekaviskan finns det olika uppfattningar om stavningen i de serbiska handböckerna å ena sidan och i den bosnis-ka och kroatiska å den andra. Detta gäller särskilt vissa fall av kort *jat* efter konsonantgrupp slutande på *r*. I dessa fall var uttalet och stavning-en i SKR 60 *e*, t.ex. *mrijest–mrestilište, srijeda–usred, vrijeme–vremena, grijeh–grehota, grešan, vrijedan–vredniji, povrijediti–povređivati, privrije-diti–privreda, strijela–strelica, upotrijebiti–upotreba.* I samtliga dessa »par« har ordet före strecket en gång haft långt *jat* i roten, ordet eller orden (avledning eller böjningsform), efter strecket kort *jat*. S1, S2 och S3 följer här SKR 60, medan K i vissa fall för reflexen av kort *jat* efter konsonantgrupp slutande på *r* tillåter *je* vid sidan av *e*. Det gäller t.ex. *grješan, grjehota* vid sidan av *grehota, grešan, mrjestilište* vid sidan av *mresti-lište, strjelica* vid sidan av *strelica, vrjedniji, povrjeđivati* vid sidan av *vred-niji, povređivati, drjemljiv* vid sidan av *dremljiv, drjenić* vid sidan av *drenić* etc. Däremot heter det alltid *pomodrjeti, vremena, upotreba, usred* och *privreda.* B tillåter också *grjehota, grješan, strjelica, mrjestilište, pomodrjeti* vid sidan av de ekaviska formerna men anger bara *vredniji, povređivati, dremljiv, drenić.* B skriver dock:

> I den mån former som *brjegovi,* [...], *crjepovi, dozrjeti, drjemljiv,* [...], *krješt-alica, okrjepljivati,* [...], *povrjeda, sprječavati,* [...], *trjebiteljica, trjezniji, uv-rjeda,* [...], *zaprjeka, ždrjebad* kommer att användas oftare, skall de ges plats i det ortografiska lexikonet över det bosniska språket. (B, s. 125)

Av dessa har samtliga utom *dozrjeti, krještalica* (finns inte i lexikonet) och *zapreka* dubbelformer i K. Därför kan B:s yttrande ses som en styrning mot den kroatiska rättstavningen.

Två prefix kan förekomma med dubbelformer i ijekaviskan: *pre-* och *prije-*, *pred-* och *prijed-*. S1 anger dubbla möjligheter hos följande ord: *prevez, prevod, prevoj, preglas, pregon, pregor, predlog, preklop, prekop, prekor, prekup, prelaz, prelom, prenos, prepjev, prepis, preplet, preskok, prestup, pretop, prehod*. Dessutom förekommer en grupp med enbart *e*. Vid en jämförelse med S2 finner man att denna handbok anger *prevez, prevod, prevoj, preglas* och *prijeglas, pregon, pregor, predlog* och *prijedlog, preklop, prekop* och *prijeklop, prekup, prelaz* och *prijelaz, prelom* och *prijelom, prenos* och *prijenos, prepjev, prepis* och *prijepis, preplet* och *prijeplet, preskok, prestup* och *prijestup*. S1 och S2 skiljer sig alltså från varandra på det sättet att S2 har fler former med enbart *e*.

B har *prijevez, prijevod, prijevoj, prijeglas, prijegon* och *pregon, prijegor, prijedlog, prijeklop* och *preklop, prijekop, prijekor, prijekup* och *prekup, prijelaz* och *prelaz, prijelom, prijenos, prijepjev* och *prepjev, prijepis* och *prepis, prijeplet* och *preplet, prijeskok* och *preskok, prijestup* och *prestup, prijetop, prijehod*. B har alltså fler former med enbart *ije* än de serbiska ortografierna.

K har *prijevod, prijevoj, prijeglas, prijegor, prijedlog, prijeklop* och *preklop, prijekop, prijekor, prijekup* och *prekup, prijelaz, prijelom, prijenos, prepjev, prijepis, prijepis, prijeplet* och *preplet, prijeskok* och *preskok, prijestup* och *prestup*. Tendensen är densamma som i B: fler former med enbart *ije*.

Samtliga handböcker har således en grupp med dubbelformer, men vilka som finns med i denna grupp varierar. Gruppen med enbart *e* är störst i S2, något mindre i S1, medan den är mycket liten i B: *prebol, pregib, premjer* och *pretres*. Liten är den också i K: *prebol, pregib, prelet /* accent?/, *preljev, preljub, premaz* /accent?/, *prepad, prepjev, preris, pretok, pretres*. Gruppen med enbart *ije* är mycket liten i S2 (endast *prijesto(l)*), och innehåller några få ord i S1 (se s. 133). Däremot är den stor i B och K.

3.3. Relationen kyrilliskt–latinskt alfabete

S1, S2 och S3 är skrivna med kyrilliskt alfabete. Samtidigt hävdar alla att serbiskan kan skrivas med två alfabeten. S1 anser att serbiskan är tvåalfabetisk (»dvoazbučen«) (se bl.a. ss. 38–39) och anger det gängse latinska (kroatiska) alfabetet, dvs. med digraferna *lj, nj* och *dž*. S3 skriver:

I det serbiska språket används två skrifter: den kyrilliska och den latinska. Varje bildad person måste känna båda alfabetena väl, men välja det kyrilliska som den serbiska basskriften. (S3, s. 11)

S3 ger samma latinska alfabete som S1. Däremot försöker S2 återintroducera Daničićs s.k. *srpska latinica* (serbisk latinsk skrift) som ett speciellt serbiskt latinskt alfabet (s. 45), dvs. ger i stället för *lj*, *nj* och *dž* bokstäverna *ľ*, *ń* och *ǵ*. B ger också båda alfabetena med *dž*, *lj* och *nj*. B, som är skriven med latinskt alfabet, konstaterar:»I det bosniska språket används i dag två skrifter: den latinska och den kyrilliska.« (s. 15) Och:

> Även om det latinska alfabetet används mycket oftare i det bosniska språket är det nödvändigt att också känna till det kyrilliska, med och på vilket en del av vårt språkliga arv är skrivet och tryckt. (B, s. 16)

K däremot har inte med något kyrilliskt alfabete. Det kyrilliska alfabetet framstår som helt främmande, vilket också framgår av avsnittet om translitterering (se citat i avsnitt 3.1 ovan).

3.4. Relationen etymologisk–fonetisk eller fonologisk stavning
Ovan har påpekats att stavningen i huvudsak är fonetisk eller fonologisk. De olika ortografierna följer också i stort de (gemensamma) principer som drogs upp under 1800-talet. Skillnaderna är små men några saker kan dock konstateras. Genom stavningar som *grjehota*, *strjelica* etc. (se ovan) ansluter K mer till den s.k. rotprincipen (»korijensko načelo«, se ovan) som då och då dykt upp i den ofta heta kroatiska debatten om rättstavning. Vissa debattörer har velat återinföra stavningen *ie* i stället för nuvarande *ije* och *je* och på så sätt få samma skrivning av reflexen såväl för kort som för långt *jat*.

På samma sätt försöker K med små steg införa en mer etymologisk stavning i fall som *ledac* (n. sg.)–*leca* (g. sg.)–*leci* (n. pl.), *mladac* (n. sg.)–*mlaca* (g. sg.)–*mlaci* (n. pl.), *mlatac* (n. sg.)–*mlaca* (g. sg.)–*mlaci* (n. pl.), *petak* (n. sg.)–*peci* (n. pl.) (SKR 60). I Londonutgåvan är denna stavning den enda angivna, i Zagrebutgåvans tredje upplaga anges *ledac–ledca*, *ledci* och *leci*, *mladac–mladca–mladci* och *mlaci*, *mlatac–mlatca–mlatci* och *mlaci*, *petak–peci* och *petci*, *predak–pretka–preci* och *predci*. I den fjärde upplagan har möjligheterna att använda formerna *leci*, *mlaci*, *peci* och *preci* försvunnit (jfr dock *otac* (n. sg.)–*oca* (g./a. sg.)–*oci* (n. pl.), *gubitak* (n. sg.)–*gubitci* och *gubici* (n. pl.), *listak* (n. sg.)–*liska* (g. sg.), *grozdak* (n. sg.)–

79

groska (g. sg.), *naprstak* (n. sg.)–*naprska* (g. sg.)–*naprsci* (n. pl.)). S1, S2
och S3 liksom också B följer i sådana fall i stort traditionen från SKR
60. S2 försöker dock »i Belićs anda« (se citat ovan) styra mot en mer
fonetisk stavning genom att acceptera stavningar som *pozdiplomski* vid
sidan av det vanliga *postdiplomski*, *gimnaziskinja* vid sidan av det vanliga
gimnazistkinja, *gankster* och *pleps* i stället för det vanliga *gangster*, *plebs*
etc. (se ss. 4 och 5). Den motsatta tendensen finner vi dock också hos S2
i orden *listak–listka–lisci*, *naprstak–naprstka–naprsci*, *grozdak–grostka–grosci*
där övriga har en mer fonetisk stavning som följer den i SKR 60, dvs.
liska, *naprska*, *groska*.

4. Element av styrning i ortografierna: Konvergens eller separation?

K har i sitt lexikon många dubbletter. Om detta skriver författarna:

> Många ord har införts [i lexikonet] med två, och några t.o.m. med tre
> former, i synnerhet ord på -*tak*, -*dak*, -*tac*, -*dac* och ord med diftongen ie,
> som skrivs med *ije* och på samma plats med ljudgruppen *je* och ljudet *e*.
> Detta har gjorts för att avlägsna de hinder som på grund av politiska
> svårigheter omöjliggjort för den kroatiska ortografin att utvecklas och
> standardiseras på ett normalt sätt. Därför kan tillsvidare många dubblet-
> ter och tripletter anses lika goda till dess att praxis visat vad som skall ges
> företräde. (K 1996, ss. 147–148)

Även i dessa fall finns element av styrning. Som ovan påpekats har man
i 1996 års upplaga i flera fall inskränkt antalet stavningsvarianter just
vid ord av den typ som nämns på -*tak* etc.

Styr gör man också på det stilistiska planet genom att styra mot för
det kroatiska litteraturspråket mer neutrala ord eller former. Väl med-
vetna om att detta inte är en uppgift för ett ortografiskt lexikon och
något som kan kritiseras, försvarar författarna detta genom att hänvisa
till traditionen och till det faktum att det saknas ett lexikon över det
kroatiska litteraturspråket (s. 149). Vid stilistiskt markerade ord använ-
der de tecknet > för att hänvisa till det neutrala ordet, t.ex. **adet** > običaj
(sed). Om ordet är starkt stilistiskt markerat tillkommer en stjärna, t.ex.
*amonijum > amonij. Detta innebär dock inte ett förbud mot dessa ord:

> Det bör särskilt understrykas att detta inte betyder att ord med en stjärna
> eller utan stjärna före tecknet > inte får användas i det kroatiska littera-

turspråket, utan det är en varning om att dessa ord bör användas med större försiktighet. (K 1996, s. 149)

Redan vid en hastig blick på lexikonet framgår det dock att många av de ord som befinner sig på den vänstra sidan om > måste räknas som serbiska, medan de till höger hör till den mer kroatiska normen (vilket kanske var orsaken till indragningen av boken 1971). För att se om vi genom dessa s.k. stilistiska hänvisningar har en styrning bort från vad som uppfattas som typiskt serbiskt till vad som är typiskt kroatiskt har jag gjort en genomgång av 10 rätt slumpmässigt valda sidor och fått fram en lista över ord med hänvisningar av denna typ. Denna lista har jag sedan jämfört med det enda större lexikon som finns över skillnaderna mellan serbiska och kroatiska, nämligen Vladimir Brodnjaks såväl mycket prisade som mycket kritiserade *Razlikovni rječnik srpskog i hrvatskog jezika* (Ordbok över skillnaderna mellan serbiska och kroatiska) från 1992.[25] Om ordet finns i Brodnjak har jag markerat detta i listan.

I det övervägande flertalet av exemplen (59 av 87) finns orden i Brodnjak, vilket enligt min uppfattning visar att dessa rekommendationer är ett medvetet försök att i första hand styra bort från serbiskans usus eller från s.k. serbismer i kroatiskan. Det kan här röra sig om välkända serbisk-kroatiska ordpar som **točak** > kotač (hjul), **srećan** > sretan (lycklig), **nivo**–razina (nivå), **partija** > stranka (parti) etc. Samtidigt finns naturligtvis också det typiskt kroatiska puristiska förhållandet till lånord företrätt, t.ex. **patriot** > rodoljub (patriot).

I B finns också hänvisningar av typ **porudžbina** v. [se] **narudžba** (beställning, order). Om fall av denna typ sägs:

> I Ortografisk handbok finns också många ord som inte skulle finnas där om vi dag hade det bättre ställt med handböcker på det grammatiska och lexikaliskt-normativa området. Därför har denna ortografi (det var omöjligt att undvika) tagit på sig något av ansvaret från övriga normativa handböcker, men detta får inte befria oss från plikten att sätta i gång med utarbetandet av sådana nödvändiga böcker. Av denna anledning står vid enskilda uppslagsord förkortningen *v.* [se] som hänvisar till det riktiga ordet eller ett ord som man av olika orsaker önskar ge företräde. (B, s. 154)

Användningen av denna hänvisningsmöjlighet framgår av några mer eller mindre slumpmässigt valda exempel från 28 sidor av bokens ortografiska lexikon (även i detta fall har jag jämfört med Brodnjaks lexikon). Antalet hänvisningar är här 60, dvs. färre än i B. I åtskilliga fall (20 av 60 fall finns i Brodnjak) finns hänvisningar från mer serbiska till mer kroatiska ord, som t.ex. **bezbjedan** v. **siguran** (säker), **bezuslovan** v. **bezuvjetan** (ovillkorlig), **kelner** v. **konobar** (kypare), **ćutati** v. **šutjeti** (tiga) m.fl. Detta kan uppfattas som ett försök till styrning bort från det serbiska ordförrådet till förmån för det kroatiska. Men riktningen är inte entydig. I flera fall styrs åt det mer serbiska ordet/varianten av ordet: **kazalište** v. **pozorište** (teater), **kemija** v. **hemija** (kemi), **kirurg** v. **hirurg** (kirurg), **vol** v. **vo** (oxe) m.fl. Möjligen reflekterar detta språksituationen i Bosnien-Hercegovina så som den utkristalliserades under 1970–90-talet – det var ju då möjligt att använda annars »variantmarkerade« ord som synonymer. Tanken bakom detta var att det så småningom skulle utvecklas en usus där respektive ord fick sitt speciella användningsområde. Bakom detta låg insikten att språk oftast inte någon längre tid tolererar fullständig synonymi. För ett fortsatt synonymtänkande talar att B fortfarande ger många parallella fall som i andra sammanhang uppfattas som »variantmarkerade«, dvs. som serbiska eller kroatiska, t.ex.: **bataljon / bataljun** (bataljon), **komunistkinja / komunistica** (kvinnlig kommunist), **konsultacija / konzultacija, konsultacijski / konzultacijski, konsultacioni / konzultacioni** (adj. konsultation-), **korektorka / korektorica** (kvinnlig korrekturläsare), **korespondentkinja / korespondentica** (kvinnlig korrespondent), **koral / koralj** (korall), **krotilac / krotitelj** (tämjare), **kuverat / kuverta** (kuvert), **Litvanija / Litva** (Litauen) m.fl.

I dessa fall har vi alltså ett snedstreck som anger att det är egalt vilken variant som väljs – den före eller den efter snedstrecket. I ovan angivna fall rör det sig om stavnings- eller ordbildningsskillnader men samma princip gäller också för andra ord även om de på grund av den alfabetiska ordningen inte finns bredvid varandra, som t.ex. **stepenište** och **stubište** (trappa), **prečnik** el. **priječnik** och **promjer** (diameter), **paradajz** och **rajčica** (tomat), **snabdjeti** och **opskrbiti** (förse, försörja), **trezven** och **trijezan** (nykter), **peškir** och **ručnik** (handduk), m.fl., m.fl.

B skriver apropå dessa dubbletter:

> Vi har bemödat oss om att reducera de dubbla ortografiska lösningarna så mycket som möjligt och bestämt oss för, hoppas vi, de bättre möjligheterna. I framtiden kommer det att finnas färre dubbla lösningar eftersom onödig vacklan kommer att försvinna med utvecklingen av det bosniska språket och dess normer. (B, s. 7)

Exemplen ovan visade på en viss styrning bort från serbiska och mot kroatiska men det fanns också flera fall som pekar på motsatsen. Flera av dessa, som t.ex. **kemija** v. **hemija**, torde dock vara exempel på en annan mycket klar tendens i handboken, nämligen att framhäva det specifikt bosniska.[26] Som ett specifikt bosniskt drag brukar framhävas det frekventare användandet av *h*. Detta förklarar de mer serbiska *hemija*, *hirurg* etc. Andra exempel på denna specifika styrning är fall som *kahva* i st.f. *kafa* och *kava* (kaffe), *hrđav* i st.f. *rđav* (dålig, ond), *truhlo* i st.f. *trulo* (ruttet), *lahko* i st.f. *lako* (lätt) etc.

Även i fråga om de s.k. orientalismerna förefaller en viss styrning mot specifikt bosniska varianter ske: *ćeramida* ersätts av *ćeremit* (tegelpanna), *fildžan* av *findžan* (kaffekopp), *horda* av *ordija* (hord), *kavez* av *kafez* (bur), *barjak* av *bajrak* (flagga), *čitluk* av *čifluk* (gods), *čukundjed* av *sukundjed* (farfars far), etc. I de flesta av dessa fall torde den första varianten vara den mest kända utanför Bosnien-Hercegovina. För detta talar t.ex. att Morton Benson i *Srpskohrvatski rečnik* (Serbokroatisk ordbok),[27] som enda möjlighet tar upp orden/stavningarna *ćeramida*, *fildžan*, *kavez*, *čitluk*, *čukundjed* och hänvisar från *bajrak* till *barjak*, från *ordija* till *horda*. Dessutom finns det i B enstaka fall av styrning direkt från slaviska ord mot mer orientaliska, t.ex. **časovničar** v. **sahadžija** (urmakare) (jfr kroat. *urar*).

Överhuvudtaget är det orientaliska ordförrådet väl företrätt i B. Det finns en hel del ord och avledningar som inte finns i andra lexika av samma omfång. Några exempel på ord som inte tas upp i Bensons lexikon (exemplen är hämtade från två sidor under bokstaven T): *tarhana*, *tarih*, *tarikat*, *taslačić*, *taslačina*, *tavaf*, *tavafdžija*, *tavafdžijin*, *tedžvid*, *tedžvidski*, *tehara*, *tehiriti*, *tegbir*, *tekbir*, *tehvid*, *tevhid*, *tejemmun/tejemum*, *tejemumski*, *tekija*. Av dessa ord går de flesta (med undantag för *tarikat*, *tedžvid* och *tekija*) att finna i Alija Isakovićs *Rječnik karakteristične leksike u bosanskome jeziku* (Ordbok över det karakteristiska ordförrådet i det bosniska språket).[28] Det bosnisk-orientaliska intrycket förstärks också av de många olika fraser med oftast religiöst innehåll som tas upp, som t.ex. *Allah rahmetleje!*, *Allahu ekber! Allah selamet! Selam alejkum!* etc. Dessutom får många namn från bibeln den form de har i Koranen, så som t.ex. *Mesih* i st.f. *Mesija*, *Davud* i st.f. *David* etc. Många namn av orientaliskt ursprung förs också fram.

Ytterligare en styrande faktor är att alla författare som citeras är från Bosnien-Hercegovina. För K gäller i stort sett samma sak, dvs. alla författare och exempel är tagna från kroatiska författare.

S2 har också många dubbel- eller t.o.m. trippelformer (»sinonimski parovi«, s. 157) vilket markeras med snedstreck liksom hos B. Även här har jag jämfört med Brodnjak (Br). Några exempel: abaija / abahija (sadelfilt), **avanturiskinja / avanturistkinja / avanturistica** Br (kvinnlig äventyrare), **avgust / august** (augusti), **agitacioni / agitacijski** Br (agiation(s)-), **adventiskinja / adventistkinja / adventistica** (kvinnlig adventist), **vo / vol** Br (oxe), **vodstvo / vođstvo** Br (ledning) m.fl., m.fl.

I relativt många fall där S2 talar om »synonyma par« anses orden av Brodnjak vara »variantmarkerade«. Det förefaller alltså som om S2 i viss mån inkorporerar mer västliga ord i sitt lexikon, dvs. är mer »serbokroatisk«. För detta talar också att S3 tar upp på respektive plats i lexikonet klart variantmarkerade ord[29] som *naučnik* och *znanstvenik* (vetenskapsman), *ušteđevina* och *zašteđevina* (sparade medel), *gvožđe* och *željezo* (järn), *apoteka* och *ljekarna* (apotek), *lekar* och *liječnik* (läkare), *konzerva* och *limenka* (konserv), *leha*, *leja* och *lijeha* (rabatt), *muzika* och *glazba* (musik), etc. Denna »inkorporerande« tendens kan vara ett utslag av viljan att försvara tesen om serbokroatiskan som *ett* språk som de serbiska språkvetarna gett uttryck för sedan kroaterna sade upp Novi Sad-avtalet (se också ovan) och som bl.a. annat tog sig uttryck i att serberna (Matica Srpska) fullföljde den kyrilliska versionen av det planerade gemensamma lexikonet. För detta talar att även S1 tar upp liknande fall (t.ex. *lekar*, *ljekar* och *liječnik*, *lekarna*, *ljekarna* och *apoteka*). Samtidigt kan det antas att det faktum att S2 också är utgiven i Montenegro kan spela in. I Montenegro möts i viss mån liksom i Bosnien-Hercegovina västliga och östliga inflytanden.

I själva lexikonet har S2 mycket få fall av styrning av den typ vi sett i K och B. Rekommendationerna kommer i stället i regelavsnittet. Däremot är S1 mer explicit i själva lexikonet vad beträffar vad som är att föredra. Några exempel:[30] **majonez** och mera sällsynt **majoneza, malne** adv. vid sidan av det vanligare maltene, malone, **malone** adv. vanligare maltene, **mana** ej mahna, mahana, **manuskript** obs. bättre rukopis, **manjež** vanligare manež, m.fl.

5. Sammanfattning och slutsatser

Alla fem ortografierna (K, S1, S2, S3, B) bygger i huvudsak på den stavningstradition som varit förhärskande sedan slutet av 1800-talet, nämligen en i huvudsak fonetisk stavning inom ordet. Alla ortografierna utgår också från den gemensamma ortografin från 1960, de serbiska explicit, den kroatiska och bosniska mer implicit. Vad beträffar relationerna mellan de fem olika ortografierna framgår inte explicit att serber, kroater och bosnjaker studerat varandras lösningar även om detta antagligen varit fallet. Den enda ortografi som explicit nämner förefintligheten av andra normer är S1.

Samtliga serbiska ortografier anger både ekaviska och ijekaviska som norm, K och B däremot endast ijekaviska. K nämner för övrigt knappast ekaviska. Trots att alltså alla handböckerna anger regler för den ijekaviska normen skiljer sig lösningarna i detaljer, även mellan de serbiska handböckerna. De serbiska ortografierna tillåter såväl kyrilliskt som latinskt alfabet även om de anger det kyrilliska som det viktigaste. S2 försöker i detta sammanhang återinföra Daničićs s.k. serbiska latinska alfabet. B tar också – av historiska skäl – upp båda alfabetena men påpekar att det latinska är det gällande. K däremot tar överhuvudtaget inte upp det kyrilliska alfabetet annat än i avsnittet om translitterering från främmande språk. Även om stavningen inom ordet i huvudsak fortfarande är fonetisk finns det tendenser i K och i något mindre utsträckning i B att följa den s.k. kallade rotprincipen, dvs. stava etymologiskt eller morfonologiskt. Detta gäller framför allt reflexen av kort *jat* efter konsonantgrupp slutande på *r*. Både K och B har exempelvis möjligheten *strjelica* vid sidan av *strelica* där den tidigare normen hade och de serbiska handböckerna alla har *strelica*. Även i andra fall har K gått längre än de övriga, t.ex. när det gäller stavningen av oblikva kasus och pluralis av ord som *mladac* och *mlatac*. K har successivt infört stavningar som *mladca*, *mlatca*, *mladci*, *mlatci* medan övriga bibehållit den tidigare normen, dvs. *mlaca* och *mlaci*. Av de serbiska intar S2 en särställning genom att man försöker införa mer fonetiska stavningar (som *komuniskinja* och *gankster* där övriga har *komunistkinja* och *gangster*), men också genom att man vänder sig mot den fonetiska stavningen i fall som *listak–liska*, där man i stället inför stavningar som *listak–listka*, vilket ingen av de andra handböckerna har. De olika handböckerna styr alltså åt olika håll. Styrningen blir tydligare vad gäller ordförrådet. K styr genom stilistiska hänvisningar bort från serbiska ord och s.k. serbismer, B styr också i viss mån bort från det serbiska ordförrådet och mot det kroatiska även om det finns många motexempel. B styr dock framför allt mot det specifikt bosniska både vad gäller stavning (framför allt gäller detta bokstaven *h*) och det orientaliska ordförrådet. Det finns också element av styrning i de serbiska handböckerna genom att man tar upp »serbiska« och »kroatiska« ord som synonymer. Detta gäller framför allt S2 och reflekterar en mer serbokroatisk språksyn, en språksyn som varit karaktäristisk för de serbiska lingvisterna under flera decennier. Trots detta saknas många specifikt kroatiska ord i de serbiska handböckerna liksom de specifikt serbiska orden i den kroatiska handboken. Själva urvalet av vilka ord som skall tas upp i de olika lexika blir därmed ett styrmedel.

Trots att alla ortografierna i stort bygger på samma principer går utvecklingen långsamt mot större skillnader i normen. Att detta delvis har politiska orsaker är uppenbart. Stavningarna, uttalen och ordanvändningarna blir ett uttryck för hävdandet av det nationella. Detta kan illustreras med följande troligen sanna anekdot. En bekant till en bekant hittade i ett kafé i Bosnien en skylt om kaffepriset med ungefär följande innehåll: Kafa ili (eller) kava, 2 DM; kahva, 1 DM. Kafa är den mer serbiska stavningen och uttalet, kava den mer kroatiska medan kahva är den specifikt bosniska. Kaféägaren var alltså bosniskt-nationellt språkligt medveten.

I ett annat perspektiv är det självklart att varje folk har rätt att normera sitt standardspråk utan sidoblickar – och det oberoende av om det lingvistiska system som ligger bakom detta standardspråk är gemensamt med ett annat folks. Men normerarna har ingen lätt uppgift. Ortografiska normer är svåra att ändra på och förändringar stöter ofta på hårt motstånd. Detta förklarar den ofta mycket hetsiga debatt som förekommit i främst i Kroatien och Serbien. Attityden hos många bosjnjaker till en del av B:s innovationer är enligt min erfarenhet också ofta skeptisk.

Noter

1. År 1997 kom i Podgorica en ortografi över det montenegrinska språket: V. Nikčević, *Pravopis crnogorskog jezika* [Ortografi för det montenegrinska språket]. Denna ortografi har dock inte varit tillgänglig för mig. Den har heller inte officiell ka-

raktär utan är ett inlägg från den grupp av personer som vill införa ett montenegrinskt språk. Intressant är dock att dess kyrilliska alfabet skiljer sig från det serbiska: det har tre bokstäver fler än serbiskan.

2. Stjepan Babić, Božidar Finka & Milan Moguš, *Hrvatski pravopis* [Kroatisk ortografi], 4:e utg. (Zagreb: Školska knjiga, 1996) [K].

3. Mitar Pešikan, Jovan Jerković & Mato Pižurica, *Pravopis srpskoga jezika* [Ortografi för det serbiska språket] (Novi Sad: Matica srpska, 1993) [S1]; Radoje Simić et al., *Pravopis srpskoga jezika sa rječnikom* [Ortografi för det serbiska språket med lexikon], Biblioteka »Posebna izdanja« (Nikšić; Beograd: ITP »Unipreks«, 1993) [S2]; och Miorad Desić, *Pravopis srpskoga jezika. Priručnik za škole* [Ortografi för det serbiska språket. Handbok för skolorna], Biblioteka priručnici (Nikšić; Zemun; Beograd: Unipreks; Nijansa; Poslovni sistem Grmeč-Privredni pregled, 1995) [S3].

4. Senahid Halilović, *Pravopis bosanskoga jezika* [Ortografi för det bosniska språket] (Sarajevo: Kulturno društvo Preporod, 1996) [B].

5. *Pravopis hrvatskosrpskoga jezika* [Ortografi för det kroatoserbiska språket] (Zagreb 1960) [SKR 60].

6. Ett vokalfonem som kallas *jat* fanns i tidig centralsydslaviska, dvs. i det språksystem som existerade i området mellan slovenska och bulgariska–makedonska, det som tidigare normalt kallats serbokroatiska, och utvecklades i olika dialekter till *e*, *i* och *(i)je*. Dialekterna kallas därför ekaviska, ikaviska respektive (i)jekaviska. Serbiskan är ekavisk resp. (i)jekavisk, kroatiskan och bosniskan (i)jekaviska. Ikaviskan är däremot inte tillåten i standardspråket/språken.

7. Lada Badurina, *Kratka osnova hrvatskoga pravopisanja* [Kort grund för den kroatiska rättskrivningen] (Rijeka 1996).

8. »...umjereno fonološko načelo«, enligt K, s. x.

9. Se Badurina, *Kratka osnova hrvatskoga pravopisanja*, ss. 55 och 61.

10. D. Boranić, *Pravopis hrvatskoga ili srpskoga jezika* [Ortografi för det kroatiska eller serbiska språket] (Zagreb 1921).

11. A. Belić, *Pravopis književnog srpskohrvatskog jezika* [Ortografi för det serbokroatiska litteraturspråket] (Beograd 1923).

12. F. Cipra, P. Guberina & K. Krstić, *Hrvatski Pravopis* [Kroatisk ortografi] (Zagreb 1998).

13. V. Anić & J. Silić, *Pravopisni priručnik hrvatskoga ili srpskoga jezika* [Ortografisk handbok för det kroatiska eller serbiska språket] (Zagreb 1986).

14. Mitar Pešikan har på ett mycket balanserat sätt sammanfattat skillnaderna mellan de olika serbiska ortografierna i artikeln »Poređenje ponuđenih pravopisnih pravila«, *Naš jezik* (Beograd) XXIX/5 (1994), ss. 259–278.

15. Sv. Marković, M. Ajanović & Z. Diklić, *Pravopisni priručnik srpskohrvatskog hrvatskosrpskog jezika* [Ortografisk handbok för det serbokroatiska–kroatoserbiska språket] (Sarajevo 1972).

16. S1 nämner också en hel del material som producerats i Serbien under senare år, bl.a. det tidigare nämnda materialet från det interakademiska forum som diskuterade ortografifrågor 1989–90. S2 hänvisar också till en tidigare ortografi av en

av författarna, nämligen Radoje Simić, *Srpskohrvatski pravopis* [Serbokroatisk ortografi] (Beograd 1991).

17. Översättningar av citat är gjorda av mig.

18. Citerat efter K, Londonutgåvan, 2:a uppl., s. xi.

19. Ur förordet till Zagrebutgåvan, 3:e uppl., 1995.

20. S1, ss. 10 och 126. Sidhänvisningar sker hädanefter i löpande text.

21. *Usus* är den lingvistiska termen för »faktiskt språkbruk«.

22. Citerat efter K, Londonutgåvan, 2:a uppl., s. xii.

23. Ur inledningen till Zagrebutgåvan, 3:e uppl., 1995.

24. Något olika formulerat i olika upplagor. Här citeras senaste upplagan, K 1996, s. 74.

25. Vladimir Brodnjak, *Razlikovni rječnik srpskog i hrvatskog jezika* [Ordbok över skillnaderna mellan serbiska och kroatiska] (Zagreb 1992).

26. Jfr t.ex. Ahmet Kasumović, *Zašto jezik bosanski* [Varför ett bosniskt språk[?]] (Tuzla 1995), ss. 112–126.

27. Morton Benson, *Srpskohrvatski rečnik* [Serbokroatisk ordbok] (Beograd 1978).

28. Alija Isaković, *Rječnik karakteristične leksike u bosanskome jeziku* [Ordbok över det karakteristiska ordförrådet i det bosniska språket] (Sarajevo 1992).

29. Se exempelvis Jovan Ćirilovs lilla lexikon *Hrvatsko-srpski rječnik inačica. Srpskohrvatski rečnik varijanti* [Kroatisk-serbisk variantordbok. Serbisk-kroatisk variantordbok] (Beograd 1989), som ser på varianterna från ett mer serbiskt perspektiv.

30. I dessa exempel har jag översatt kommentarerna till svenska.

Tvärkulturellt kunskapssökande baserat på litterär empiri

En liten personlig metoddiskussion

TORDIS DAHLLÖF

»CENTRUM FÖR MULTIETNISK forskning är ett tvärvetenskapligt fo-
rum för studiet av kulturella och sociala fenomen och förändringspro-
cesser relaterade till den etniska dimensionen i mänskligt liv.« Så lyder
första meningen i Centrums egen presentation. Stora och sköna ord,
där varje ord för sig är laddat med varierande innehåll; etnicitet, kultur,
förändringsprocesser, mänskligt liv.[1]

År 1985 skriver Björn Hettne i sin installationsföreläsning som pro-
fessor i freds- och konfliktforskning: »Komplexa sammanhang, som det
här är fråga om, kan belysas i en sinnrikt konstruerad romanväv. Men
hur gör vi vetenskap av detta? I den mån det är möjligt att forska kring
dessa frågor måste det ske på tvärvetenskaplig grund.«[2]

Jag vill här ta fasta på Hettnes ord samtidigt som jag önskar förändra
och vidga perspektiven utöver vad både Hettne och Harald Runblom
antagligen önskat sig eller tänkt sig. För att gå rakt på sak: Jag tänker
lyfta ut orden »tvärvetenskaplig grund« och ersätta dem med »tvärkul-
turell kunskap« och jag tänker använda skönlitteraturen som kunskaps-
bas. Det är alltså *inte* forskningsaspekterna som jag vill negligera. I ställ-
et önskar jag fokusera mina tankar på det vanskliga ordet kunskap och
speciellt ta fasta på den mänskliga, eller om man så vill den etnologiska
sidan av kunskapsinnehållet, som kringsluter människan som kulturell
varelse och som vi har att förstå och hantera i mötena med andra män-
niskor – i t.ex. skola och högre utbildning. Det är just denna till synes
diffusa kunskapssubstans, som vi läser om i litterära texter och kan lyfta
fram därur. Här vill jag betona, att det inte är all sorts fiktionslitteratur,
som jag som etnolog använder mig av, utan den variant av texter, prosa
och poesi, där författaren är sin egen sagesman.

Detta arbetsfält är inte nytt för mig, men det är stort och tacksamt som etnologiskt underlag för tankar kring kulturspörsmål över gränser och kontinenter. Inte för att det skulle råda brist på inhemskt material, utan för att lägga tonvikt vid likheterna i de globala olikheterna.

För några år sedan startade jag med att pröva min läsförmåga på litterära texter av filosofen Hans Larsson (en historisk text) och Upplandsskildraren Elsie Johansson (en nutida text), där etnologiska data var lätta att applicera och belysa.[3] Elsie Johansson kom också att fungera som en informant jag kunde möta och diskutera mina synpunkter med, och hon kunde kommentera och argumentera med sin uttolkare. Vi uppträdde också gemensamt på seminarium, inför en publik som kunde ställa frågor till oss båda, och till mig om min läsarroll var trovärdig. Jag kände mig bekräftad som god läsare och att jag som forskare inte utnyttjat hennes utsagor på ett otillbörligt sätt.

Som etnolog testades jag också av två chilenare, som vid läsningen av min Australien-studie *Identitet och antipod* funnit denna användbar i studiet av sin sydamerikanska bakgrund. De intresserade sig bl.a. för mitt metodiska arbetssätt.[4] Däremot tog det mig flera resor och mycken läsning innan jag vågade närma mig aboriginer-informanter för att få min läsning bedömd och få hjälp att gå vidare. Mötet avlöpte dock väl, jag kom ju från ett sameland![5]

Sedermera vidgade jag mina läsexempel även till utländska författare, som bekräftade – för mig – de litterära dokumentens giltighet vad gällde att exponera kulturella möten, goda och onda, i en kontextuell form med ett ordval som man inte finner i forskarrapporter. I fokus har hela tiden stått den »dubbla identitetens« mänskligt svåra men mäktiga kulturkapacitet, där lojaliteten mot den man var och den man blev, sätts på prov.

I detta sammanhang vill jag tillägga att den dubbla identiteten inte bara är inriktad på etniska möten, utan också är högst reell *inom* ett samhälle som det svenska. Våra stora 1930-talsförfattare har om och om igen vittnat om de prövningar de utsattes för när de flyttade från landsbygdsmiljö in till städerna. Dessa exempel borde rimligen få oss att känna igen de kulturmöten som äger rum i 1990-talets Sverige. En färsk forskarbiografi, litteraturdocenten Birgitta Holms bok över Sara Lidman, vittnar om den bas för Lidmans författarskap som återflytten hem igen till det egna landskapet och dess människor innebar, och inte minst till det språk som också var hennes. Med romanen *Tjärdalen* besegrade Sara Lidman den svenska parnassen och det bland annat genom att erkänna sin ursprungliga identitet.[6]

Mitt bakomliggande skäl – eller inneslutna – till den här typen av arbete är en personlig önskan att peka på och använda mig av kulturella kunskaper, som är essentiella inte bara för forskare utan för oss alla som samhällsmedborgare och individer – en demokratisk målsättning, om man så vill. Med åren har denna utomvetenskapliga insikt (eller åsikt) fått mig att bejaka moderna hybridtexter, där den som för pennan använder ordet *jag* och inte döljer sig bakom orden »man«, »vi« eller forskarsamhällets tillfälliga preferenser.[7] Personligen bejakar jag inte första person singularis för att betona den egna individens utslagsgivande dominans, utan fastmer för att reducera utsagans betydelse till vad den är – en röst bland många andra. Det ger en större frihet i tänkandet och skrivandet, samtidigt som pronomenet *jag* understryker jagets roll som uttolkare, i mitt fall som läsare av en text som författaren är den främste informanten till och kunskapsförmedlaren av.

Det finns ytterligare ett skäl för min preferens för litterära texter. Det hör till etnologens sätt att arbeta att stundom agera som fältobservatör och intervjuare. Den senare yrkesrollen kan kännas påträngande och svår att hantera – det är inte ett samtal i god mening. Den litterära texten däremot öppnar sig för mig utan att jag generar den intervjuade med min närvaro. Den friheten att välja empiriskt underlag och att egentligen underkommunicera den egna s.k. vetenskapliga kompetensen känns befriande, inte minst för att jag är besviken på den akademiska frihet som forskarsamhället *in toto* säger sig prisa.[8] Thorilds ord, »att tänka fritt är stort men att tänka rätt är större«, saknar inte bokstavstrogna anhängare till dags dato.

Bokläsning har för mig varit ett styrkebälte genom åren. Kanske är det tur att jag inte läst litteraturvetenskap – vilket jag som gymnasist var övertygad om, att *det* skulle jag göra. Hade jag då strövat lika fritt i fiktionslitteraturen, som jag gör nu – tacksam över att etnologin som disciplin rymt så många världar och sanningar? Egentligen vill jag inte främst argumentera mot eller med forskarrollen, utan fastmer betona vilken kunskap jag som kulturforskare är ute efter. Och att granska mig själv och veta vem jag är och vad jag önskar uppnå. Med andra ord krävs både tydlighet och varsamhet kombinerat med en ödmjuk forskarattityd.

Alla dessa funderingar är lättare att hantera, när jag använder mig av litterära texter. Det är inte den litterära textens estetiska kompetens jag granskar, inte dikten, romanen som finkulturellt fenomen, utan textens allmänkulturella komplexitet, som får enskilda data att fungera *in situ*.

När detta väl är sagt måste jag erkänna, att konstens gränsöverskridande kompetens att fånga subtila och djupa mänskliga reaktioner och relationer skänker ytterligare en dimension åt den verklighet jag är ute efter. Förmodligen är det min tidiga förankring vid Hans Larssons filosofi som fått mig att ständigt söka helheten, intellektets, viljans och inte minst känslans sammansatta funktion. »Livet längtar efter uttryck, och när någon erbjuder det en form, skyndar det att antaga det. Livet söker efter form, efter stil, kan man säga, en *modus vivendi*, en karaktär,« skriver Hans Larsson i en studie av Oscar Wilde – »Konst och liv«. Han fortsätter: »Livet härmar alltså konsten mera än konsten livet.«[9]

År 1991, när den sydafrikanska författarinnan Nadine Gordimer fick Nobelpriset, påpekade hon, »att inga av mina faktabaserade skriverier kan bli lika sanna som min skönlitterära produktion. Kanske finns det inget annat sätt att nå fram till någon sorts förståelse än genom konsten.«[10]

Det världsomspännande Nobelpriset i litteratur bygger bland annat på den förutsättningen att författare världen över är jämbördiga i sina konstnärliga kompetenser. Kanske närmar de sig varandra djupast i de livsfrågor som rör etniska fenomen? Att t.ex. ursprungsbefolkningar världen över känner gemenskap och stöttar varandra i kampen för värnandet av sina kulturella och mänskliga rättigheter, det är allmänt bekant. Och när en samisk konstnär, Nils-Aslak Valkeapää, i diktsamlingen *Vidderna inom mig* skriver,

> Och har Du hört
> hur moster Elle säger
> inte kan väl samen något
>
> Men bry dig inte om det
> under femtio år
> har hon fått höra det
>
> Tänk istället på
> vem som lärt henne detta,

skriver han då inte om eller för dem alla?[11]

Det vore för övrigt en vansklig men fascinerande uppgift att jämföra till exempel en samisk diktare och en aboriginsk i texter, där båda tolkar sina tankevärldar kring det som »ovanefter« är och kring vidderna runt om och i dem, avslöjande de ursprungliga »songlines«, som de bär inom sig och som de ser i naturen.[12] Likheterna i de nordiska och antipodiska inre världarna torde vara mycket besläktade.

Men! Verkligheten och sanningen om den finns inte bara i de främst konstnärliga texterna. Fiktionslitteraturen är ett brett fält knutet till respektive författares kulturella och sociala bakgrund, varför tid, rum och social miljö interagerar i den litterära texten med författaren som »forskare«. Triviallitteraturen äger *sin* sanning, sedd med en etnologs ögon, och att vi som läsare är en mångkulturell skara har litteraturforskaren Gunnar Hansson upplyst oss om. Nu är det främst den vanlige läsaren som Gunnar Hansson varit intresserad av, och inte enbart den litterära expertisens uppfattningar. Kanske finner han också den etnologiska läsaren litet speciell, men det bjuder jag på. Jag brukar textunderlaget som ett kulturellt dokument och vill i allra högsta grad undvika att missbruka författarens intentioner.[13]

En längre tid har jag närt en önskan och känt en utmaning i att söka komma åt s.k. vanliga svenskars uppfattning om och attityder till judarna i vårt land, svenska medborgare i minoritetsposition. Vid Centrum för multietnisk forskning har mycken forskning kring judarna som minoritet bedrivits.[14] Sedan 1998 arbetar ett stort projekt med den s.k. Holocaust-problematiken under ledning av Harald Runblom. Två av forskarna inom projektet, Stéphane Bruchfeld och Paul Levine, har på regeringens uppdrag skrivit en folkbok om Förintelsen.[15] Åtskilligt har också skrivits och debatterats, inte minst i massmedia, kring 1930-talets mer eller mindre nazistiska sympatier och attityder, framför allt inom den akademiska världen.[16] *Den* utmanande delen av verkligheten önskar jag inte gå in i. Istället vill jag söka komma åt hur svenskar i allmänhet sett på judarna som en minoritetsgrupp i vårt land och detta inte minst för att få en historisk parallell till dagens minoritetsdiskussion, som ingalunda är så ny som den kan förefalla. Vad har vi lärt av tidigare invandringar till vårt land? Även för dessa frågor torde fiktionslitteraturen vara en god källa. Jag har strövat litet planlöst i böckernas värld med ett nedslag i Marianne Fredrikssons roman *Simon och ekarna*,[17] förundrats över Bengt Eks *Min morfar i Getapulien*, som skildrar två judiska pojkars uppväxt i en ursvensk, småländsk bygd – en bok överfull med etnologiska och folkloristiska fakta och fenomen –, läst moderna judiska författare och forskare, som Susanne Levin och Bertil Neuman.[18] Jag vet att de finns, attityderna, jag har hört en del, men...?

På samma sätt har jag önskat komma åt svenskars, speciellt syd-svenskars uppfattningar om den minoritetsgrupp som samerna utgör, vårt lands äldsta invånare, vår urbefolkning. Själv visste jag mycket litet om »lapparna«, när jag växte upp i Göteborg och senare drabbades i god mening av Åke Campbells och Israel Ruongs forskningar och ge-mensamma framträdanden på seminarier i början på 1950-talet. Då trodde jag, att samefrågan var om inte löst, så på väg att lösas i samför-stånd i vårt land. Nu 1999 vet vi vad som hände – eller inte hände – och inte minst har språkforskare visat hur vi hanterat och hanterar den sa-miska befolkningen, kulturen och framför allt språket, dock med en liten vinst i dagsläget: Samiskan kommer inom en snar framtid att ut-nämnas till »minoritetsspråk«.[19]

Sedan drygt ett decennium tillbaka har jag via möten med den aus-traliska aboriginer-kulturen på nytt kommit att fundera över hur vi svenskar hanterat vår urbefolkning. Vad läste vi som barn? Sampo Lap-pelill, Topelius' »Stjärnöga« och vad mer? Vad stod det i Folkskolans läsebok om samerna?

I en klargörande historisk uppsats av Bengt Andersson, »Bilder av samer. Svenska läroböckers beskrivningar av samer, 1842–1992«, ges en bred genomgång av skolböckernas uttalanden om samerna.[20] Sär-skild vikt läggs vid geografi- och historieböckerna, men läseböckerna ingår också i källmaterialet. Samernas ursprung och utseende samt ren-skötseln är de ständigt återkommande notiserna och det exotiska illus-trationsmaterialet är detsamma århundraden igenom. Generellt betrak-tas samerna som underlägsna den svenska befolkningen. »Slutsatsen i denna uppsats blir«, skriver Bengt Andersson, »att det inte stått myck-et om samer i svenska läroböcker under de senaste 150 åren och att den bild, som har getts är stereotyp och inte gjort rättvisa åt deras historia och levnadssätt.«

Vad berättar Selma Lagerlöf i *Nils Holgerssons underbara resa genom Sverige* om Akkas Lappland? Jo, om samefolkets liv och bosättningar, om hur Åsa gåsapiga finner sin far. Hela Lapplandsskildringen är em-patisk och »korrekt« vad gäller samerna. Författarinnan använder t.o.m. ordet »samefolket«, om än människorna benämns lappar.

Den moderna kopplingen mellan renen, tomten och julklapparna däremot, den är inte svensk utan anglosaxisk. Därför kom renen med julklappar till svarta aboriginer i norra Australien! Elsie Roughsey skri-ver följande i sin bok *An Aboriginal Mother Tells of the Old and the New*:

During the night it was hard for us to get into bed. We sneaked by the window of the dormitory to see what time the Father Christmas would come. Hardly would we sleep, hoping to see the real Santa Claus come all the way from Lap Land. We really believe he travelled all the way to see us, with four Reindeer on a white sledge. We know that he was bringing us toys... Then father Christmas entered the door of the building and he too joined us with the dance and sing around the Christmas Tree. The Father Christmas told us of his journey from Lap Land and how cold it was to pass the snow flakes, just to come along and see all the children on Mornington Island.[21]

De etniska frågorna kring de svenska medborgarna av judiskt och samiskt ursprung får ligga till sig. Det skall erkännas, att stundom känns det mödosamt, stundom tvivelaktigt, att söka pressa fram eller tolka människors uppfattningar om deras identitet och etnicitet. Till stor del är vi alla bärare av en »tyst identitet«, som vi inte är medvetna om, men som stundom bryter fram, kanske överraskande även för oss själva. Även på denna punkt kommer den litterära texten till vår hjälp.

Mitt huvudsakliga exempel på en författartext som källmaterial och ett utförligare sådant har jag valt för att visa hur en av »de andra« ser på oss svenskar och den svenska etniciteten, och jag låter läsaren själv fundera över hans iakttagelser. Författaren är en ung man, som skrivit en kriminalroman kallad »Svarta ögon«, och än så länge vilar manuset på förläggarborden i avvaktan på beslut. Manuset har jag fått låna av en chilensk-svensk vän, som förmedlat texten och även låtit mig möta denne författare *in spe*. Oavsett litterära kvalifikationer har jag tagit till mig »författarens« iakttagelser om svenskarna. Hans text ser jag – än så länge – som en litterär *uppteckning* och skrivaren är min informant. Hans författarnamn är José Miguel Lopez och han förekommer i min text under detta namn. Geografiskt är han bosatt i Stockholm, på Söder, och är en andragenerations-svensk. Kriminalhistorien är spännande, välskriven och hemsk. Ett intressant faktum är, att en liten lapp med en felstavning leder den unge kommissarien – som är författarens *alter ego* – mot den rätta lösningen av ett mordfall. Precis som i fallet med författarinnan Elsie Johansson har jag träffat min informant José Miguel Lopez; vi har talats vid, han har granskat mig och det jag har skrivit och jag har kunnat fråga honom om han accepterar min användning av hans information. Det blev ett gott möte!

Vad som fascinerar etnologen är de träffsäkra och ständigt återkommande iakttagelserna kring människorna, svenskar i olika roller och attityder. Den dubbla identiteten hos Lopez är ständigt i fokus. Han har två hemländer, men han spelar inte ut dem mot varandra. Efter det första återbesöket i Chile skriver han:

> Det var sant att han var flyktingbarn, han växte upp i betongförorten, han var en svartskalle – en välintegrerad sådan men ändock en svartskalle. »Du är ju inte alls som andra sydamerikaner [...] du är, du är så [...] svensk« hade han ofta fått höra och fortfarande visste han inte hur han skulle tolka en sådan mening. Han borde bli glad, det visste han, vad var bättre än att få bekräftelse på att man passade in i den förhärskande etnonormen? Samtidigt var han ju stolt över att vara svartskalle. Inspektör Lopez var stolt över att vara svensk *och* latino. Men han skulle aldrig drömma om att förneka sitt ursprung. Aldrig.
>
> Var det hans ursprung allt det här egentligen handlade om, hans identitet, hans plats i Sverige, på jorden? Att prata »identitet«, »rötter« och »kulturkrockar« var honom främmande. Diskussionerna kring dessa spörsmål blev alltid schablonmässiga och patetiska tyckte han. Begreppen användes slarvigt och på ett oreflekterat sätt. Och det där eviga daltandet kring invandringens känslomässiga aspekt, vad var det? Varför var man så intresserad av hur det kändes, hur upplevelsen var att komma till ett annat land? Var det så märkvärdigt egentligen? Var det så förbaskat svårt att föreställa sig hur det var att emigrera, var folk så fantasilösa? Läste man inte Moberg längre? Vad ville man ha för svar? Han orkade inte med att se ännu ett teveinslag där en journalist som gått på empatikurs mötte en stackars halvspråkig invandrare från norra Botkyrka och frågade: »känner du dig svensk eller kurdisk? eller »är det jobbigt att tillhöra två kulturer som du gör, hur var det att komma hit till vårt kalla land?« Lopez var mätt på sånt nonsensnack som inte ledde någon vart.

Men så möter han en chilenska och då händer något igen. Så här svarar han en yrkeskamrat, en svensk som han helt gillar:

> – Det är kanske lite svårt att förstå för en helyllesvenne som du Jonas [...] men du vet att jag har aldrig egentligen behövt fundera på var jag kommer ifrån, vem jag är och allt sånt [...] jag har ju alltid vetat var jag står. Det har varit självklart för mig [...] trodde jag. Nu vet jag inte riktigt. Jag har till och med börjat drömma om Chile, om mina föräldrar...
> – Saknar du dom?
> Lopez var tyst i några sekunder och drack av kaffet.
> – Jo, det är väl det jag gör antar jag [...] någonting saknar jag helt klart...

96

Men han avskyr »etniskt snack«, och Rinkeby, t.ex., är för honom en kontinental stadsdel och där trivs han. Samtidigt – han äter blodpudding och lingonsylt också, hällde socker i mjölken som ung pojke för att stå ut med det svenska mjölkdrickandet, skriver om språk, om kvinnors sed att bära slöja, nämner det »lutherska arvet«, attackerar den amerikanska McDonald's-kulturen, hatar TV:s tillrättaläggande av verkligheten, skriver om latinamerikanska improvisationer, som stör hans ordentlige svenske chef för vilken »rätt är rätt och fel är fel«. Improvisation var för denne svensk liktydigt med kaos och undergång. De två huvudpersonerna i boken, chefen och svensken Lars Lilja och hans underordnade, sydamerikanen José Lopez, speglar boken igenom sina synpunkter på relationen svenskar – invandrare.

Lars hade förstås »ingenting emot invandrare i sig« som det så käckt heter. Lopez visste mycket väl att hans chef uppskattade en flottig kebab då och då, att han älskade sin stuga på Mallis och att han var väl medveten om drottningens »exotiska« påbrå. Och så länge svenska fotbollslandslaget vann så var det inget problem att flera av spelarna var färgade, eller »negrer«. Förlorade de var det emellertid »svartingarnas« fel. Lars Liljas psykologi hade Lopez ganska snabbt genomskådat. Under parollen »man tar seden dit man kommer« kunde Lars Lilja egentligen inte med främmande inslag i det blågula folkhemmet, även om han låtsades göra det och kanske till och med önskade att han kunde. Men när det verkligen gällde tog det emot. De enda invandrare han i själva verket tålde var vad man skulle kunna kalla de totalassimilerade, det vill säga invandrare som betedde sig, såg ut som och framför allt talade som svenskar. Kort sagt, invandrare som inte skilde sig nämnvärt från en vanlig »svenne«. Detta visste Lopez, han själv tillhörde den kategorin: bördig från Chile, med tydligt sydländskt utseende och ett spanskt namn. Men: med ett betryggande, väl utvecklat svenskt yttre beteendemönster och ett äktsvenskt språkbruk – förvisso med stark o8-prägel – helt fritt från brytning efter tjugofem år i Svea kungarike. José Miguel Lopez var den perfekte invandraren efter tjugofem år av indoktrinering med Kalles Kaviar, pepparkakor och kanelbullar, jordgubbar med grädde, julskinka, Storpotäten, Saltkråkan, Kapten Zoom, Borg, Stenmark och dans kring granen och midsommarstången. Den svenskhet Lopez hade erövrat med åren ingav Lars den trygghet och ro som inskränkta människor behöver för att fungera normalt. Lopez var ju svensk, med honom kunde man utan problem tala om helsvenska ting som sommarstugor, Tre Kronors matcher, semestervädret och skattepolitiken. Tillsammans kunde de till och med skämta med Jonas om renskötsel och snöskotrar. Lars var den typiske folkhemssvensken som Lopez hade mött många gånger förr och lärt sig känna igen: svensken som tycker det är tjusigt med sambarytmer och gott med chorizokorv – att det är »spännande och härligt med andra kulturer«, men som när det kommer till kritan föredrar allsång på Skansen och Skogaholmslimpa och tycker att en god invandrare är en försvenskad invandrare.

Lars personifierade svensken som gav den »gode« invandraren beröm och en klapp på axeln för hans brytningsfria svenska och hans svenska sätt med orden: »gud vilken fin svenska du talar, ingen brytning alls. Vad duktigt av dig. Du är verkligen en förebild för andra invandrare«. Lopez visste inte hur många gånger han hade hört dessa ord genom åren. Sockersöta och hjälpsamma ord som egentligen uttryckte förmynderi, inskränkthet och en arrogans mot det som var annorlunda, det som inte fick plats i den blågula föreställningsapparaten. För Lopez kunde dessa människor lika gärna säga: »duktig invandrare, du har blivit som oss, du har anpassat dig och stoppat undan de där konstiga bongotrummorna, ska du ha en bingolott?«

Rasist tycker inte Lopez man kunde kalla Lars. För övrigt ansåg kommissarien att detta begrepp användes slarvigt, inte minst av nysvenskarna själva. Lars var något mycket subtilare, något som Lopez längtade efter att kalla honom rätt upp i ansiktet: en självgod, reaktionär, inskränkt Svensson med xenofobi. Lars Lilja inkarnerade på det mest eleganta sätt den i sig godhjärtade men ack så snåla, ytliga och dumma inställningen mot andra kulturer, en mentalitet som gärna »bygger broar« mellan kulturerna bara de får bestämma vilka som får beträda den.

För Lars del kunde allt gärna ha fortsatt som det en gång varit: duktiga invandrare på verkstadsgolvet hos Scania, i städlagen och vid storköksdisken. Allt medan Lars drack sin lördagsgrogg i radhuset ute i Sköndal framför Tipsextra, ansade rabatten på sommarstället och åkte med frugan på grisfest två gånger om året. I över tjugo år hade polismästaren åkt till Mallorca varje år och han hade lärt sig att göra en hyfsad sangria och att säga »Una särvesa pårfavår«. Det var vad han visste om spansk kultur, apropå att ta seden dit man kommer...

Mot Lars Lilja ställer Lopez sin gamle lärare som i mångt och mycket var bärare av den goda svenska modellen och som var medveten om klassmotsättningarnas centrala roll i det sociala och etniska samspelet.

Det är svårt att låta bli att citera Lopez, ideligen, alla dessa små bagatellartade händelser, men samtidigt laddade med kulturella budskap. Var skulle man finna en sådan dokumentation om inte i den fria texten? Det är i detta som i så många andra fall inte fråga om rätt eller fel i alla Josés möten med det svenska. Vilket intryck ger han själv, vad säger han själv i samtalet? Förhoppningsvis lär vi oss av hans text, hur både aningslöst och troskyldigt vi beter oss i möten och samtal med varandra. Kanske är det den »svenska blygheten« eller en kulturell ovana att naturligt umgås med andra? Kanske är det också en generationsfråga? »Til syvende og sidst« är det kanske inte fråga om »dom och vi« – i etnisk mening, utan hur vi som svenskar möter andra svenskar, som vi inte dagligen umgås med. Många »kansken«, och entydiga svar vill jag inte ge, men nog speglar Lopez text några sidor av svenskheten.

Till sist vill jag dock stanna upp vid temat »Lopez syn på den svenska naturen«, i hans fall egentligen den svenska väderleken. Han bor i staden, staden är hans livsluft och den genuina svenska landsbygden tycks han inte ha kommit i närmare kontakt med. Söder är för honom hembygden. Medvetet har jag i den följande naturdiskussionen uteslutit den ekologiska miljö som stadskulturen uppvisar, lika reell och viktig för stadsbon som »landet« för en »vanlig« svensk. En majoritet av svenskar har alltjämt sina rötter ute i landsbygden, dit de återvänder under semestrar eller till nybyggda hus vid vatten, skogar och fjäll. För Lopez är emellertid staden hembygden *all the year around*, liksom för Stockholmsskildraren Per-Anders Fogelström. Lyssna här på Lopez ord:

På Nytorget var det redan vår, att döma av barnens vilda lekar i lekparken och kafégästernas giriga soldyrkan vid de säsongsdebuterande uteserveringarna på Skånegatan. Lopez kunde inte låta bli att le åt detta beteende som varje år utbredde sig på stan så fort solstrålarna började bli det minsta vårvarma. Detta var ett intressant kulturfenomen: svenskens fullkomligt desperata sol- och vårtörst så här års när vintermörkret och kylan sakta började ge vika. Plötsligt såg man horder av människor sittandes ute i bara T-tröja, med likbleka ben tittande fram ur shortsen och solglasögon på näsan. Allt detta i en temperatur av tre plusgrader. För Lopez hade detta alltid varit något av ett mysterium. Svenskens relation till solen, våren och sommaren. Han tyckte att den var vansinnig och här kanske hans latinamerikanska kulturarv visade sig extra tydligt. Visst tyckte också Lopez att fem månaders kyla och mörker per år var påfrestande och visste levde också han upp när det sakteliga blev ljusare och varmare. Men denna solhysteri kände han sig främmande inför. Samtidigt var han imponerad på något sätt. Nog är svensken en orubblig stoiker när det gäller vädret, tänkte Lopez medan han såg hur några spridda snöfjun landade på en kvinnlig kafégästs nyinköpta glasstrut. Men kvinnan såg lika glad ut för det, inget rådde på hennes glassätande. Inte ens den retsamt nedseglande snön.

Kanske är det i synen på naturen som Lopez skiljer sig mest från den svenska identiteten. Med rätta har svenska etnicitetsforskare poängterat denna närmast fundamentala ingrediens i den svenska nationella identiteten.[22] Temat är inte nytt i den etnologiska forskarmiljön. I viss mening kan man säga, att de mänskliga, materiella och kulturella manifestationerna är relaterade till kampen mellan naturliga förutsättningar och mänskliga erövringar i landskapsmiljöerna. Svensk natur utformas och nyttjas på olika sätt i lokala bygder och miljöer, varför svenskheten i naturhänseende består av ett konglomerat av småsverigedelar, bygder, men där det gemensamma är individernas beroende av och hänsynstagande till naturen som inkomstkälla, men också som naturupplevelse och ett näst intill religiöst förhållningssätt.[23]

Människa och miljö, närmast naturmiljö, har en lång lärdomshistorisk bakgrund i vårt land, från Olaus Magnus medeltidshistoria och Linnés märkliga resor, upptäckter och kunskapserövringar, som följdes upp av 1800- och 1900-talets lärdomsforskare, fram till dagens mäktiga flod av natur- och hembygdsböcker och tidskrifter. Varje landskap, även socknar, har sin dokumentation och i några fall klassiska skildringar. Etnologen Åke Campbells lilla Verdandiskrift *Kulturlandskapet* (1936) och dennes vidunderliga forskningsarbete *Från vildmark till bygd* (1948), där svenskt nybyggarliv och samiskt nomadliv stämde möte, fascinerade den unge folklivsforskaren, inte minst genom den nyktra sakligheten. Så har det fortsatt. David Gaunts och Orvar Löfgrens *Myter om svenskar* är ett exempel på detta tema.

Författaren Göran Palms blankvers-resor i Sverige är ett litterärt exempel. Sara Lidmans Västerbottenromaner och Elsie Johanssons Upplandsförankring belyser sambandet människa–miljö. Västkustdiktaren Ebba Lindquists kärva havsmiljö kontrasterar mot Gabriel Jönssons mjuka Skånekust i kontakt med det böljande bondelandskapet. Exemplen kan mångfaldigas och de är pregnanta. Samtidigt är det något sprött och vemodigt i de gemensamma naturminnena, som en majoritet svenskar tar till sig via t.ex. Evert Taubes visor och texter fram till Ulf Lundells »Öppna landskap«. (Ett utomordentligt glädjande inskott måste göras. I Uppsala har skapats ett Centrum för biologisk mångfald inom vilket etnobotanik ryms och där tvärvetenskapen mellan naturkunskap och etnologi kan ta fastare form, människa och natur inom forskarsamhällets ramar.)

Samtidigt som naturbandet är en viktig komponent i svenskheten, så är bundenheten till naturlandskapet också starkt i andra länder och på andra kontinenter. Kunskapen om detta gemensamma, globala natur- och kulturarv borde skapa en samhörighet tvärs över alla yttre påtagliga olikheter. »Teoretiskt, åtminstone«, skriver Bruce Chatwin i *Drömspår* (1987), »borde hela Australien tolkas som ett partitur. Det finns knappast en klippa eller en flodarm i landet som inte kunde bli eller hade blivit sjungen. Man borde kanske se sånglinjerna som ett spagettivirrvarr av Iliader och Odysséer, slingrande hit och dit, där varje episod gick att utläsa i geologiska termer.«[24]

Detta naturarv är dagens aboriginer mycket måna om att bevara och de heliga platserna behåller sin dragningskraft. Alla olikheter till trots, både vad gäller ålder och kanske estetiska och näst intill religiösa värden, ger våra ortnamn också upplysningar om den landskapsmiljö som ortnamnet är knutet till. Och de är viktiga att bevara. Ett intressant exempel är att samerna i vårt land nu kämpar idogt för att få behålla och återinföra sina samiska ortnamn.

Till sist – för att återgå till inledningscitatet om Centrum för multietnisk forsknings ämnesområden, så finner vi naturligt nog inte hänvisningar till naturaspekterna där. Samarbete mellan humanister och samhällsvetare är etablerat, men nu är det kanske dags att även vända sig till naturvetarna? Som tidigare påpekats har en institution för etnisk-botanisk forskning etablerats i Uppsala och att till den etniska uppsättningen nu koppla naturmiljöernas omramning och inflytande till den mänskliga existensen är ingen ny forskningsaspekt för en etnolog. »Att äga natursinne är också en psykisk verklighet«, antingen vi tar hänsyn till reella naturresurser eller till de estetiska värden som många gånger spelar en större roll än vad som uttrycks i ord.[25] Att äga naturkänsla är en psykisk realitet, om än vi brukar betrakta dess verbala uttrycksformer som resultat av en bildningsupplysning.

Att addera naturaspekter till de etablerade aspekterna på etniska kulturmöten förflackar inte kunskapsmötena utan ger erkännande åt varje individs naturfysiska bakgrund och upplevelser av den – ytterligare en gemenskap världen över, hur olika de globala naturmiljöerna än framstår. Av denna typ av kunskap ger också författare tydliga bilder. Syner, dofter, färger, hav och himmel möter läsaren – och vi förstår.

Ronny Ambjörnsson har i en anmälan av Martha C. Nussbaums senaste bok, *Cultivating Humanity*, pläderat för kurser på universitetsnivå som vänder sig till alla studerande. Däri skall ingå kunskaper om andra kulturer, värderingar och etniska frågor, strängt taget en fostran i globalt demokratimedvetande.[26] Vår informant i denna studie, José Miguel Lopez, skulle säkert instämma i denna önskan, liksom hans tvåkulturelle »broder«, den socialantropologiske doktoranden vid Stockholms universitet, Paolo Favero. Denne har i en krönika i *Dagens Nyheter* skrivit en fascinerande kulturberättelse med titeln »Vikten av att vara en bastard.« I krönikan skildrar han sin svensk-italienska kulturuppsättning och han slutar med orden: »Jag vill leva ett liv, där jag är jag, och inte 'svensken' eller 'italienaren'. Jag vill leva utan att behöva känna mig som en halv. Jag vill leva som en hel. En hel bastard!«[27]

Noter

1. Ämnesmässigt och metodmässigt kan denna text ses som en fortsättning på min artikel »Olika men gränslöst lika«, i Satu Gröndahl, red., *Möten i gränsland. Invandrar- och minoritetslitteratur i nordiskt perspektiv*, som beräknas utkomma 2000.
2. Björn Hettne, *Fredsfrågan och forskningens ansvar* (Göteborg: Göteborgs universitet, 1985), s. 7.
3. Tordis Dahllöf, *Verkligheten i dikten. Författaren som forskare i sin egen kulturmiljö* (Stockholm: Carlssons, 1994).
4. Abelardo Castro & Alejandro Isakson, »Prefacio a la edición en castellano«, i Tordis Dahllöf, *¿Antipodenses? Un estudio acerca de la indentidad australiana*, Uppsala Multiethnic Papers 30 (Uppsala: Centre for Multiethnic Research, 1993).
5. Tordis Dahllöf, *Identitet och antipod. En studie i australiensisk identitetsdebatt*, Uppsala Multiethnic Papers 5 (Uppsala: Centrum för multietnisk forskning, 1985); idem, *»Byta ett ord eller två... «. Kunskapsmöten är kulturmöten är människomöten* (Stockholm: Carlssons, 1998).
6. Birgitta Holm, *Sara i liv och text* (Stockholm: Albert Bonniers Förlag, 1998).
7. Se t.ex. James Clifford, *Routes. Travel and Translation in the Late Twentieth Century* (Cambridge, Mass.: Harvard University Press, 1997).
8. Tvärvetenskaplig forskning är ett honnörsbegrepp idag, men det är vanskligt: Gärna en lätt bugning åt grannens bord, men akta dig för att gå in på dennes revir!
9. Hans Larsson, *Studier och meditationer*, 4:e uppl. (Lund: Gleerups förlag, 1912), s. 59 och framåt.
10. Nadine Gordimer, *Writing and Being* (Cambridge, Mass.: Harvard University, 1995) samt i intervju i *Dagens Nyheter* 8/12 1991.

11. Nils-Aslak Valkeapää, *Vidderna inom mig,* 3:e uppl. (Göteborg: Café Existens; Kautokeino: DAT, 1991).

12. Den engelske författaren Bruce Chatwin har i en fascinerande roman använt sig av aboriginernas »song-lines«, i den svenska texten översatt till ordet »drömspår«, som också är titeln på den svenska utgåvan av hans bok: *Drömspår,* Roman (Stockholm: Brombergs Bokförlag, 1988).

13. Gunnar Hansson har ända sedan avhandlingen om *Dikten och läsaren. Studier över diktupplevelser* (1959; Stockholm: Bokförlaget Prisma, 1970) ständigt återkommit till den kommunikation som uppstår mellan en författare och hans läsare.

14. Här hänvisas endast till några standardarbeten, där vidare information står att hämta: Gunnar Broberg, Harald Runblom & Mattias Tydén, *Judiskt liv i Norden,* Studia Multiethnica Upsaliensia 6 (Uppsala: Acta Universitatis Upsaliensis, 1988); Ingvar Svanberg & Harald Runblom, *Det mångkulturella Sverige. En handbok om etniska grupper och minoriteter* (Stockholm: Gidlunds Bokförlag, 1989); Ingvar Svanberg & Mattias Tydén, *Tusen år av invandring. En svensk kulturhistoria* (Stockholm: Gidlunds Bokförlag, 1992).

15. Stéphane Bruchfeld & Paul A. Levine, *Om detta må ni berätta... En bok om Förintelsen i Europa 1933–1945* (Stockholm: Regeringskansliet, 1998).

16. Debatten har varit fokuserad på Sven Hedin och Fredrik Böök som enskilda individer. Därtill har verksamheten vid det rasbiologiska institutet i Uppsala liksom 1930-talets steriliseringsdebatt varit i rampljuset.

17. Dahllöf, *»Byta ett ord eller två... «.*

18. Speciellt har jag fäst mig vid Bertil Neumans självbiografiska bok *Något försvann på vägen. En judisk familjehistoria, humor och kultur* (Stockholm: Legenda, 1989) som levande och empatiskt förtäljer om en skiljelinje inom den judiska kulturen och hur jiddischkulturen diskriminerats. Se Dahllöf, *»Byta ett ord eller två... «.*

19. Se t.ex. Leena Huss, *Många vägar till tvåspråkighet. Föredrag från ett forskarseminarium vid Göteborgs universitet den 21–22 oktober 1994,* Uppsala Multiethnic Papers 38 (Uppsala: Centrum för multietnisk forskning, 1996) samt idem, *Reversing Language Shift in the Far North. Linguistic Revitalization in Northern Scandinavia and Finland,* Studia Uralica Upsaliensia 31 (Uppsala: Acta Universitatis Upsaliensis, 1999).

20. Bengt Andersson, *Bilden av samer. Svenska läroböckers beskrivningar av samer, 1842–1992* (Uppsala: Historiska institutionen, 1993).

21. Elsie Roughsey (Labumore), *An Aboriginal Mother Tells of the Old and the New* (u.o.: Penguin Books, Australia, 1984), s. 19.

22. Jonas Frykman & Orvar Löfgren, *Den kultiverade människan* (Lund: Liber, 1979); Åke Daun, *Svensk mentalitet. Ett jämförande perspektiv* (Stockholm: Rabén & Sjögren, 1981); Lauri Honko & Orvar Löfgren, *Tradition och miljö. Ett kulturekologiskt perspektiv* (Lund: Liber, 1981); David Gaunt & Orvar Löfgren, *Myter om svensken. Forskningsfrontlinjer* (Stockholm: Liber, 1984).

23. Tordis Dahllöf, »Natursinne«, *Folkbildning och livsmiljö på 1920-talet. En presentation av ett bildningsprojekt och dess upphovsman Carl Cederblad* (Stockholm: LB:s Förlag, 1981), s. 40 och framåt.

24. Chatwin, *Drömspår*, s. 2 1.
25. Dahllöf, »Natursinne«, s. 5 1.
26. Ronny Ambjörnsson, »Att odla mänsklighet«, *Dagens Nyheter* 16/12 1998.
27. Paolo Favero, »Vikten av att vara en bastard«, *Dagens Nyheter* 16/12 1998.

Religious beliefs and social discrimination

Internal and external pluralism among the mass publics in Sweden, Norway, Germany, Spain, and the U.S., 1981–1996

THORLEIF PETTERSSON

1. Internal and external religious pluralism

THE CONCEPT OF secularization most often refers to declining individual involvement in religious matters and declining powers of religious authority structures to control societal-level institutions, meso-level organizations, and individual-level behaviors.[1] In the process of secularization, religion has become a subsystem alongside other subsystems such that religion's claims have lost much of their former over-arching relevance.[2]

By processes such as secularization, differentiation, and individualization, the diversification of religious beliefs is assumed to increase. As the established religious organizations lose their power to dictate the contents of religious beliefs, as growing numbers of diversified suppliers of religious goods have entered the religious market, and as individuals have become increasingly free to choose what to believe, people's religious beliefs are likely to become increasingly heterogeneous and pluralistic. By such arguments, secularization is associated with increased pluralism in religious beliefs.

However, such a view on the relation between religious pluralism and secularization is debated, especially with regard to the differences between the »old« and the »new« paradigm in the sociology of religion.[3] The spokesmen of the old paradigm assumed religious pluralism to undermine religious involvement and to foster secularization.[4] By contrast, the advocates for the new paradigm claim that religious vitality is located in religious pluralism and competition, and that religious pluralism fosters religious growth, not decline.[5] In previous analyses of contemporary Swedish developments during the past decades, I concluded that meso-level religious pluralism is positively related to grass roots religious involvement.[6] Such results indicate that even in a religious context dominated by a state church, which has for long enjoyed more or less complete monopoly, religious pluralism tends to be positively related to religious vitality.

Thus, religious pluralism is a key issue in contemporary sociology of religion. Often it is more or less taken for granted that people's religious attitudes become increasingly pluralistic. Nevertheless, there is a noteworthy lack of longitudinal and comparative evidence for ever-increasing levels of religious pluralism, at least with regard to individual belief systems.[7] To shed light on such issues, the concept of pluralism needs clarification. In this paper, I distinguish between two kinds of pluralism. On the one hand, I will investigate what I regard as *internal* pluralism. This type refers to the degree of variation *within* distinct dimensions of religious and socio-moral attitudes. The greater such internal variation, the greater the internal pluralism. On the other hand, I will investigate what I regard as *external* pluralism. This kind of pluralism refers to the relationships *between* religion and other domains of social life, e.g. politics, health, education, social relations, etc. The weaker the relationships, the greater the external pluralism. At first glance, it may seem unwarranted that I interpret the strength of the relationship between religion and for example social relations as an indicator of pluralism. However, the more religion and other social domains become independent of each other and the weaker the association between them, the more heterogeneous and pluralistic the blend of religion and other social activities.

In this paper I thus distinguish between two forms of pluralism. The internal refers to the degree of homogeneity within specific domains (religion, social relations etc.), and the external refers to the relationships between the various domains. It should be noted that other terminologies have been used for roughly the same distinction. For instance, Jagodzinski and Dobbelaere distinguish between the degree of homogeneity and constraint among »nucleus« and »extended« religious belief systems, respectively.[8] The former is synonymous with what I regard as internal religious pluralism, and the latter with what I regard as external religious and moral pluralism. It should also be noted that in an earlier paper I have discussed the same issues under the concepts of internal vs. external »differentiation.«[9]

In a theoretical sense, the two forms of pluralism need not be related. Thus, there is no *a priori* reason why higher levels of external religious pluralism should be accompanied by higher levels of internal religious pluralism. On the other hand, it can be argued that higher levels of internal pluralism are likely to be accompanied by higher levels of external pluralism. The more heterogeneous the religious outlooks, the less likely that they should be uniformly related to views on other social domains. By such arguments, I regard the relationship between the two forms of religious pluralism an open issue, although I regard both as dimensions of secularization. With regard to the latter point of view, I thus differ from Jagodzinski and Dobbelaere, who do not regard the degree of constraint in the extended religious belief systems (the degree to which religious and social attitudes correlate) as related to the degree of secularization.[10] However, since I have equated the degree of external religious pluralism with the strength of the relationship between religion and other social domains, and since the strength of such relationships by definition are regarded as a core measure of secularization, I find the views of Jagodzinski and Dobbelaere in this regard less appropriate for my purposes.

With regard to religious pluralism, possible dissimilarities between different religio-cultural regions must not be overlooked. For instance, even five centuries after the Reformation, obvious differences remain between Northern and Southern Europe concerning the religious dimension. In Europe, secularization, including the changes in religion's impact on social life, is assumed to be »an uneven process. It has affected the major Protestant churches more strongly than the Catholic Church.«[11] The explanation is partly found in the theological differences between Catholicism and Protestantism. The extensive dogmatic collective creed of the Catholic church is assumed to impose a stronger collective identity upon its members.[12] In a similar vein, the assumption that Europe should be the »lead society« with regard to secularization and religious decline is questioned. Thus, one should not *a priori* assume similar developments in Europe and for example the American continents with regard to religious pluralism, but rather remain open for an European exceptionalism in these matters.[13]

At the same time, yet another distinction seems equally important with respect to the external religious pluralism. In spite of counter-arguments,[14] it can be argued that the external religious pluralism should be particularly pronounced with respect to public issues, whereas it is assumed to be less evident in matters relating to the private sphere. Thus, the general assumptions of increasing religious and moral pluralism should be modified in the light of the regional and public–private distinctions mentioned above.

In Section Two of this paper, I will continue the discussion of the different dimensions of secularization and increasing pluralism with regard to religious and social attitudes. In Section Three, I present my data, measurements and analytical strategies, and in Section Four, I present the results of my analyses. The paper concludes with a short discussion of my findings.

2. Patterns of secularization and religious pluralism

In less differentiated societies, the polity, the economy, the judicature, the educational system, and the health care, etc. were in the domain of religion. But »as specialized agencies developed which rested their claims increasingly on technical competence rather than on religiously acclaimed moral authority,«[15] the religious control was relinquished, and the churches lost much of their former impact on for example schools, hospices, social welfare, registry of births, marriages and deaths, social relations, and organization of leisure.[16] Due to such differentiation, people in late modernity have to participate in different universes of meaning, each governed by its own set of values. »Modernity partitions each human life into a variety of segments, each with its own norms and modes of behavior. So work is divided from leisure, private life from public life, the corporate from the personal.«[17] As a consequence, religion is assumed to be »reduced to one social function among others and condemned to a kind of faithless belief.«[18]

According to Inglehart, religion in the advanced industrialized societies has lost much of its self-evident nature because of the rapid economic growth and the advancement of modern welfare states. People's increasing sense of security is assumed to diminish the need for absolute rules as imposed by the churches and to reduce the crucial functions of religion for the maintenance of the family unit. The religious decline is thus assumed to be the result of increasing levels of security, produced by the modern welfare state. The increased sense of security is said to generate a gradual value shift »from emphasis on economic and physical security above all, toward greater emphasis on belonging, self-expression, and the quality of life.«[19] This value shift from a predominant materialistic orientation towards a post-materialistic one is expected to be »accompanied by declining emphasis on traditional political, religious, moral, and social norms.«[20] In other words, in highly developed countries, the increase of post-materialism will be accompanied by a declining impact of traditional, church-influenced social values and morality. In such societies, decreasing numbers of people are inclined to accept the established religious dogmas. »The churches have lost much of their impact *ad intra*: as a consequence, individuals may reject the 'menu' of church beliefs, instead recomposing a religion *à la carte*—constructing their own religious patchwork.«[21] And the more people construct their own religious and moral patchworks, the less homogenous their religious and social attitudes will be.

Recently the globalization thesis has entered the discourse on modernization and religious pluralism. Globalization implies the spread of »vital institutions of Western modernization to the rest of the globe, especially the modern capitalist economy, the nation-state, and scientific rationality in the form of modern technology.«[22] Due to international communication technology and migration, people are confronted with increasing numbers of opportunities and options. Consequently, people »are faced with an extending range of imaginary and information involving models of citizenship, forms of production, styles of consumption, modes of communication, principles of world order and, in addition, ways of reacting to all of these.«[23] In an earlier paper, I have applied such arguments to demonstrate that increasing levels of structural globalization (the means for and levels of international communication) have yielded cultural globalization (more fragmented and individualized value systems and world views).[24] However, had not the processes of individualization and secularization liberated the individual from his/her institutional constraints, the seemingly increased acceptance of such varied and fragmented world views would be less likely.

The increased supply of alternative world views and value systems, provided not the least by the ever growing mass media, is a crucial factor in this regard. Since the cultural environment has become increasingly internationally oriented and pluralistic, and since people feel increasingly free to choose from the enlarged pool of religious and moral options provided by the commercialized mass media and the expanded international communication networks among other avenues, the internal pluralism of people's religious-moral value systems will almost by statistical necessity increase. And when increasing numbers of people demonstrate their own, private religious and moral patchworks, it is less likely that any of these would have a strong impact on other social spheres. As a result, the external religious pluralism will increase.

It has nonetheless been argued that religion's generally weakened impact on social life is especially noticeable in the public, economic-political realm in contrast to matters concerning the private, familial life.[25] Due to social differentiation and increasing religious diversity, religion is assumed to be more or less »forced« to withdraw from the public domain, whereas it has remained influential for matters concerning family life and personal growth.[26] As a consequence, religion has remained relevant primarily to »interpersonal relations, for face-to-face contacts, for the intimacies of the family, courtship, friendship, and neighborliness.«[27] Thus, it has been noted that a

> large and growing body of theory and research indicates that religious communities and belief systems help to shape a variety of attitudes and behaviors germane to family life: the selection of marital partners, marital quality, desired and actual family size, the timing of family formation, attitudes towards gender roles, and sexual attitudes and conduct, to name but a few areas of inquiry.[28]

Apparently, despite the differentiation processes mentioned above, religion seems to have retained a more or less noticeable impact on the private sphere, in contrast to matters in the public.

Thus, in comparison to private life, religion's impact on public, social life is less certain:

> Religion may continue within the private space of the body of individuals, but the public space of the body of populations is now subordinated, not to the *conscience collective*, the sacred canopy or the civil religion, but to secular disciplines, economic constraints and political coercion. The public realm is desacralized in Western industrial societies.[29]

That religion's impact on the public sphere is weaker compared to the private might also find support from yet another group of studies, i.e. those whose concern is the relation between religion and work values, another classical area of research in the social sciences of religion. In this field, »most research suggests that religion is largely irrelevant to the work experience.«[30] It has even been suggested that »in the absence of other institutions capable of providing a coherent, overarching values system, it also seems likely that companies will increasingly serve that role, filling needs for personal (and material) development.«[31] Thus, in the area of work, the direction of causation might be reversed from religion's impact on work behavior (the Weber thesis) to work experience as the provider of »religion« (overarching meaning systems).

As already mentioned, and apart from religion's differentiated impact on public and private matters, a regional division with respect to the impact of religion is most often assumed between Catholic and Protestant contexts; a division that parallels a European north–south divide. The religious decline is notably more evident in the Northern part of Europe, something attributed to the differences between Catholicism and Protestantism.[32] Due to among other things the greater incentives for religious individualism among Protestants, Protestant culture is assumed to be more affected by secularization than Catholic, both in terms of lower levels of religious involvement and a weaker impact of religion on other social domains, and, consequently, in higher degrees of internal and external religious pluralism. These differences have at least partly been explained by the *theological* differences between Catholicism and Protestantism. The

> seeds of individualism were manifest much earlier in Protestantism. In contrast to Catholics, Protestants are personally responsible before God in religious matters, and the church has a lesser role as mediator between the believer and God. The Catholic church, with its extensive, dogmatic, collective creed imposes a more collective identity upon its faithful.[33]

Needless to say, other explanations for the Catholic–Protestant divide are also warranted, including some focusing on economic factors. In general, countries in Northern Europe score higher on wealth and prosperity than countries in the Southern part of Europe. Since it has been assumed that »economic development goes hand in hand with a decline in religious sentiment,«[34] the north–south religio-cultural divide might therefore be explained by economic differences. That the north–south differences in economic development can, in turn, be explained by the differences in religious traditions, is a classical and disputed theory that I will not discuss in this paper. But whatever the explanation, the religious decline and the emerging pluralism in religious and socio-moral attitudes is generally assumed to be weaker in the Catholic countries as compared to the Protestant ones.

To summarize, then, secularization theory assumes the levels of religious involvement to decrease and the internal and external religious pluralism to increase in the contemporary Western world. At the same time, these developments are assumed to be of different magnitude across two divisions; one regional and one societal. The regional division concerns the differences between Northern and Southern Europe, a division that coincides with the division between Protestantism and Catholicism. The societal division concerns the difference between the private and public sectors. Thus, the internal and external religious pluralism should be stronger in Northern Protestant Europe as compared to Southern Catholic, and the external pluralism should primarily be noticeable in matters pertaining to the public sphere, as opposed to the private.

3. Data, measurements and analytical strategy

Data and countries: My empirical analyses are based on the survey data from the 1981, 1990, and 1996 European Value Studies/World Value Studies (EVS/WVS). These aimed at investigating fundamental value patterns, primarily in the Western world. Large scale surveys were conducted in a number of Western countries in 1981. In order to explore value changes, a second wave of surveys was undertaken in 1990. In 1996, a third wave was launched in about 50 countries, many outside the Western world.[35]

It is obvious that a basic step in the analysis of religious and socio-moral pluralism ought to concern the comparison of societies that are as different as possible with regard to their religious and socio-moral cultures. Needless to say, only those countries participating in all three phases of the 1981, the 1990 and the 1996 EVS/WVS studies can be compared in this investigation. Since I want to confine my analyses to Europe and North America, the choice is to compare the two Nordic countries Sweden and Norway to Germany, Spain, and the U.S. The sample sizes for Sweden in the 1981, 1990, and 1996 EVS/WVS studies, respectively, were 954, 1,047, and 1,009. The corresponding sample sizes were for Norway: 1,051, 1,239, 1,127; for Germany: 1,305, 2,101, 1,017; for Spain: 2,303, 2,637, 1,211; for the U.S.: 2,325, 1,839, 1,542. It should be noted that for Germany, the data only covers those parts which formerly belonged to West Germany. The total number of respondents among the five countries were 27,707. Thus, the body of data to be analyzed in this paper is fairly extensive.

The five countries differ greatly as far as economic development is concerned, in religious and socio-moral traditions and denominational divisions, in democratic legacies, in political systems and so forth. The Nordic countries are massively Protestant, with most people belonging to Lutheran state-churches. Spain is a massively Catholic country, with most people belonging to the Catholic church. Germany and the U.S. are religiously mixed countries. Germany is characterized by a regional division between the northern Protestant part and the southern Catholic, while the U.S. is marked by a religious pluralism, which by and large is fairly independent of geographical regions.

From a multidimensional analysis of the EVS data from 1990,[36] it can be concluded that the countries selected for this investigation cover a broad range in basic value orientations. In contrast to the U.S. and Spain, Norway, Sweden and Germany score comparatively low on values associated with religion, while Sweden and Norway in contrast to the U.S. score comparatively high on institutional confidence and civic morality as opposed to self-centered achievement and permissiveness. In the latter dimension, Germany and Spain form a middle group. From these analyses, Norway and Sweden, Germany, Spain, and the U.S. can be regarded as fairly different with regard to religious and socio-moral attitudes among their national populations.

An important question concerns whether the four cultural regions alluded to above can be related to other phenomena in addition to the aggregated individual value systems. A recently published regionalization of the European Union countries is noteworthy in this regard. From analyses on how the EU countries have organized their specific blend of the three welfare delivery systems—the state, the family, and the market—they were divided in three groups: a) a northern group of *institutional welfare states* (Sweden, Norway, Finland, Denmark), b) a southern group of *family welfare states* (Italy, Spain, Portugal), and c) *a group of core Western European EU countries* (Germany, France, the Netherlands, Belgium). These three groups are said to differ in »political ideologies, social security systems, gender roles, the importance of labor unions and cultural values of a religious kind.«[37] The three groups can be related to Esping-Andersens well-known classification of welfare regimes: liberal (the U.S., Canada), conservative (Germany, France, Austria), and social-democratic (the Nordic countries). Another typology relevant in this context distinguishes four types of welfare regimes, among which USA is considered to belong to the Protestant liberal welfare states, West Germany to the Advanced Christian Democratic, Sweden and Norway to the Protestant Social Democratic and Spain to the countries characterized by late female mobilization.[38]

Thus, regardless of whether one builds on aggregated individual data on value preferences (EVS/WVS data), or national socio-economic and political structural features, one arrives at fairly similar regions. An inductive and a deductive method for regionalization has thus yielded similar results. From such findings, a close relationship or fit between individual value systems on the one hand, and socio-economical and political structural characteristics on the other, seems probable. According to my view, this close relationship demonstrates mutual interdependence between the two levels, where it is difficult to regard one as independent of the other. However, since my paper discusses the relationships between the religious and socio-moral cultures, attempts to explain the structural differences between the southern family welfare states and the northern socio-democratic by reference to the religious factor is of certain interest. Consequently, it has been assumed that

> religious differences are an important factor in determining contemporary public policy outcomes across a very range [sic] of areas and that religious doctrines, beliefs and traditions constitute the basis of a Catholic family of nations with public policies quite different from those of national groupings with other historical and cultural antecedents.[39]

According to such a view, the Catholic culture has given rise to the specific pattern of public policies which characterize the family welfare pattern in Southern Europe.

Norway, Sweden, Germany, Spain, and the U.S. can thus be regarded as countries which cover a broad range of religious, cultural, social, political, and economical settings. To compare these countries with regard to the developments of religious and moral pluralism would therefore yield an interesting indication of how general or region-specific these developments are.

Measurements: The EVS/WVS questionnaires were developed to measure basic value orientations in important domains of life such as religion and morality, socio-economic life, politics, work, social relations, gender roles, leisure time, family, marriage, and sexuality.[40] The analyses in this paper are based on two measures, one of religious beliefs, and one of attitudes towards social discrimination. The measure of religious beliefs is calculated as a simple additive index from answers to questions on whether one believes in God, life after death, the soul, the Devil, hell, heaven, and sin. Those who say they believe in all of these would have a score of 7, while those who say they do not believe in any of them would have a score of 0. Thus, the measure for religious beliefs ranges between 0 and 7. The higher the score, the more the respondents share the various religious beliefs.

The measure of attitudes towards social discrimination is likewise calculated as a simple additive index from answers to questions on whether one would dislike having an immigrant, a person with a criminal record, an alcoholic, a person of a different race, and an emotionally unstable person as neighbor. Those who would dislike all five categories as neighbors get a score of 5 while those who would not dislike any of them get a score of 0. In this case, the measure ranges from 0 to 5. The higher the score, the more pronounced the discriminative attitudes. It should be noted that the measure captures both ethnocentrism and discrimination towards various forms of social deviance.

The mean value for the Cronbach alpha for the measure for religious beliefs in the five countries at the three points in time is .83, while it ranges between .80 and .87. The corresponding values for the measure of attitudes towards social discrimination are .48, .25 and .70. The comparatively high alphas for the measure of religious beliefs may suggest that this measure is too limited to one specific dimension of such beliefs. In order to study increasing levels of pluralism and religious patchworks, one would ideally cover a wider area of beliefs. Further evidence for the validity of the two measures are given by Halman and Vloet.[41]

Analytic strategy: In a first step, I will investigate whether the *levels* (means) for religious beliefs and attitudes towards social discrimination changed during the period under study, and whether these changes can be related to each other—for instance, whether the changes in attitudes towards social discrimination (if any) can be attributed to the changes in religious beliefs and vice versa. In a second step, I will investigate whether the levels of internal and external pluralism with regard to religious beliefs and attitudes towards social discrimination changed between 1981, 1990, and 1996.

From my definitions, it follows that the degree of internal religious pluralism should be investigated by some indicator of the variation among the measure of religious beliefs, while the external pluralism should be investigated by some measure of the correlation between the religious beliefs and the discriminative attitudes. Thus, the degree of internal pluralism will be investigated by the variance for religious beliefs and attitudes towards social discrimination, respectively. The greater the variance, the higher the degree of internal pluralism.[42] The degree of external pluralism will be measured by the covariance for the measures of religious beliefs and attitudes towards social discrimination, respectively. The lower the covariances, the higher the degree of external pluralism.

To compare the variances in the different samples, I will use Levene's test for homogeneity of variances. To test the equality or unequality of the covariances in the different samples, I will use structural equation model analyses for multiple groups (AMOS).

4. Results

Table 1 presents the means, the variances and the covariances for religious beliefs and attitudes towards social discrimination, respectively, for each of the five countries in 1981, 1990, and 1996. The results of the statistical analyses mentioned above are shown in Table 2.

With regard to religious beliefs, the means changed fairly similarly across the five countries. During the first sub-period, 1981–1990, the adherence to the religious beliefs either remained unchanged (Sweden and Germany) or decreased (Norway, Spain, the U.S.). During the second sub-period, 1990–1996, the religious beliefs increased in all the countries. However, since these changes were of different magnitudes across the countries, the combined effect of the changes over both sub-periods differed between the countries. Sweden and Germany witnessed an overall increase in religious beliefs, whereas Norway and the U.S. demonstrated no net changes, and Spain witnessed a decrease. Quite as expected from the fairly uniform changes across the countries, the rank order of the countries with regard to the levels of religious beliefs were about the same throughout the period. The mean scores for religious beliefs were lowest in Sweden, followed by Norway, Germany, Spain, and the U.S. This rank order of the countries is quite expected.[43]

As for the attitudes towards social discrimination, the similarities in the changes were less pronounced across the five countries. During the first sub-period, 1981–1990, the changes were fairly uniform. In all the countries, except for Germany, the discriminative attitudes increased. However, during the second sub-period, the developments were more differentiated. In Sweden and Germany, the discriminative attitudes decreased, while they increased in Norway and the U.S., and remained the same in Spain. The net result of these changes throughout the entire period was however that the discriminative attitudes increased in four of the countries, while it decreased in Germany. As is seen from Table 1, Germany showed a comparatively big decrease in the discriminative attitudes between 1990 and 1996. Whether this decrease is the result of some kind of measurement error, or an indicator of a substan-

Table 1. Means, variances, and covariances for social discrimination and religious beliefs. Results from the 1981, 1990, and 1996 EVS and WVS studies in Sweden, Norway, Germany, Spain and the USA.

		Social discrimination		Religious beliefs		Covariance
		Mean	Variance	Mean	Variance	
SWEDEN	1981	0.92	1.16	2.00	4.45	.065
	1990	1.12	1.49	1.93	4.09	-.019
	1996	1.04	1.15	2.36	4.47	-.034
	Total	1.03	1.28	2.10	4.36	.001
NORWAY	1981	1.05	1.51	3.09	6.05	.454
	1990	1.18	1.97	2.59	6.26	.023
	1996	1.48	1.59	2.96	5.60	-.017
	Total	1.23	1.74	2.87	6.03	.120
GERMANY	1981	1.48	1.61	2.79	4.77	.392
	1990	1.47	1.48	2.79	4.63	.245
	1996	0.88	0.94	3.36	4.33	.049
	Total	1.33	1.46	2.93	4.65	.181
SPAIN	1981	1.05	1.30	3.85	5.96	.520
	1990	1.18	1.57	3.36	5.74	.309
	1996	1.18	1.31	3.97	5.45	.138
	Total	1.13	1.46	3.66	5.83	.346
USA	1981	1.63	1.49	5.63	3.22	-.041
	1990	1.72	1.53	5.48	3.99	-.003
	1996	1.92	1.37	5.69	3.71	.107
	Total	1.74	1.48	5.60	3.61	.015

tial change, is unclear to me. Apart from the changes in the discriminative attitudes, these were most pronounced in the U.S., followed by Germany, Norway, Spain, and Sweden.

It should be mentioned that the fairly similar patterns of changes in religious beliefs and attitudes towards social discrimination across the five countries can not be explained by reference to each other. The results of Multiple Classification Analyses for each country are not evidence implying that the changes in one of the two are affected by the changes in the other or by changes in postmaterialism, education levels or satisfaction with one's economy. This finding suggest that the changes in religious beliefs and discriminative attitudes are fairly independent of each other (cf. below) as well as of such factors which are related to the welfare systems (e.g. education or economic satisfaction).

As for the changes in the religious internal pluralism, the results are somewhat less uniform across the countries. During the first sub-period, the internal pluralism remained unchanged, except for the U.S., where it increased. During the second sub-period, the internal pluralism remained unchanged in Germany and Spain, decreased in Norway and the U.S., and increased in Sweden. The net effect of these changes throughout the entire period was that the internal pluralism for religious beliefs decreased in Norway and Spain, increased in the U.S., and remained the same in Sweden and Germany.

With regard to the attitudes towards social discrimination, the internal pluralism changed in a somewhat more uniform manner across the five countries. During the first sub-period, the internal pluralism increased for Sweden, Norway, and Spain, and remained the same for Germany and the U.S. During the second sub-period, the internal pluralism decreased in all countries, except in Spain. The net effect of these changes throughout the entire period was that the internal pluralism for social discrimination remained the same in the two Nordic countries, decreased in Germany and the U.S., and increased in Spain.

These results hardly demonstrate any general tendency towards increased levels of internal pluralism for religious beliefs and social discrimination. Over the entire period, increased pluralism was only demonstrated for the U.S. in the case of religious beliefs and for Spain in the case of social discrimination. All in all, during the two sub-periods, the instances of decreased internal pluralism out-numbered the instances of increased. Such results are hardly in line with the hypotheses on generally increasing levels of internal pluralism.

With regard to the external pluralism for religious beliefs and attitudes towards social discrimination, the results for the entire period demonstrate either stable levels as for Sweden and the U.S., or increasing levels as for Norway, Germany, and Spain (note that decreased covariances indicate increased external pluralism!). Thus, the results do not indicate contra-evidence of decreasing external pluralism. It should also be noted that the instances of increasing external pluralism are only found in cases of comparatively low levels of such pluralism (compara-

Table 2. Changes in means, variances and covariances for social discrimination and religious beliefs. Results from the 1981, 1990, and 1996 EVS and WVS studies in Sweden, Norway, Germany, Spain, and the USA. Changes significant at p < .05.

	Social discrimination Period:			Religious beliefs Period:		
	1981–90	90–96	81–96	1981–90	90–96	81–96
SWEDEN:						
Mean	Increase	Decrease	Increase	No change	Increase	Increase
Variance	Increase	Decrease	No change	No change	Increase	No change
NORWAY:						
Mean	Increase	Increase	Increase	Decrease	Increase	No change
Variance	Increase	Decrease	No change	No change	Decrease	Decrease
GERMANY:						
Mean	No change	Decrease	Decrease	No change	Increase	Increase
Variance	No change	Decrease	Decrease	No change	No change	No change
SPAIN:						
Mean	Increase	No change	Increase	Decrease	Increase	Decrease
Variance	Increase	No change	Increase	No change	No change	Decrease
USA:						
Mean	Increase	Increase	Increase	Decrease	Increase	No change
Variance	No change	Decrease	Decrease	Increase	Decrease	Increase

Covariance
discriminative attitudes/religious beliefs:

SWEDEN:	No change	No change	No change
NORWAY:	Decrease	No change	Decrease
GERMANY:	No change	Decrease	Decrease
SPAIN:	Decrease	No change	Decrease
USA:	No change	No change	No change

tively high covariances) at the beginning of the period. Already in 1981, the relationships between religious beliefs and attitudes towards social discrimination were almost nonexistent in Sweden and the U.S. Therefore, in these cases, the external pluralism had already reached its (statistical) peak, and could not possibly increase further. Thus, in the case of the external pluralism between religious beliefs and attitudes towards social discrimination, the results do at least partly substantiate the hypotheses of generally increasing levels. It increased to the extent that was possible.

Conclusions

With regard to the *levels* of religious beliefs, the different countries— the Protestant as well as the Catholic, the comparatively less secularized and the comparatively more secularized—seem to have witnessed a fairly similar cycle during the last two decades. The results suggest a similar cycle in the four different regions with decreases or stable levels during the 1980s followed by increasing levels during the 1990s. As expected, this fairly uniform cycle has not affected the rank order of the countries with regard to religious beliefs. It should also be emphasized that the more or less uniform changes in religious beliefs could not be attributed to the concomitantly changing levels of education, postmaterialism, and satisfaction with the economy. Whether the uniform changes can be attributed to some preceding social changes related to the welfare state and the sense of security is, of course, another matter.

As for the changing levels of discriminative attitudes, the results suggest a similar cycle, in this case increases during the 1980s and decreases during the 1990s. As was the case with religious beliefs, the changes with regard to these attitudes could not be explained by the changing levels of the respondents' education, postmaterialism, and satisfaction with their (economic) situation.

Thus, the changing levels of religious beliefs and attitudes towards social discrimination during the last two decades seem to be difficult to account for, both in terms of each other and in terms of such controls that are often used in this regard. Rather, the results suggest an international cycle for these changes, more or less common to the different regions. To search for the explanations for this more or less uniform cycle would be an important task for future research. To do so, an obvious option would be to search for commonalties in all the countries. Internationally similar developments would hardly be explained by factors which are specific to each of the nations.

A preliminary analysis of the Swedish case suggests an interesting link between the contents of the mass media and the changing levels of religious beliefs and discriminative attitudes.[44] The Swedish increase in the discriminative attitudes during the 1990s was accompanied by intensified counter-discriminative coverage of the issue in the Swedish newspapers, possibly to the extent that the attitudes towards social discrimination subsequently decreased. During the 1980s and the stable levels of religious beliefs, the Swedish newspapers contained little on religion. At the same time as the newspapers increased their coverage of religion, people's religious beliefs increased. Thus, in line with the theoretical perspectives of this paper, the changes in religious beliefs and social discrimination seem to be related to the work of the mass media. Most interesting, the changes in religious beliefs and discriminative attitudes were most pronounced among those who reported the most frequent contacts with the mass media, whereas those who reported the least frequent contacts were least affected by the cycles mentioned above.

The focus of this paper, however, has been on the assumptions on increasing internal and external pluralism for religious beliefs and attitudes towards social discrimination. In this regard, the over-all findings did not substantiate the theoretical expectations. As for the religious beliefs, decreases in the internal pluralism were as common as increases. With regard to the attitudes towards social discrimination, the pattern was equally differentiated. As for the external pluralism, the tendency was, however, somewhat more in line with the hypotheses. In those countries where there was a noticeable relationship between religious beliefs and attitudes towards social discrimination at the beginning of the period, the relationship weakened, and the external pluralism increased. In those countries where the disassociation between the two was pronounced already at the beginning of the period, the disassociation remained.

Therefore, the results for the internal pluralism were not in accordance with the hypotheses, while the results for the external were, at least partly. As for the former, the counter-evidences against the assumption of a generally increasing pluralism could neither be related to any of the four cultural regions investigated, nor to the patterns of changing levels of religious beliefs and attitudes towards social discrimination.

To a certain extent, the results from the longitudinal analyses of the external pluralism seem to differ from the patterns obtained by cross-sectional analyses.[45] From cross-sectional analyses of the EVS/WVS data from 1981 and 1990, it was concluded that the secularization process did not seem to »reduce constraint [...] among religious and moral beliefs.«[46] Apart from different terminologies, the longitudinal analyses presented here yield a somewhat different picture. Using the same measure for the degree of secularization as the cross-sectional study, the five countries included in this study became secularized throughout the entire period in the following order: Norway most, followed by the U.S., Spain, Germany and Sweden. The external pluralism decreased for three of the first mentioned: Norway, Spain, and Germany. Thus, there was a slight tendency for the external pluralism (roughly something equal to the degree of constraint) to increase primarily among the countries which secularized the most. It can therefore be assumed that cross-sectional and longitudinal analyses of the relationship between secularization and external pluralism might yield different results. In order to arrive at safer conclusions in this matter, analyses including a greater number of countries are needed.

The theoretical perspectives of this paper interpret the comparatively weak relations between religious beliefs and discriminative attitudes as incidences of secularization, of a disassociation between religion and social relations. It should however be noted that earlier research has demonstrated that this relationship depends on the *kind* of religious beliefs. It has been demonstrated that so-called *extrinsic* religiosity (religious beliefs as a means to achieve something else) tend to be positively related to discriminative social behavior, in contrast to *intrinsic* religiosity (religious beliefs in their own right) which by and large seem to be negatively related.[47] The relationship between the measure of religious beliefs used in this investigation and the two kinds of religiosity is difficult to interpret. If anything, it can be assumed to integrate both kinds.

Regrettably, the EVS/WVS data do not allow decisive analyses on these matters. However, a group of analyses not reported here, which included a measure of religious involvement based on frequent church attendance and subjectively high importance of God in one's life, deserve mention. Two indicators are likely to tap intrinsic, rather than extrinsic religiosity. This measure of religious involvement yielded roughly the same results as the measure of religious beliefs. On these grounds, it can be argued that the results for religious pluralism need not be confined to extrinsic religiosity alone.

In the introductory theoretical discussion, it was mentioned that the impact of religion should primarily be found in matters relating the private sphere, in matters relating to interpersonal relations, to face-to-face contacts, to the intimacies of the family, courtship, friendship, and neighborliness. In this regard, it should be noted that the EVS/WVS interview questions that was used to track attitudes towards social discrimination asked the respondents what categories of people they would dislike as »neighbors,« i.e. the area where religion would demonstrate the strongest impact. The results showed this impact to be both weak and weakening in the five countries. The overarching conclusion of my analyses is thus that the theories assuming high degrees of external religious pluralism and a weak impact of religion on for example attitudes towards social discrimination, have gained support.

Notes

1. D. Yamane, »Secularization on Trial,« *Journal for the Scientific Study of Religion* 36 (1997), pp. 109–122 (here p. 115).

2. K. Dobbelaere, »Church Involvement and Secularization: Making Sense of the European Case,« in E. Barker, J. A. Beckford & K. Dobbelaere, eds., *Secularization, Rationalism and Sectarianism* (Oxford: Clarendon Press, 1993), pp. 19–36 (here p. 24).

3. S. Warner, »Work in Progress towards a New Paradigm for the Sociological Study of Religion in the United States,« *American Journal of Sociology* 98 (1993), pp. 1111044–1111093; P. Repstad, »Introduction: A Paradigm Shift in the Sociology of Religion,« in idem, ed., *Religion and Modernity: Modes of Co-existence* (Oslo: Scandinavian University Books, 1996).

4. For example P. Berger, *The Heretical Imperative* (Garden City, N.Y.: Doubleday, 1979).

5. R. Stark & J. McCann, »Market Forces and Catholic Commitment: Exploring the New Paradigm,« *Journal for the Scientific Study of Religion* 32:2 (1993), pp. 111–123.

6. E. Hamberg & T. Pettersson, »The Religious Market: Denomination, Competition and Religious Participation in Contemporary Sweden,« *Journal for the Scientific Study of Religion* 33:3 (1994); E. Hamberg & T. Pettersson, »Short Term Changes in Religious Supply and Church Attendance in Contemporary Sweden,« *Research in the Social Scientific Study of Religion* 8 (1997); T. Pettersson & E. Hamberg, »Denominational Pluralism and Church Membership in Contemporary Sweden: A Longitudinal Study of the Period 1976–1995,« *Journal of Empirical Theology* 10:2 (1997).

7. W. Jagodzinski & K. Dobbelaere, »Religious and Moral Pluralism,« Application to the European Science Foundation, Brussels (1996).

8. W. Jagodzinski & K. Dobbelaere, »Religious and Ethical Pluralism,« in J. W. van Deth & E. Scarbrough, eds., *The Impact of Values* (Oxford: Oxford University Press, 1995), pp. 218–249.

9. L. Halman & T. Pettersson, »Religion and Morality,« in R. de Moor, ed., *Values in Western Societies* (Tilburg: Tilburg University Press, 1995).

10. Jagodzinski & Dobbelaere, »Religious and Ethical Pluralism,« p. 226.

11. G. Therborn, *European Modernity and Beyond* (London: Sage, 1995), p. 274.

12. W. Jagodzinski & K. Dobbelaere, »Secularization and Church Religiosity,« in van Deth & Scarbrough, *The Impact of Values*, pp. 76–119 (here p. 81).

13. D. Martin, »Religion, Secularization, and Post-Modernity: Lessons from the Latin-American Case,« in Repstad, *Religion and Modernity*, pp. 35–44.

14. Cf. J. Casanova, *Public Religions in the Modern World* (Chicago; London: University of Chicago Press, 1994).

15. B. Wilson, »Religious Toleration, Pluralism and Privatization,« in Repstad, *Religion and Modernity*, pp. 11–34 (here p. 17).

16. M. Dogan, »The Decline of Religious Beliefs in Western Europe,« *International Social Science Journal* XLVII (1995), pp. 405–418 (here p. 416).

17. A. MacIntyre, *After Virtue: A Study in Moral Theory* (Notre Dame, Ind.: University of Notre Dame Press, 1981), p. 190.

18. N. Luhmann, »The Paradox of System Differentiation and the Evolution of Society,« in J. C. Alexander & P. Colomy, eds., *Differentiation Theory and Social Change* (New York: Columbia University Press, 1990), pp. 409–440 (here p. 427).

19. R. Inglehart, *Culture Shift in Advanced Industrial Society* (Princeton: Princeton University Press, 1990), p. 11.

20. Ibid., p. 66

21. Jagodzinski & Dobbelaere, »Secularization and Church Religiosity,« p. 115.

22. P. Beyer, *Religion and Globalization* (London: Sage, 1994), p. 8.

23. T. Spybey, *Globalization and World Society* (Cambridge: Polity Press, 1996), p. 9.

24. L. Halman & T. Pettersson, »Globalization and Patterns of Religious Belief Systems,« Paper presented at the SSSR Conference »Borders and Boundaries: Remapping Religion in a Changing World,« San Diego, California, November 7–9, 1997.

25. P. Berger, *The Sacred Canopy: Elements of a Sociological Theory of Religion* (Garden City, N.Y.: Doubleday & Company, 1969), pp. 129–134; T. Luckmann, *The In-*

visible Religion (New York: MacMillan, 1967), pp. 85 f.

26. R. K. Fenn, »Toward a New Sociology of Religion,« *Journal for the Scientific Study of Religion* 11 (1972), pp. 16–32 (here p. 31).

27. B. Wilson, *Contemporary Transformations of Religion* (London: Oxford University Press, 1976), p. 6.

28. C. Ellison & D. Sherkat, »Obedience and Autonomy: Religion and Parental Values Reconsidered,« *Journal for the Scientific Study of Religion* 32 (1993), pp. 313–329 (here p. 313).

29. B. Turner, *Religion and Social Theory* (London: Sage, 1991), p. 9.

30. J. C. Davidson & D. P. Caddell, »Religion and the Meaning of Work,« *Journal for the Scientific Study of Religion* 33 (1994), pp. 135–147 (p. 135). Cf. O. H. Lindseth & O. Listhaug, »Religion and Work Values in the 1990s: A Comparative Study of Western Europe and North America,« in T. Pettersson & O. Riis, eds., *Scandinavian Values: Religion and Morality in the Nordic Countries* (Uppsala: Acta Universitatis Upsaliensis, 1994), pp. 85–98.

31. S. Harding & F. Hikspoors, »New Work Values: In Theory and in Practice,« *International Social Science Journal* XLVII (1995), pp. 441–456 (here p. 453).

32. Cf. G. Davie, »God and Caesar: Religion in a Rapidly Changing Europe,« in J. Bailey, ed., *Social Europe* (London; New York: Longman, 1992), pp. 216–238 (here p. 224).

33. Jagodzinski & Dobbelaere, »Secularization and Church Religiosity,« p. 81.

34. See S. M. Lipset, *American Exceptionalism* (New York; London: W. W. Norton & Company, 1996), p. 62.

35. See e.g. R. Inglehart, *Modernization and Postmodernization* (Princeton: Princeton University Press, 1997).

36. P. Ester, L. Halman & R. De Moor, eds., *The Individualizing Society* (Tilburg: Tilburg University Press, 1994), p. 160.

37. J. Vogel, »Sverige och EU. Marknaden, välfärdsstaten och familjen,« *Välfärd och ojämlikhet i 20-årsperspektiv, 1975–1995. Living Conditions and Inequality in Sweden: A Twenty-Year Perspective, 1975–1995* (Örebro; Stockholm: Statistiska Centralbyrån, 1997), pp. 575–590 (p. 576); my translation from Swedish.

38. A. Siaroff, »Work, Welfare and Gender Equality: A New Typology,« in D. Sainsbury, ed., *Gendering Welfare States* (London: Sage, 1994), pp. 82–101.

39. F. Castles, »On Religion and Public Policy: Does Catholicism Make a Difference?,« Paper presented at the Swedish Collegium for Advanced Study in the Social Sciences (SCASSS), Uppsala University, Uppsala 1994, p. 23.

40. For details and information on the questionnaire items, see L. Halman & A. Vloet, *Measuring and Comparing Values in Sixteen Countries of the Western World*, WORC Report (Tilburg: WORC, 1994).

41. Ibid.

42. Cf. Jagodzinski & Dobbelaere, »Secularization and Church Religiosity,« p. 226.

43. Jagodzinski & Dobbelaere, »Secularization and Church Religiosity.«

44. T. Pettersson, »Ledartexter i dagspressen och den allmänna opinionen,« paper, Dept. of Theology, Uppsala University, 1998.

45. Cf. Jagodzinski & Dobbelaere, »Secularization and Church Religiosity.«
46. Ibid., p. 230.
47. Cf. e.g. B. Spilka, R. Hood & R. Gorsuch, *The Psychology of Religion: An Empirical Approach* (Englewood Cliffs: Prentice Hall, 1985); M. Argyle & B. Beit-Hallah-mi, *The Social Psychology of Religion* (London: Routledge & Kegan Paul, 1975).

II.

DE NYA VÄRLDARNA OCH DEN GAMLA

Svenskars möte med indianer vid Delaware

Handel, misstro och rädsla

HANS NORMAN

DEN 2 FEBRUARI 1654 avseglade skeppet Örnen från Göteborg med destination Nya Sverige. Det var den tionde i raden av de sammanlagt tolv expeditioner som utsändes dit och som inleddes med Kalmar Nyckel och Fågel Grips första resa 1638. Med på Örnen var sekreteraren i kommerskollegiet, Johan Claesson Risingh, som i egenskap av kommissarie skulle assistera guvernören Johan Printz i kolonins skötsel. Denna hade under senare år fört en tynande tillvaro och Printz hade rest hem, något som Risingh var ovetande om när han lämnade Sverige. Skeppet Örnen var rikligt lastat med varor, inte minst sådana som behövdes för handeln med indianerna. Med ombord fanns mer än 350 personer, varav en stor del utgjordes av svedjefinnar från Värmland. Inräknat var också 50 soldater för kolonins försvar. Efter en ansträngande resa via Kanarieöarna, Västindien, Florida och upp längs Nordamerikas kust, där man hade svårigheter att orientera sig, nådde expeditionen äntligen den breda Delawareviken. Under vägen uppför floden intogs det holländska fästet Casimir, som vid denna tid var svagt bemannat. Därefter forsattes färden till Fort Christina, beläget några kilometer uppströms vid bifloden Minquas River, av svenskarna döpt till Christinafloden.

Risingh hade nu den svåra uppgiften att skapa ordning på förhållandena i kolonin, där bara omkring 70 personer av den svenska befolkningen fanns kvar. Av passagerarna på Örnen avled ett hundratal av påfrestningarna under sjöresan. Detta innebar att kolonins invånare, med dem som landsattes och med en del holländare som fanns i området, ökade femfalt, dvs. till drygt 350 personer. Tillfälliga husrum skulle anskaffas, jordområden tilldelas för bosättning och en mängd arbetsföretag igångsättas. Det var viktigt att snarast klara ut relationerna med samtliga kolonier man hade som grannar, dvs. de i Nya England och den holländska på Manhattan, belägna norr om Nya Sverige, samt Maryland och Virginia i söder. Det var också angeläget att förnya kontakterna med de indianstammar som fanns i Delawareområdet. Från dem måste livsmedel anskaffas, med dem skulle tidigare landförvärv aktualiseras och skinnhandeln återupptas.

Européernas upplevelser av indianerna under kolonisationen av Amerika har på senare år varit föremål för stort intresse i takt med den tilltagande betydelse som forskning om etniska frågor och kulturmöten fått. Inställningen till Amerikas urbefolkning har varierat mycket mellan olika skeden. Under en första fas var hänförelsen för det nyupptäckta landet och dess invånare stor. Naturens rikedom gav föreställningar om ett folk som kunde leva i lycklig egendomsgemenskap och jämställdhet. Indianernas enkla, primitiva och i mångas ögon oförstörda levnadssätt gav därför utrymme för en fantasiföreställning om »den ädle vilden«, trots att bilden i många avseenden stördes av att hatfyllda krig förekom mellan stammar, liksom grymma religiösa ritualer och till och med kannibalism. Denna inställning fanns framför allt under den tidigare kolonisationen, som mest gick till Mellan- och Sydamerika. En tilltagande utflyttning från Nordvästeuropa under 1600-talet med kolonister intresserade av jordförvärv och odlingar i östra Nordamerika ledde till konkurrens om land och långvariga konflikter med indianerna där. Nu gjorde sig alltmer en uppfattning gällande att dessa var krigiska, listiga och opålitliga. Uttrycket »den grymme vilden« blev vanlig. Denna fientliga inställning spreds i och med en ökad inflyttning av bosättare i Virginia och Nya Englandområdet och det var detta synsätt som vann gehör på många håll i Europa, inte minst i England, där knappheten på jord skapade behov av att utvandra till Amerika. Fransmännen i Amerika var mer vänligt inställda till indianerna och såg dem som värdefulla samarbetspartners i pälshandeln. Européerna bedömde som regel indianerna utifrån sina egna kulturmönster och värderingar, utan att försöka se vilka de verkligen var och vad de representerade genom kultur- och levnadsmönster. De betraktades som hedningar som borde omvändas och missionerandet bland indianerna sågs allmänt som en viktig dimension av mötet mellan det europeiska och det indianska, inte minst bland franska jesuitmissionärer.[1]

När dessa frågor nu tas upp från ett Nya Sverige-perspektiv utgör de tidiga exempel på hur svenskar har konfronterats med ett främmande folkslag i andra länder. Trots att kolonin var av liten omfattning vad gäller befolkning och varaktighet representerade den i mycket en kolonialmakt av nordvästeuropeiskt slag. Genom att undersöka de svenska relationerna med indianerna och vad man uttryckte om dem, bör denna artikel kunna bidra till diskussionen om mötet mellan det europeiska och det inhemskt nordamerikanska.

I skildringar av Nya Sverige brukar framhållas hur goda grannar indianer och kolonister var samt de harmoniska förhållandena som rådde mellan de två folkgrupperna. Frågan är då vilket skede av områdets historia som avses. Är det Nya Sveriges första skede, då framför allt Printz och sedan Risingh förestod den svenska kolonin, eller tiden därefter, då kolonisterna levde under holländskt och senare engelskt styre? Här skall uppmärksamheten riktas mot det tidigare skedet och främst mot den del av kolonins existens, då Risingh kommit dit och en nysatsning gjordes från den svenska statsledningens sida. Den övergripande frågeställningen blir därför hur svenskarnas syn på indianerna var och hur relationerna med dem utvecklades i Nya Sverige. Levde de svenska kolonisterna i så goda relationer med indianerna som det har påståtts?[2]

Det främsta källmaterialet för denna studie utgör Risinghs journalanteckningar, som han gjorde praktiskt taget dag för dag, både under överresan och under vistelsen i kolonin samt hans rapport hem till Sverige den 14 juni 1655. Risinghs noteringar är skrivna på ett formellt och tjänstemannamässigt sätt och ger en konkret bild av hans uppfattning av olika händelseförlopp och sammanhang. De innehåller också uppgifter och reflexioner, som anger hur relationerna med indianerna i området var. En annan källa är Peter Lindeströms anteckningar under samma tid. Han medföljde expeditionen som fortifikationsofficer, kartlade det svenska området och gjorde utförliga noteringar utifrån sina iakttagelser i kolonin, inte minst de särdrag han observerade hos indianerna. Till skillnad från Risingh är han livfull och mycket fantasirik, varför hans uppgifter måste användas med en stor portion källkritik.[3]

Nya Sveriges utveckling: En kort bakgrundsteckning

Kolonin Nya Sverige längs floden Delaware i Nordamerika existerade endast från 1638 till 1655. Dess befolkning var, som nämnts, liten och den gav som helhet varken svenska kronan eller dem som satsat ekonomiskt i företaget någon vinst. Dess betydelse får ses på ett annat plan.

Studier av Nya Sverige ger inte bara möjligheter att förstå den svenska stormaktens ambitioner, som var tidstypiska och i linje med andra västeuropeiska staters under 1600-talet. De ger också en god inblick i det komplicerade samspel som konkurrensen mellan de europeiska kolonialmaktera medförde samt den handel och de relationer som dessa hade med indianerna.

När Nya Sverige-kompaniet startade skedde det i kölvattnet av engelska och holländska erfarenheter. Det byggde till en början ekonomiskt på både svenska och holländska intressen. Ledaren för expeditionen, Peter Minuit, hade varit direktör för Nederländska Västindiska Kompaniet, som hade sitt centrum i Nya Amsterdam på ön Manhattan vid Hudsonflodens utlopp. Han hade också utforskat möjligheterna att anlägga en handelsstation vid Delawares vattensystem, innan han gick i svensk tjänst. Det är alltså inte förvånande att holländarna ville se det svenska intrånget vid vad de kallade Sydfloden (i motsats till Nordfloden, som Hudson River benämndes) som en tillfällig händelse. Under Nya Sverige-kompaniets första år bedrevs handel med indianerna på ungefär samma villkor som gällde för holländarna, som var de närmaste grannarna. Dessa hade en handelsstation vid Fort Nassau, som låg längre upp längs Delawarefloden och därmed ganska långt från det centrum de hade vid Nya Amsterdam på Manhattan.

Med Johan Printz som ledare för kolonin blomstrade den under en tid, mycket beroende på hans djärva utspel och driftighet att handla med indianerna. Denna verksamhet varade så länge det gick att få varor från hemlandet att byta med, men därefter började svårigheterna. Flera av kolonisterna blev upproriska mot guvernören och flyttade senare därifrån. Printz skrev brev på brev till hemlandet med begäran om stöd men fick förgäves vänta på skepp. Där var man fullt upptagen med andra problem, bl.a. med att avsluta engagemangen i kriget på kontinenten. Åren 1649–51 var dessutom ekonomiskt svaga för det svenska jordbruket och politiska motsättningar medförde att Axel Oxenstierna under en tid förlorade sin starka ställning. Först 1653 återkom han till sin forna position och kunde på nytt aktivera landet för kolonin i Nordamerika.

Expeditionen med Örnen innebar det största personella och materiella tillskottet under kolonins historia. Dess existensmöjligheter var dock sedan tidigare starkt begränsade med det lilla och oregelbundna stöd som utgått från Sverige. Risingh blev i hög grad beroende av de koloniala grannarnas aktioner och av relationerna med indianstammarna i området. På sensommaren 1655 kunde holländarna med överlägsna militära maktmedel ta över Nya Sverige. Johan Risingh och en del av tjänstemännen reste tillbaka till hemlandet. Den helt övervägande delen av befolkningen i kolonin, svenska och finska bosättare, stannade dock.

Med benämningen svenska kolonister avses i denna artikel både de som var svensktalande och de som var finsktalande. De sistnämnda blev talrikare under kolonins senare tid. En stor mängd kom med Örnen och ett halvår efter det att kolonin förlorats anlände den sist avsända expeditionen med skeppet Mercurius. Där var kolonisterna till helt övervägande del finnar.[4]

Indianfolken i Delawareregionen och de koloniala grannarna

Det var framför allt två indianfolk som svenskarna kom i kontakt med under Nya Sverige-perioden. Lenaperna, som bodde i anslutning till Delaware och dess biflöden, tillhörde den stora algonkinska språkgruppen och kallades även för delawareindianer eller flodindianer. De levde i byar med små självständiga stammar eller släktförband och bedrev i skogslandskapet ett primitivt jordbruk på små åkerlappar. Bland annat odlades majs, som svenskarna köpte av dem tillsammans med fisk och viltkött. Det mesta land som svenskarna förvärvade i Delawareområdet var från dessa indianer. Lenaperna levererade däremot inte mycket skinn till kolonisterna. Bäver och andra pälsbärande djur var på grund av intensiv jakt redan på upphällningen längs Delaware.[5]

Susquehannockerna hade sina boplatser och jaktområden längs floden Susquehanna, som har sitt utflöde i Chesapeake Bay. De kallades också minqueser, som egentligen betyder förrädisk, en beteckning som deras fiender lenaperna brukade, men som också var vanlig bland svenskar och holländare. Susquehannockerna ansågs vara mer krigiska än lenaperna. De hade i tidigare konflikter tvingat lenaperna att dra sig tillbaka över Delawarefloden till nuvarande staten New Jersey, men de två indianfolken slöt under slutet av tiden för den svenska kolonin fred. Pälsdjur att jaga fanns ännu rikligt längs Susquehanna och svenskarnas handel med skinnvaror skedde främst med susquehannockerna.[6]

I jämförelse med Nya Sverige hade de kolonier som grundats tidigare mycket större folkmängd. Nya Nederland hade redan 1650 nått upp till drygt 4.000 personer, medan engelsmännen i förhållande till svenskar och holländare hade en avsevärt större samlad befolkning i sina områden. I Virginia fanns vid denna tid nästan 19.000, i Maryland 4.500 och i de olika koloniala områdena i Nya England tillsammans över 20.000 personer.[7]

Om folket i Nya Sverige kunde undvika krigiska konfrontationer med indianerna, var förhållandet helt annorlunda för de koloniala grannarna. Holländarna hade blodiga uppgörelser med algonquinindianerna på Long Island och på västra sidan om Hudsonfloden. I Virginia och Maryland hade engelsmännen under lång tid varit i krig med susquehannockerna och i förstnämnda område fördes en formlig utrotningskampanj mot dessa.[8]

Det är svårt att få klarhet i vilka kunskaper de som i hemlandet förestod Nya Sverigekompaniet kunde ha om indianer och hur synen på dem var vid denna tid. Förutom myter om det annorlunda Amerika bör deras kännedom huvudsakligen ha grundat sig på erfarenheter förmedlade av holländarna och av Peter Minuit, som några år varit guvernör i Nya Nederland. Framför allt från tiden efter 1642, då kolonin helt kom i svenska händer, fanns ett markerat intresse för goda relationer med det amerikanska ursprungsfolk man nu skulle ha som grannar. Detta var något som framhölls i de instruktioner som Printz fick med sig från Per Brahe. Indianerna kom också att behandlades med stor försiktighet av dem som förestod kolonin, sannolikt mest av nödvändighet. Frågan blev nu hur Risingh skulle hantera dessa problem, när han i spetsen för en stor nytillströmning av kolonister måste åstadkomma en omstart för kolonin.[9]

Grundläggande relationsförutsättningar

Det är väsentligt att betrakta de svenska relationerna med indianerna utifrån det större koloniala sammanhanget i denna del av Nordamerika. För det första konkurrerade européerna med varandra om land och om handel med indianerna. De engelska kolonierna gjorde det dessutom sinsemellan. För det andra hade indianfolken genom sina kontakter med européerna fått ett allt starkare intresse för att förvärva deras varor, varför indianerna konkurrerade med varandra om handeln med européerna. Både för lenaper och susquehannocker var det därför av strategisk betydelse att kunna överlåta land till européerna för att därigenom få igång den handel de efterstävade. De landöverlåtelser som gjordes och de köp som kom till stånd blev då beroende av vilka konstellationer och konflikttillstånd som rådde mellan de berörda parterna.[10]

I européernas relationer med indianerna spelade gåvor en stor roll. När inledande kontakter togs och överenskommelser gjordes om landområden och handel lämnades regelmässigt gåvor till indianerna. Gåvorna synes både ha utgjort betalning och varit en symbolisk handling för att bekräfta framtida samexistens. Risingh uppger vid flera tillfällen att hövdingar infann sig i Fort Christina, tog tid på sig att umgås och bli undfägnade samt mottog gåvor, varvid löften gavs om att man skulle hålla fred och att svenskarna skulle få använda deras land och handla med deras folk:

> ...kom en de Vildes förnämste Sackiman [hövding] Asopamek benämnd
> till Fort Christina, gjorde stora löften att vilja vara oss i alla måtto trogen
> och så laga att alla vilde skulle oss vänskap hålla, och med oss handla, och
> begärde då skänker, vilke honom då vordo givne; Ty deras Vänskap var
> oss högt att aktandes, för anfall skull, Så ock för vår handel med dem,
> och vårt uppehälle.[11]

De varor som indianerna efterfrågade var framför allt klädespersedlar och redskap av olika slag samt eldhandvapen och krut. De ansvariga för kolonierna försökte göra överenskommelser om att inte sälja vapen, men dessa bröts både av de officiella representanterna och av enskilda handelsmän. Förutom tyger ville indianerna gärna köpa yxor, hackor, spadar, saxar, knivar, sylar och nålar, varor som underlättade deras dagliga verksamhet. De efterfrågade också sådant som européerna medförde för flärd och förströelse, såsom kammar, speglar och färg att måla sig med samt alkoholdrycker.[12]

Européernas främsta intressen i handeln med indianerna var under denna tid skinnvaror, inte minst från bäver. Detta berodde på att det i Europa, särskilt bland de välbeställda i storstäderna, hade blivit på modet att bära mössor och hattar tillverkade av bäverskinn. Mycket annat köptes också från indianerna, främst livsmedel, såsom majs, vilt och fisk. Affärerna skedde i stor utsträckning som byteshandel, men man använde också wampun – cylindriska pärlor gjorda av musselskal – vilka indianerna använde som betalningsmedel.[13]

Trots att indianerna betraktade handel med européerna som önskvärd, kunde utbytet ofta bli till nackdel för deras del, eftersom de hade svårt att uppskatta det reella värdet av sina egna produkter, när dessa skulle prissättas i förhållande till de lätt producerade dagligvaror som utbjöds av européerna. Om detta berättar Peter Lindeström:

Om man desse bemälte persedlar av de vilde handla skulle med de vildes kontante penninger [dvs. wampun], så äro de dyre nog, men när man betalar dem med de kristnes varur igen, så kan man hava på dess handel med de vilde en övermåttan stor vinst och profit.[14]

Risinghs handel med indianerna

Livsmedelsköpen

Redan från allra första början hade kolonisterna i Nya Sverige varit beroende av att kunna köpa livsmedel av sina indianska grannar, eftersom verksamheten i ett inledande skede främst gick ut på att sköta en handelsstation. Under Printz senare tid, med den nödtvungna minskningen av indianhandeln, hade Nya Sverige dock mer och mer utvecklats till en liten jordbrukskoloni. När Risingh anlände med sin stora last av nykomlingar kunde de fåtaliga tidigare kolonisterna emellertid ej försörja alla. Att röja mark och få igång odlingar som gav skörd för allt folket i kolonin redan första sommaren var ej heller möjligt. Försörjningsläget inför vintern måste ordnas genom omfattande uppköp från indianerna.[15]

Detta gick till en början trögt. Risingh noterar att indianerna höll sig borta, sannolikt därför att så många av dem blivit sjuka efter Örnens ankomst. Gång på gång skickas Jacob Svensson, som var den mest erfarne av de tidigare kolonisterna och van vid kontakter med indianerna, ut till olika stammar med gåvor för att få livsmedel med sig tillbaka. Men resultaten ledde länge till besvikelse. Den 2 september 1654, antecknade Risingh,

> kom vår Jakt hem från Rivieret och medbragte fast litet humla; Nämligen allenast 2 lispund, där dock de skänker, som voro mång åt de vilde givit, hade fast högre belupit, så bedrägelige äro de vilde.

Likaså kom jakten tillbaka den 16 samma månad med, enligt Risingh ganska lite majs, något som förklarades med att »de vilde« hade varit mycket ovilliga mot uppköparna. Det gick bättre längre fram mot hösten och Risingh kan då vid flera tillfällen notera att jakten kommer tillbaka med hundratals skäppor majs samt bönor och annat.[16]

Lenaperna synes ha varit väl medvetna om det svenska behovet av livsmedel, något som även gynnade deras egen handel. Att de till en början inte levererade de mängder som svenskarna efterfrågade kan helt enkelt ha berott på knappa tillgångar, men också på att de ville reglera

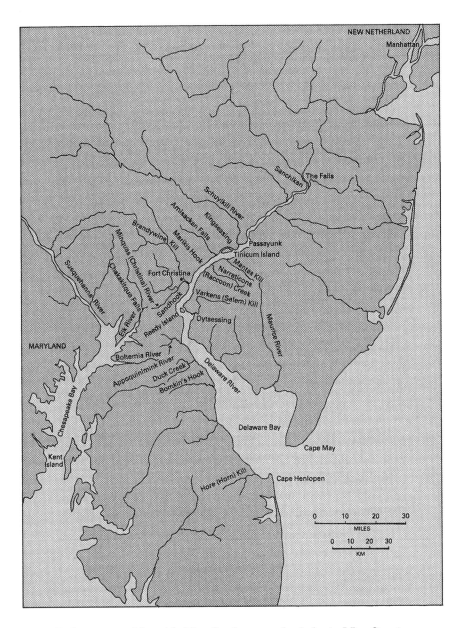

Delawareområdet vid tiden för den svenska kolonin Nya Sverige

Ur Stellan Dahlgren & Hans Norman, *The Rise and Fall of New Sweden. Governor Johan Risingh's Journal 1654–1655 in Its Historical Context* (Uppsala 1988), s. 49.

137

handeln efter egna villkor och avyttra sina produkter så att de fick såväl de varor de önskade som den betalning de efterfrågade.

Omförhandlingar och köp av land

Européernas landförvärv från indianerna var förknippade med speciella komplikationer. Detta berodde på ett flertal omständigheter. Indianernas landinnehav innebar mestadels att de olika släktförbanden hade lagt sig till med rätten att jaga och fiska inom ett område, något som accepterades av de andra indiansamhällena, eftersom dessa hade liknande jaktterritorier. De ansåg sig därmed dock inte äga landet. I detta avseende hade européer och indianer olika grundsyn. Enligt indianerna kunde innehavet av ett landområde endast betyda att det användes som en resurs för jakt och fiske och att uppföra bostäder på, inte att det kunde behållas som en ägodel. Indianerna kunde lika lite föreställa sig att man blev permanent ägare till land som att man kunde äga luften man andades eller vattnet som strömmade genom floderna. En överlåtelse av land till européerna innebar därför att dessa skulle kunna nyttja det så som indianerna själva gjorde och därför ansåg de sig ha möjlighet att ge samma rättigheter till andra européer. Att landområden överläts till flera parter orsakade en rad dispyter mellan européerna, liksom mellan européerna och indianerna.[17]

Successivt hade den svenska kolonins tidigare föreståndare – Peter Minuit, Peter Holländer Ridder och Johan Printz – genom en serie avtal förvärvat ett stort landområde från indianerna. Det sträckte sig från Cape Henlopen vid Delawarevikens nedersta del upp längs floden till de så kallade Fallen, dvs. i jämnhöjd med nuvarande Trenton. Detta svenska land låg huvudsakligen på Delawares västra sida, men man disponerade även ett område på dess östra, där Printz anlade befästningen Nya Elfsborg. Som helhet var det en sträcka längs floden på mer än 20 svenska mil. Med kolonins begränsade invånarantal kunde ett så stort område endast bebyggas på spridda ställen och bosättning fanns i någon mening endast från trakten någon mil söder om Fort Christina upp till floden Schylkills utflöde. (Se karta.)

Det första Risingh gav sig i kast med var att försöka återställa det svenska territoriets utsträckning, eftersom det rådde oklarheter därom efter Printz avresa. Tidigare överenskommelser med indianerna måste omförhandlas och Risingh ville genom köpeavtal kunna visa på de förvärv som gjorts, inte minst för att hävda de svenska rättigheterna mot de

koloniala grannarna. Han sände också avtalen till hemlandet för att doku-
mentera överenskommelserna. Till skillnad mot synsättet i de engelska
kolonierna menade svenskarna att landet ursprungligen tillhörde indian-
erna och skulle köpas av dem. Beträffande Nya England och Maryland
hade den engelska regenten däremot helt sonika deklarerat att landet
tillhörde engelska kronan och genom donationer till handelskompanier
och enskilda bestämt vad kolonierna skulle omfatta. På dessa punkter ar-
gumenterade Risingh utifrån sina statsrättsliga kunskaper energiskt med
de engelska representanterna för att försvara de svenska intressena.[18]

Redan den 17 juni, omkring tre veckor efter sin ankomst, arrangera-
de Risingh ett möte med inte mindre än tolv hövdingar bland lenaper-
na.[19] Dessa infann sig med följeslagare vid Tinicum, dvs. Nya Göte-
borg, där Printz tidigare haft sitt säte. Med sig hade Risingh sina när-
maste medarbetare, Johan Papegoja samt Georgius van Dijk, som tjänst-
gjorde som tolk.

Risinghs redogörelse för mötet ger en god inblick i hur samman-
komster av detta slag kunde gå till och vad man förhandlade om. Han
började med att hålla ett tal, där han med uppskattning framhöll den
tidigare vänskapliga relationen mellan hövdingarnas folk och svenskar-
na. Om detta fortsatte skulle, som Risingh formulerade det, indianerna
bli väl behandlade av svenskarna. Rykten om motsatsen skulle de ej tro.
Han påminde vidare om det land som de tidigare sålt till svenskarna och
framställde önskemålet att detta skulle bekräftas, något som de bejaka-
de. Därefter följde utdelning av gåvor. Varje hövding fick mottaga flera,
alla lika till omfattning och innehåll. Följeslagarna, som var upp mot ett
tjugotal, erhöll en gåva var.[20]

Indianernas svar framfördes av hövdingen Nachaman. Denne fram-
höll vilka goda vänner svenskarna var som gav dem gåvor. Därefter de-
klarerade han att de alla ville vara svenskarnas vänner, varvid han strök
sig några gånger ner längs ena armen, en gest som symboliserade vän-
skap. Svenskarnas fiender skulle också vara deras egna fiender och man
skulle nu båda vara förenade som ett huvud. Detta framfördes, enligt
Risingh, »med ord och liknelse så ock Later och åthävor Så Exprimera-
de, att vi måtte oss över dem vilde förundra«. Vidare framhöll Nacha-
man att tidigare överenskommelser om landköp skulle hållas. Slutligen
erbjöds svenskarna att vid Passayunk, som var lenapernas största by,
bygga ett fäste och handla med dem. För att bekräfta överenskommel-
sen sköts svensk salut på vilken indianerna svarade genom att avskjuta

var sitt skott med sina gevär. Mötet avslutades med att indianerna bjöds på en gröt kokad på majskorn samt starkt vin, något som Risingh poängterade att de mycket uppskattade.[21]

Risingh fortsatte målmedvetet att återställa kolonins område och hade under det följande året liknande möten med en eller flera hövdingar vid sex olika tillfällen. Mönstret var ungefär detsamma; gåvor, löften om att få disponera land och begäran från indianerna om att man skulle handla med dem, önskemål som bejakades av Risingh allt efter möjligheterna att ha varor att infria löftena med. En del av dessa erbjudanden från indianerna synes ha uppfattats som ganska allmänt hållna, utan att några klara geografiska landgränser angavs. Det fanns dock sammanhang där landinnehavets omfattning var av särskild vikt, exempelvis sedan holländarna tillskansat sig land nära Fort Christina, en överlåtelse som väl illustrerar det indianska synsättet på landinnehav. Holländarna hade där uppfört befästningen Casimir, av svenskarna efter erövringen döpt till Fort Trefaldighet. Detta land, som låg på Delawares västra strand, endast någon mil nedanför det svenska fästet, hade Printz först förvärvat av lenapehövdingen Methazement. Under slutet av tiden som guvernör, när Printz hade svårt att försvara området, hade den holländske guvernören, Peter Stuyvesant, tillägnat sig det från en efterträdare till ovannämnde hövding, Ahopameck. Trots Printz protester hade Stuyvesant låtit uppföra fästningen på en plats varifrån holländarna kunde kontrollera sjöfarten upp till kärnan av det svenska området. I det nya läge som uppkommit efter Risinghs ankomst och erövring av Fort Casimir, infann sig Ahopameck vid Fort Christina tillsammans med en annan hövding från lenaperna vid namn Peminacka och ville överlåta området till svenskarna. På förfrågan av Risingh varför han tidigare sålt det till holländarna gavs svaret att han aldrig gjort det. Han hade bara återgäldat gåvor från dem genom att tillåta dem att uppföra en befästning och bostäder där. Helt i enlighet med det indianska synsättet gav han nu åter området till svenskarna. En överlåtelsehandling skrevs, som undertecknades av Risingh och Gregorius van Dijk, där namnen Peminacka och Ahopameck också skrevs dit, varefter de satte sina bomärken under. Därefter avsköts på deras begäran två kanonskott från fästningen.[22]

Ytterligare en transaktion, som illustrerar landöverlåtelser och handelsrelationer med indianerna utgör den överenskommelse som Risingh under sommaren 1655 gjorde med Susquehannockerna. Underhandlingar med dem hade börjat redan föregående år genom att den i indianären-

den så betrodde Jakob Svensson hade besökt deras läger vid Susque-
hanna och medfört gåvor. Senare anlände en av deras hövdingar, av
Risingh benämnd fältherre, med följe till Fort Christina »för att för-
nöja vår vänskap« och mottaga gåvor. Dessa kontakter resulterade i att
svenskarna erbjöds ett stort stycke land, som sträckte sig tvärs över
halvön mellan Delawarefloden och dess breda mynningsarm till Che-
sapeake Bay, där Susquehanna mynnar nära Elk River. Som vanligt sked-
de överlåtelsen mot att svenskarna lovade att bosätta sig där och upp-
rätta en handelsstation i trakten. Dessutom lovade svenskarna att till-
handahålla indianerna klädespersedlar, vapen och andra varor, som de
annars brukade köpa från holländare och engelsmän. De sistnämnda
låg de nu åter i fejd med. De önskade också att smeder och hantverkare,
som kunde tillverka patroner, skulle komma. I gengäld lovade de att
försörja alla svenskar där med hjortkött och majs under ett helt år utan
att ta betalt.

Risingh var självfallet mycket nöjd med detta avtal och uttryckte sig
lyriskt över vilka möjligheter det innebar. Tusentals familjer skulle kun-
na få sin bärgning i detta område, som var så bördigt och rikt på friska
floder, sjöar och villebråd. Handeln med skinn skulle kunna ledas däri-
från till den svenska kolonin, liksom tobakshandeln från Virginia. I för-
längningen såg Risingh hur Fort Christina utvecklades till en befäst
hamnstad, som han redan tänkte sig skulle heta Christinehamn.[23]

Etniska och kulturella konfrontationer

Det fanns många etniska och kulturella skillnader mellan indianerna
och européerna, vilka bidrog till att ett omedelbart närmande mellan
dem ej var naturligt. Som framgått ovan avslöjar Risingh i sina note-
ringar en försiktig och ganska kärv hållning till indianerna, något som
får förutsättas ha varit representativt för flertalet av de tjänstemän som
befann sig i kolonin. Några av de ledande personerna, exempelvis den
tidigare nämnde Jacob Svensson, hade dock lärt sig indianernas språk
och fick ofta ta på sig kontakter och underhandlingar med dem. Peter
Lindeström förefaller, inte oväntat, ha haft en öppnare och mer nyfiken
syn på indianerna än Risingh. Hans etnografiska intresse tog sig bland
annat uttryck i att han avbildade dem på teckningar (se bild). Även om
en kritisk läsare noterar att de skildringar han gör är präglade av hans
fantasi och kulturella barlast, ger de ändå en nyanserad bild av indianer-

na, som följande utdrag ur hans redogörelse visar:

> Äro ett slags folk av brunaktig coleur, kvicke, konstige med sina händers bearbetande, villige, behändige och bekväme till att lära och fatta en ting. Av staturen och fason långe, en part medelmåttige och en part starkotte, ett väl proportionerat folk, smale och rake som ett ljus. Ett modigt folk, djärve, hämndgirige, före gärna krig, behjärtade, heroiske, armstarke men tvärt över ryggen svage, mycket vige och lätte, löpande som hästar, have ock gott väderkorn av djuren såsom hundar, have ett gott minne... Däremot äro de ock mycket odygdige, högfärdige, vilja gärna låta rosa sig, lättfärdige, bestialiske, misstrogne, lögn- och tjuvaktige, oärsamme, plumpe i sina affecter, skamlöse och otuktige etc. In summa, så äro dessa indianer ett slags folk av allehanda qualiteter och mera till ont än till gott benägne.[24]

En grundläggande skillnad var att européerna från sina kristna utgångspunkter såg indianerna som vildar, eller som Lindeström uttrycker det: »[De] kallas icke vilde, därför att man tror dem vara rasande och galne utan för deras avguderi och villfarelse i religion.«[25] Risingh använder i enlighet därmed genomgående benämningen »de vilde« om indianerna som folkgrupp. När han däremot talar om dem som är företrädare för indianerna säger han sachem (hövding) men ofta också överste eller fältöverste. Här har han således svårt att ställa om från sina europeiska begrepp, något som möjligen skapat en verklighetsfrämmande föreställning om förhållandena i Nya Sverige hos de myndighetspersoner i hemlandet som läste hans rapporter.

Att det var svårt att omvända indianerna var en allmän uppfattning i de europeiska kolonierna, något som man försökte förklara utifrån språksvårigheter, missionärernas oförmåga och indianernas nomadiska liv. Spridandet av den protestantiska läran utgjorde officiellt en del av de svenska expansionssträvandena, men visade sig även i detta fall svårt. I skildringar av Nya Sverige framhålls ofta Johan Campanius missionsinsatser bland indianerna. Denne lärde sig lenapernas språk och arbetade för att övertyga dem att bli kristna samt översatte Luthers katekes till lenapespråket. Han stannade fem år i kolonin, en vistelse som han fann mycket strapatsrik, men när han reste tillbaka till Sverige med sitt manuskript avstannade den missionsverksamhet som han utan framgång bedrivit. De präster som efterträdde honom visade dessutom lite nit i detta avseende. En publicerad version av Campanius katekesöversättning kom ej till Delawareområdet förrän under Karl XI:s regering. Den trycktes först 1696 och medtogs följande år i 500 exemplar när svenska staten, mer än 40 år efter det att kolonin förlorats, åter sände ut präster till befolkningen i detta område.[26]

Printz hade en burdus inställning när det gällde att omvända indianerna. Han förespråkade att det skulle ske med tvång och att de som vägrade skulle mista livet. Risingh var betydligt mer human och menade att det var viktigt att få fram personer som kunde indianernas språk för att missionsverksamheten skulle lyckas. Han bör dock ha varit alltför upptagen av mängden av andra problem att reda upp i kolonin för att under sin korta tid där kunna starta en sådan verksamhet. Dessutom förhöll sig indianerna kallsinniga till kristendomen. De betraktade med förundran svenskarnas gudstjänster, men lämnade ogärna sina egna religiösa föreställningar. Så förefaller det ha varit i Delawareområdet också efter det att den svenska kolonin upphörde. Prästen Andreas Hesselius rapporterade 1724 att under hans 13 år i landet endast en indian hade övergått till kristendomen och att denne ej heller hade förmåga att påverka sina stamfränder till omvändelse.[27]

En indianfamilj.
Teckning av
Peter Lindeström i
utkastet till
Geographia Americæ.
De la Gardie-skolan,
Lidköping.

Något som också motverkade ett närmande mellan indianer och européer var att de förstnämnda blev smittade av de sjukdomar som européerna medförde. Indianerna var klart medvetna om denna fara och de insåg exempelvis sambandet mellan ankomsten av ett nytt skepp och tilltagande sjukdom. Lenapernas reaktion när Örnen anlände utgör ett tydligt exempel. En anledning till att de då höll sig på avstånd från svenskarna och ej ville sälja livsmedel till dem, var av allt att döma att de var rädda för att dra på sig sjukdomar. Det var sannolikt inte bara så att de var ovilliga och bedrägliga, som Risingh antecknade i sin journal. Vid det stora mötet med lenaperna den 17 juni 1654, omnämnt ovan, förklarade de också att de visserligen var nöjda med svenskarnas ankomst, men att de hade fått sjukdomar från skeppet och att de fruktade att deras folk skulle förgås. Det kan därvid ses som tidstypiskt, att Risingh försökte hitta ett svar på deras problem genom att hänvisa till svenskarnas gud; om de litade på honom, skulle de också klara sig lika bra som folket från Sverige.[28]

Att indianerna saknade immunitet mot de nya smittor som kom in i landet medförde också enorma decimeringar av indianbefolkningen. I den holländska kolonin uppges den ha minskat med 90 procent fram till 1640 och samma tal anges för Virginia fram till 1700.[29]

Hur de vardagliga relationerna vid denna tid var mellan indianerna och befolkningen i den svenska kolonin är svårt att skapa sig en tydlig uppfattning om. Några inslag av allmänt utbredd grannsämja och daglig nära samvaro med indianerna bland folket ute i nybyggena återfinns inte i källmaterialet. Man kan dock förutsätta att en del kontakter mellan de två folkgrupperna förekom, där de kunde utbyta lärdomar om exempelvis sådan praktiska frågor som matlagning, fiske och jakt. För detta talar att indianerna uppges ha sökt sig till nybyggena för att överlämna skinn mot att få mat. Det berättas att de därvid kunde sätta sig med korsslagna ben på matbordet för att bli serverade. Sådana visiter kunde bli utdragna, därför att indianerna bad att få mer och mer, något som de svenska nybyggarna ej vågade vägra dem. Att indianerna i kontakterna med kolonisterna vande sig att använda alkohol sågs av deras hövdingar som en förbannelse och en olycklig följd av européernas påverkan.[30] Generellt sett tycks det emellertid ha funnits ett inslag av återkommande osäkerhet i relationerna mellan nybyggare och indianer, något som inte är att förvåna sig över med deras divergerande kulturmönster och levnadssätt. Detta kan illustreras av de bestämmelser som

Risingh utfärdade för de holländare som bodde i Nya Sverige. Han föreskrev bland annat: »Skulle också ingen Svin eller Boskap av de vilde köpa, på det de vilde icke skulle vänja sig att ihjälslakta och Stjäla vår Boskap och den försälja.«[31]

Indianoroligheter, rivalitet och handelsförbindelser

Att svenskarnas relationer med indianerna framhållits som så fredliga beror sannolikt på att de har jämförts med förhållandena i de andra kolonierna. För Nya Sveriges koloniala grannar var krigiska konflikter med indianerna nämligen i hög grad en verklighet. Till en början hade man i såväl Virginia som Nya England och Maryland levt under fredlig samexistens med indianerna, men det engelska systemet att ta för sig områden genom kungliga dekret skapade snart misshälligheter, eftersom kolonisternas krav hävdades med militära medel. Den hårda inställningen till indianerna i Virginia resulterade i en stor indianattack 1622, varvid omkring 350 engelsmän dödades, vilket motsvarade en tredjedel av den dåvarande befolkningen. Likaså orsakade motsättningarna i Maryland en massaker från indianernas sida 1643, varvid flera hundra kolonister dödades. I Nya Nederland, slutligen, ledde spänningen mellan holländarna och indianerna 1643 till att guvernören Kieft beordrade ett anfall mot dem, varvid omkring 80 indianer dödades. Detta utvecklades till en lång och blodig konflikt, som inte upphörde förrän sommaren 1645.[32]

Det är påtagligt hur friktionerna mellan indianerna och folken i de övriga kolonierna kunde gagna de svenska intressena. Samtidigt visade det sig svårt för svenskarna att i handeln uppehålla goda relationer med båda indianfolken i Delawareområdet på grund av deras inbördes konflikter. Detta hade framkommit redan 1638, det år då den första expeditionen anlände från Sverige. William Claiborn, en köpman från England, hade upprättat en handelsstation på ön Kent, belägen i Chesapeake Bay strax nedanför mynningen av Susquehanna River. Den hade ett läge som var lätt att nå för susquehannockerna när de kom med sina kanoter lastade med skinnvaror. Dessa hade skapat sig denna fördelaktiga position genom att kämpa mot andra stammar längs kusten och de kontrollerade, som nämnts, inlandet längs Susquehanna River och jakten på pälsdjur där. När ledningen för den engelska kolonin Maryland avvisade Claiborn, innebar detta ett avbräck för susquehannockerna som

145

istället sökte nya möjligheter för sin handel. Det blev då känt att man var frikostig med gåvor vid den nystartade svenska handelsstationen vid Minquas River, varvid både lenaper och susquehannocker uppträdde med sina handelsintressen. Under Printz tid bedrev svenskarna affärer med båda, men skinnhandeln med susquehanockerna, lenapernas gamla fiender, prioriterades och dessa försågs dessutom med vapen och ammunition. Denna konkurrens var mycket misshaglig för lenaperna och när Printz dessutom fick ont om varor blev relationerna svårare. Printz försökte så gott han kunde förespegla dem att nya svenska skeppslaster var på väg. När det senare visade sig att skeppet Fama vid ankomsten inte medförde handelsvaror blev följden en del våldsaktioner från indianernas sida. En nybyggare och hans hustru dödades i sina sängar och två soldater och en lantarbetare miste livet. Printz gjorde i detta läge ansatser att uppträda bryskt mot lenaperna, vilka 1645 på hövdingen Mattahorns initiativ samlades till ett stort rådsmöte för att diskutera vad de skulle göra med den svenska kolonin. Det resulterade dock ej i krigiska åtgärder utan endast i att de vände sig mer till holländarna för sitt handelsutbyte, eftersom dessa nu hade fått ett slut på det ovan nämnda grymma kriget mot sina indiangrannar vid Hudson River.[33]

En upprepning på samma tema kan ses när den stora nysatsningen på kolonin skedde under Risinghs ledning 15 år senare. Rivaliteten mellan indianfolken skapade också då problem för svenskarna. Den ovan nämnda stora landöverlåtelse som susquehannockerna gjorde på fördelaktiga villkor till Risingh sommaren 1655, när de låg i fejd med engelsmännen, skapade motsättningar till lenaperna, som därvid blev svårare att ha att göra med för Risingh. I sin rapport till Sverige uttrycker han allvarlig oro för vad lenaperna ska ta sig för. Han klagar över att de inte bara hotar att döda folket i kolonin och ruinera dem; de försöker också förstöra handeln med susquehannockerna och andra indianfolk. Enligt Risingh måste man i kolonin dagligen köpa lenapernas vänskap med gåvor, därför att de fortsätter att vara fientliga och värre i detta avseende än de varit tidigare. Risingh uppger i det sammanhanget också att en kvinna i kolonin under föregående vinter blivit mördad, något som indianerna lovat att gottgöra, men som inte hade blivit ordentligt gjort.[34]

En rädsla för indianerna kan spåras under större delen av Nya Sveriges historia. Till och med Thomas Campanius, som mest omnämns för sitt stora humanitära intresse för indianerna, påpekade att dessa var angelägna om goda relationer så länge européerna hade varor att handla med, men att om handelsvaror saknades sökte de anledning att döda eller utrota kolonisterna. Printz följde visserligen sina instruktioner från hemlandet att försöka behålla vänskapliga relationer med indianerna, men detta berodde sannolikt på att han ej vågade ta till de hårda metoder han egentligen önskade. Ovannämnda rådslag från 1645 bland lenaperna antyder att en krigssituation mellan svenskarna och detta indianfolk kunde ha uppstått. En sådan skulle säkerligen ha slutat illa med hänsyn till svenskarnas ringa antal. Med ett enda välplanerat och samlat indiananfall borde lenaperna ha kunnat utradera hela kolonin.[35]

Att man levde i osäkerhet om vad indianerna skulle ta sig för framgår också av de befästningsarbeten som gjordes. När Printz anlade Nya Göteborg några mil norr om Fort Christina, där han också lät uppföra sitt residens, Printzhof, nämns att försvarsverken byggdes så att man skulle klara sig mot möjliga anfall av indianerna, om oro skulle utbryta bland dem. Samma sak kan iakttas under Risinghs tid. När lenaperna blev svåra att handskas med 1655 poängterar han att man måste vara på sin vakt mot dem. Palissaderna på Fort Christina förstärktes så att man kunde vistas där utan rädsla för indiananfall.[36]

Indianerna dödade sammanlagt sju personer under kolonins historia, men det finns inga uppgifter om att svenskarna dödade några indianer. Morden synes dock inte ha varit resultat av några samlade anfall från indianernas sida, utan snarare spontana handlingar av små grupper, som kom in i nybyggarnas hem för att tigga mat, varvid rädsla och missförstånd kunde få sådana följder.[37]

Att feluppfattningar kunde uppstå mellan folk med så olika kulturer och livssyn vittnar en annan händelse om, där ytterligare två personer dödades. När ett antal kolonister efter Printz hemresa hade rymt till Virginia, sände hans utsedde viceguvernör och tillika svärson, Johan Papegoja, ut några indianer för att återhämta dem. Kolonisterna vägrade, varvid två av dem dödades. Indianerna medförde deras huvuden till Fort Christina, dit de nådde dagarna efter det att Risinghs expedition anlänt, och väckte stor förskräckelse bland de nylända kolonisterna:

> ...voro en stor del av vårt Svenska folk bortgångit till Virginien, därav då Lieutnanten Papegoian, haver någre velat av flykten återhämta, vilken efter de hade ställt sig till motvärns, emot de vilde, som dem att återhämta utsände voro, nederslagne, och deras huvud in i Fort Christina bragte vordne, vilken av mångom sedan är hållit nästan för skarpt procederat, och att de vilde måtte därigenom få en väg och vana till att dräpa

våre Kristne, vartill de av sig själve dock fast beivrige äre, enär de man
lägenhet bekomma kunde.[38]

Trots att livet i den svenska kolonin således var långt ifrån bekymmers-
fritt vad gäller relationerna med indianerna, framstod de som sagt ändå
som goda, när de bedömdes från grannkoloniernas perspektiv. Ett ytt-
rande av kommissarien från Maryland, Mr Ringold, när han besökte
Fort Christina den 6 juni 1654, dvs. strax efter det att Risingh anlänt,
talar sitt tydliga språk om de engelska kolonisternas inställning till »den
grymme vilden«:

> [Då] han såg att de vilde så fri gå in och ut hos oss, sade han oss borde
> dem det intet tillstädja, ty de voro Mordiske när de sågo deras Ram, och
> skulle vi intet sälja dem krut eller byssor, ty därmed hade de utgjutit
> mycken Kristen blod, och särdeles Engelskt.[39]

Denna utifrånsyn på svenskarnas kontakter med indianerna illustreras
också av Stuyvesants reaktion under anfallet mot Nya Sverige i slutet av
augusti 1655. När holländarna seglade ner till Delawarefloden, blev
deras koloni på Manhattan angripen av indianerna i raider där dessa
brände och mördade. Detta upplevdes som mycket hotande och rådet i
Nya Amsterdam sände bud till Stuyvesant om att återvända med sina
samlade stridskrafter. Denne blev så pressad av vad som hänt, bland
annat därför att han antog att svenskarna och indianerna vid Hudson
River i detta läge samarbetade, att han erbjöd Risingh att få tillbaka Fort
Christina omedelbart efter erövringen och att man kunde dela upp den
svenska kolonin mellan sig. Av flera skäl kunde Risingh ej bejaka detta.
Skulle Nya Sverige återlämnas, skulle det ske på politisk nivå. Någon
samlad aktion mellan svenskar och indianer vid anfallet på Nya Neder-
land var det heller inte fråga om.[40]

Slutsatser

Européernas uppfattning om indianerna varierade alltifrån en idyllisk
föreställning om »den ädle vilden« till dess skarpa kontrast »den grym-
me vilden«. Deras bedömningar gjordes mestadels utifrån ett europe-
iskt perspektiv utan hänsyn till de traditioner och de levnadsätt som
präglade indiansamhällenas kulturer.

Denna studie inriktar sig på frågan hur indianerna uppfattades i ko-
lonin Nya Sverige vid 1600-talets mitt. Iakttagelserna bygger främst

på vad Johan Claesson Risingh och andra som stod i ledningen för kolonin har meddelat om relationerna med indianerna. Det har länge funnits en omhuldad bild där svenskar och indianer skulle ha samexisterat i harmonisk gemenskap i Delawareområdet. Denna har byggt mycket på att de ansvariga för Nya Sverigekompaniet instruerade ledarna för kolonin att sträva efter fredliga relationer med indianfolken och att de skulle försöka omvända dem till kristendomen. Vidare har man tagit fasta på att några regelrätta krig inte förekom mellan svenskar och indianer, något som avviker starkt mot vad som gällde för engelsmän och holländare.

Vid en närmare granskning visar det sig att denna positiva bild är kraftigt överdriven. De förbindelser som svenskarna hade med sina närmaste indianska grannar, lenaperna, var ofta komplicerade och innebar en stor portion av osäkerhet och fruktan för vad dessa skulle ta sig för. Att några krigiska förvecklingar ej ägde rum kan i stor utsträckning förklaras av att den svenska kolonin var så liten till befolkningsantalet att man ej vågade ta till några hårda åtgärder mot indianerna, något som Printz egentligen ville. Missionssträvandet gav också ett klent resultat: Campanius reste tillbaka till hemlandet efter en tid och hans katekesöversättning i tryckt form nådde ej Delawareområdet förrän omkring 50 år senare. Genom att indianerna representerade från européerna så väsenskilda kulturer, levnadssätt och religiöst tänkande, visade det sig svårt för såväl svenskarna som de andra kolonialmakterna att omvända dem till kristendomen. Indianerna visade inget intresse åt det hållet och de svenska ledarna för kolonin hade inte heller möjligheter att tvinga dem vare sig till efterlevnad av sin religion eller åtlydnad av beständmelserna i kolonin. Omständigheten att de sågs som icke kristna förklarar varför Risingh och hans medhjälpare genomgående benämner dem som »de vilde«.

Indianerna i Delawareområdet, såväl lenaper som susquehannocker, synes ha haft en klar uppfattning om vad som mest gynnade deras intressen och de konkurrerade inbördes om handeln. De representerade oberoende och starka kulturer och kunde behålla initiativet i handelsrelationerna med européerna och skickligt utnyttja landtransaktioner för att nå sina syften. Störningar i denna handel inträffade dock när handeln med ett av indianfolken, susquehannockerna, prioriterades. Sådana situationer uppkom både under Printz och Risinghs tid, varvid lenaperna blev svåra att ha att göra med. De uppträdde hotfullt, spänningarna ökade och kolonister fick sätta livet till. Detta skapade en situation, där såväl ledarna för kolonin som kolonisterna måste iaktta försiktighet och uppträda avvaktande mot indianerna. Ofta omnämns de med misstro av Risingh och gång på gång anför han och andra i kolonin att indianernas vänskap endast kan vinnas med gåvor och handel.

För ledarna i Nya Sverige karaktäriserades tillvaron av konkurrensförhållanden som ej alltid var lätta att balansera. Kolonins fåtaliga befolkning gjorde att dess möjligheter att existera som granne till holländare och engelsmän samt bedriva handel med indianerna i hög grad var beroende av konjunkturella omständigheter. Här finns några tydliga exempel. Mot holländarna kunde Risingh till en början agera med framgång, varvid Fort Casimir var möjligt att inta, eftersom Stuyvesant hade stora bekymmer i norr för att rusta sig mot ett eventuellt angrepp från de engelska kolonierna. Så fort kriget mellan England och Nederländerna var över, var också Nya Sveriges saga all. Det kan också iakttas vad gäller relationerna med indianerna. Intresset för att handla med svenskarna styrdes mycket av indianernas strider med holländare och engelsmän. Den svenska handeln och den övriga verksamheten gick därför bra, när grannarna i något avseende var i trångmål. Hur väl den lilla svenska kolonin därmed kunde utnyttja indianernas konflikter med de andra kolonialmakterna exemplifierades redan vid Minuits ankomst och därefter under Printz styre, framför allt under de stora indiankrigen mot engelsmän och holländare under början av 1640-talet. En upprepning ägde rum efter Risinghs ankomst, främst illustrerad av den stora landuppgörelsen med susquehannockerna, som kom till stånd därför att dessa låg i fejd med engelsmännen.

Befolkningen i Nya Sverige, som vid holländarnas övertagande uppgick till cirka 500 personer, kom under den följande tiden av först holländskt, sedan engelskt styre, inte att ägna sig åt kompanihandel som förut, utan åt jordbruk och andra näringar. Några av de mest kända kolonisterna, Jacob Svensson, Israel Holm och Lars Cock, hade under den svenska koloniala tiden måst fungera som tolkar och underhandlare med indianerna och därav lärt sig deras seder och språk. De levde nu, i förhållande till holländare och allt fler inflyttade engelsmän, tyskar och andra folk, som de äldsta grannarna till indianerna, så länge dessa blev kvar i området. Susquehannockerna försvann efter några år nästan spårlöst från sina jaktmarker vid Susquehanna och under William Penns söners tid drog lenaperna västerut, missnöjda med markspekulation och invasion av ständigt nya landhungriga kolonister. Det tycks närmast ha varit under denna tid, dvs. den som följde sedan kolonin förlorats av Sverige, som inbyggarna från det svenska riket blev kända för sina goda relationer med indianerna och benämningen »våra indianer« fick en reell innebörd. Sannolikt har också inflyttarna från det svenska riket, bördiga från ett skogrikt land som de var, haft lättare att fungera som stigfinnare och kontaktpersoner med indianerna än många nya inflyttare från England och kontinenten. Här finns sannolikt en stor del av underlaget för de skönmålningar som ofta gjorts om umgänget mellan befolkningen i Nya Sverige och indianerna. Den fridsamma och harmoniska bilden av kolonin hör knappast ihop med dess historia så länge den var i svensk ägo.

Noter

1. Under 1700-talet återkom en mer romantisk syn på indianerna, präglad av en Rousseau-inspirerad inställning. Här sågs indianernas levnadssätt exemplifiera ett lyckligt ideal värt att efterleva för européerna. För diskussionen om den europeiska synen på indianerna, se bl.a. Ray Allen Billington, *Land of Savagery. Land of Promise. The European Image of the American Frontier in the Nineteenth Century* (Norman: University of Oklahoma Press, 1985), ss. 1–18; Sabine MacCormack, »Limits of Understanding. Perceptions of Greco-Roman and Amerindian Paganism in Early Modern Europe«, i Karen Ordahl Kupperman, red., *America in European Consciousness, 1493–1750* (Chapel Hill: University of North Carolina Press, 1995), ss. 79–129 (här ss. 79 ff.), samt Luca Codignola, »The Holy See and the Conversion of the Indians in French and Brittish North America, 1486–1760«, i Kupperman, *America in European Consciousness*, ss. 195–142 (här s. 195 ff.).

2. Att svenskarna ej hade några allvarliga krigiska förvecklingar med indianerna har betonats av flera författare. Se exempelvis Johan Alfred Enander, *Förenta Staternas historia utarbetad för den svenska befolkningen i Amerika*, 4 band (Chicago: Enander & Bohmans förl., 1874–1880), ss. 27–32; I Amandus Johnson, *Den första svenska kolonien i Amerika*, sv. övers. (Stockholm: Gebers, 1923), konstateras på flera stäl

len att förhållandet till indianerna var gott (ss. 73, 138, 178), men här framhålls
också att en rad allvarliga incidenter inträffade. Även Nils Erik Baehrendtz, »Ny-
byggarnas indianska grannar«, i Rune Ruhnbro, red., *Det Nya Sverige i landet Ame-
rika. Ett stormaktsäventyr, 1638–1655* (Höganäs: Förlags AB Wiken, 1988), ss. 103–
116, ger en nyanserad bild, men han understryker de goda kontakterna, och säger
att under Johan Risinghs tid »fullföljdes och utvecklades de vänskapliga relationer-
na med indianerna ytterligare« (s. 114). Den mest idylliska bilden finns i Helmer
Linderholm, *Nya Sveriges historia. Vårt stora indianäventyr* (Stockholm: Tiden, 1976).
Här påstås bland mycket annat som hyllar de harmoniska grannrelationerna mellan
svenskar och indianer (odokumenterat), att många svenskar p.g.a. indianernas mat-
riarkatsystem kom att samleva med indiankvinnorna i deras byar.

3. Risinghs journal finns utgiven på svenska och engelska i en kommenterad fram-
   ställning, se Stellan Dahlgren & Hans Norman, *The Rise and Fall of New Sweden.
   Governor Johan Risingh's Journal 1654–1655 in Its Historical Context* (Uppsala: Acta
   Universitatis Upsaliensis, 1988). Journalen har källkritiskt bedömts av Dahlgren
   i ett inledande avsnitt, ss. 34–43. Biografiska uppgifter om Johan Risingh finns
   i Stellan Dahlgren, »Johan Risingh«, *Svenskt biografiskt lexikon H. 147* (1998),
   ss. 231–235; En kommenterad utgåva av Peter (»Per«) Lindeströms *Geographia
   Americæ eller Indiæ Occidentalis Beskrijffningh* finns i Nils Jacobsson, red., *Per Linde-
   ströms resa till Nya Sverige, 1653–1656. Skildrad av honom själv i hans handskrift
   »Geographia Americæ eller Indiæ Occidentalis Beskrijffningh«* (Stockholm: Wahlström
   & Widstrand, 1923).

4. När Mercurius avgick från Sverige hade information om att kolonin förlorats ännu
   ej nått fram. Nya Sveriges historia har behandlats i ett flertal arbeten, mest utförligt
   i Amandus Johnsons två band från 1911, *The Swedish Settlements on the Delaware.
   Their History and Relations to the Indians, Dutch and English, 1638–1664*, 2 band
   (Philadelphia: Swedish Colonial Society, 1911). För en senare framställning kan
   hänvisas till Dahlgren & Norman, *The Rise and Fall*, där uppgifter också finns om i
   ämnet central litteratur.

5. K. G. Davies, *The North Atlantic World in the Seventeenth Century* (Minneapolis:
   University of Minnesota Press, 1974), ss. 276–277; C. A. Weslager, *The Delaware
   Indians* (New Brunswick, N.J.: Rutgers University Press, 1972); Lorraine E. Wil-
   liams, »Indians and Europeans in the Delaware Valley, 1620–1655«, i C. E. Hof-
   fecker, R. Waldron, L. E. Williams & B. B. Benson, red., *New Sweden in America*
   (Newark: University of Delaware Press, 1995), ss. 112–119 (här s. 113).

6. Om susquehannockerna, se Francis Jennings, »Indians and Frontiers in Seven-
   teenth Century Maryland«, i David B. Quinn, red., *Early Maryland in a Wider
   World* (Detroit: Wayne State University Press, 1982), ss. 216–241, och Barry C.
   Kent, *Susquehanna's Indians* (Harrisburg: The Pennsylvania Historical and Muse-
   um Commission, 1984).

7. R. C. Simmons, *The American Colonies. From Settlement to Independence* (London:
   Longman Group Ltd., 1976), s. 24.

8. Jennings, »Indians and Frontiers«, s. 219.

9. Jan-Öjvind Swahn, »En värld av rikedom och monster«, i Ruhnbro, *Det Nya Sveri-

ge, ss. 117–127 (här ss. 124–126).

10. Om konkurrensen mellan lenaper och susquehannocker, se Williams, »Indians and Europeans«, ss. 112–114.

11. Johan Risinghs journal 4/9 1654 (Dahlgren & Norman, *The Rise and Fall*, s. 204).

12. C. A. Weslager, *New Sweden on the Delaware, 1638–1655. A Special Edition for the Swedish-American Celebration* (Wilmington: The Middle Atlantic Press, 1988), s. 37; Gunlög Maria Fur, »Cultural Confrontation on Two Fronts. Swedes Meets Lenapes and Saamis in the Seventeenth Century«, Opubl. Ph.D. diss. (Norman: Univ. of Oklahoma, 1993), s. 149.

13. Wampun fanns i vit eller purpurfärg och kunde träs upp på snören. Det användes både som betalningsmedel och som prydnad och var högt värderat av indianerna i östra Nordamerika. Se Baehrendtz, »Nybyggarnas indianska grannar«, s. 105. Om handeln med skinn och andra produkter, se Weslager, *The Delaware Indians*, ss. 37, 124–127.

14. Peter Lindeström (Jacobsson, *Per Lindeströms resa till Nya Sverige*, s. 155); Se även Jennings, »Indians and Frontiers«, s. 407.

15. Johnson, *Den första svenska kolonien*, ss. 163–164.

16. Risinghs journal 16/9, 27/9, 12/10 och 14/10 1654 (Dahlgren & Norman, *The Rise and Fall*, ss. 204–214). Ett lispund var i detta sammanhang vanligen 6,8 kilo.

17. Weslager, *The Delaware Indians*, ss. 37, 124–127 och 1988, ss. 36–37.

18. Hans Norman, »The Swedish Colonial Venture in North America, 1638–1655«, i Dahlgren & Norman, *The Rise and Fall*, ss. 45–126, 101–102.

19. Risingh benämner dem Sackimän (Sachems) eller överstar.

20. Varje hövding erhöll en famn (1,8 meter) frisiskt kläde (som p.g.a. kvalitén var det mest eftertraktade tyget), en gryta, en yxa, en hacka, en kniv, sex sylar samt ett lispund krut. Se Risinghs journal 17/6 1654 (Dahlgren & Norman, *The Rise and Fall*, s. 176).

21. Ibid., ss. 176–178.

22. Risinghs journal 9/7 1654 (Dahlgren & Norman, *The Rise and Fall*, ss. 187–188). Dokumentet finns på Svenska riksarkivet, Handel och sjöfart, vol. 194.

23. Risinghs journal 6/6 1655 (Dahlgren & Norman, *The Rise and Fall*, ss. 236–238); Risinghs rapport 14/6 1655, i Albert Cook Myers, *Narratives of Early Pennsylvania, West New Jersey and Delaware, 1630–1707* (New York: Charles Scribner's sons, 1912), s. 164.

24. Peter Lindeström (Jacobsson, *Per Lindeströms resa till Nya Sverige*, ss. 135–136).

25. Ibid., s. 135.

26. Fur, »Cultural Confrontation on Two Fronts«, ss. 184–189, 236. I Johnson, *Den första svenska kolonien*, ss. 134–135, framhålls Campanius intresse för indianernas omvändelse, men inget sägs om när katekesen praktiskt kunde spridas bland dem. Det står klart att den blev till ganska lite nytta för det avsedda ändamålet (se Robert Murray, »Kyrkan i Nya Sverige«, i Ruhnbro, *Det Nya Sverige*, ss. 129–141 (här s. 134), som framhåller hur sent den tryckta katekesen kom till Delawareområdet samt dessutom hänvisar till biskop Jesper Swedbergs uttalande att det var svenskarnas dåliga vandel som avhöll indianerna från att bli kristna). Campanius

tryckta katekesöversättning var den första tryckta publikationen på lenapernas språk och den andra över huvud taget på indianspråk.

27. Fur, »Cultural Confrontation on Two Fronts«, ss. 184–189. Svenska kyrkans representanter i Delawareområdet synes under 1700-talet ha haft ett svalt intresse för att omvända indianerna där, sannolikt därför att dessa blev allt färre i relation till alla nyinflyttade européer. Deras ansträngningar inriktades nu till stor del på att hålla stånd mot ett flertal nya radikala religiösa rörelser som vann terräng bland ättlingarna till de svenska kolonisterna. Se Murray, »Kyrkan i Nya Sverige«, ss. 138–141.

28. Risinghs journal 17/6 1654 (Dahlgren & Norman, *The Rise and Fall*, s. 176). Fur, »Cultural Confrontation on Two Fronts«, s. 216.

29. Fur, »Cultural Confrontation on Two Fronts«, s. 216.

30. Ibid., ss. 198, 204–207.

31. Risinghs journal 23/6 1654 (Dahlgren & Norman, *The Rise and Fall*, s. 182).

32. Fur, »Cultural Confrontation on Two Fronts«, ss. 102–103; Henry H. Kessler & Eugene Rachlis, *Peter Stuyvesant and His New York* (New York: Random House, 1959), ss. 56–61.

33. C. A. Weslager, *Red Man on the Brandywine* (Wilmington: Hambleton Company, 1953), s. 20; Fur, »Cultural Confrontation on Two Fronts«, s. 234.

34. Risinghs rapport 14/6 1655 (Myers, *Narratives of Early Pennsylvania*, s. 157).

35. Weslager, *Red Man on the Brandywine*, ss. 20–22.

36. Johnson, *Den första svenska kolonien*, s. 106; Risinghs rapport 14/6 1655 (Myers, *Narratives of Early Pennsylvania*, s. 157).

37. Johnson, *The Swedish Settlements*, ss. 375–376; Risinghs rapport 14/6 1655 (Myers, *Narratives of Early Pennsylvania*, s. 157).

38. Risinghs journal 21/5 1654 (Dahlgren & Norman, *The Rise and Fall*, s. 156).

39. Risinghs journal 6/6 1654 (Dahlgren & Norman, *The Rise and Fall*, s. 172).

40. Dahlgren & Norman, *The Rise and Fall*, ss. 272–274; Weslager, *Red Man on the Brandywine*, s. 27.

From northern Scandinavia to the United States

Ethnicity and migration, the Sami and the Arctic Finns

EINAR NIEMI

1. Introduction

A NORWEGIAN HISTORIAN has described emigration from a north Norwegian district in the following dramatic way: »American fever swept like a tidal wave through the parish, carrying off men and women, young and old alike, even whole families right down to two-week-old babies.« This historian does not find such a high rate of emigration very remarkable because the emigrants from this parish were largely not ethnic Norwegians and had already migrated once before, prior to taking the leap across the Atlantic Ocean. He claims that, *as ethnic minority groups*, they had »migration in their blood.« In particular, this applied to two groups in the region, *dølene* (Dalesmen) and *kvenene* (Arctic Finns).[1]

»*Døl*,« or »Dalesman,« was the name given to farmers from southern Norway who moved to the northern region of the country from the late eighteenth century to about the middle of the nineteenth century. They originated in the great valleys of south-eastern Norway, and their destinations were the valleys of agricultural land scattered throughout northern Norway, as far as the Norwegian-Russian border. During a period of Norwegian history when nation-building was a central concern, the Dalesmen were regarded as Norwegian »frontiersmen« taking part in a national expansion in the border regions with Finland and Russia, multiethnic areas that were to be secured for the Norwegian crown and culture.[2]

»*Kven*« is the Norwegian name for people in northern Norway whose roots are originally in Finland and areas of Finnish settlement in northern Sweden. Their migration to Arctic Norway got under way as early as the sixteenth century, culminating in the nineteenth century. From the mid-nineteenth century, the Arctic Finns, with their »foreign« cultural background, were ascribed a status diametrically opposed to that of the Dalesmen. Norwegian nation-building worked to their disadvantage, as did considerations of national defense. After 1809, Finland became a Russian Grand Duchy. Finland therefore—unjustly—came to be seen in the West as a Russian vassal state, and the Arctic Finns in Norway were seen as potential Russian fifth-columnists, or as the long arm of Russia reaching into Western Europe.[3]

In other words, these two groups, Dalesmen and Kvens, shared a kind of *common migratory fate* in northern Norway, but were nonetheless ascribed very different *statuses* and *roles* in the region during the period of Norwegian *nation-building*. This observation in itself provides an interesting approach to a comparative historical analysis of the causes and motives underlying migration. For it turns out that both groups were easy prey for American fever, in spite of the differences in their national and social status.

However, in the following we shall leave the Dalesmen and concentrate on the ethnically non-Norwegian dimension of emigration from Arctic Norway to America.

There has been little research into this aspect of Norwegian and Nordic emigration. To date, emigration from Norway has been regarded as the movement of a single, homogeneous national group—*Norwegians* in terms of both culture and nationality. The same can be said of emigration from Sweden and Finland, and probably also Denmark. In fact, however, representatives of ethnic minorities can also be found among the emigrants: From northern Scandinavia, we find *Sami*, the indigenous people of the whole transnational region, as well as *Finns* from northern Sweden and *Arctic Finns* or Kvens from northern Norway.[4]

In the larger context of the history of emigration, this fact raises two major issues. *First*, did the emigration of these ethnic minorities differ from the general emigration in its progress, volume, structure and causes, and if so how? *Second*, did particular ethnic backgrounds have any significance for integration in America, and if so in what ways? In northern Norway, the Sami and Arctic Finns were marginalized ethnic minorities in terms of social, economic and national status. Was this their fate in America too? In other words, were they, particularly the first generation in America, a kind of »minority within the minority«?

2. The state of research

What we can say by way of summarizing the state of research is, first, that *Sami* emigration to America has been the subject of a couple of studies, both in Norway and the USA. These take up the well-organized Sami emigration of the 1890s, when two groups of Samis from the interior of Finnmark were recruited by the American government, in collaboration with private interests, to develop transport and supply systems for colonization and gold-mining enterprises in Alaska. The best-known of these two groups was the so-called »Manitoba expedition« of 1898, which was named after the steamship used for transport.[5] There is also a noticeable increase in American interest in the history of Sami-Americans, especially in ethnopolitically and genealogically aware circles, such as the group gathered around the Sami-American publication *Baiki*, which has been published since about 1992.

Even if we approach the sources critically, especially with regard to the problems of determining ethnic group membership, the Sami, wherever they lived in northern Scandinavia, were apparently highly immune to »American fever.«[6] Contemporary observers also noticed this, for example the editor of the most authoritative standard »topographical-statistical« work in Norway of its days, at the turn of the century: »To America the Sami do not emigrate.«[7] I will reflect on possible reasons for this later in the article.

As for emigration by *Arctic Finns*, the state of research is actually rather odd. It is only in the last few years that Norwegian and Scandinavian researchers have taken a serious interest in emigration by this group, with some exceptions, among these first and foremost the Finnish historian and archivist Samuli Onnela.[8] In contrast, *Finnish-American* historians discovered the Arctic Finns early, mostly as pioneers of Finnish transatlantic emigration with roots in Finland proper. The earliest Finnish-American historians could to a significant degree use oral history material from Finnish and Arctic Finnish settlements that related the histories of individual migrants.[9] Later, a succession of researchers in various disciplines have taken up different aspects of Finnish migration to America via the Arctic coast, including the geographer Arnold Alanen[10] and the folklorist and historian Matti Kaups.[11] Several American surveys of the settlement history of individual states include a chapter on Arctic Finns in the Finnish settlement.[12] Both at Suomi College,

Hancock, Michigan and at the Immigration History Research Center (IHRC) at the University of Minnesota, Minneapolis, there are considerable collections of relevant sources on the subject.

The Finnish-American writers and scholars have only approached explanatory mechanisms relating to the Arctic region in very general terms; they have, understandably, used Norwegian sources to only a very limited extent. Nor has Finnish-American research focused on the Arctic Finns in America as an ethnic group in their own right, or as a Finnish ethnic sub-group, apart from the immigration of the Arctic Finnish pioneer families themselves.

Renewed interest in the topic in Norway, as part of the history of *Norwegian* emigration and of *North American* history, has emerged only in the last decade or so, not least thanks to work by historians of religion on the transmission to the Mid-West of the *Laestadian movement*, a pietistic, fundamentalist religious movement in northern Scandinavia, founded by the Swedish priest, Lars Levi Laestadius, in the 1840s. A majority of the Laestadians and their leaders who emigrated in the pioneer phase were Arctic Finns.[13]

That Arctic Finnish emigration to America was rediscovered in a sense by Norwegian scholars in the 1990s is, in addition, attributable to one main factor, namely the general interest in ethnohistory and the history of minorities which was then coming to the fore at the northern universities, in which northern Scandinavia figured as a geographical area suitable for studies that required good »laboratory« conditions. The Arctic Finns were discovered as »case« in one of the migration projects launched, on emigration from northern Scandinavia to the USA, in which precisely this ethnic dimension was to be the focus of attention. The present paper is a report on this project.[14]

3. Sources and critical approaches

One of the greatest challenges of the project relates to the historical source material. Clearly, the concept of »ethnicity« (or »nationality« as it tended to be termed in nineteenth-century Scandinavia) is very difficult to map reliably. It is *Norwegian* material that will be the primary sources in the first instance. In order to achieve as reliable an ethnic identification as possible, we are collating material on individuals from emigrant records, church records and censuses, using various computer programs. The emigrant records do not note ethnic background, most often even not birth place, which censuses and church records do. Therefore it obviously is necessary to combine data from these sources. Other data can also be entered, such as information from family history and data on individual level from Finnish and American sources.

The project has probably made least progress with regard to those aspects of causes and motivational explanations on which the quantitative material cannot satisfactorily cast light, i.e., the narrative dimension. Of the more extensive qualitative material examined to date, the Finnish-American oral history material held at the IHRC deserves special notice. This material was registered and recorded by unemployed Finnish-American journalists and authors as part of a New Deal work creation scheme in the 1930s, and contains, among other things, interviews with first-generation »Arctic immigrants,« including members of the very first Arctic Finnish immigrant groups in the 1860s.[15]

We see, therefore, that the subject of transatlantic emigration by Sami and Arctic Finns, is a *Norwegian, Nordic as well as American* issue. But so far our project has treated the topic primarily as part of the history of Norwegian emigration.

4. »Real«-historical overview, preliminary results of research

The Arctic coast, then, was not the ultimate destination for the migrant Arctic Finns; thousands of them moved on to America.

The beginnings of transatlantic emigration by Arctic Finns seem to be relatively reliably documented in both American and Norwegian material. The first Arctic Finns left via Tromsø in the spring of 1864 on board one of two ships bound for Quebec, whence they proceeded to the Copper Country, also named the Copper Peninsula, of Upper Michigan. These »pioneering Kvens« consisted of a small number of families and a few unmarried men, all from the Vadsø area in eastern Finnmark, the northernmost county of Norway. All the adults in the group were born in Finland, all the children in the Vadsø area. They had all been recruited to the copper mines through the offices of an agent, Christian Taftezon, who had emigrated some time earlier and was well-known in Finnmark, having for example been a sheriff in Vadsø. He had made contact with the local management of the Quincy Mining Company in Upper Michigan and the Mining Emigrant Aid

Association, and helped to develop the idea of contracting labor in Europe for the mines. This was during the Civil War, with rising copper prices and a shortfall in American manpower as a result of military recruitment.[16] Well into the twentieth century, the mines in Upper Michigan were a major destination for Arctic Finns from northern Norway, as they were for the Finns who from around 1880 traveled in increasing numbers via the Baltic ports. At the turn of the century, according to local American census statistics the Finns (no distinction was made between Kvens and Finns) were the largest foreign-born ethnic group in the Copper Country.[17] As we know, the state of Michigan had no particular attraction for Norwegian emigrants in general.

The beginning of Arctic Finnish emigration coincided with the start of north Norwegian emigration on a larger scale. In other words, emigration from this part of the country began later than from southern Norway. Once under way, however, it followed roughly the same chronological fluctuations as emigration from Norway as a whole. In terms of volume, however, north Norwegian emigration lay somewhat below the national average, but at approximately the same level as emigration from Western Europe generally. Within northern Norway, the county of Finnmark was first to experience mass emigration: In the decade from 1866 to 1875, emigration from there ran at a rate of nearly 10 per thousand of the average population (as opposed to 7 for the country as a whole in the period). The other two northern counties, Troms and Nordland, lagged far behind. Finnmark led Troms and Nordland until the early 1890s, when Nordland took over as the leading emigrant county in the region, a position it was to maintain thereafter.

The special position of Finnmark is undoubtedly largely a result of emigration by Arctic Finns. Finnmark was definitely the largest »Kven county.« According to the 1875 census circa 25 percent of the population of the country consisted of Kvens. Moreover, the ports of Finnmark—Vardø, Vadsø and Hammerfest—were at this time also bridgeheads for Finns traveling more or less directly from Finland to America via the Arctic coast.

The chronological fluctuations in the volume of emigration from Finnmark show certain deviations from the pattern for the rest of northern Norway. These fluctuations and deviations are reflections of features that can be linked to ethnicity, as I will illustrate below.

Many of the Arctic Finns remained in the Copper Country. A considerable number acquired small farms in the vicinity of the mines. Apart from the fact that farming and animal husbandry were a natural element of the Arctic Finns' culture, the farm also represented an insurance policy in times of depression. Others combined mining with fishing on Lake Superior.

But for quite a few the Copper Country was only the first stop. Those who moved on had many options. One was the iron industry in the Iron Range of northern Minnesota. A second alternative was fishing on the lakes further west, for example, on the North Shore between Duluth and the Canadian border. A third was the timber industry, especially in the northern parts of Wisconsin. And finally, many Arctic Finns from northern Norway moved west to the frontier regions of Minnesota and the Dakota Territory, later the states of North and South Dakota.

In Minnesota there were three Finnish pioneer centers. First, Douglas County and the town of Holmes City, second, Wright County centered on the settlement of Cokato Lake, and third, Renville County with the town of Franklin. The Finns characteristically called such pioneer settlements »pesäpaikka« (lit. »nesting place«). The first group of Arctic Finns, who left in 1864, largely ended up around Franklin in Renville County. Here they also established a Laestadian congregation in 1874, with Finnish as the language of worship. The main reason why this group moved further west so soon was that, immediately after arrival in Hancock in the Copper Country, several of the men were recruited to the Union Army by military agents and received a $ 600 bounty. After the war there was no question of returning to the Copper Country; oral tradition also has it that they did not want to risk doing so, since they felt they had betrayed the mining industry that had, after all, brought them over from Norway.

5. Some hypotheses and challenges

I would first like to point to some peculiarities of the Arctic Finnish emigration itself, emphasizing a couple of features of *chronology*, *volume* and *structure*.

First, as we have seen, the Arctic Finns were among the earliest pioneers of north Norwegian and northern Scandinavian emigration to the USA. In fact, they *were* the pioneers from several districts, like the Vadsø area.

Second, up to around 1920 the Arctic Finns made up half, and some-times more, of the total number of emigrants from several areas with high emigration rates. Arctic Finnish emigration from urban areas, i.e., the towns of Finnmark and the former industrial settlements, like the Kåfjord copper mines in western Finnmark, was particularly high. That Vadsø can claim a Norwegian record for emigration over a five-year period, the first half of the 1870s, with a rate of nearly 80 per thousand, is due especially to the proportion of Arctic Finns.

As for *structure*, Arctic Finnish emigration differs from the general emigration pattern, primarily due to the very high proportion of wom-en, even in the later phases when family emigration was less dominant, with a constant level of approximately 50 percent women. A correspond-ingly high figure is also found for emigration from Tornedalen to the USA.[18]

If we now proceed to *causal factors*, there are four features in particu-lar that I would like to dwell on.

First, we are here dealing by all accounts with an almost extreme form of *chain migration*, where mechanisms like »America letters« and travelogues, and especially traveling Laestadian preachers, came to play an important role in maintaining links. Some of the latter crossed the Atlantic every season, carrying news and information both ways. The Arctic Finnish chains are an illustration of the significance of chain mi-gration described by Leslie Page Moch: »These systems operated like a transmission belt that brings newcomers from one area to a particular location, [...] how kin and contact acted as the life blood system that moved people across the ocean.«[19]

In the initial phases of emigration, however, agent recruitment clear-ly seems to have played a particularly crucial role. The uniquely high proportion of *prepaid tickets* in the early stages is probably a strong indi-cation of the huge significance of recruitment and contracting. In the period 1867–1892, about 75 percent of Arctic Finns from Vadsø who emigrated via the port of Trondheim declared that they were traveling on prepaid tickets. For the whole period 1860–1914, 64.5 percent of all those who emigrated from Vadsø to America declared themselves to be traveling on a prepaid ticket (paid in America). The total number of emigrants from Vadsø was 2,615. As known, it is estimated that a pro-portion of around 25–30 percent prepaid tickets was the norm for Scan-dinavian emigration from about 1870.

Second, we must acknowledge the considerable significance of *step migration* as a mechanism of transmission and maintenance. For the emigrant Arctic Finns the number of step migrants is, not surprisingly, very high, the proportions often being 50 percent or more.

It seems clear that certain factors connected with the processes of integration into Norwegian society in Finnmark contributed to onward migration, factors that had to do with both minority policies and competition for resources. But we can also glimpse a picture of a migration pattern related to *life cycle* and *labor market mechanisms* which meant that in northern Scandinavia migration was not always perceived as a dramatic move, but was rather a natural step to take, having emerged and developed over generations.

In this respect, *the Atlantic economy* and early Arctic Finnish integration in the market economy become interesting. As the Arctic Finns had adapted to economic developments in the traditional fishing industry of the Arctic coast, they now adapted to the expansion of the modern Atlantic economy, by the way, to a much larger extent than the Dalesmen did, who definitely migrated to the Mid-Western farming areas. The recruitment of miners among the Kvens in the pioneer phase is a typical example. Many of the Arctic Finns were experienced miners; now they were moving »from mine to mine« across the Atlantic, just as they had previously traversed northern Scandinavia (often named the North Calotte). For agent Taftezon it was probably just as natural to recruit Arctic Finns to Upper Michigan as it was for other agents to recruit »cousin Jacks« from Cornwall.

In this way, transatlantic emigration figures as a continuation and expansion of migration across the North Calotte. Thus, the old »frontier« of northern Scandinavia was shifted to the Mid-West in the 1860s. Some few contemporary writers, notably the professor of history at the University of Kristiania (Oslo), Ludvig Kristensen Daa, pointed at the similarities between the societies of the Arctic coast, and particularly those of the Kvens in Finnmark, and immigrant America. Features as to spatial system and labor market seemed parallel, as did aspects of culture and social life. Finnmark was compared with the frontier of the USA; actually Finnmark and other parts of northern Scandinavia was often called »the America of the nordic countries,« or the Kvens' »first America.«[20]

The Arctic Finns may actually be regarded as an early Nordic example of what has been called »the new immigration« to the USA, starting around the end of the nineteenth century, from southern and eastern Europe, with which Finnish emigration from Finland proper, after circa 1880, is usually categorized. The main destinations for these migrants were the fast growing American industry and the urban societies. On the other hand preferably the emigration of Dalesmen from northern Norway, along with much of the emigration of fishermen-peasants from Helgeland and other coastal and fjord regions of Nordland and Troms, can be categorized with »the old immigration« from north-eastern Europe, driven primarily of land hunger, with the prairie land as their main goal.

The character of Arctic Finnish emigration as »career migration« with a high degree of permanency is indicated, for example, by the fact that we find far fewer *return migrants* among the Arctic Finns than generally among Norwegian and Scandinavian emigrants. One example may illustrate this. On the basis of the 1910 census, altogether 25 persons in Vadsø were returnees from America, of whom had several periods »over there« behind them. By this point in time, around 2,600 persons had emigrated from Vadsø, of whom well over half were Arctic Finns. This means a return migration rate of about 1 percent, in contrast to the national rate of up to 25 percent.

At this stage, it may be interesting to take a comparative look at the other northern ethnic group in the Norwegian Arctic, the *Sami*.

Like the Arctic Finns, the Sami were a mobile people; seasonal migration had for hundreds of years been part of their adaptation to the environment. But in contrast to the Arctic Finns, the Sami were in fact, as already mentioned, extremely immune to »American fever,« though few modern case studies has been implemented.[21] They were also resistant to mining in northern Norway. This must be interpreted as an effect of the traditional Sami economy's adaptability and capacity for survival, in that seasonal and local migration were still fully integrated elements of their economy and social system in the nineteenth century. Probably also cultural barriers add to the explanation of their low level of transatlantic emigration.

Thus, as several theories have demonstrated, migration may simultaneously both generate *economic and social change and innovation* on the one hand, *and* have a *conservative* effect on the other. The histories of Arctic Finns and Sami in the nineteenth century illustrate both possibilities.

6. The encounter with America

As for the Sami, we at least know that some of those who went to Alaska in the 1890s remained there and continued to live a life that was partly subsistence-oriented, often in close contact with Inuits. Right down to our own day, memories of Sami culture and language in Alaska have survived. However, the majority of the Sami gradually moved away from Alaska, many settling in Paulsbo on the Kitsap Peninsula in Washington state. To the best of my knowledge, no scholarly studies of the integration of the Samis have been conducted. It has, however, been partly treated in one study.[22]

The Arctic Finns in the USA are not easy to trace, apart from their contributions to the establishment of Laestadian congregations and the pioneering settlements. In order to map their situation in the *north Norwegian* immigrant community, I made a systematic search through the membership lists of the »bygdelag« (lit. »township association«)[23] *Nordlandslaget,* the main voluntary association of north Norwegian immigrants, founded in 1909. Since the association's activities reflect a wide spectrum of the total range of organized social and cultural activity among immigrants from northern Norway, the membership lists ought to serve as an indicator of integrated participation versus segregation from the community. The result of this investigation is unambiguous: The Arctic Finns, as well as the Sami, are totally absent among the membership.[24] Much of the evidence points to Nordlandslaget being an exclusive organization for ethnic *Norwegian* incomers from northern Norway. It also became a mouthpiece in the diaspora for nation- and region-building in northern Norway, and indeed for fairly strong Norwegian nationalist attitudes, often with stigmatizing, stereotyping and derogatory attacks on both Sami and Arctic Finns, seen for example in articles in Nordlandslaget's quarterly, with clear elements of both social Darwinism and racism, as was fairly typical of the period. In northern Norway, the Arctic Finns and the Sami had been separate ethnic groups, with lower social status and to some extent also subject to discrimination. There is no evidence to indicate that they were granted a different status in America by their Norwegian neighbors from the old country.

Finally, there is the relationship of the Arctic Finns to the *Finnish* immigrants. An interesting three-phase model of integration processes and society-building has been proposed by Jon Gjerde in which the central concept is »fluid identity.«[25] The model seems to have some relevance also for the Arctic Finns' adjustment to life in America.

On the basis of Gjerde's model, we may propose the hypothesis that at least the first generation of Arctic Finns were not integrated to any great extent into the Finnish settler communities or into the activities of Finnish organizations. They were perceived as »different« and also saw themselves as such. They were no longer real »suomalaiset« (Finns); they already had a past as something other than »ektfinner« (real Finns) in Norway; they had become *kvener* (or Arctic Finns), in spite of the fact that they were still 100 percent native speakers of the Finnish language.

Thus, they were in a sense stigmatized; they became a kind of »lost generation.« By all accounts, for many of the first generation the life of the Laestadian congregation became a particularly important rallying point and place of refuge, and a place where cooperation between Finns and Norwegians occurred. The Laestadian movement also clearly took on the functions of culture and language maintenance, in that the language of sermons long remained Finnish; Finnish thus became a *lingua sacra*. Gjerde's study of »church centered communities« in the Mid-West, and the significance of formal, active membership of congregations for stability versus mobility, is also relevant in this context.

Furthermore, it is my contention that the *second* generation of Arctic Finns became more and more integrated into Finnish communities which had developed as a result of both Finnish emigration via the Arctic ports and later directly from Finland. They were, in a sense, accepted once again as »suomalaiset« or »Amerikan suomalaiset.« Thus, they had finally come full circle: The long migration from the Finnish areas they had originally emigrated from in northern Finland and Sweden, via the Arctic coast, had finally come to an end; the migrants had returned to their own.

Many of the Arctic Finns settled along the shores of Lake Superior in *Indian* areas, where interethnic marriage tended to take place, whence we get the local term »Findians,« which is still current.

Here we have arrived at a peculiarly Finnish-American »homecoming myth,« namely the *Finnish–Indian* connection. This myth linked Finns and Indians to a historical common destiny through shared contact with and adaptation to nature, as well as a mythical common origin. In particular, both peoples' peculiar historical relationship to the *forest* was an important touchstone; they were both »forest peoples.« According to the myth, this had resulted in a special type of contact between Finns and Indians already during the establishment of New Sweden, the first Swedish colony in the seventeenth century, which included many Finnish farmers who cleared forest and farmland in the New World, using slash and burn techniques with which the Indians were also acquainted. Hunting in the forest was something both peoples excelled at. The use of steam baths also provided points of similarity: The Finnish *sauna* was, and still is, probably the foremost symbol of the Finns in America, sharing several features with the Indians' »sweat house.« And finally, both peoples had to an unusual degree preserved folk traditions, for example, in folk medicine. In the stereotyped descriptions of national character that passed into the popular tradition, parallels were often drawn between Finns and Indians. This fellowship gave the Finns a legitimate claim to America, »a stake in the country.« As Richard M. Dorson so aptly puts it:

> The coming of the Finn has rocked the northwoods country. He is today what the red man was two centuries ago, an exotic stranger from another world. In many ways the popular myth surrounding the Indian and the Finn run parallel. Both derive from shadowy Mongolian stock—»just look at their raised cheek-bones and slanting eyes.« Both live intimately with the fields and the woods. Both possess supernatural stamina, strength, and tenacity. Both drink feverishly and fight barbarously. Both practice shamanistic magic and ritual, drawn from a deep well of folk belief. Both are secretive, clannish, inscrutable, and steadfast in their own peculiar social code. Even the Finnish and Indian epics are supposedly kin, for did not Longfellow model »The Song of Hiawatha« on the form of »Kalevala« [the Finnish national folk epic]?[26]

Finnish farms were often established in forest areas which had been cleared by the timber industry, leaving behind »stumplands« where Indian settlements also survived. Thus, these groups of Finns and Arctic Finns became geographically marginalized, much as many of them had been in the areas from which they had emigrated. Their myths of origin were therefore totally different from the Viking myths of the Norwegians (including north Norwegians).[27] This marginality and the peculiar »Indian link« are perhaps what is expressed by an Indian proverb still current along the southern shore of Lake Superior, which I have from a colleague in Duluth: »The only language the stumps of northern Wisconsin understand is Finnish.«[28]

Notes

1. Emil Hansen, *Nordreisa bygdebok* (n.p.: n.p., 1957), p. 218 (my translation of quotation). Se also Einar Niemi, »Emigration from Northern Norway: A Frontier Phenomenon? Some Perspectives and Hypotheses,« in Ø. T. Gulliksen, D. C. Mauk & D. Tolfsby, eds., *Norwegian-American Essays, 1996* (Oslo: NAHA-Norway/The Norwegian Emigrant Museum, 1996), p. 127.

2. E.-A. Drivenes, M. A. Hauan & H. A. Wold, eds., *Nordnorsk kulturhistorie*, volume II (Oslo: Gyldendal, 1994), pp. 126–131.

3. Einar Niemi, »The Finns in Northern Scandinavia and Minority Policy,« in Sven Tägil, ed., *Ethnicity and Nation Building in the Nordic World* (London: Hurst & Co., 1995), pp. 145–178; idem, »Nation-Building, Regionalism and West-European Culture: Northern Scandinavia, 1850–1950,« *Europa und der Norden: Bericht über das 7. deutsch-norwegisches Historikertreffen in Tromsø, Juni 1994* (Oslo: Stifterverband für die deutsche Wissenschaft/Norges forskningsråd, 1995), pp. 41–43.

4. Niemi, »Emigration from Northern Norway«; idem, »Norsk emigrasjonsforskning siden Ingrid Semmingsen: Veien videre?,« in Odd S. Lovoll, ed., *Migrasjon og tilpasning: Ingrid Semmingsen. Et minneseminar*, Tid og tanke (Oslo: Historisk institutt, Universitetet i Oslo, 1998), pp. 25–28.

5. Ørnulv Vorren, *Saami, Reindeer, and Gold in Alaska: The Emigration of Saami from Norway to Alaska* (Prospect Heights, Ill.: Waveland Press, 1994), English version of *Samer, Rein og Gull i Alaska. Emigrasjon av samer fra Finnmark til Alaska* (Vasa/Karasjok: Davvi media, 1990); Kenneth O. Bjork, »Reindeer, Gold and Scandal,« in Odd S. Lovoll, ed., *Norwegian-American Studies* 30 (Northfield, Minn.: Norwegian American Historical Association, 1985), pp. 130–195; Einar Niemi, »Nils Paul Xavier: Sami Teacher and Pastor on the American Frontier,« in Odd S. Lovoll, ed., *Norwegian-American Studies* 34 (Northfield, Minn.: Norwegian American Historical Association, 1995), pp. 245 f.

6. For example K. O. Lundholm, Ø. J. Groth & R. Y. Petersson, *North Scandinavian History* ([Luleå]: n.p., 1996), p. 181.

7. Amund Helland, *Finmarkens Amt*, volume II (Kristiania: Aschehoug & Co., 1906), p. 173 (my translation of quotation).

8. Samuli Onnela, »Emigrationen från Finland till Amerika över Nord-Norge, 1867–1892,« *Foredrag og forhandlinger ved Det nordiske historikermøde i København 1971* (København: Københavns universitet, 1971), pp. 165 f.; see also Reino Kero, *Migration from Finland to North America in the Years between the United States Civil War and the First World War* (Turku: Institute of Migration, 1974), pp. 25–26.

9. For example John Ilmari Kolehmainen, »The Finnish Pioneers of Minnesota,« *Minnesota History* XXV (1944), pp. 317–328; Kolehmainen, »Finnish Overseas Emigration from Arctic Norway and Russia,« *Agricultural History* 19 (1945), pp. 224–232.

10. Arnold Alanen, »In Search of the Pioneer Finnish Homesteader in America,« *Finnish Americana* IV (1981), pp. 72–91; idem, »The Norwegian Connection: The Background in Arctic Norway for Early Finnish Emigration to the American

Midwest,« *Finnish Americana* VI (1983–84), pp. 23–33; idem, »Finns and Other Immigrant Groups in the American Upper Midwest: Interactions and Comparisons,« in M. G. Karni et al., eds., *Finns in North America* (Turku: Institute of Migration, 1988), pp. 58–83.

11. Matti Kaups, »The Finns in the Copper and Iron Ore Mines of the Western Great Lakes Region, 1864–1905: Some Preliminary Observations,« in M. G. Karni et al., eds., *The Finnish Experience in the Western Great Lakes Region: New Perspectives* (Vammala: Institute of Migration, 1975), pp. 55–88.

12. For example Timo Riippa, »The Finns and the Swede-Finns,« in J. D. Holmquist, ed., *They Chose Minnesota: A Survey of the State's Ethnic Groups* (St. Paul: Minnesota Historical Society, 1981), pp. 296–322; H. R. Wasastjerna, ed., *History of the Finns in Minnesota* (Duluth: Minnesota Finnish-American Historical Society, 1957).

13. For example May Lunde, *Assimilation of the Old Apostolic Lutheran Church of Calumet, Michigan*, Cand. Philol. thesis (Oslo: University of Oslo, 1983); idem, »The Apostolic Lutheran Church of Calumet, Michigan,« in D. B. Skårdal & I. Kongslien, eds., *Essays on Norwegian-American Literature and History* (Oslo: NAHA-Norway, 1986), pp. 273–283.

14. Several Cand. Philol. and Ph.D. theses in history at the University of Tromsø are in progress within the framework of the project. These have so far been completed: Vibeke Flå, *Utvandring og intern flytting: Emigrasjonen fra Vardø, 1864–1920* (1995); Thorleif Svendsen, *Amerikafeber i Ishavsbyen. Emigrasjonen fra Tromsø til Amerika, 1860–1925* (1997); Marianne Soleim, *Emigrasjon og etnisitet: Utvandringen fra Vadsø til Amerika, 1860–1914* (1998).

15. For example »Walter Harju Papers,« »Walfrid J. Jokinen Papers« and »Minnesota Finnish American Family Histories,« IHRC, University of Minnesota, Minneapolis.

16. Niemi, »Emigration from Northern Norway,« pp. 144–147; on the labor contract system in Upper Michigan, see Larry Lankton, *Cradle to Grave: Life, Work, and Death at the Lake Superior Copper Mines* (New York; Oxford: Oxford University Press, 1991), pp. 62–66.

17. Lankton, *Cradle to Grave*, pp. 212–213.

18. Lundholm, Groth & Petersson, *North Scandinavian History*, p. 166.

19. Leslie Page Moch, *Moving Europeans: Migration in Western Europe since 1650* (Bloomington: Indiana University Press, 1992), pp. 17, 153.

20. Ludvig Kristensen Daa, »Skisser fra Lapland,« *Aftenbladet* (Kristiania) Nos. 24, 33, 34 and 36 (1870); also Einar Niemi, *Oppbrudd og tilpassing* (Vadsø: Vadsø kommune, 1977), p. 133. On the terms »frontier« and »the America of the nordic countries,« see e.g. Sverker Sörlin, *Framtidslandet: Debatten om Norrland och naturresurserna under det industriella genombrottet* (Stockholm: Carlssons bokförlag, 1988), passim, and Ottar Brox, *Nord-Norge: Fra allmenning til koloni* (Oslo: Norwegian University Press, 1984), passim.

21. A couple of studies by history students at the University of Tromsø focus in particular on Sami emigration; it is expected that these studies will add substantially to the picture of Sami transatlantic emigration, even if it is doubted that they will

present dramatically higher volume figures.

22. Vorren, *Samer, Rein og Gull i Alaska*, pp. 195–211.

23. Odd S. Lovoll, *A Folk Epic: The Bygdelag in America* (Boston: NAHA; Twayne Publishers, 1975).

24. The Nordlandslaget's quarterly *Nord-Norge*, 1913–1940; »Bygdelagene, Papers 1900–1970,« NAHA Archives, Ole Roelvaag Library, St. Olaf College, Northfield, Minnesota.

25. Jon Gjerde, »'And You Know, Not All Norwegians are Blond...': The Process of Ethnicization in the American Middle West,« in Gulliksen, Mauk & Tolfsby, *Norwegian-American Essays*, pp. 78–79; also Jon Gjerde, *The Minds of the West. Ethnocultural Evolution in the Rural Middle West, 1830–1917* (Chapel Hill: University of North Carolina Press, 1997), passim.

26. Richard M. Dorson, *Bloodstoppers and Bearwalkers: Folk Traditions of the Upper Peninsula* (Cambridge, Mass.: Harvard University Press, 1952), see also Juha Y. Pentikäinen, »Towards the Interpretation of Finnish-American Culture,« in Karni, *Finns in North America*, pp. 44–57; E. Stoller, »Sauna, Sisu and Sibelius: Ethnic Identity Among Finnish Americans,« *Sociological Quarterly* 37:1 (Winter 1996), pp. 145–175; Chris Susag, »Ethnic Symbols: Their Role in Maintaining and Constructing Finnish American Culture,« *Siirtolaisuus/Migration* (Turku) 4 (1998), pp. 3–8.

27. Orm Øverland, »Hjemlandsmyter: Om skaping av gamle røtter i et nytt land,« in Lovoll, *Migrasjon og tilpasning*, pp. 143–158; Odd S. Lovoll, *The Promise Fulfilled: A Portrait of Norwegian Americans Today* (Minneapolis/London: University of Minnesota Press, 1998), pp. 3–6, 71, 122, 250; see also Dag Blanck, *Becoming Swedish-American: The Construction of an Ethnic Identity in the Augustana Synod, 1860–1917* (Uppsala: Acta Universitatis Upsaliensis, 1997), passim.

28. Matti Kaups, University of Minnesota, Duluth, oral information 1993.

»Over the years I have encountered the hazards and rewards that await the historian of immigration«

George Malcolm Stephenson and the
Swedish American community

RUDOLPH J. VECOLI

GEORGE MALCOLM STEPHENSON was one of a small group of professional historians—Marcus Lee Hansen, Theodore C. Blegen, and Carl Wittke were the others—who in the years immediately after World War I rescued immigration history in the U.S. from the filiopietists and established it as a legitimate field of historical study. These were sons of parents who had participated in the great nineteenth century emigration from northern Europe. Second generation Americans, raised in immigrant families but trained in seminars at Harvard and other universities, they were willy-nilly enmeshed in the clash between differing conceptions of the nature and purpose of history.[1]

In response to an exclusionary Anglo-American narrative, immigrant historical societies were intent upon defining a virtuous and patriotic past, one which would gain them esteem and acceptance.[2] Along came their sons, the professors, intent on being objective or, in Stephenson's words, to apply »the historian's standards of dispassionate exposition,« dealing evenhandedly with the negative as well as the positive aspects of the ethnic group's history.[3]

Such conflicts between the professional and the ethnic, if you will, versions of history (and the resulting tug of loyalties) have been and continue to be a source of vexation for those of us who are both scholars and ethnics. This essay explores that relationship through the career of Stephenson, the immigration historian, whose devotion to his craft resulted in dissension with, and finally estrangement from, his Swedish American community.

George Malcom Stephenson was born December 30, 1883, in Swedesburg, Iowa, the youngest of ten children of Olaus Steffanson and Maja

Lena Jonsdotter, both of whom had emigrated from Sweden at a young age with their families. George's paternal grandfather, Steffan Steffanson, who had been a crofter in Södra Vi in northeastern Småland, settled in New Sweden, Iowa in 1849. In the mid-1850s, father and mother and seven children died in a cholera epidemic; only Olaus and two sisters survived. Olaus farmed successfully in Swedesburg, until he moved to Rock Island in 1894 and became a merchant.[4] George recalled his childhood on the farm with fondness: »Until I attained the age of ten, I had the good fortune to enjoy the peace, security and prosperity of Henry County, Iowa.« He remembered the Stephenson home as »a sort of clearing house for immigrants who came to the community,« where newcomers were sheltered until they found employment as »hired hands« on the farms of Yankee neighbors. In Rock Island, the guests were »preachers and professors,« and George remembered listening to conversations about church problems at the dinner table.[5]

The only indication that George's boyhood was less than idyllic was his observation late in life that thankfully the Swedish language was now »cultivated by the few who have the inclination and ability,« and not inflicted »as an instrument of torture [on] boys who were compelled to stay indoors to memorize the Catechism, while neighbor boys were playing baseball or coasting, or to attend 'Swede school' during the summer vacation, when other boys were wading in the brook or catching fish.«[6]

Since his parents were faithful members of the Augustana Synod Swedish Lutheran Church, George recalled:

> I attended a Swedish Sunday school, and under compulsion listened to long Swedish sermons, and also watched my father nod during the sermon—not in approval of what the preacher said, however.[7]

O. Fritiof Ander, perhaps Stephenson's closest confidant, commented that George's pietistic upbringing »left a deep impression upon him [and his scholarship] from which he never succeeded in freeing himself.«[8] Indeed the seeds of Stephenson's rebelliousness against an oppressive religious and ethnic environment appear to have been planted early in his youth.

That George should attend Augustana College was a foregone conclusion; his father served on the college's board of directors from 1885 until his death. First enrolled in 1901, George was not awarded the

A.B. degree until 1910, because he become involved in a dispute with the faculty, an early expression of his combative and stubborn personality.[9] Stephenson has left this compelling description of student life at Augustana College:

> The campus population was *sui generis* to Swedish America; it was recruited from rural and urban communities from the Atlantic to the Rockies. Farmers, miners, sailors, and common laborers predominated. These young men burned midnight oil over Caesar's *Gallic War* and Xenophon's *Anabasis* in order to prepare themselves for the high calling of ministering to their fellow countrymen who had migrated to the »Land of Canaan.« Literary societies, debating clubs, oratorical contests, missionary societies, prayer meetings, the Handel Oratorio Society, the band, and the orchestra took precedence over non-existent dances, bridge parties, fraternities, week-end parties, and football games. The citizens of Rock Island spoke disdainfully of the »Swede College,« a name that described it accurately, although the students to a man, perhaps, resented the characterization.[10]

After leaving Augustana, Stephenson secured a bachelor's degree from the University of Chicago and taught several years at Minnesota College in Minneapolis, before heading east to study history at Harvard with Frederick Jackson Turner. Turner had a profound and lasting influence on Stephenson as he did upon an entire generation of American historians. In addition to his path breaking frontier thesis of 1893, Turner helped define the new field of social history by calling for the study of ordinary people and everyday life.[11] Although Turner encouraged his students, including Marcus Lee Hansen, to study immigration history, he did not do so in Stephenson's case. Years later he wrote that Turner »didn't know much about the subject. I suggested the possibility of writing on the Scandinavians for my doctoral dissertation, but [Turner] vetoed it because he doubted there was sufficient material.«[12] Stephenson then wrote a dissertation which was published as *The Political History of the Public Lands, from 1840 to 1862: From Preemption to Homestead* (1917). Since it was concerned with the settlement of the West »by pioneers from every state in the Union and from countries of Europe,« the study brought him back to the topic of immigration.[13]

Stephenson conceived of his life's work as »writing my own autobiography in the form of the history of immigration and of biographies of Swedish immigrants.« The inspiration of his scholarship was drawn from, the memories of boyhood and youth spent in a Swedish-American community and on the campus of a Swedish-American college... [which] took on a new meaning and significance as a graduate student and as a member of the faculty of one of the largest Scandinavian universities in the world.[14]

The latter was a reference to the University of Minnesota where Stephenson taught from 1914 until his retirement in 1952 with only a few brief interruptions. Stephenson's course in American immigration history was perhaps the first to be offered in any university curriculum in the country. The nature of the course might be ascertained from his *A History of American Immigration: 1820–1924* (1926).[15] Stephenson noted that the enactment of immigration restrictive legislation two years earlier »closed a momentous chapter in American and European history...«[16] An early and praiseworthy effort at synthesis, the volume was limited by the paucity of research as well as the biases characteristic of the time. However, Stephenson's injunction to students of »the causes and motives which underlie the exodus from Europe to America,« to pursue their researches »to the cottages of the peasants and to the humble dwellings of the laborers in the factory and on the farm« still guides our studies today.[17]

Contemporaneously at work in his special field, Stephenson published, among other articles, »The Background of the Beginnings of Swedish Immigration,« in the *American Historical Review* (1926). But it was, as he put it, the generosity of the John Simon Guggenheim Foundation and the University of Minnesota which enabled him to devote a full year (1927–28) to researching the Swedish emigration in Sweden.[18] While he luxuriated in the bountiful sources of the Royal Library in Stockholm, he extended his quest to provincial and parish archives. Following his own injunction, he visited cousins and near-cousins »on their farms on the stony soil of Småland.« Stephenson remembered those »eight or ten calls per day, with at least that many cups of coffee... [as] a delightful exercise in historical research.«[19] He returned to Minnesota with hundreds of »America letters,« grist for many of his writings, including »When America Was the Land of Canaan,« *Minnesota History* (1929), which Stephenson himself regarded as »the best thing I have written.«[20]

Perhaps because of his youthful experiences, Stephenson was drawn to the study of the religious life and institutions of the Swedish immigrants. An early work in this vein was *The Founding of the Augustana Synod, 1850–1860* (1927). As Ander observed, the rich holdings of Swedish American religious literature of the Royal Library nourished Stephenson's interests. In fact, he suggests that Stephenson overlooked other important sources and thus other aspects of the Swedish immigrant experience, because he buried himself so completely, even compulsively, in this literature.[21] The fruit of this research was to be Stephenson's magnum opus, *The Religious Aspects of Swedish Immigration* (1932). It was this work which embroiled him in a long running controversy with the conservative clerical establishment of the Augustana Synod and which culminated in his alienation from the Swedish American community.

Even prior to the appearance of *Religious Aspects*, Stephenson had antagonized some of the clergy with his articles. In 1930 he confided to a correspondent:

> [S]ome of the pastors are already after my scalp as a »heretic,« but that isn't causing me a single, sleepless night. I prefer to be the instrument of the liberal and progressive element... I ask no favors of those self-styled Paul Reveres, who cloak their bad humors under the guise of a severe orthodoxy.[22]

Stephenson had anticipated a negative response to *Religious Aspects*; on the eve of its publication, he wrote to John Barnhart:

> I have gotten something off my chest... I fear much that this book will not enhance my popularity with the church folk in Swedish America. They have been fed on eulogies so long that they have no appetite for anything else. Well, the dose I have concocted will not be palatable. You know I never did have much time for these professional religious guys... Blegen read a few pages of my manuscript and predicts that hell will pop when it falls into the hands of the clergy.[23]

These anticipations proved to be well-founded; one professor at the Augustana Theological Seminary was reported to have become »violently nauseated after scanning a few chapters.«[24] The book sold very poorly; it was apparently boycotted by the more orthodox brethren. Writing in 1945, in reply to a letter praising the work, Stephenson commented:

> You are one of the few Americans of Swedish blood who has read the book. The Augustana Book Concern wouldn't even carry it in stock; and

the bigwigs in the Augustana Synod have scarcely deigned to notice it. This was just what I expected, so I was not in the least disappointed.[25]

Almost a quarter century following its publication, Stephenson commented sarcastically upon a letter from a Augustana Theological Seminary professor who had written to express appreciation of *Religious Aspects*:

[I]t was gratifying to know the historian attached to the seminary faculty and a handful of brethren in the faith had discovered the existence of my book—even if it did take twenty five years to work the miracle.[26]

Such bitter comments written decades after the fact belied the high hopes that Stephenson had had for the book; at the moment of publication, he confessed:

[I]t would please me if the book would inspire interest on the part of the children and grandchildren of Swedish immigrants in their heritage, something that is woefully lacking. It isn't necessary to eulogize the people of Swedish blood [, he added]. The facts speak for themselves.[27]

As is true of all historians, Stephenson did more than allow the facts to speak for themselves. O. Fritiof Ander judged him »harsh« in his assessment of the Augustana Synod, adding that Stephenson had allowed himself to be overpowered by his sources and his »personal interests.«[28] He speculated that Stephenson, in his zeal to be thoroughly objective, had in fact become overly critical, unable to separate his unpleasant memories of a strict Lutheran upbringing from historical reality. In his preface to the volume, Stephenson admitted that »like all historians, [I have] been affected by [...] subconscious but formative memories.«[29] Although accused by his critics of being irreligious and an agnostic, those who knew him well described Stephenson as being »deeply pious.«[30]

Stephenson found a more congenial subject for what was to be his last major work dealing with Swedish Americans. Written during the economic depression and New Deal of the thirties, his biography of John Lind (1935), first Swedish born congressman and governor of Minnesota, struck the theme of progressive politics with which Stephenson strongly identified. In a letter to Guy Stanton Ford, he wrote: »You know I am a Wilson Democrat.«[31] In this respect also, Stephenson radically departed from his background. »In hundreds of Swedish communities,« he observed, »a Democrat was a curiosity, a strange being, who, if not demented, surely concealed a cloven hoof.«[32]

Stephenson reminisced in 1941:

> As a youngster not yet in his teens, brought up in a Swedish Lutheran home—for Swedish Lutheranism and Republicanism were identical twins—I was horrified to hear my Father, who had stored in his memory the accumulated sins of the Democratic Party from James Buchanan to Grover Cleveland, lament that in remote Minnesota there was a Swede named John Lind who had not only deserted the Republican party but had publicly declared himself a »political orphan.« At the time I was probably too naive to comprehend fully the enormity of Lind's offense, namely, that of running for the governorship of Minnesota with the endorsement of Populists, Democrats, and Silver Republicans; but I did detect the peculiar quality of my Father's voice when he referred to John Lind as a »Popocrat.«[33]

The fact that George's father had denounced Lind as a »Popocrat,« may have made him more appealing to his future biographer.

The choice of Lind as a subject resonated with Stephenson's autobiography. Both were reared in repressive childhood environments, against which they rebelled, becoming religious and political heretics. Both »dearly loved a scrap and would go out of [their] way to invite controversy,« and both believed that their enemies were intent on persecuting them for their recalcitrance.[34] In a letter, Stephenson wrote that »Lind was an interesting and able man, but was never appreciated by the Swedes in Minnesota or elsewhere.«[35] One senses that in this respect as well Stephenson identified with Lind. Moreover, as James Iverne Dowie, friend and student of Stephenson, commented, both had »the touch of compassion for unfortunates in society.«[36]

Stephenson's estrangement from the Swedish American community extended beyond religious and political disagreements, he distanced himself socially as well. During the 1920s, he had been actively involved with the Swedish Historical Society of America (established in 1905), serving as managing editor of its publications from 1921 to 1929, and contributing many pieces to the *Yearbook of the Swedish Historical Society of America* and the *Swedish American Historical Bulletin*. As late as 1927, he wrote that although the yearbook of the historical society was not what it ought to be, »I believe that there are some signs of improvement from year to year which give reason to hope that some day it will be a credit to the Society and to the pioneers and their descendants.«³⁷ In a 1929 issue of the *Bulletin*, Stephenson cited the Society's financial crisis and appealed to »prosperous Swedish Americans [...] for substantial contributions that will be a credit to the Swedish people...«³⁸ By the 1930s, however, he had concluded that »the Swedes are not interested in their history... The first of this month the Swedish Historical Society staged the annual banquet, but I didn't attend... So far as I know, the society is inactive.«³⁹ In retrospect, Stephenson asserted that the society »had died because it was strangled at birth... It might have been saved if there had been one or two men in the organization who knew what a historical society is supposed to be.«⁴⁰ In the most invidious comparison a Swedish American could make, Stephenson complained that while the Norwegian American Historical Association was supported by wealthy Norwegians, the Swedish Society got checks for two dollars.

Time did not heal these wounds. In a letter of 1941 to Margaret Anderson, managing editor of *Common Ground*, with whom he had a long and revealing correspondence, Stephenson declared his total disillusionment with the Swedish American community:

> There are too many competing institutes and societies, where the well-known Swedish jealousy gets in its work. I am forever through with the Swedes in the USA. I have severed my connection with the Swedish Society and the Turnblad crowd. Augustana College is the only creditable institution supported by the Swedes... The other activities are more or less futile.⁴¹

Writing to Adolph Benson in 1944, Stephenson asserted: »I have been occupied with other things to the extent that I have neglected in recent years Swedish-American history.«⁴² Nils William Olsson recounted that when he consulted Stephenson in the late forties on whether funds should be expended on publishing a journal on Swedish American history or on a banquet, »Honest George« replied: »We tried that and it failed. Enjoy yourselves.«⁴³ When Paul Varg wrote in 1950 to solicit manuscripts for the newly established *Swedish Pioneer Historical Quarterly*, Stephenson replied that he could be of no help since he had completely deserted the field of immigration, but he added with querulous note: »I have not seen the first issue of the *Swedish Pioneer*. I did not know that any such plans were afoot. Where is it published? Who is back of it?«[44]

A reconciliation of sorts took place when Stephenson addressed the annual meeting of the Swedish Pioneer Historical Society in Chicago on January 7, 1956. In the lecture, entitled »Rip Van Winkle in Sweden,« he reported on his visit to the Old Country after an absence of twenty-six years. Stephenson, however, could not resist this opportunity to even some old scores. He devoted a good deal of his talk to lambasting the Swedish American religious establishment, contrasting the »democracy, pietism, and puritanism of religion in the United States« with the symbolism, legalism, and clericalism of the State Church in Sweden. The Swedish immigrants, he added,

> learned that there was room in the United States for Christians who questioned the validity of ecclesiastical regulations and legislative enactments which denied the right of a man to teach publicly in the church and to administer the sacraments, unless he was ordained according to prescribed forms and ceremonies and set apart in the clerical estate.[45]

While the early Swedish-American churches at their inception were lay missionary movements (»religious experiment stations«), free of ritualism and liturgical formalism, the Augustana Synod clergy in time assumed »the artificial sanctity which [had] converted the clerical estate in Sweden into an instrument of ambition and tryanny.« An »extraordinary trend toward high-churchism, including gowns, vestments, and symbolism,« followed.[46]

Stephenson also made pointed remarks, which were certainly not lost on his audience, about »the hazards and rewards that await the historian of immigration«: »It is not an easy task,« he observed,

> to ferret out the events of the past; and it is even more difficult to interpret the facts. Some readers load on the shoulders of the historian the responsibility for what has happened. I have long since ceased to take any responsibility for my ancestors; and I am looking forward to the time when cheating in history will be as disreputable as cheating at cards. Leaders of certain immigrant groups have been extremely sensitive; and some historians have sought to appease them by distorting facts. In the field of church history an incredible amount of falsity has accumulated in denominational histories. Some authors have distorted the truth to the extent that one is tempted to believe with them it is, »My own church, right or wrong.«[47]

O. Fritiof Ander, who had written his dissertation on the Augustana church leader, T. N. Hasselquist, and subsequently a book, *The American Origin of the Augustana Synod* (1942), from a more positive perspective than Stephenson, perhaps felt himself to be the target of some of these barbs. This may explain Ander's statement that Stephenson, »my very close friend [...] could deeply hurt precisely those persons whom he liked.«[48]

Clearly Stephenson felt unloved and unappreciated by his own people; there is more than a hint that he thought of himself as »a prophet without honor in his own country,« a phrase which appears repeatedly in his writings. It is true that he received greater recognition by Sweden than by Swedish America, being decorated Knight of the Royal Order of the North Star by the King of Sweden in 1937 and being honored with a Ph.D. honoris causa by Uppsala University in 1938.[49] Stephenson attributed this neglect to the rapidity with which Swedish immigrants had assimilated. By 1956, he could declare approvingly that the preservation of the Swedish language and culture in the United States was »a closed chapter.«[50]

If Swedish Americans paid him little attention, neither did Stephenson receive the recognition which he thought was his due from fellow historians. At a session of the American Historical Association in December 1938 on »Scandinavian Contributions to American Life,« which was a memorial to Laurence M. Larson and Marcus Lee Hansen, both of whom had died that year, Stephenson addressed the needs and opportunities for research in immigration history. Commenting on the field as a whole, he noted that »the sum total of books and articles that have appeared [on the subject] does not give cause for unrestrained congratulations.« Nor had the findings of immigration historians »seeped through the covers of text books in American history.« Expressing what sounded like personal resentment, he complained that if an historian wrote a ponderous book on the difference between consilium and concilium in medieval history, he was sure to have a major review in the *American Historical Review*, while if he wrote a monograph on »the greatest *Völkerwanderung* in history,« he might get a paragraph in »Notes and Comments.«[51]

In private letters, Stephenson lamented that so few of the »big shots« of the Association had attended the session since they were the ones who needed to be informed about the importance and neglect of immigration history.[52] Writing to fellow historian, Carl Wittke, he commiserated: »Those of us who have dabbled in the history of immigration have received little or no recognition from the historical profession, as you well know; but some day—after you and I have passed on—historians will probably be grateful for our pioneering.«[53] By 1948, he could respond to an inquiry regarding immigration history that his research had shifted to other subjects;[54] »Years ago,« he added,

> I had high hopes for the future of the History of Immigration. I thought an increasing number of historians would become interested, but things didn't work out. In recent years a number of books have been published, but, with few exceptions, they are of poor quality. Possibly the language problem scares people away.

The following year Stephenson confided to Ander that since the subject had grown stale for him, he was,

> tickled to be relieved of the teaching of immigration history. Very little of value has been published in the field since we began our work and some of the most recent volumes actually stink.[55]

Stephenson's last book, *The Puritan Heritage* (1952), a study in American religious history, did not deal directly with immigration, although Ander read it in an autobiographical sense as a »religious confession.«[56] The work was a vigorous apologia for Puritanism through which Stephenson expressed his disillusionment with post-World War II society:

> Twentieth-century America appears to have lost the Puritan heritage. A generation whose »literature« is more akin to the licentiousness of the press which ridiculed the Puritans in England, whose »movies« revel in the filth of the muckrake, whose radio and television programs serve a fare of vulgarity, and whose mechanism has degraded the superior man and has enhanced the power of the inferior man, is incapable of understanding a religious movement whose appeal is to the »remnant,« to those who are conscious of the brevity of human life and recognize the spiritual life as the one great reality.[57]

For Stephenson, the depression and the war constituted a »catastrophe that shattered the dream of making a heaven on earth.« Stephenson's progressive vision which permeated his writings on immigration history had collided with the ugly realities of the twentieth century.[58]

Stephenson died on October 11, 1958, at age 74. Two years later, at the Eleventh International Congress of Historical Sciences meeting in Stockholm, Frank Thistlethwaite presented a seminal paper, »Migration from Europe Overseas in the Nineteenth and Twentieth Century.«[59] This essay, comparable in its influence to Turner's frontier thesis, was to be a catalyst, inspiring and informing a whole generation of migration historians, not only in the United States, but in other countries as well. The »Sweden and America after 1860« project at the University of Uppsala was directly stimulated by Thistlethwaite's provocative reinterpretation of the Atlantic migration. Under the direction of Sten Carlsson, the project produced over twenty-five dissertations and other studies of the Swedish emigration, culminating in the volume, edited by Harald Runblom and Hans Norman, *From Sweden to America* (1976). Since the death of Professor Carlsson, the field of Swedish emigration studies has continued to flourish thanks to the scholarly work of Runblom and other alumni of the Uppsala project.[60]

Similarly, from the 1960s, immigration history in the United States has grown and prospered beyond Stephenson's wildest dreams. The formation of the Immigration History Society (recently renamed the Immigration and Ethnic History Society) in 1965 and the founding of its journal, *Journal of American Ethnic History* in 1981 marked the rapid growth of the field. Most dramatic has been the explosive production of dissertations, monographs, and articles dealing with multiple aspects of human migration. Although other factors played a role, Thistlethwaite's heuristic thesis clearly provided a major impetus to the coming of age of migration history.[61]

The connection between Stephenson and Thistlethwaite was neither coincidental, nor casual. In the late thirties, as a Commonwealth Fund Fellow, a young Frank Thistlethwaite studied at the University of Minnesota with Stephenson to whom he later attributed his abiding interest in migration history. At the international conference, »A Century of European Migrations, 1830–1930,« held at the University of Minnesota in 1986, at which Professor Thistlethwaite was the keynote speaker, Stephenson's role as a forebear of the gathering was appropriately acknowledged.[62]

George Malcolm Stephenson made important contributions to Swedish American history and to American history in general. He was in fact slighted by his contemporaries, both Swedish Americans and fellow historians. Stephenson, however, was buoyed by the belief that one day his work would receive its proper recognition. To Louis Adamic, the Slovene immigrant who became an influential writer on American pluralism, Stephenson wrote in 1939:

> A few of us [immigration] historians have cried in the wilderness; orthodox historians have not heard our cries. Future historians, however, will pay more attention to what we have written, and, I suppose, that ought to be consolation and reward enough.[63]

Notes

1. Edward N. Saveth, *American Historians and European Immigrants, 1875–1925* (New York 1948); Edward Mims, *American History and Immigration* (Bronxville, N.Y., 1950); Rudolph J. Vecoli, »European Americans: From Immigrants to Ethnics,« in William H. Cartwright & Richard L. Watson, eds., *The Reinterpretation of American History and Culture* (Washington, D.C., 1973), pp. 81–112.

2. John J. Appel, *Immigrant Historical Societies in the United States, 1880–1950* (New York 1980); Rudolph J. Vecoli, »Ethnic Historical Societies: From Filiopiety to Scholarship« (unpublished, 1967).

3. George M. Stephenson, *The Religious Aspects of Swedish Immigration* (Minneapolis 1932), p. v. As Robert S. Salisbury points out, although Stephenson abhorred chauvinistic filiopiety and strived for objectivity, he »was not always immune to sentimentality when writing about his ancestors.« An assimilationist, he emphasized the positive qualities of Swedish immigrants, and the ease and rapidity with which they Americanized. »Swedish-American Historiography and the Question of Americanization,« *Swedish Pioneer Historical Quarterly* (April 1983), pp. 121–222. See also George M. Stephenson, »Swedes Leave Their Mark on U.S. Way of Life,« *Minneapolis Sunday Tribune* 27 June 1948, »Swedish Centennial Issue,« clipping, in George M. Stephenson Papers, University of Minnesota Archives. Hereafter cited: GMS Papers.

   Stephenson was generally an assimilationist believing that »problems pertaining to European immigrants have been and are ephemeral, submissive to the healing processes of time.« However, in one of the few references in his writings to non-

European immigrants, he commented: »Our country has more permanent problems of racial minorities: Negroes in the South; Orientals on the Pacific Coast; Mexicans in the Southwest; and native Indians on reservations... [N]o tailor, barber, schoolteacher, or climate can change the color of the American Indian, the Mexican Indian, the Oriental and the Negro.« Nowhere to my knowledge did Stephenson address the consequences of such racial differences for American democracy. George M. Stephenson, »The History of Immigration« [manuscript with notation: »Dec., 1938—at AHA meeting in Chicago«], GMS Papers.

4. George M. Stephenson, »An America Letter of 1849,« *Yearbook Swedish Historical Society of America* XI (1926), pp. 84–102. The letter written by Stephenson's grandfather, Steffan Steffanson, is prefaced with a brief family history. See also Allan Kastrup, *The Swedish Heritage in America* (St. Paul 1975), p. 177. Kermit Westerberg, then archivist of the Swenson Swedish Immigration Research Center, Augustana College, Rock Island, Illinois provided data drawn from church records regarding the Steffanson family. For an obituary of George's father, see Oliver Stephenson, *The Rock Island Union* 17 July 1898, clipping, GMS Papers.

5. »Autobiographical Sketch,« 13 April 1941, GMS Papers, is the source of these quotes. Stephenson wrote this for a volume on Minnesota authors, but decided for reasons unknown not to have it published. George M. Stephenson to Carmen Richards, 20 June 1945, GMS Papers. George M. Stephenson to G. Bernhard Anderson, 30 June 1948, GMS Papers.

6. George M. Stephenson, »Rip Van Winkle in Sweden,« *Swedish Pioneer Historical Quarterly* 7 (April 1956), p. 52.

7. Stephenson, »Rip Van Winkle,« p. 59.

8. O. Fritiof Ander, »Immigrationshistoriens utveckling i Amerika,« *Historisk Tidskrift* 89 (November 1961), pp. 291–292. I am indebted to Victoria Oliver for translations from this article.

9. Augustana College records provided by Kermit Westerberg. Although he was to graduate from Augustana in 1904, Stephenson was informed that he was one credit short (a course on Christianity). Whereupon he told the college authorities that he would graduate from a first class institution, the University of Chicago. Interview with George M. Stephenson II, 12 April 1991; comment of Conrad Bergendoff following my presentation of this paper at Augustana College, April 1990.

10. »Autobiographical Sketch.«

11. George M. Stephenson to Naboth Hedin, 22 January 1938, GMS Papers, provides a *curriculum vitæ*. Although Turner's perspective on American history permeated Stephenson's writings, he also explicitly acknowledged this influence: »[Turner's] tutelage and my own research revealed to me the vital relationship between the opening of a continent to settlement and the great exodus from the countries of northern and western Europe.« »Autobiographical Sketch.« His son recalled that »he was always referring to Turner« as his model. Interview with George M. Stephenson II. As a progressive historian, Stephenson also admired the Beards: »The verdict of history is worth playing for—as long as there are historians like Charles and Mary Beard.« James Iverne Dowie, »The Two Worlds

of George Malcolm Stephenson, 1883–1958,« p. 7. This (to my knowledge) un-published paper, by a student and friend of Stephenson, was provided by Dag Blanck, director, Swenson Swedish Immigration Research Center.

12. George M. Stephenson to Margaret Anderson, 3 December 1941, GMS Papers. He commented, perhaps with a touch of pique: »Marcus Hansen probably got his inspiration to work on immigration from Turner,« adding, »Hansen is much over-rated.«

13. Stephenson, »Rip Van Winkle,« p. 52.

14. »Autobiographical Sketch.«

15. George M. Stephenson to Howard K. Beale, 17 November 1948, GMS Papers. »I believe that my course [History of Immigration] was the first to be offered at the collegiate level—that is, in a department of history... My little book, *A History of American Immigration* [...] will suggest the contents of the course... I would be very sorry, however, if you got the impression that my course was as limited as my book, which was a pioneer effort intended to be merely an introduction.«

16. George M. Stephenson, *A History of American Immigration: 1820–1924* (Boston 1926), p. 3.

17. Ibid., p. 7.

18. George M. Stephenson to G. N. Swan, 11 April 1927, GMS Papers. He added: »My aim is to write a history of the Swedish immigration, but when I ponder the vast amount of research that must precede this undertaking, I am doubtful if it can be done within the present generation.«

19. »Autobiographical Sketch.« Stephenson elsewhere described this research as a »form of cousin-hunting in the red cottages along the rocky, pine-clad hills of Sweden.« *Minneapolis Sunday Tribune* 27 June 1948, »Swedish Centennial Is-sue,« clipping, GMS Papers.

20. George M. Stephenson to Louis Adamic, 14 June 1939, GMS Papers.

21. Ander, »Immigrationshistoriens utveckling i Amerika,« pp. 291–292. In the Royal Library, »Stephenson found a paradise [of documentation] for those interests which were rooted in his youth.«

22. George M. Stephenson to »Dear Duffy,« 24 December 1930, GMS Papers. Of his articles in the *Lutheran Companion* attacking the Augustana Synod leadership, Stephenson wrote: »[They] are so brutally frank and truthful that they will not enhance my popularity in the synod, if I have any left.« As a member of the board of directors of Augustana College, he also was a severe critic of the conservative clerical establishment. Stephenson conveyed the flavor of this conflict in a letter to Ander: »The board [...] is alive to the necessity of inaugurating a new regime, although it may take a little time before some of us bolsheviks on the board will be satisfied.« 27 February 1931.

23. George M. Stephenson to John D. Barnhart, 25 March 1931, GMS Papers. The reference is to Theodore Blegen, friend, colleague, and pioneer historian of the Norwegian immigration to the United States.

24. George M. Stephenson to Clifford Nelson, 14 September 1956, GMS Papers.

25. George M. Stephenson to G. Bernhard Anderson, GMS Papers.

26. George M. Stephenson to Clifford Nelson, 14 September 1956, GMS Papers.

27. George M. Stephenson to E. Hamlin, 10 June 1932, GMS Papers.

28. Ander, »Immigrationshistoriens utveckling i Amerika,« pp. 291–292. Ander continued: »Stephenson strove to be objective and to overcome his own prejudices. While he distanced himself from the Augustana Synod, it proved to be impossible for him to separate his personal impressions from historical reality. His deep religious interest sharpened his critique.«

29. Stephenson, *Religious Aspects*, p. v. But, he added, he had »clung as best he could to the historian's standard of dispassionate exposition.« In a letter, Stephenson wrote: »I do not flatter myself that I have always succeeded in attaining impartiality and objectivity. But I have at least made an honest effort.« The book, he noted, had not been well received by »certain individuals in the Augustana Synod, of which I am a member... Possibly there is still truth in the scriptural passage about a prophet without honor in his own country.« George M. Stephenson to E. Hamlin, 10 June 1932, GMS Papers.

30. Stephenson was subject to slanders that he was not a member of the Lutheran Church, that he did not send his children to Sunday School, and even that he was a heretic. Fritiof Ander to George M. Stephenson, 9 March 1931; George M. Stephenson to Fritiof Ander, 27 March 1931, GMS Papers. Conrad Bergendoff, a friend and himself an historian of the Augustana Synod, remembered Stephenson as »deeply pious.« Comment of Bergendoff following my presentation of this paper at Augustana College, April 1990. Also interview with George M. Stephenson II, 12 April 1991, and Dowie, »The Two Worlds,« pp. 11, 15. Dowie observed: »Because he eschewed religious orthodoxy to the point of finally disassociating himself from the church of his childhood, Stephenson was sometimes charged with holding irreligious, not to say agnostic, views.« But he confirms »the deep piety of Stephenson...«

31. George M. Stephenson to Guy Stanton Ford, 21 December 1956. Quoted in Dowie, »The Two Worlds,« p. 13.

32. George M. Stephenson to S. G. Reinertsen, 26 January 1939, GMS Papers. George M. Stephenson, *John Lind of Minnesota* (Minneapolis 1935), p. 119.

33. »Autobiographical Sketch,« p. 1.

34. Ander, »Immigrationshistoriens utveckling i Amerika,« p. 292; Stephenson made this observation about Lind, but it could equally have applied to him. *John Lind*, p. 122.

35. George M. Stephenson to G. Bernhard Anderson, 30 June 1945, GMS Papers; Ander comments: »They both had the same type of childhood environment, from which they later removed themselves for psychological reasons. They became heretics in religious and political respects, and believed they must suffer for this.« »Immigrationshistoriens utveckling i Amerika,« p. 292. Dowie also comments upon the parallels in the lives of Lind and Stephenson, »The Two Worlds,« pp. 13–14.

36. Dowie, »The Two Worlds,« p. 14. Dowie noted that »Honest John« and »Honest George« were both sympathetic to the temperance movement, and that

Stephenson »reserved some of his sharpest barbs for Swedish clergymen who sought their inspiration more frequently from the jug than from the Holy Spirit.«

37. George M. Stephenson to G. N. Swan, 11 April 1927, GMS Papers. To S. W. Geiser, Stephenson wrote: »Almost every number of the *Yearbook of the Swedish Historical Society of America* and the *Swedish-American Historical Bulletin* since 1921 has something from my pen.« 13 June 1930, GMS Papers.

38. *Swedish American Historical Bulletin* 2 (Februrary 1929).

39. George M. Stephenson to O. Fritiof Ander, 12 December 1934, GMS Papers.

40. George M. Stephenson to Margaret Anderson, 3 December 1941, GMS Papers. »It was killed,« he asserted, »by jealousy and incompetence and inertia.« Byron Nordstrom, however, in his study of the Swedish Historical Society of American concluded that Stephenson, himself, by his emphasis on objective scholarship contributed to its demise. Author's notes on a lecture by Nordstrom.

41. Stephenson to Anderson, 3 December 1941, GMS Papers. The reference to the »Turnblad crowd« alludes to the American Swedish Institute in Minneapolis which catered to upper class Swedish Americans. Swan J. Turnblad was a wealthy newspaper publisher who donated a magnificent mansion and his fortune to the Institute.

42. George M. Stephenson to Adolph Benson, 23 October 1944, GMS Papers.

43. Comment of Nils William Olsson following my presentation of this paper at Augustana College, April 1990.

44. George M. Stephenson to Paul Varg, 17 September 1950, GMS Papers.

45. Stephenson, »Rip Van Winkle,« p. 55.

46. Ibid., pp. 56–58.

47. Ibid., p. 60.

48. Ander, »Immigrationshistoriens utveckling i Amerika,« p. 292.

49. *Who Was Who in America: Vol. 3, 1951–1962*, p. 817. While the honorary degree from Uppsala and the decoration from the King of Sweden are mentioned in this entry, Stephenson's LL.D. from Augustana College is not.

50. Stephenson, »Rip Van Winkle,« p. 60.

51. George M. Stephenson, »The History of Immigration,« pp. 3, 6, GMS Papers. An abbreviated version was published in *Minnesota Chats* [a University of Minnesota publication for the fathers and mothers of its students] 21 (17 January 1939), p. 4. Stephenson also commented that »the history of immigration is as yet an illegitimate field, just as the musicians tell us that the saxophone is an illegitimate instrument.«

52. George M. Stephenson to O. Fritiof Ander, 26 January 1939, GMS Papers. Responding to S. G. Reinertsen's complaint (he was superintendent of the Moorhead Public Schools) that immigration was neglected in grade and high schools history courses, Stephenson replied: »It does seem strange that a movement of population that brought over thirty million Europeans to the United States has been almost totally ignored in textbooks...« George M. Stephenson to S. G. Reinertsen, 26 January 1939, GMS Papers.

53. George M. Stephenson to Carl Wittke, 1 November 1939, GMS Papers.

54. George M. Stephenson to Howard K. Beale, 17 November 1948, GMS Papers.

55. George M. Stephenson to Fritiof Ander, 10 February 1949, GMS Papers. Although Oscar Handlin's *The Uprooted* was not published until 1951, Stephenson expressed his opinion of the book in a letter to Margaret Anderson: »Wasn't the Pulitzer Prize for Handlin's *The Uprooted* God-awful? Ford asked me to review the book, but I refused on the ground that the author didn't know anything about the subject.« 31 May 1952, GMS Papers. Guy Stanton Ford was a professor of history, president of the University of Minnesota, and editor of the *American Historical Review* from 1941 to 1953.

56. Ander, »Immigrationshistoriens utveckling i Amerika,« p. 92.

57. George M. Stephenson, *The Puritan Heritage* (New York 1952), pp. 267–269.

58. James Iverne Dowie had the opportunity to observe this transformation: »By the 1940's students sitting in Stephenson's classes became cognizant of the collapse of the great dream. Their teacher, unacquainted with the current fad among scholars who talk glibly about the great alienation in American society, slipped neatly into the role of a Jeremiah.« Dowie, »The Two Worlds,« p. 22.

59. Reprinted in Rudolph J. Vecoli & Suzanne Sinke, eds., *A Century of European Migrations, 1830–1930* (Urbana and Chicago 1991), pp. 17–49. The essays in the volume attest to the pervasive influence of the Thistlethwaite thesis.

60. For a review of Swedish scholarship on international migration, see Harald Runblom, »United States History in Swedish Research and Teaching,« in Lewis Hanke, ed., *Guide to the Study of United States History Outside the U.S., 1945–1980*, 5 volumes (White Plains, N.Y., 1985), III, pp. 397–406. The report acknowledges the influence of Thistlethwaite's essay upon the Uppsala project. See also Salisbury, »Swedish-American Historiography,« pp. 122–134.

61. Rudolph J. Vecoli, »Introduction,« in Vecoli & Sinke, *Century of European Migrations*, pp. 1–14; idem, »From *The Uprooted* to *The Transplanted*: The Writing of American Immigration History, 1951–1989,« in Valeria G. Lerda, ed., *From »Melting Pot« to Multiculturalism: The Evolution of Ethnic Relations in the United States and Canada* (Rome 1991), pp. 25–53.

62. Frank Thistlethwaite, »Postscript,« in Vecoli & Sinke, *Century of European Migrations*, p. 51. Of his studies at Minnesota, he told the conferees: »I was attracted especially by the teaching of George Stephenson... This modest, friendly and important scholar, more than anyone else, set my compass for me.« In a letter to the author, 5 August 1994, Thistlethwaite recalled: »[Stephenson's] lectures were of the greatest interest and relevance to me in my novel Minnesota context. [He was] a kindly, mild mannered man with a moustache, at the time rather unusual.«

63. George M. Stephenson to Louis Adamic, 14 June 1939, GMS Papers.

How Christopher Columbus became
an Italian American

ORM ØVERLAND

STORIES OF DISCOVERY, early explorations, and early settlements are all elements of American foundation myths.[1] The long dominant version of American history has the country invented by English Puritan settlers and largely developed by their descendants. Nevertheless, from the very beginning of the new Republic, Christopher Columbus had a national founder status as the discoverer of the New World. There can be no question that in spite of the endeavors of Swedish Americans and Norwegian Americans to have Leif Erikson recognized as the »real discoverer« of America, it is the story of Columbus and his discovery of America that has had the greatest appeal to the imagination of most Americans.[2]

Although Irish as well as Hispanic Americans on different grounds have claimed Columbus as their hero, Italian Americans have been most successful in appropriating the Columbus story and have had the greatest popular impact with their myth of foundation: the Italian discovery of America. Claims that Columbus was Jewish or Greek have been made, but have convinced few.[3] Regardless of his genetic makeup or his place of birth, however, Columbus was certainly not Italian in our sense of the word in 1492. Italy, like so many other European nation states, was a creation of the late nineteenth and early twentieth centuries. In 1892, when Americans celebrated the 400th anniversary of his first voyage, Columbus was still mainly an American national symbol. One hundred years later, when the notion of discovery had become so ambiguous, to say the least, that there was little celebration compared to the 1892 outpourings of nationalism in cities like New York and Chicago, Columbus had become an Italian-American mythological hero. This ethnicization of Columbus has weakened his attraction as a national—which traditionally has meant Anglo-American—symbolic character. How then did Christopher Columbus become an Italian American?

When the federal capital was named District of Columbia this was neither to honor an Italian navigator nor the few Americans of Italian descent. Nor did Columbus, Ohio, have any ethnic connotations for those who gave the city its name in 1812. In the early years of the Republic, Christopher Columbus was a national American symbol, in particular favored by those of a Federalist persuasion. This national symbol was often named and figured as Columbia, a mother figure rather than a father. The undisputed father was George Washington. When David Humphreys addressed his patriotic *A Poem on Industry* to *Citizens of the United States of America* (1794), his favored name for his country was Columbia and its citizens were variously called Columbians and Sons of Columbia and its poets were »Columbian Bards.«[4]

In Joel Barlow's *Vision of Columbus* of 1787 as well as in the revised and expanded version of 1807, *The Columbiad*, the epic hero is indeed Christopher Columbus but the center of the long poem is his vision of the future greatness of the United States, indeed, of all mankind as shown to him by Hesper, the guardian angel of the New World. In his preface, Barlow distinguishes between

> the fictitious object of the action and the real object of the poem. The first of these is to sooth and satisfy the desponding mind of Columbus; to show him that his labors, tho ill rewarded by his cotemporaries [sic], had not been performed in vain; that he had opened the way to the most extensive career of civilization and public happiness; and that he would one day be recognised [sic] as the author of the greatest benefits to the human race.

When, in the concluding »Book the Tenth,« »The legates of all empires« meet »in general congress« »To hear and give the counsels of mankind,« this takes place neither in the United States nor in Europe but on the banks of the Nile, »the place / Where man first sought to socialize his race...« Barlow's vision takes him beyond a concern not only for what we call ethnicity, but for the nation itself. Even the later role assigned to Columbus as defender of the Christian or Roman Catholic faith is too limiting for the far grander role given him by Barlow. For Barlow, the glorious future can only begin after all that divides the race of man lies »trampled in the dust«:

> Each envoy here unloads his wearied hand
> Of some old idol from his native land;
> One flings a pagod on the mingled heap,
> One lays a crescent, *one a cross to sleep*;
> Swords, sceptres, mitres, crowns and globes and stars,
> Codes of false fame and stimulants to wars
> Sink in the settling mass; since guile began,
> These are the agents of the woes of man.[5]

In the early years of the United States, then, Columbus was not associated with Italy, his place of birth, nor with the Spanish empire, on whose mission he sailed, nor, indeed, with the Catholic faith, but rather with the spirit of the young republic and its democratic ideals.

As late as 1882, when Irish Americans founded the Catholic fraternal order of the Knights of Columbus in the later so Italian-American city of New Haven, the name seems to have had no Italian connotations.[6] Columbus was uniquely suited for their purposes. As Timothy Meagher put it in a 1985 article in *The New England Quarterly*, »Columbus seemed an apt choice to serve as the patron of the new American Catholic group, for as the first Catholic in America, he was the symbolic ancestor of all American Catholics, whatever their ethnic background.«[7] This view of the symbolic importance of Columbus was expressed in 1892 by the Boston Catholic journal, the *Sacred Heart Review*, the main sponsor of a Columbus monument in Santo Domingo on the site of the first Catholic church in the New World. »By this public act of commemoration we hope to direct public attention to this modest birthplace of our Mother Church, which stands to-day deserted and unhonored like a pauper's grave...« While the birthplace may have been modest, the *Sacred Heart Review* was not at all modest in explaining that their church was the true American church:

> One hundred and twenty-six years before the Congregationalist church landed on Plymouth Rock, 110 years before the Anglican church came to Jamestown, and thirty-five years before the word Protestant was invented, this church was erected, and the gospel announced to the New World by zealous missionaries of the Catholic faith. No other denomination of Christians in America can claim priority or even equal duration with us in point of time. No other can show through all the centuries of history such venerous self-sacrifice and heroic missionary efforts.

Columbus is the ideal Catholic hero because his religion »seems to pervade everything he touches.« But at the same time, Columbus was ideally suited as a Catholic symbol, because he was, after all, also a national symbol: »Protestants no less than Catholics share in the fruit of his work, and, we are glad to say, vie with Catholics in proclaiming and honoring his exalted character, his courage, fortitude, and the beneficent work he accomplished for mankind.«[8] His nationality was not mentioned by the *Sacred Heart Review*.

The first public, secular celebration of a centenary of the 1492 voyage seems to have been in New York in 1792 at the initiative of the recently organized Society of St. Tammany, also known as the Columbian Order.[9] Little attention was paid to this tercentennial, however, and the private erection of a Columbus monument that same year in Baltimore by a wealthy Frenchman, a former representative of France to the colonies, seems not to have been given much notice.[10] A hundred years later, however, an estimated two million New Yorkers turned out on the last of three days of celebration of the quadricentennial. One reason for this change in attention may be the growth of the Republic and along with it the growth of the self-confidence and national awareness of its citizens. Another may be, as suggested by a reporter for *Harper's Weekly*, the changed composition of the American people, or at least the population of New York City, which was no longer

> American in the sense in which the rest of the country is. It may have had local patriotic traditions once, but they were long since lost in the flood of foreign sentiment that has poured into the life of the city. The names of Washington, Lincoln, Grant, mean nothing to the great majority of foreign-born or foreign-parented New-Yorkers. The name of Columbus, remote and mythical as Columbus is, means to that majority liberation from conditions approaching, in the case of the Irish, German, Italian, Bohemian, Hungarian, and Russian population of New York, slavery... Columbus's discovery meant a place to make a living to these people—the majority of us. They had all heard his name before they came here.[11]

It may be that the story of how Europeans »discovered« America had a greater appeal to immigrants from Europe than the »local patriotic« story of how Washington became Father of the Nation, as this journalist believed. He demonstrated little understanding, however, when he saw the participation of immigrants in the 1892 celebration merely as an expression of »foreign sentiment.« Surely they were all celebrating being Americans together in a manner that a century later seems more »American« than the exclusive and ethnically narrow nationalism of the journalist. What may, however, strike a later observer as noteworthy about the 1892 New York celebration as described by *Harper's Weekly* is the degree to which it was controlled and dominated by an Anglo-American minority in spite of the many immigrants who turned out for the event.

There had been some signs of change even before the spectacular increase in immigration in the 1880s and Italian Americans in particular had begun to lay claim to Columbus as their special hero. As early as 1849 the Italian-American merchants of Boston had presented a statue of the Navigator to the city. In 1876 »the combined Italian societies of Philadelphia« gave a Columbus statue to the Centennial Exposition and in 1892 the »Italian citizens resident in Baltimore« gave a statue to that city. Most Columbus monuments prior to the quadricentennial, however, do not seem to have been the initiatives of Italian Americans.[12] The 1892 celebrations in New York and Chicago and the 1893 Columbian Exposition were primarily tributes to American national grandeur and were fully in the hands of a wealthy elite, inspired, it was implied by the journalist who covered the New York event for *Harper's Weekly*, by a national rather than a »foreign« sentiment. Ellen M. Litwicky says of the 1893 »Procession of the Centuries« in Chicago that it »interpreted American culture in narrow political and patriotic terms that essentially froze it at some date prior to the current waves of immigration.« There was no recognition of any particular Italian contribution to the discovery nor were there any Italian Americans among the forty-five members of the board of directors. Indeed, »the Chicago business class which financed, planned, and directed the Columbian celebration sought to propagate [a tradition] that positioned them firmly at the top of a cultural hierarchy that defined itself in terms of both the American Revolution and the progress of the Anglo-Saxon race in America.« There was, however, also a civic parade which »purposefully celebrated the ethnic and racial diversity of the city.« Here not only members of many immigrant groups paraded in costumes of the old homeland but also a group of »buffalo soldiers« from the black Ninth Battalion and 300 Native American school boys.[13]

Baltimore was not the only city where a growing Italian-American elite had made its presence felt in matters pertaining to the 1492 voyage of Christopher Columbus. Indeed, from the 1860s Italian Americans had been organizing some celebration of October 12, mostly in New York but also in other cities.[14] In Chicago, in the 1880s and 1890s, there were annual celebrations of Columbus on October 12th sponsored by Italian-American organizations. But judging from the extracts of the Italian-American press included in the *Chicago Foreign Language Press Survey*, Columbus was merely one of several Italian-American heroes to receive such attention and there was, understandably, as much attention given to the celebration of Garibaldi as there was to the discoverer of America. Moreover, Columbus Day celebrations were closed social functions for members of the immigrant society, as in 1887, when a dance »commemorating the discovery of America« was given at the Turner Hall.[15] In 1892 the Christopher Columbus Patriotic Club took the initiative for a Columbus Day parade but the following year the initiative was in the hands of the organizers of the Exposition and *L'Italia* noted that »Thursday October 12th is the day dedicated by the Columbian Exposition Committee of Chicago to the Italians of America so that they may celebrate officially the memory of Christopher Columbus.« Hoping that »this event will be a success,« the editor expressed his gratitude: »We must say that it was very kind of the committee to offer the Italian colony this day of remembrance to the glory of civilization.«[16]

While there seems to have been little Italian-American involvement in the organizing of the quadricentennial in New York beyond participation in the civic parade along with other groups, Italian-American leaders made a major and lasting, yet uninvited, contribution to the way in which New Yorkers experienced the event. The journalist for *Harper's Weekly* postured as a bemused observer of the waning influence of the Anglo-American elite, who »will find themselves a small and not very popular 'cult' in the course of a very few generations... In proof of this perhaps unpalatable prophecy,« he wrote, »may be instanced the fact that never before in the history of celebrations in this country has there been one before that grew out of the hands of its original contrivers as this one did.« He describes the immigrant contributions to the celebrations as the irritating interference of aliens in the work of the appointed officials of the city:

> In the case of the Columbian celebration, it will be remembered that a few foreign-born gentlemen met at a dinner party in the city just a year

ago, and agreed to send a professional costumer to Spain in order to arrange an allegorical pageant in commemoration of the discovery. Contemporaneously, the editor of an Italian newspaper opened a subscription-list for a monument. When the success of the subscription was assured the promoters of the plan asked the Park Commission for the best site in the city whereon to place their monument. The Commission demurred. The Grand Circle of Central Park was not only the finest site in the city, but of the New World, and ultimately would be of both worlds. They thought that in a few years the place would be wanted for a monument to the soldiers and sailors of New York who perished in the Rebellion. But [...] they found that in the city of New York less and less »stock« was »taken« yearly in the soldiers and sailors of the Rebellion... So the Park Commission gave the site to Columbus, and there he stands today...

The success of the Columbus Circle initiative marked the beginning of concerted efforts by Italian Americans all over the country not only to create memorials for Columbus but to have October 12 recognized as an official day of commemoration and celebration.

Most of the many Columbus monuments since 1892 have been the initiative of Italian Americans. Italian Americans had the support of the Knights of Columbus in their campaigns to have October 12 officially recognized as as a day of celebration. The first Presidential proclamation designating October 12 as a nation-wide Columbus Day was made by Herbert Hoover in 1932,[17] and, finally, in 1968 Columbus Day was set to the second Monday in October and made a federal holiday. Representative Peter Rodino, who was one of the sponsors of the bill, noted that »the observance of Columbus Day is an appropriate means of recognizing the United States as a 'nation of immigrants'...«[18] Such general recognition of Columbus Day, however, was the result of the efforts and vigilance of many decades.

Two of the obstacles that confronted Italian-Americans were in different ways both related to Columbus's status as a Catholic hero. On the one hand there was the prejudice of the dominant Protestants. Ironically, Scandinavian Americans have appealed to such prejudice in their campaigns for the recognition of Leif Erikson as the discoverer of America. Surely, the Christianity, such as it was, of this Icelandic navigator was as Roman Catholic as that of the one from Genoa. Yet, in 1893 the Swedish-American journalist John Enander claimed that the lack of recognition of Leif Erikson as the discoverer of America was due to »the strong influence of the Italians in the U.S. and to the Pope« who had made the inspired discovery of Columbus an article of faith.[19] On the other hand there were other Catholics, primarily Irish Americans, who wanted their piece of the action. In Worcester, Massachusetts, a city where Irish Americans were the largest ethnic group in the second half of the nineteenth century, the Irish-dominated Knights of Columbus organized Columbus Day parades for a three-year period, 1910–1913. For some time, in the late nineteenth century, the several Irish groups had been able to co-operate in the celebration of St. Patrick's Day, but by 1895 the joint preparatory conventions of the secular Ancient Order of Hibernians and the Catholic Very Reverend Father Mathew Benevolent Total Abstinence Society, the city's largest ethnic social organization, ceased to function and the tradition of annual parades came to an end in 1911. While the Irish Americans could not agree about their traditional ethnic celebration, the Columbus Day parades were quite successful and »dwarfed the earlier St. Patrick's Day processions.« When they nevertheless were abandoned by the Knights of Columbus after only three years this was primarily, according to Timothy J. Meagher, because ethnicity proved a stronger element in people's identity than religious faith. While some ethnic groups were sceptical about celebrating an Italian, the Italian Americans »seemed nettled that the Knights had upstaged their own celebrations of the famed Italian sailor and complained about the Knights' attempt to depict Columbus as an exclusively Catholic figure rather than as a hero for all Americans.«[20]

In a city such as Chicago with a larger Italian population, Columbus Day had by this time become recognized as an exclusively Italian-American event. Even though his usefulness as an ethnic hero depended on his status as a national one, there were no initiatives to have the celebrations taken over by municipal institutions or civic non-ethnic (i.e. Anglo-American) groups. Columbus was mainly the concern of Italian Americans and he was jealously guarded.[21] The honor of Columbus was the honor of all Italian Americans. In October 1930 the journal *Vita Nuova*, under the heading »The Whole World Glorified Columbus,« reported that a »perfidy« committed to »satisfy the fanaticism and jealousy« of »the Swedish people« had been »canceled with a noble and historic telegram« by Herbert Hoover, President of the United States. The occasion for this outburst was a bust erected by this cosmopolitan metropolis [New York] to the famous »Leif Erickson« pretended explorer of these lands... [It] was a perfidious act; and perfidious were all those who groping in the dark, search for other discoverers of this great nation or else dispute the Italian origin of the bold Italian navigator. Books of historical facts, manuscripts, public and private acts, photographs, authentic documents, accumulated with diligent care and research by our government and by valiant writers prove without a doubt that Columbus belongs to the glory of Italy.

Hoover was neither the first nor the last public official who saw the need for a balancing act in such cases, being supportive of the aspirations of the leadership of one ethnic group while taking care not to appear to be dishonoring those of any other. The President's telegram to Chevalier Confessa, President of the Sezione Columbiana of New York, in fact makes no ethnic references but expresses admiration for Columbus as an example to all:

> The story of the discovery of America by Christopher Columbus will never lose the fascination that it has for us, not because it relates to us events which made possible the actual existence of this nation but because the example of his enterprising life, the energy, patience, resourcefulness and courage has been very influential in keeping present those qualities before the eyes of our children as traditions that should be followed.[22]

It may be that such experiences with Italian-American proprietory attitudes to Columbus made Hoover change his view of Columbus as a national symbol. When he issued his proclamation about Columbus Day in 1932, it was expressly designated as a day for »his compatriots,« that is for Americans of Italian descent rather than for all Americans. From being an American national symbol at the turn of the eighteenth century Columbus had become an Italian American by the early decades of the twentieth. Because of him all other Italian Americans were at home in America. »Italians Feel at Home Here,« announced Dr. Camillo Violini, a member of the White Hand Society, in a polemic with the *Chicago Tribune* in 1908. While other peoples, too, »may have derived benefits from his work, long before the Italians did... [this] does not conceal the truth, that we ought to feel at home here, at least as much as all the rest of the people who sailed from Europe a few generations ahead of us.« That Columbus served to make America a legitimate home for Italians was also made clear a few years later by John De

Grazia, when he spoke of »our claim by right of discovery and of the name given to this country« as well as of »our contribution to its development« and concluded that »we Italians are not guests but masters of the house.«[23] The story of the Italian discovery of America had become one of the many American homemaking myths, that is a story to demonstrate the special right of a particular immigrant group to a home in America.[24]

The appropriation of the Columbus story as an Italian-American story rather than one of Anglo-American nationalism as in Joel Barlow's *Columbiad* was not without its price. For as Columbus became an ethnic hero his importance for others diminished. When Frances Kellor discussed the »apparent unwillingness or inability of the Americans to connect in their own minds the immigrant with his heritage,« in her 1920 book on *Immigration and the Future*, she observed that »it scarcely occurs to us that there is reason for a joint celebration on Columbus Day by native Americans [i.e. Anglo Americans!] and foreign born Italians... By such lack of appreciation we have failed to convey to the members of almost every race [i.e. ethnic group] whatever concept we may have had of their racial accomplishments.«[25] Indeed, it would seem that the dominant narrow view of American history as limited to the Anglo-American tradition could not accommodate or even recognize the American traditions of other segments of society. Consequently, the Italian-American promotion of Columbus required constant vigilance as he ceased to have symbolic power for the still dominant Anglo-American elite. In 1912, J. Alberteli, a Chicago businessman, discovered that none of the three monuments created in 1892–93 remained. The one on the exposition grounds had been destroyed, the one on the lake front had been stored away in the attic of a public school to make room for a statue of McKinley, and the one in the front of the city hall had been moved to a less prominent location. All of this was, he declared, »an insult to our colony. The Americans have taken away from the public eye the thing which gives the Italians most honor.«[26]

As an Italian American, an ethnic hero, Christopher Columbus could no longer function as the national symbolic character who gave name to the nation's capital city. Ironically, however, as time came around for the quincentennial celebrations in 1992, the notion of »discovery« itself had become controversial. The symbolic importance of Columbus has been devalued not only because he has been appropriated by an ethnic group but because the once glorious outcome of his voyages has lost some of its unambiguous lustre.

Notes

1. Much of the material for this article is from my forthcoming book, *Immigrant Minds, American Identities: Making the United States Home, 1870–1930* (Champaign, Ill.: University of Illinois Press, 2000).
2. Franco D'Amico spoke for more than his fellow Italian-Americans when he wrote: »To our brothers in 'The Melting Pot[,]' the Norwegians,« in the *Bulletin of the Order Sons of Italy of Illinois* (Vol. 8, No. 11) in 1936, concluding his account of reactions to the proclamation of October 9 of that year as »Leif Erickson Day« in Chicago and Illinois: »'Conceding hypothetically that Leif Erickson at the end of the tenth century, his nutshell buffeted by a tempest, scrambled for life upon the coast of America, what did the world gain by his accidental discovery if there was any?' None whatsoever! It took Christopher Columbus to triumphantly reveal the existence of a new continent to the people of the earth and the existence of a [sic] said continent has been known only since 1492, and never before.« This and later quotations from journals in Italian are from *The Chicago Foreign Language Press Survey*.
3. It has, for instance, been argued that his parents were Spanish converted Jews or Marranos. In Jewish-American popular histories, however, more has been made of Jewish financial support for his expedition and the Jewish members of his crew in 1492. See e.g. Anita Libman Lebeson, *Jewish Pioneers in America, 1492–1848* (New York 1931), p. 13. Seraphim G. Canoutas, *Christopher Columbus: A Greek Nobleman. A Disquisition Concerning the Origin and Early Life of the Great Discoverer and a Refutation of the Charges against Him Which Have Appeared in Certain Recent Publications* (New York 1943).
4. David Humphreys, *A Poem on Industry: Addressed to the Citizens of the United States of America* (Philadelphia 1794), pp. 8, 12, 16, 22.
5. Joel Barlow, *The Columbiad: A Poem. With the Last Corrections of the Author* (Washington 1825), pp. xi–xii, 358–361. Quoted from the facsimile edition, William K. Bottorff & Arthur L. Ford, eds., *The Works of Joel Barlow*, volume 2 (Gainesville, Fla., 1970). Italics added.
6. Alvin J. Schmidt, *The Greenwood Encyclopedia of American Institutions: Fraternal Organizations* (Westport, Conn., and London 1980), p. 176.
7. Timothy J. Meagher, »'Why Should We Care for a Little Trouble or a Walk

through the Mud': St. Patrick's and Columbus Day Parades in Worcester, Massachusetts, 1845–1915,« *The New England Quarterly* 58 (March 1985), p. 23.

8. Quoted in John Marcus Dicky, comp., *Christopher Columbus and His Monument Columbia: Being a Concordance of Choice Tributes to the Great Genoese, His Grand Discovery, and His Greatness of Mind and Purpose* (Chicago and New York 1892), pp. 178, 180–182.

9. Ellen M. Litwicky, »'The Inauguration of the People's Age': The Columbian Quadricentennial and American Culture,« *The Maryland Historian* 20:1 (1989), p. 50. Tammany was organized in 1789 and incorporated in 1805 as the Society of Tammany, when it also became identified with the Democratic Party.

10. Dicky, *Christopher Columbus and His Monument Columbia*, p. 73.

11. »The Columbian Celebration,« *Harper's Weekly* 36 (22 October 1892), p. 1014. The journalist was of course mistaken in believing that New York was such a special case. Had he looked more closely he would have found a majority of first and second-generation immigrants in many American counties and cities.

12. Dicky, *Christopher Columbus and His Monument Columbia*, pp. 92–93, 281. The monument in Boston may still be seen in the enclosed private park in Louisburg Square where it was originally placed. Other Columbus monuments are described on pp. 247–250, 250, 272–275, 277, 279, 280, 281, 311.

13. Litwicky, »The Inauguration of the People's Age,« pp. 52–54.

14. Anthony James Delpopolo Sr., »The Making of a Holiday,« *Ambassador* (Spring 1992), pp. 14–15.

15. *L'Italia* 15 October 1887. It is noted that »This is an old festival which the Italian colony celebrates once a year in honor of Christopher Columbus and the discovery of America.«

16. *L'Italia* 2 April and 24 September 1892, and 7 October 1893.

17. *Bulletin Order Sons of Italy in America. Grand Lodge of Illinois* (October 1932), p. 2.

18. Delpopolo, »The Making of a Holiday,« pp. 16–17.

19. Dag Blanck, *Becoming Swedish-American: The Construction of an Ethnic Identity in the Augustana Synod, 1860–1917* (Uppsala 1997), p. 192.

20. Meagher, »Why Should We Care for a Little Trouble,« p. 24.

21. The Italian section of *The Chicago Foreign Language Press Survey* gives ample illustration of the efforts of Italian-American leaders to have Columbus recognized as their particular American hero. See in particular under thematic groupings IC and IIC.

22. *The Chicago Foreign Language Press Survey.*

23. *L'Italia* 10 October 1908; *Bulletin Italo-American National Union* (March 1935), p. 1440. Amerigo Vespucci is not given much prominence in Italian-American stories of foundation, probably because of the major role played by Columbus.

24. See my article, »Old and New Homelands—Old and New Mythologies: The Creation of Ethnic Memory in the United States,« in a volume edited by Harald Runblom in the series Studia Multiethnica Upsaliensia (forthcoming).

25. Frances Kellor, *Immigration and the Future* (New York 1920), pp. 259–260.

26. *L'Italia* 17 November 1912.

The New Deal and the People's Home

American and Swedish perspectives from the 1930s

H. ARNOLD BARTON

MUCH HAS BEEN WRITTEN about attitudes in Sweden regarding the United States. By far the greater part of this literature deals with the views of Swedish liberals and conservatives.[1] Remarkably little has been meanwhile written about those of the socialist and labor movements in Sweden.[2]

During the earlier nineteenth century, the American republic stood as a beacon of hope to liberals and a warning example of the dangers of democracy to conservatives in Sweden, as elsewhere in Europe. Radical reformers like Lars Johan Hierta, editor of *Aftonbladet* in Stockholm from 1830 to 1851, or August Strindberg's comrade in arms Isador Kjellberg, onetime newspaperman in America and founding editor in 1872 of *Östgöten* in Linköping, used America as their shining example of what Sweden ought to be.[3] The early pre-Marxian socialists followed suit. Already in 1850, their short-lived organ, *Reform* in Stockholm, wrote: »*Labor's* right to the *full* value [of its product] is the concept that will break the old bonds and lead to a new *economic* and a new *legal* doctrine. Perhaps we should learn from America the meaning of *economic* freedom, just as we formerly were able to learn there what *political* freedom means.«[4]

The Marxian socialist press that came into existence with the fledgling Social Democratic party during the later 1880s showed a more reserved attitude toward an America by then undergoing rapid industrialization. Best represented by *Social-Demokraten* in Stockholm from 1885 on, it provided a generally sober and realistic picture of labor conditions under rampant American capitalism. Socialists and labor leaders recognized that while conditions in the United States could be oppressive, in Sweden they often appeared to be worse still. America, moreover, remained a welcome refuge for Swedish socialists and strike leaders—harassed by the police or blackballed by employers—who there could continue the international proletarian struggle. Many of the Swedish-American activists in the Scandinavian sections of the American Socialist and Socialist Labor Parties and in trade unions indeed arrived with experience from »The Movement« at home. Meanwhile, the potential mass migration of the work force to the further shore remained a sword of Damocles over the heads of Sweden's upper classes. The Social Democrats therefore resolutely opposed any proposals in the Riksdag to restrict emigration.[5]

In 1900, Master Tailor August Palm, organizer of the Swedish Social Democratic movement in 1881 and first editor of *Social-Demokraten* in 1885, visited the United States, at the invitation of the Scandinavian Section of the Socialist Labor Party, where he lectured to Scandinavian socialist gatherings in the East and Middle West. His account of this visit well reveals the lingering ambivalence of his Swedish comrades with regard to America. On doctrinaire Marxian grounds, Palm condemned the excesses of American capitalism, together with the hypocritical, self-seeking preachers and mercenary journalists who served as its henchmen. Yet he saw as America's saving grace the legal equality of all citizens and universal manhood suffrage, which, in his view, meant that once the public became sufficiently enlightened as to its true interests, it could simply vote the old system out of existence overnight. While conditions were hard and insecure for America's mainly immigrant unskilled labor force, he recognized that for skilled labor they were far better than at home. Upon leaving the United States, Palm frankly admitted that if he were only 32, rather than 52 years old, »I would surely have gone over and sought my livelihood there, for it is a land with resources, a great land, where there are possibilities and where no one with energy and perseverance need go under.«[6]

In the past, it had been the conservatives in Sweden who had been most critical of America. But at this very time their attitudes, too, were undergoing a fundamental shift. This change is well illustrated by the Mission Friend theologian and Riksdag member, Peter Paul Waldenström. On a first visit to the United States in 1889, Waldenström was strongly critical of many aspects of American life and culture. Returning for a second visit in 1901, he was distinctly more enthusiastic, above all of the Americans' economic effectiveness. »The heart of the Amer-

ican method of working,« he wrote, »is above all to work, work, work!«
This approach stood in glaring contrast to the »Social Democratic Reign
of Terror« of the Swedish labor unions, which stifled all individual ambi-
tion and initiative, and drove into emigration those workers who refused
to accept such degrading constraints—the very workers whom Sweden
needed the most. Despite various reservations on cultural grounds, this
has remained the basic view of Swedish conservatives down to the present
day. Since this reversal of roles around the turn of the century, Ameri-
ca's staunchest admirers in Sweden have characteristically been found
on the political Right, its most outspoken critics on the Left.[7]

During the early years of the twentieth century, the growing Social
Democratic and Labor movements in Sweden became ever more criti-
cal of capitalist America. This attitude was reinforced by sober accounts
of America's mounting social and economic problems by visiting Swed-
ish observers like G. H. von Koch and E. H. Thörnberg, together with
the outspoken social criticism of such American writers as Frank Nor-
ris, Upton Sinclair, Edward Bellamy, and the immensely popular Jack
London, which were soon translated into Swedish. Such criticism gained
force when virtual universal manhood suffrage went into effect in 1909,
after which the Social Democrats emerged as Sweden's largest political
party.[8]

The attitudes of the Swedish radicals at this time are well summar-
ized in two now all but forgotten works by Henry von Kræmer, a fictio-
nal and a non-fictional account of working life in America. Despite his
aristocratic lineage, von Kræmer was the stepson of Hjalmar Branting,
leader of the Social Democratic party. For a time around 1913 he worked
as a common laborer in various parts of the United States. He painted
a bleak and stereotypical picture of America as Capitalism's Promised
Land and the Proletarian Hell. While for effect the novel presented a
more lurid picture, there nonetheless remains in both books a certain
ambiguity, for von Kræmer could not deny that qualified workers fared
better and enjoyed a social status in America that lay beyond their reach
in Sweden.[9]

Von Kræmer's criticism, as an educated man, was meanwhile direct-
ed largely at what he considered the culturally deadening effects of
American capitalism. The life of the Swedish immigrants there was
»more superficial, mediocre, and trivial than back home,« he wrote,

»for America is still a pioneer land, a feverish, rampaging gold-digger's land, where the ideal is called dollars.«[10]

This cultural criticism from a socialist perspective recurs in the travel account by the well-known socialist ideologue Ture Nerman, who visited America in 1915, a part of which appeared in *Folkets Dagblad* in 1929, before it came out in its entirety in 1935. While attacking the evils of American capitalism from a Marxist perspective, Nerman too was strongly critical of the superficiality and banality of American working-class culture, in contrast to the idealistic striving for popular enlightenment and self-improvement that characterized the Swedish socialist and labor movements.[11]

In America, the years leading up to its entry into World War I in 1917 were filled with serious labor disputes, embittered by the appearance in 1905 of the Industrial Workers of the World (I.W.W.), a union consisting largely of unskilled immigrant laborers and inspired by anarchist and syndicalist ideas. One of its leading figures was the organizer and song-writer Joe Hill—originally Joel Hägglund from Gävle—who in 1915 was arrested, tried, and executed in Utah on apparently trumped-up charges of homicide. To his devoted following this amounted to nothing less than judicial murder and it caused widespread outrage both in the United States and abroad, including Hill's native Sweden.[12] The war brought about a powerful nativist reaction in the United States and a campaign for »100% Americanism.« Swedish and other Scandinavian Americans, having shown a good deal of sympathy toward Germany before America's entry, were not the least to suffer.[13]

The year 1917 also brought the Russian Revolution and the triumph of Bolshevism, inspiring the more extreme orthodox socialists on both sides of the Atlantic, many of whom formed new Communist parties. This added a new element to the nativist reaction in America, the emotional »Red Scare,« aimed mainly at immigrant workers, which continued into the early 1920s.

Lars-Göran Tedebrand has identified 1917 as the crucial point at which Swedish socialist opinion turned definitively against America.[14] That year the Social Democrats first became part of a ruling coalition in the Riksdag; by 1920, they would form their first short-lived government under Hjalmar Branting—a sign of things to come. The 1920s were a period of numerous social and economic reforms in Sweden, improving conditions of life for the working classes. They now tended to see their future at home, rather than in America, where immigration was progressively limited by the Quota Laws of 1921, 1924, and 1927.

Meanwhile, the American attorney general Mitchell Palmer's determined prosecution, imprisonment, and deportation of foreign-born radicals, together with outbreaks of popular violence against suspected subversives, caused widespread indignation in Sweden during the early 1920s. The excesses of the Red Scare in America were sensationalized, both in the socialist press and in accounts by returned activists. Of the latter, John Andersson's *Skräckväldet i Amerika* (The Reign of Terror in America), subtitled *Wallstreets blodiga välde* (Wall Street's Bloody Regime) offers a particularly colorful example. The opening paragraph sets the tone:

> Large numbers of members of that organization [the I.W.W.] have been murdered by the bandits of capitalism and the state, thousands have been incarcerated behind gray prison walls, where many still languish, great masses have been beaten bloody, driven by force out into the wilds, where they have been tarred and feathered and mishandled, many have been deported, while crowds of these rebels have been hounded along the roads like wild, unprotected beasts, unemployed, hungry, and without a roof over their heads. And still they have not given up. Why this ferocious persecution? [...] because they have above all organized themselves for the social revolution, for the producers' seizure of production. It is such an organization that the regime of employers most fears.[15]

A Swedish-American fictional account published in Chicago during the 1920s, the all but unknown *En immigrantflickas öden* (An Immigrant Girl's Fate) by Sophia I. Wakkure, a Swedish-speaking immigrant from Finland, paints a similarly lurid picture, chronicling its worker heroine's conversion, in the hard school of American industrial life, from gradualist socialism to revolutionary communism.[16]

The arrest in 1920 of the Italian-born anarchists Nicola Sacco and Bartolomeo Vanzetti on charges of murder in Massachusetts, their trial the following year, and execution, after repeated appeals, in 1927, raised anti-Americanism to a fever pitch in the international socialist camp and made them—like Joe Hill in 1915—martyrs to The Cause. In 1925, the leading Social Democratic publicist and politician Arthur Engberg for instance wrote in *Social-Demokraten*: »American capitalism is, in our eyes, one of the most ruthless that exists anywhere in the world [...] and the situation of the American proletarian is nothing less than frightful.«[17]

The tide nevertheless began to turn with Joseph Stalin's ruthless »New Socialist Offensive« in the Soviet Union, beginning in 1928, the onset of the Great Depression at the end of 1929, and Adolf Hitler's rise to power in Germany in 1933. In Sweden, meanwhile, the election of 1932 ushered in a new Social Democratic regime, which in effect would hold power until 1976. Led by Per Albin Hansson, it promptly initiated an ambitious program of social reforms to bring about its ideal of the Swedish *Folkhem*, or »People's Home.« The American election that fall put Franklin D. Roosevelt in the White House in early 1933, where he launched his »New Deal,« encompassing a wide range of reforms in the face of the economic crisis. The way was thus cleared for greater understanding and appreciation on both sides.

Up to 1930, Sweden meant little more to most Americans than the old homeland of strong-backed lumberjacks named »Olle« or »Sven,« or of bustling housemaids called »Frida« or »Ingeborg.« Although there were certain exceptions, little notice had been taken of Swedish domestic policy. But the situation now changed rapidly as attention was increasingly drawn to Sweden's rising standard of living and the effective manner in which its government coped with the Depression.[18]

A virtual publicity campaign for Sweden may be said to have begun with an enthusiastic article by R. H. Markham entitled »Halfway to Utopia: In Sweden« in the *Christian Science Monitor* in February 1932. Meanwhile, in 1930, fourteen American journalists had been invited by the Swedish America Line to attend Stockholm's Industrial Exhibition, which highlighted Swedish applied arts, resulting in over a hundred articles in American publications.[19]

Among the visitors was Marquis W. Childs of the *St. Louis Post-Dispatch*, who, following another visit, came out in November 1933 with an influential article, »Sweden: Where Capitalism is Controlled,« in *Harper's Magazine*. Scandinavia, and in particular Sweden, he wrote, had attained the

> highest good that Western civilization had up to the present achieved... And by good, one would mean the greatest good for the greatest number of people: a civilization in which all the arts and sciences of the West are employed to enable man to live in comfort and peace surrounded by a considerable degree of beauty and order and cleanliness.

This quiet »process of socialization« was eminently pragmatic and level-headed, rather than any effort to create a »utopian state built in conformity with the blueprints of some arbitrary theory.« And it had worked.

> The Scandinavian countries in their present development stand midway between the uncontrolled capitalism of America before the crash and the arbitrary Marxian communism of Russia... They have arrived at this middle course by modifying and altering the economic forms of capitalism... They have achieved that control of capitalism which is sought in the United States by the laws passed at the insistence of President Roosevelt during the last session of Congress. In Scandinavia this control has been attained during a period of thirty years or more...

Childs concluded: »It is possible that, if world capitalism now gains a breathing space, there may be completed in Sweden the gradual and orderly transition from one type of economic life to another. The very fact that such a transition may be possible is enormously heartening.« Sweden thus provided useful lessons for the wider world.[20]

Marquis Childs' and Sweden's great breakthrough in American opinion came three years later, in 1936, with the publication of his *Sweden: The Middle Way* by the Yale University Press, which in effect restated and enlarged upon the themes set forth in his 1933 article. Sweden offered a pragmatic and democratic »middle way« between »the absolute socialization of Russia and the end development of capitalism in America,« the last best hope for imperiled democracy. The goal of the Swedish system appeared to be »to check the very tendencies by which capitalism tends to destroy itself« by finding a compromise between extremes, »between those who would exploit every human need and desire for the sake of profit and those who would compel human beings to fit into an arbitrary pattern.« Sweden, he held, was virtually the only country where capitalism had actually succeeded in recent decades. He recognized that the achievement of national consensus was surely easier in Sweden, a small country with an essentially homogenous population, than it might be elsewhere. Yet the fact remained that it had found a »moderate solution« to its problems. »In a world torn by every sort of extreme,« he concluded, »this is not, even though the scale be small, unimportant.«[21]

Sweden: The Middle Way at once became a best-seller. By the end of 1936 it had gone through nine printings and a sale of 25,000 copies, followed by further reprints and by second and third editions in 1938 and 1947.[22] Sweden was thereafter visited by numerous American journalists and scholars, resulting in a flurry of articles, including some by Childs himself.

Although Marquis Childs had been careful, in 1933 and thereafter, to avoid depicting Sweden as a »utopia,« both his admirers and his critics were quick to draw that conclusion and its relevance to America during the Depression seemed obvious. Already in September 1934 the *Literary Digest* carried an article, »Sweden as a Rooseveltian Model« by Henry Albert Phillips, which held that »Sweden today offers perhaps the best example of [...] those ideas which the Roosevelt Administration is striving to attain.«[23]

That same year saw the publication of Agnes Rothery's *Sweden: The Land and the People*, the first book to come out in the United States on modern Sweden, which praised in glowing terms its admirable combination of tradition and forward-looking innovation. It was also in 1934 that Franklin Roosevelt was proud to claim that he was the only American president to have had »Swedish blood in his veins.« *Life* in July 1938 devoted an eight-page spread to Sweden, which it maintained now enjoyed »the world's highest standard of living.« It was, the magazine wrote, »a land of private initiative, a society midway between rampant capitalism and iron socialism.« Kathleen Norris, visiting Sweden that year, wrote for the Hearst newspapers: »If order is Heaven's first law and cleanliness is next to godliness, then Sweden is half-way to Paradise already... Sweden is so reasonable. One feels reason in the very air.«[24]

Swedish visitors, too, did not fail to notice the impact of Childs' book. The Swedish Adventist leader, Lewi Pethrus, who visited the United States in 1936, wrote:

> There is a saying that one has to travel abroad to learn how things are at home. I therefore bought, the first day I was in New York, a book about Sweden, Childs' *Sweden: The Middle Way*. This book has been much talked about and has sold in large editions. The Democratic Party, which has now been in power for some years, considers Sweden a model country as regards a sound democracy. A journalist told me yesterday that in general Sweden is regarded here in America as a model country. Articles on Sweden are constantly coming out in the daily newspapers and the large illustrated magazines. One thing is certain—the Americans' apprecia-

tion of Sweden and the Swedes is very great... [At] present there is no country that is more highly regarded in great America than little Sweden.

Pethrus likewise described how the *Chicago Daily Times* ran a series of articles before the presidential election of 1936, »to show that the policy Roosevelt is pursuing has stood the test in Sweden.«[25]

The Swedish vogue in America during the 1930s is not unfamiliar to historians and social scientists. What remains far less known are Swedish attitudes during the same period toward the America of Franklin Roosevelt and the New Deal. It was during these years that the Swedish Left began to rediscover the United States.

What is perhaps most remarkable in this regard is that in 1934, a prominent Swedish Social Democratic intellectual, Anna Lenah Elgström, brought out a book, *U.S.A. i örnens tecken* (U.S.A. under the Sign of the Eagle) which praised the American New Deal in words strikingly similar to those in which Marquis had extolled the Swedish People's Home in his 1933 article and would do again in his book in 1936.

Elgström was a well-established novelist and journalist who had already visited the United States in 1923 together with her husband, the drama critic Gustaf Collijn, resulting in their book, *U.S.A.: Liv och teater* (U.S.A.: Life and Theater). While she had then found much to criticize in capitalist, industrial American, she was fascinated by the newer American Literature—which she helped to introduce in Sweden—and captivated by the bold, youthful, and optimistic spirit she encountered. She concluded her account:

> Dear Countrymen! No one comes back to Sweden after being away for some time without being struck by how self-contentedly, indeed, how narrow-mindedly we go about in our corner of the world, and how much that corner needs to be filled with fresher winds, winds from the open spaces of the world—including those that come from the land across the ocean where our kinsmen are helping to build the future.[26]

In 1933, Elgström returned on a Zorn Fellowship from the Sweden-America Foundation to study America under the »sign of the eagle«—that is, the symbol of Roosevelt's Works Project Administration (W.P.A.), the center-piece of his reform program. Elgström painted a dark yet objective picture of widespread deprivation and misery during the depths of the Depression in different parts of the country: in the mining towns and industrial cities, on the farms, in the »Hoovervilles,« among the floating hobo population, the women, and the young people. All of this she saw as the end result of unbridled individualism in its most anti-social forms, leading to the concentration of the nation's wealth in too few hands.

Yet her overall tone was one of cautious optimism. She had faith in the strength of American idealism, undogmatic pragmatism, and lack of traditional class hatreds. She deeply admired Franklin Roosevelt and the social idealists surrounding him, regarding his election as »just as much a revolution as the seizure of power in Russia, Germany, and Italy.«[27]

Elgström saw in Roosevelt the true political heir of Thomas Jefferson, author of America's fundamental political philosophy, which she described as follows:

> The government was not an end in itself; if it become too strong it could even become the enemy of what according to Jefferson were two basic individual rights: the right to free self-realization [*personlighetsutveckling*] and the right to property. The purpose of the state was to protect the individual, if need be against one of these interests if it threatened the other—as the right of property could be imagined to do against the right of personal self-realization.[28]

That day had come and Franklin Roosevelt's government was now intervening to restore the balance. In his N.R.A. program Elgström saw not only measures to deal with the immediate economic crisis but, beyond that, »a far-reaching plan for the future.« In words strongly reminiscent of Marquis Childs', she hoped that the government would find a »middle way between unrelieved want and overabundance such as had suffocated this land of gold [...] a plan whereby the old profit system, which has shown its inability to adapt to the new conditions created by technological progress and mass production, may be replaced by a new economic system, no longer based on individual profit but upon the right of [every] member of society to a minimum of security and a decent way of life.«[29]

> If this does not succeed [she wrote]—if Roosevelt is unable to carry out the peaceful revolution in economic life within the framework of a democratic constitution, which is his objective—the nation will soon come

to face the choice between a Fascist capitalistic dictatorship or a chaotic social revolution.

She recognized, however, that Roosevelt clearly was no Kerensky and that the American people wanted neither Communism, Fascism, nor dictatorship. »There beyond the horizon,« Elgström wrote, »lay Europe like a dark and bloody cloud, heavy with foreboding and burdened with sorrow.« She was all the more confident in America's future. Nowhere did the ideals of democracy face a more decisive test than in the United States, yet the prospects for a »peaceful social and economic revolution« were greater in America than elsewhere since it did not have to overcome »the Old World's many bitter memories of class injustice.« She admitted meanwhile that on her earlier visit she had tended to look down on the American labor movement as »petty bourgeois« and lacking in ideology, but that she now saw its strength in its very pragmatism and lack of class antagonisms.[30]

The outcome of the American experiment would be decisive for the world as a whole, Elgström was now convinced. She hoped that »we, the democrats of the Old World and the new Sweden« would find inspiration in what was taking place in the United States. Upon departing she wrote: »One feels oneself to be in the hiatus between two epochs, during which the entire people waits breathlessly, dreams, and hopes.«[31] While she—no doubt intentionally—refrained from drawing any explicit parallels between Per Albin Hansson's People's Home in Sweden and Roosevelt's New Deal in the United States, her readers could hardly fail to do so.

Other Swedish Social Democrats, too, reflect the rapprochement with the America of Roosevelt's New Deal during the 1930s. A good example would be the novelist Albert Viksten, known for his depictions of life among the loggers and in the sawmill communities of northern Sweden, who visited America in 1937. There he was moved to find the »champions of the labor movement and cooperative movement who were driven out of Sweden because they helped to make Sweden what it now is.« Some of them he had known back home before the General Strike of 1909. Like Anna Lenah Elgström, Viksten believed that »America is leaving the era of unlimited expansion and is on its way to consolidating a democratic society.« He had »traveled out [to the United States] a skeptic,« he wrote, »and returned filled with enthusiasm.«

Herbert Tingsten and Gunnar and Alva Myrdal, who were frequent visitors to the United States, possessed deep insight into America's problems, yet at the same time confidence in its ultimate ability to overcome them.[32]

In the meantime, numerous American scholars and government officials crossed the ocean to study the »Swedish Model,« producing books, articles, and reports. Already in 1936, President Roosevelt sent a commission to Sweden to study its cooperative movement. Several members of Congress introduced into the *Congressional Record* speeches praising Sweden's accomplishments and urging their relevance for the United States. Interestingly, only Congressman Harold Knutson—whose name was unmistakably Scandinavian—went on record for speaking out against the Swedish model.[33] Sweden gained further publicity during the 1930s thanks to such cultural celebrities as Greta Garbo, Jussi Björling, and Carl Milles, the impressive festivities connected with the 300th anniversary of the founding of the New Sweden colony on the Delaware in 1938, and to Sweden's much-noted participation in the New York and San Francisco World's Fairs in 1939.[34]

The outbreak of World War II in September 1939 ended all too quickly the Swedish-American honeymoon of the 1930s. American sympathies were drawn first to gallant Finland during the Winter War of 1939–40, then to Norway and Denmark, following their sudden occupation by Nazi Germany in April 1940. Sweden succeeded in remaining neutral, although at the cost of humiliating concessions to Germany that were little understood or appreciated across the Atlantic, particularly after the United States entered the war on the Allied side in December 1941. Only gradually did American attitudes warm somewhat as Sweden progressively withdrew its concessions and thanks to its impressive efforts to aid the victims of war and persecution in Europe and beyond.[35]

In Sweden, meanwhile, the Social Democratic intelligentsia, determinedly opposed to Nazism, put their greatest hopes in the United States as, for all its faults, the bastion of democracy. Such hopes were reflected, for instance, by commentators and novelists like Alva and Gunnar Myrdal, Herbert Tingsten, Victor Vinde, and Thorsten Jonsson.[36] Their viewpoint was well expressed by Jonsson, who wrote in 1946:

> You can get mad as hell over the faults in [America's] democracy and deeply love the individual honesty of its self-criticism. But regarding the everyday American feeling for freedom one can [...] only think one thing: that it is one of the great resources in this world, one of the indispensable ones. Without it, it would be hard to see anything but darkness ahead.[37]

During the years following the war, the United States and Sweden tended politically to go in different directions. With Franklin Roosevelt's death in 1945, the onset of the Cold War, America's growing concern over world communism, and a long-sustained economic boom, the United States turned away from the collectivist principles of the New Deal, reasserting traditional values of free enterprise, minimal regulation, decentralized public authority, and low taxes. Sweden, still under the Social Democratic regime, meanwhile moved on toward an ever more comprehensive social welfare program, with increasingly doctrinaire goals, centralized control, extensive regulation, and high taxation. American free enterprise and the Swedish social welfare state thus came to represent opposite poles within the democratic Western World.

Critical voices were raised on both sides. In Sweden, the old themes of soulless American materialism, lack of social conscience, and cultural impoverishment were revived by the political Left. American »imperialism« throughout the world—real or imagined—came under attack, be it political, military, economic, or cultural. The military intervention of the United States in Viet Nam aroused powerful anti-American reactions and American deserters and draft evaders were given asylum in Sweden. The low ebb in Swedish-American relations was reached in 1973, after the Social Democratic leader and later premier Olof Palme strongly criticized the American involvement in Viet Nam. President Richard Nixon recalled the American ambassador from Stockholm. Full diplomatic relations were not reestablished until three years later.[38]

In the meantime, Americans, particularly on the political Right, again took up criticisms of Sweden heard already during the 1930s, which stoutly denied any relevance of the Swedish Model for the United States and questioned its effectiveness even in Sweden itself. Many Americans had serious misgivings about the effects of »cradle-to-the-grave« welfare benefits, maintaining that they tended to stifle initiative, self-reliance, and self-respect. This view received widespread publicity when President Dwight D. Eisenhower in 1960 spoke of an unnamed but unmistakable country where »socialism« had led to rising levels of alcoholism and suicide, producing a nation of ne're-do-wells. By 1980, even Marquis Childs felt Swedish Social Democracy had gone too far in abandoning its earlier pragmatism and common sense to become overregulated and overly ideological.[39]

Still, there has been no lack of those, on both sides, who have warmly appreciated each others' countries. In 1946, the noted travel writer Hudson Strode came out with his enthusiastic *Sweden: Model for the World*, reminiscent of the halcyon days of the 1930s. Others, such as Franklin D. Scott, William Shirer, David Connery, and Frederic Fleisher, likewise wrote highly sympathetic accounts. In Sweden, Vilhelm Moberg, Jan Olof Olsson (»Jolo«), Beppe Wolgers, and Lars Gustafsson (now a resident of Texas), among others, continued to look to America as the ultimate refuge of personal freedom and the search for individual happiness. Even Sven Delblanc, critical as he was in many ways toward America, confessed during the troubled 1960s to the dilemma that intellectually he aspired to bring about a collectivistic society in which his heart told him that he, as an individual, could never feel at home.[40]

After the diplomatic crisis of the early 1970s, relations between Sweden and America rapidly improved. Sweden's participation in the United States Bicentennial in 1976 and the impressive celebration in 1988 of the 350th anniversary of the New Sweden colony on the Delaware went far toward creating good feelings and mutual appreciation. Swedish-American relations have on the whole probably never been better than they are today.

In regard to political and social philosophies—the particular focus of interest during the 1930s—it would appear that since the 1980s the United States and Sweden have once again been drawing closer together. Living standards, culture, and ways of life are now far more similar than ever before. Both societies are deeply involved in the whole process of global modernization. Meanwhile, faced with a harder economic climate in the world as a whole, they have had to reexamine their positions. In the United States it has again become increasingly apparent that social problems cannot be left to work themselves out or simply relegated to local agencies. In Sweden, economic realities have ultimately set pragmatic limits upon social policy. In this respect the similarities have surely become even greater than they were—or could have been—during the era of the People's Home and the New Deal.

Notes

1. On Swedish attitudes toward America in general, see esp. Harald Elovson, *Amerika i svensk litteratur 1750–1820: En studie i komparativ litteraturhistoria* (Lund 1930) and »Den liberala amerikabilden i Sverige,« in Lars Åhnebrink, ed., *Amerika och Norden* (Stockholm 1964), pp. 75–109; Nils Runeby, *Den nya världen och den gamla: Amerikabild och emigrationsuppfattning i Sverige, 1820–1860* (Uppsala 1969); Gunnar Eidevall, *Amerika i svensk 1900-talslitteratur: Från Gustaf Hellström till Lars Gustafsson* (Stockholm 1983); my book, *A Folk Divided: Homeland Swedes and Swedish Americans, 1840–1940* (Carbondale, Ill., 1994).

2. The best overview, although brief, is provided by Lars-Göran Tedebrand, »America in the Swedish Labor Press, 1880s to 1920s,« in Marianne Debouzy, ed., *In the Shadow of the Statue of Liberty: Immigrants, Workers, and Citizens in the American Republic, 1880–1920* (Saint-Denis [, France,] 1988), pp. 57–73.

3. See Runeby, *Den nya världen*; Barton, *A Folk Divided*. Cf. Isador Kjellberg, *Föredrag om Amerika, hållet i Stockholm den 18 febr. 1883* (Stockholm 1883).

4. Runeby, *Den nya världen*, p. 236.

5. Tedebrand, »America in the Swedish Labor Press.« For context, see Laurence R. Moore, *European Socialism and the American Promised Land* (New York 1970).

6. August Palm, *Ögonblicksbilder från en tripp till Amerika* (Stockholm 1901), esp. p. 243.

7. P. P. Waldenström, *Nya färder i Amerikas förenta stater: Reseskildringar* (Stockholm 1902), pp. 94–95, 240–243, 419, 507–508. Cf. his earlier *Genom norra Amerikas Förenta stater: Reseskildringar* (Stockholm 1890). See also Barton, *A Folk Divided*, pp. 98–101.

8. Tedebrand, »America in the Swedish Labor Press«; Barton, *A Folk Divided*, esp. ch. 14; G. H. von Koch, *Emigranternas land: Studier i amerikanskt samhällslif* (Stockholm 1910); E. H. Thörnberg, *Amerikanska samhällsproblem* (Stockholm 1912); Carl L. Anderson, *The Swedish Acceptance of American Literature* (Philadelphia 1957).

9. Henry von Kræmer, *Mexiko–Amerika: Resebrev* (Stockholm 1914) and *Ur frihetslandets järnkäftar: En svensk emigrants erfarenheter i U.S.A.* (Stockholm 1914). Cf. Barton, *A Folk Divided*, pp. 188–190, 192.

10. Von Kræmer, *Mexiko–Amerika*, pp. 98–100; cf. ibid., pp. 108, 113, 119, 123–124; *Ur frihetslandets järnkäftar*, pp. 45–46, 48–49, 60.

11. Ture Nerman, *I Vilda Västern: En Amerika-tripp i världskrigstid* (Stockholm 1935), esp. pp. 38, 53, 92–93, 140. Cf., e.g., Maj Hirdman, *Resa till Amerika* (Stockholm 1926), esp. pp. 71–72. Regarding the cultural idealism of the socialist and labor movements in Sweden, see for ex. Ronny Ambjörnsson, *Den skötsamme arbetaren* (Stockholm 1988). That such ideals were not altogether lacking among Swedish-American workers is shown by Per Nordahl in *De sålde sina penslar: Om några svenska målare som emigrerade till USA* (Stockholm 1987) and »Swedish-American Labor in Chicago,« in Philip J. Anderson & Dag Blanck, eds., *Swedish-American Life in Chicago: Cultural and Urban Aspects of an Immigrant People, 1850–1930* (Urbana, Ill., 1992), pp. 213–225.

12. See, for ex., Gibbs Smith, *Joe Hill* (Salt Lake City 1969). On Swedish-American political and labor radicalism in general, see Henry Bengston, *On the Left in America: Memoirs of the Scandinavian-American Labor Movement* (Carbondale, Ill., 1999).

13. See esp. Finis Herbert Capps, *From Isolationism to Involvement: The Swedish Immigrant Press in America, 1914–1945* (Chicago 1966); Carl H. Chrislock, *Ethnicity Challenged: The Upper Midwest Norwegian-American Experience in World War I* (Northfield, Minn., 1981). Cf. John Higham, *Strangers in the Land: Patterns of American Nativism, 1860–1925* (New Brunswick, N.J., 1963).

14. Tedebrand, »America in the Swedish Labor Press,« esp. pp. 68–69.

15. John Andersson, *Skräckväldet i Amerika (Wallstreets blodiga välde)* (Stockholm 1923), esp. p. 7.

16. Sophia I. Wakkure [pseud. for Carlson], *En immigrantflickas öden* (Chicago, n.d.). Cf. Barton, *A Folk Divided*, p. 249.

17. *Social-Demokraten* 25 July 1925, quoted in Tedebrand, »America in the Swedish Labor Press,« p. 73.

18. Merle Curti, »Sweden in the American Social Mind of the 1930s,« in J. Iverne Dowie & J. Thomas Tredway, eds., *The Immigration of Ideas: Studies in the North American Community. Essays Presented to O. Fritiof Ander* (Rock Island, Ill., 1968), pp. 159–184; Allan Kastrup, *Med Sverige i Amerika: Opinioner, stämningar och upplysningsarbete* (Malmö 1985), pp. 43, 45–46.

19. *Christian Science Monitor* 11 February 1932; Kastrup, *Med Sverige i Amerika*, pp. 47–48.

20. Marquis W. Childs, »Sweden: Where Capitalism Is Controlled,« *Harper's Magazine* 167 (November 1933), pp. 749–758, esp. 749–50, 758.

21. Marquis W. Childs, *Sweden: The Middle Way* (New Haven, Conn., 1947), esp. pp. 116, 160–163.

22. Childs, introduction to the 1961 reprint edition of *Sweden: The Middle Way*, pp. xiv–xv; Curti, »Sweden in the American Social Mind,« pp. 167–168, 172; Kastrup, *Med Sverige i Amerika*, pp. 56–61.

23. Henry Albert Phillips, »Sweden as a Rooseveltian Model,« *Literary Digest* 15 September 1934, p. 15. Cf. Phillips' »Lapland: Utopia of Welfare for the Worker,« *Literary Digest* 27 October 1934, p. 28.

24. Kastrup, *Med Sverige i Amerika*, pp. 51–53, 66. Cf. »Sweden Has Found the Way to Make Capitalism Serve the People,« *Life* 11 July 1938, pp. 31–37; Agnes Rothery, *Sweden: The Land and the People* (New York 1934), esp. pp. 4–5.

25. Lewi Pethrus, *Västerut: En resenärs erfarenheter* (Stockholm 1937), pp. 41, 132, 137.

26. Anna Lenah Elgström, *U.S.A.: Liv och teater* (Stockholm 1927), p. 441. Collijn contributed only the chapter on theater to this book.

27. Anna Lenah Elgström, *U.S.A. i örnens tecken* (Stockholm 1934), p. 7.

28. Ibid., p. 10.

29. Ibid., pp. 16, 30, 40, 245.

30. Ibid., pp. 19, 243–249.

31. Ibid., pp. 20–22, 251.

32. Albert Viksten, *Guds eget land* (Stockholm 1938), esp. pp. 79–80, 92–93, 157, 201, 209, 214; Herbert Tingsten, *Amerikansk demokrati* (Stockholm 1929). On the Myrdals, see esp. Walter A. Jackson, *Gunnar Myrdal and America's Conscience: Social Engineering and Radical Liberalism, 1938–1987* (Chapel Hill, N.C., 1990).

33. Curti, »Sweden and the American Social Mind,« pp. 175–178.

34. Kastrup, *Med Sverige i Amerika*, pp. 64–71.

35. An American great-aunt of the author was repatriated from China during the war, together with other civilian prisoners of the Japanese, on one of the »white ships« of the Swedish America Line.

36. See, e.g., Gunnar and Alva Myrdal, *Kontakt med Amerika* (Stockholm 1941) and *Amerika mitt i världen* (Stockholm 1943); Herbert Tingsten, *Demokratiens problem* (Stockholm 1945); Victor Vinde, *Amerika slår till* (Stockholm 1943); Thorsten Jonsson, *Sidor av Amerika* (Stockholm 1946). Cf. Eidevall, *Amerika i svensk 1900-talslitteratur*, pp. 94–100, and idem, »America in the 1940s, as Seen by Gunnar and Alva Myrdal, Victor Vinde, and Thorsten Jonsson,« *Swedish-American Historical Quarterly* 34 (1983), pp. 131–141.

37. Jonsson, *Sidor av Amerika*, quoted in Eidevall, *Amerika i svensk 1900-talslitteratur*, p. 100.

38. Yngve Möller, *Sverige och Vietnamkriget: Ett unikt kapitel i svensk utrikespolitik* (Stockholm 1992); Leif Leifland, *Frostens år: Om USA:s diplomatiska utfrysning av Sverige* (Stockholm 1997).

39. See my »After the Great Migration: Swedish America and Sweden since 1940,« *Swedish-American Historical Quarterly* 46 (1995), pp. 332–358, esp. 337–338, and my »Crossings and Recrossings: America and Sweden in the Twentieth Century,« forthcoming in *Swedish-American Historical Quarterly*; Eidevall, *Amerika i svensk 1900-talslitteratur*; Kastrup, *Med Sverige i Amerika*, chs. 5–8; Marquis W. Childs, *Sweden: The Middle Way on Trial* (New Haven, Conn., 1980).

40. Hudson Strode, *Sweden: Model for the World* (New York 1949); Franklin D. Scott, *The United States and Scandinavia* (Cambridge, Mass., 1950) and 2nd ed., *Scandinavia* (Cambridge, Mass., 1975); William L. Shirer, *The Challenge of Scandinavia* (Boston 1955); Donald S. Connery, *The Scandinavians* (New York 1966); Frederic Fleisher, *The New Sweden: The Challenge of a Disciplined Democracy* (New York 1967); Eidevall, *Amerika i svensk 1900-talslitteratur*, pp. 112–134, 176, 185–191.

Joe McCarthy och
konspirationsteorins livskraft i USA

ERIK ÅSARD

Inledning

I SLUTET AV 1790-talet spreds det ett rykte i den nybildade amerikanska republiken om att ett sinistert utländskt sällskap, kallat »the Order of the Illuminati«, i lönndom styrde landet genom Frimurarorden. Sällskapet, som faktiskt existerade, hade bildats 1776 i Bayern av en juristprofessor vid namn Adam Weishaupt. Samfundet stod för ett antiklerikalt, förnuftstroende program i upplysningstidens anda och förföljdes därför av de tyska myndigheterna. Det räknade aldrig fler än några tusen medlemmar i sina led.

Skälet till att »illuminaterna« blev omtalade i USA var att några böcker om dem hade utkommit vid 1790-talets slut. I en av böckerna hävdades det att sällskapet hade grundats i akt och mening att utrota religionen och välta alla Europas regeringar över ända. Den franska revolutionens mest aktiva ledare sades vara medlemmar, och sällskapet påstods ha spelat en viktig roll för att revolutionen överhuvudtaget kom till stånd. En annan bok från samma tid hävdade att »illuminaterna« var del av en »trippelkonspiration« som även inkluderade »anti-kristna« och frimurare. Detta var konspirationsidéer som snabbt anammades av en del amerikanska reaktionärer, främst i New England och bland kristna förkunnare.

Tanken på en stor internationell sammansvärjning förlorade med tiden i attraktionskraft. Dess förespråkare förmådde i längden inte göra den trovärdig, och det är osäkert om någon medlem av det tyska sällskapet ens besökte USA. Men dessförinnan ledde de uppjagade stämningarna till att en lag antogs, the Alien Enemies Act, som avsåg att skydda USA mot omstörtande element av både utländsk och inhemsk härkomst. Lagen gav presidenten befogenhet att deportera alla »främlingar« som han ansåg hotade landets fred och säkerhet och som han misstänkte var inblandade i »any treasonable or secret machinations against the government«.[1]

Det intressanta med illuminati-idén är att den har levt kvar som en referenspunkt och tankefigur bland amerikanska konspirationstänkare ända in i vår tid. Tanken återkom hos 1820- och 30-talets antifrimurarrörelse liksom hos den antikatolska rörelsen kort därefter.[2] Under 1920-talet, efter kommunismens seger i Ryssland, sågs »illuminismen« av vissa konspirationsanhängare som bolsjevikernas föregångare och roten till allt ont i världen. Temat gick igen även i den högerextrema organisationen John Birch Societys skrifter på 1960-talet, där *Det kommunistiska manifestet* beskrevs som blott och bart en uppdaterad version av Adam Weishaupts lära. Berlinmurens fall och Sovjetkommunismens upplösning tycks inte ha haft någon nämnvärd inverkan på de troende. Pat Robertson, republikansk presidentkandidat 1988 och en av den kristna USA-högerns ledande namn, försäkrade så sent som 1991 att »illuminismen« alls inte var något övergående fenomen: »Weishaupt's principles, his disciples, and his influence continue to resurface to this day.«[3]

Det som har levt kvar från det sena 1700-talets bayerska sällskap, i USA och på andra håll, är tanken att det någonstans existerar en grupp av anonyma, illasinnade individer som konspirerar till förfång för befolkningen och samhället i stort. Centralt i denna föreställning är att gruppen utgörs av ett relativt litet antal personer, vilka ingått en hemlig överenskommelse i syfte att störta andra i fördärvet. En utvecklad konspiration bygger med andra ord på tre huvudsakliga beståndsdelar: det aktiva fåtalet, den sekreta verksamheten och det skadliga uppsåtet.[4]

Man bör skilja mellan en konspiration och en konspirationsteori. Den förra hänför sig till en handling, medan den senare beskriver en viss övertygelse eller åskådning. Såväl handlingen som övertygelsen kan vara av mindre eller större omfattning. Vidare bör man minnas att konspirationer faktiskt förekommer i verkligheten; de är långt ifrån alltid produkter av människors fria fantasier. Inom politiken har åtskilliga prominenta makthavare bragts om livet eller kommit till makten till följd av en konspiration – Julius Caesar, tsar Alexander II, ärkehertig Ferdinand och Anwar Sadat kan nämnas som exempel på det förra och Napoleon III, Mussolini och Lenin på det senare.[5]

En konspirationsteori däremot är fruktan för en icke existerande konspiration, föreställningen att det existerar en sammansvärjning fast ingen sådan finns. Det rör sig kort sagt om ett sätt att se på världen, på sig själv och det omgivande samhället som är rotat i känslor av förföljelse och moralisk upprördhet. Känslorna artikuleras i mer eller mindre grandiosa konspirationsteorier. Historikern Richard Hofstadter har med en berömd fras kallat denna typ av konspirationstänkande för den »paranoida stilen«, och funnit den speciellt applicerbar på amerikansk politik.[6] Det är detta tänkandes yttringar i USA som utgör fokus för denna uppsats.

Varken konspirationen eller konspirationsteorin skall emellertid ses som några unika amerikanska fenomen. I en eller annan form har de förekommit i många andra länder och kulturer, inklusive vår egen.[7] Konspirativa anklagelser gentemot jesuiter eller frimurare, judar eller katoliker, kapitalister eller kommunister ekar genom den moderna historien. Det rör sig vidare om ett tänkande som präglat rörelser både till höger och vänster. Typexempel under 1900-talet är nazismen i Tredje riket och kommunismen i Sovjetunionen.[8]

Icke förty verkar konspirationer och konspirationstänkande ha en speciellt god jordmån just i USA. Extrema nutidsrörelser som Louis Farrakhans Nation of Islam och diverse myndighetsfientliga s.k. militiagrupper bygger själva sin existens på idén om en allomfattande, regeringsstyrd konspiration. Farrakhan har anklagat de vita för att medvetet vilja utrota de svarta bl.a. genom spridning av AIDS-viruset – »a man-made disease designed to kill us all«.[9] Inte så få svarta är övertygade om att USA:s regering var inblandad i mordet på Martin Luther King j:r. En majoritet av de svarta säger sig likaså tro att regeringen är ansvarig för drogernas utbredning i samhället. Ännu år 1991 trodde en majoritet av den amerikanska befolkningen att mordet på president John F. Kennedy var resultatet av en konspiration, inte av en ensam attentatsman.[10] Timothy McVeigh, som dömdes för bombattentatet mot en federal byggnad i Oklahoma City i april 1995, hade fått för sig att någon planterat in ett mikrochips i hans bakdel när han gjorde militärtjänsten, allt för att kunna övervaka honom dygnet runt.[11] Exemplen skulle lätt kunna mångfaldigas.

Men det är inte bara bland USA:s marginaliserade ytterkantsrörelser som konspirationsteorier lever och frodas. De omfattas även, i en eller annan form, av fullt normala och etablerade människor i samhällets elitskikt. Flera av presidentkandidaterna under 1990-talet tillhör denna grupp, så t.ex. högerrepublikanen Patrick Buchanan och den egensinnige affärsmannen Ross Perot.[12] USA:s första dam, Hillary Rodham Clinton, väckte stort uppseende när hon i slutet av januari 1998, strax efter avslöjandet att president Clinton hade haft en affär med en Vita huset-praktikant, anmodade journalisterna att avslöja den »väldiga högerkonspiration« som hon menade bar ansvaret för makens alla problem ända sedan han blev presidentkandidat hösten 1991.[13]

Som urtypen för det konspirativa tänkandet i efterkrigstidens USA väljer jag att granska senator Joe McCarthy, vars spektakulära karriär nådde sin höjdpunkt under 1950-talets första hälft. McCarthy får här representera ett sätt att tänka om samhället och politiken som inte verkar vara på utdöende i dagens USA.

Joe McCarthy och »den ofantliga konspirationen«

Den 9 februari 1950, i det kalla krigets upptakt och på själve Abraham Lincolns födelsedag, höll senator Joseph R. McCarthy från Wisconsin ett tal inför en republikansk kvinnoklubb i Wheeling, West Virginia. Talet – ett hopkok på ett anförande av Richard Nixon, några tidningsartiklar och vittnesmål inför ett par kongresskommittéer – utgjorde en omtuggning av gamla republikanska anklagelser mot demokraterna för kommunistisk infiltration i regeringen. McCarthy sade sig ha en namnlista på 57 eller 205 – uppgifterna varierar – kommunistiska partimedlemmar, vilka fortfarande arbetade och utformade politiken inom det amerikanska utrikesdepartementet. Senatorn visste berätta att utrikesminister Dean Acheson var införstådd med detta, och sålunda skyldig till förräderi. Uppgifterna slogs upp stort i pressen, blev föremål för utredning av kongressen och gjorde på kort tid McCarthy till en nationell celebritet.[14]

Det var inte precis något nytt inrikespolitiskt tema som McCarthy mer eller mindre av en slump tog sig an i sitt Wheelingtal. McCarthy skapade på intet sätt antikommunismen. Men han råkade ta upp ämnet i en mycket speciell historisk period, gynnsam för konspirationsteorier och allmän antiradikalism. Han kom inte att stanna särskilt många år i strålkastarnas ljussken. Men det inflytande som han utövade under sin storhetstid i USA:s senat var kolossalt. Som en biograf har uttryckt saken höll McCarthy två presidenter »i fångenskap« under sin makts dagar. Från början av 1950 till slutet av 1954 kunde varken Harry Truman eller Dwight Eisenhower agera utan att väga effekterna av sina

planer mot McCarthy och de krafter som denne ledde. Särskilt stort
inflytande hade McCarthy över utrikespolitiken, och frågan är om inte
amerikansk diplomati skulle ha sett annorlunda ut idag om den bullrige
senatorn aldrig hade levat.[15]

När McCarthy inledde sitt korståg mot kommunismen – den inter-
nationella men än mer den inhemska – hade demokraterna innehaft
den exekutiva och legislativa makten i närmare tjugo år. Under den
tiden hade den politiska pendeln hunnit svänga från New Deal-erans
liberalism och statsinterventionism till efterkrigsperiodens konservati-
va *backlash* och förnyade tro på de fria marknadskrafterna. Liberalerna
befann sig plötsligt på defensiven. Utrikespolitiskt hade fienden skiftat
från fascismen till kommunismen. Händelser som de kinesiska kom-
munisternas maktövertagande 1949, Sovjetunionens första atombomb,
spionanklagelserna mot makarna Rosenberg och Alger Hiss samt Korea-
krigets utbrott 1950 fick högergrupperna inom och utom det republi-
kanska partiet att vässa pennorna och harkla struparna. McCarthy kom
att bli deras främsta språkrör.[16]

För att vara en politiker på nationell toppnivå kom McCarthy från
osedvanligt påvra förhållanden. Han föddes 1908 på en liten bondgård
i nordöstra Wisconsin. Hemmet var katolskt och familjen av irländsk-
tysk härkomst. Som mycket ung identifierade sig McCarthy med de-
mokraterna och Franklin Roosevelts New Deal-politik. År 1936 valdes
han till ordförande i en lokal demokratisk ungdomsklubb. Men två år
senare, då han blivit vald till tingsdomare, hade han svängt och blivit
republikan. Som sådan invaldes han i Förenta Staternas senat 1946.[17]

McCarthys år i senaten före det uppmärksammade Wheelingtalet
var långt ifrån lysande. Inte sällan gjorde han spektakulära utspel, som
fick åhörarna att undra över hans omdöme. Han började dricka och
hade konstant dåliga finanser, främst beroende på omfattande spel och
dobbel. År 1949 ställde han upp till försvar för några tyska SS-officera-
re, som hade dömts för att kallblodigt ha dödat amerikanska krigsfång-
ar i en liten belgisk by under andra världskriget. Som om inte det vore
nog hade han i en omröstning bland ett urval journalister och statsveta-
re utsetts till USA:s värste senator.[18]

Allt detta till trots lyckades det McCarthy att efter Wheelingtalet
med ens bli den republikanska högerflygelns ledargestalt. Massmedie-
representanterna flockades omkring honom likt humlan kring en ho-
nungsburk och vidarebefordrade okritiskt – och ofta utan att kontrolle-

ra uppgifternas sanningshalt – hans anklagelser.[19] McCarthy utnyttjade skamlöst amerikanernas förkärlek för konkreta detaljer. Han lovade alltid att »nämna namn«, men gjorde det påfallande sällan; han sade sig alltid veta det *exakta* antalet kommunister på ett visst ställe – men korrigerade strax siffran uppåt eller nedåt; han viftade ofta med listor eller rapporter, som efter kontroll städse visade sig vara felaktiga eller harmlösa. Det egendomliga är att denna McCarthys »fakta-fetischism«, för att använda Michael Rogins term, inte tycks ha legat honom i fatet utan tvärtom verkar ha bidragit till att göra honom än mera effektiv som politisk demagog.[20]

Efter 1952 års presidentval, som återförde republikanerna till makten i kongressen och gjorde general Eisenhower till president, förstärktes McCarthys maktställning i och med att han blev ordförande för ett senatsutskott som startade förhör om kommunistinflytandet i armén, försvarsindustrin och i Förenta Nationerna.[21] För senatorn från Wisconsin hade frågan om kommunistisk infiltration i regeringen vid denna tid blivit en fix idé. Det demokratiska partiet utmålades av honom som en trojansk häst, som genom en beräknande och medveten politik hade prisgett Amerika åt kommunismen. En slogan myntades – »tjugo år av förräderi« – för att illustrera detta oerhörda svek.[22]

Främst riktade McCarthy sin eld mot det amerikanska etablissemanget – det politiska, ekonomiska och kulturella elitskikt som han så djupt föraktade. Tekniken var ovanlig men originell: han ställde helt enkelt de marxistiska idéerna på huvudet. Kommunism och allmän radikalism länkades samman inte med de proletära massorna utan med det privilegierade fåtalet, de rika och välutbildade. Problemet, hade han sagt redan i Wheelingtalet, var de förrädiska handlingar som dessa de utvalda gjort sig skyldiga till:

> It has not been the less fortunate or members of minority groups who have been selling this Nation out, but rather those who have had all the benefits that the wealthiest nation on earth has had to offer – the finest homes, the finest college education, and the finest jobs in Government we can give. This is glaringly true in the State Department. There the bright young men who are born with silver spoons in their mouths are the ones who have been worst.[23]

I detta citat inryms mycket av McCarthys politiska filosofi: en god portion antielitism parad med lika delar antiintellektualism och konspirationstänkande. Det ger oss anledning att närmare syna några grund-drag i det konspirativa tänkandet.

Konspirationstänkandets kännetecken

I USA har konspirationsteorier av skilda slag historiskt sett uppvisat flera specifika särdrag.[24] Ett sådant är benägenheten att klä konspirationsidén i en religiös och/eller moralisk språkdräkt, och att fokusera raseriet på någon speciell sammanslutning bestående av särskilt ondsinta individer. Inslaget av antielitism och antiintellektualism har redan påpekats. Konspirationstänkaren utmanas snarare än imponeras av boklig lärdom; han ser med misstänksamhet på personer med hög utbildning och långa meritlistor. En nödvändig ingrediens är vidare indelningen i de manipulerade, den stora aningslösa massan, och manipulatörerna, det sluga illvilliga fåtalet.

En fullfjädrad konspirationsteori innehåller emellertid ofta mer än så. I USA har ett centralt inslag – särskilt i de moderna varianterna från 1950-talet och framåt – varit teoriernas allomfattande karaktär. De nöjer sig inte med att blott utpeka de onda krafter som är verksamma här och nu; konspirationen utsträcks ofta, som i fallet med »illuminaterna«, i både tid och rum, sägs vara av internationell omfattning och gälla såväl i dagsläget som i förfluten tid. Härigenom kan hela historien bli till en gigantisk konspiration, igångsatt av demoniska krafter som det tarvas alldeles extraordinära metoder för att bekämpa.

Den typiske konspirationstänkaren betraktar världen i apokalyptiska termer. Kampen står mellan det onda och det goda. Den ena kraften är svart och den andra vit; någon gråzon existerar ej. Eftersom fienden är alltigenom ond, finns ingen plats för kompromisser eller samförstånd. Det onda måste elimineras, snarast och utan misskund. Själv betraktar sig konspirationstänkaren som tämligen allena på civilisationens barrikader. Hans mission är att organisera motståndet och väcka den slumrande allmänheten inför den fara som hotar. Inget annat än seger räknas. Tiden är knapp; kanske har den redan runnit ut.

Fienden är inte bara ond och i avsaknad av alla mänskliga drag. Han är därtill onaturligt mäktig, i stånd att på egen hand skapa kriser och underminera länders moraliska och sociala ordning. Vad vi här erbjuds är en distinkt individualiserad tolkning av historiska förlopp. Några få amoraliska övermänniskor sägs besitta krafter med vars hjälp de – den stora massan ovetandes – kan ändra historiens gång. Här finns ingen plats för komplikationer, nyanser eller resonemang i termer av samhälleliga strukturer.

Som exempel på en individcentrerad och konspiratorisk historieskrivning kan vi ta Joe McCarthys generalangrepp mot George C. Marshall, hög militär och utrikesminister under president Truman. I ett tal i senaten sommaren 1951 utpekade McCarthy Marshall som centralfiguren i det gigantiska förräderi som USA hade varit utsatt för från andra världskrigets utbrott till utformningen av Marshallhjälpen. Frågan gällde varför USA:s styrka så kraftigt hade reducerats sedan kriget och hur världen under samma period årligen hade kunnat förlora 100 miljoner människor till den internationella kommunismen. Saken kunde inte förklaras som yttringar av slump eller inkompetens, enligt McCarthy. Nej, män som Marshall och Dean Acheson hade helt enkelt medvetet agerat för att utvecklingen skulle gå i den riktningen. Alla general Marshalls beslut under kriget hade undantagslöst tjänat Kremls intressen. Vad det hela handlade om, menade McCarthy, var inget annat än »a conspiracy on a scale so immense as to dwarf any previous such venture in the history of man«.[25]

Exemplet kan illustrera några paradoxer i det konspirativa agerandet. Först bör nämnas den egendomliga imitationen av fiendelägrets manér och uppträden. Flera av de antikatolska rörelserna i USA från 1850-talet och framåt var själva hemliga sammanslutningar vilka excellerade i besynnerliga ritualer och säregen klädsel, dvs. just de kännetecken som var utmärkande för de förtalade fienderna. I de fall där hatobjektet utgjorts av högutbildade intellektuella har konspirationstänkaren gärna velat överträffa dem i faktamässigt pedanteri. McCarthys alltid välfyllda dokumentportföljer är ett gott exempel härpå. Indirekt i detta beteende kan man spåra en motvillig beundran för motståndarens skicklighet och strategiska snille.

En annan egenhet är det flitiga bruket av avfällingar från fiendesidan. Antifrimurarrörelsen tycktes ett tag vara en skapelse av f.d. frimurare. På liknande sätt använde sig antikatolikerna gärna av exnunnor och expräster i sin propaganda. McCarthy kunde inte motstå frestelsen att låta en lång rad förutvarande kommunister paradera inför sitt senatsutskott. Tillvägagångssättet har minst två uppenbara fördelar. Dels skänker avfällingen en viss trovärdighet åt konspirationens existens. Endast med svårighet kan en trögtänkt omvärld bortse från hans vittnes-

mål. Dels för renegaten med sig ett hoppets budskap till konspirations-
tänkarens annars nattsvarta vardag. Överlöparen är ett levande bevis på
att det finns sprickor i fiendemuren, och hans avfall låter ana, att rädd-
ningen inte längre är utom räckhåll.

Den utvidgade konspirationsteorin

McCarthy aktade sig i det längsta för att direkt implicera president
Truman i sin konspirationsteori. I frontalangreppet mot general Mar-
shall hade han nämnt presidenten blott avslutningsvis som ett beklagans-
värt offer för omständigheterna, en allmänt svagsint person som var
förd bakom ljuset av sataniska ränksmidare: »President Truman is a
satisfactory front. He is only dimly aware of what is going on.«[26]
Så länge McCarthy nöjde sig med att angripa demokraterna hade
han haft ett visst, om än kallsinnigt och reserverat, stöd från republika-
nernas mera moderata flygel. Problem uppstod emellertid i det ögon-
blick som general Eisenhower tog säte i Vita huset efter 1952 års val.[27]
Senatorn var fast besluten att fortsätta jakten på »de röda« i regering-
en; att hans egna partikamrater nu kommit till makten gjorde varken
från eller till. I grunden var McCarthy en ensamvarg, oförmögen att
samarbeta med andra och besatt av en enda sakfråga. Denna besatthet,
som ytterst bottnade i senatorns konspirationsteori, var något som le-
dande republikaner inte tycktes förstå.[28]
Tämligen snart stod det klart att den nya administrationen inte på
något fundamentalt sätt avsåg att bryta med New Deal-politiken. Det
gjorde McCarthy och den republikanska högern grymt besvikna. Mer
än så: konspirationen utvidgades till att gälla även partiets styrande eta-
blissemang och McCarthy ändrade sin slogan till »tjugoett år av förrä-
deri«.[29] Därmed gick det inte längre att undvika en öppen konfronta-
tion. När han även gav sig på en så gammal konservativ stöttepelare i
samhället som den amerikanska armén, hade merparten av hans senats-
kollegor fått nog.
Under de TV-sända arméförhören 1954, som pågick i 35 dagar och
sågs av bortemot 20 miljoner tittare, var det McCarthy själv som till sist
kom att sättas på de anklagades bänks. Förhören fick senaten att med
siffrorna 67 röster mot 22 uttala sitt fördömande av honom.[30] Några
av hans republikanska kollegor och försvarare verkade in i det sista för
en kompromiss, så att McCarthy skulle kunna undgå en prickning (»cen-

sure«). När det misslyckades antydde de oblygt att hela omröstningen var en del av den stora kommunistiska konspirationen. Senator Barry Goldwater, en av försvararna, talade t.ex. dunkelt om »the unknown engineers of censure«, vilkas »deeds have come from the darkness«.[31]

Efter arméförhören och senatens prickning gick det fort utför med McCarthy. Den aura av makt och oangriplighet som länge hade avhållit motståndare från att kritisera honom var försvunnen. Tidningarna förlorade snart intresset för McCarthy, trots att denne gjorde en del försök att återuppta korståget. I början av maj 1957 avled han, svårt alkoholiserad, vid bara 48 års ålder, just lagom, som någon träffande uttryckte det, för att komma med i sjunyheterna den dagen.[32]

För många inom den amerikanska högern blev senatorn från Wisconsin efter sin död genast en martyr. Såväl hans snabba fall från makten som hans förtida död bildade bas för allehanda myter och konspirationsteorier. William Loeb, ultrakonservativ chefredaktör för New Hampshire-tidningen *Manchester Union Leader*, skrev i sin nekrolog att McCarthy mördades av kommunisterna eftersom han avslöjade omfattningen av deras gigantiska konspiration:

> When [McCarthy] began to arouse the United States to the extent of the communist conspiracy in our government, in our schools, in our newspapers, and in all branches of American life, the Communist Party realized that if it was to survive and succeed in its conspiracy to seize control of the United States it had to destroy McCarthy before he destroyed the Party.[33]

I en bok publicerad av John Birch Society på 1960-talet lanserades tesen att McCarthy hade blivit förgiftad av den kommunistiska konspirationen just när han var i färd med att förbereda en politisk comeback.[34] Kanske skall man inte förvånas över att McCarthy, vars hela karriär kretsade kring en imaginär konspiration, efter sin död själv blev föremål för konspirativa uttolkningar av de mest devota anhängarna. För många amerikanska liberaler däremot har McCarthy kommit att förkroppsliga ondskan själv i amerikansk politik. De betraktar »McCarthyismen« och *guilt by association*-tekniken som exempel på inte bara ovederhäftiga attacker mot enskilda individer utan som ett hot mot de grundläggande medborgerliga rättigheterna.[35]

Robert Griffith, som skrivit en kritisk bok om McCarthy, har uttryckt saken så:

»McCarthyism« [...] was a natural expression of America's political cul-
ture and a logical though extreme product of its political machinery.
What came to be called »McCarthyism« was grounded in a set of atti-
tudes, assumptions, and judgments with deep roots in American histo-
ry.[36]

Till dessa rötter hör i hög grad, som vi sett, konspirationsidén. Varför
har den fått en sådan förankring just i USA? En viktig förklaring måste
sökas i förekomsten av de faktiska konspirationer som gång efter annan
har uppdagats i det amerikanska samhället. Den s.k. Iran-contrasaffä-
ren, som avslöjades vid 1980-talets mitt under Ronald Reagans andra
presidentperiod, var ett praktexempel på en konspiration initierad och
genomförd av makthavare på högsta regeringsnivå. Planen gick ut på
att sälja vapen till Iran och att använda inkomsterna till contrasgerillan
i Nicaragua för att hjälpa den få sandinistregimen på fall. Allt detta
skedde i hemlighet, utan kongressens eller allmänhetens vetskap och i
direkt strid mot officiell amerikansk utrikespolitik.[37]

Inget ger sådan näring åt konspirationstänkarnas idéer som avslö-
jandet av faktiska konspirationer. Det ger dem en känsla av att hela
tiden ha haft rätt, och sporrar till nya ansträngningar för att uppdaga
nästa konspiration.[38] Säkert finns det också andra inslag i den ameri-
kanska kulturen som förklarar konspirationstänkandets märkliga utbred-
ning. Här vill jag avslutningsvis framhäva en mera allmän faktor av po-
litiskt-ideologiskt slag, som inte bara har bäring på USA utan också på
en rad andra utvecklade västländer. Jag syftar på den tydliga tendens till
avideologisering och avpolitisering som pågått i västerlandet åtminsto-
ne sedan 1950-talet.

Filosofen Karl Popper noterade en gång att konspirationer kan vara
ett sätt för människor att skapa reda i en värld som blivit alltmera kom-
plex och hotfull i takt med en avtagande Gudstro.[39] Denna suktan efter
ökad förståelse har knappast blivit mindre efter kommunismens kollaps
som alternativ samhällsmodell. Opinionssiffror visar att förtroendet för
regeringar, partier och myndigheter stadigt har minskat i många av väst-
världens länder under 1990-talet. Flera av de institutioner som till helt
nyligen syntes bringa trygghet och mening i vardagen – exempelvis
kyrkan, kärnfamiljen, fackföreningarna – gör det inte på samma sätt
längre. Skillnaderna mellan de politiska alternativen har dessutom mins-
kat i och med att politikens tyngdpunkt förflyttats mot mitten.[40] Den-

na fortgående avpolitisering och avideologisering har skapat ett vakuum, som tydligtvis måste ersättas med något.

En konspirationsteori må vara en påver ersättning för en politisk ideologi, men den förmår i alla fall skilja de onda från de goda och ge en känsla av ordning och sammanhang. *Någon* verkar inneha den absoluta makten, må vara att det kanske är hin håle själv. Framför allt kan tron på en konspiration skänka hopp om förändring, ty om bara det onda identifieras och krossas ser framtiden genast ljusare ut.

Noter

1. Utförligare om »illuminaterna« och debatten om dem i USA, se Richard Hofstadter, *The Paranoid Style in American Politics and Other Essays* (Chicago: University of Chicago Press, 1979), ss. 10 ff.; Daniel Pipes, *Conspiracy. How the Paranoid Style Flourishes and Where It Comes From* (New York: Free Press, 1997), ss. 62 ff. (cit. s. 62); Seymour Martin Lipset & Earl Raab, *The Politics of Unreason. Right-Wing Extremism in America, 1790–1970* (London; Chicago: University of Chicago Press, 1971), ss. 35 ff. (cit. s. 37).

2. Den antikatolska rörelsen var direkt riktad mot den stora invandringen av katoliker från Irland och övriga Europa. Organisationer som the Native Americans och the Know-Nothing American Party representerade ett slags protestantisk moralism, grundad i en fruktan att de katolska immigranterna skulle föra med sig icke-protestantiska och därmed »oamerikanska« värderingar till det nya landet. Upprördheten var inlindad i sedvanlig konspirationsmystik. Hofstadter, *The Paranoid Style in American Politics*, ss. 14–23; Lipset & Raab, *The Politics of Unreason*, ss. 47–61; Gustavus Myers, *History of Bigotry in the United States* (New York: Random House, 1943), kap. XVI–XX. Se även Mattias Gardell, *Rasrisk. Rasister, separatister och amerikanska kulturkonflikter* (Stockholm: Federativs förlag, 1998), ss. 150 ff.

3. Pipes, *Conspiracy*, ss. 9 ff., 65 f. (cit. s. 66). Robertson har utvecklat sina konspirationsteorier i en bok kallad *The New World Order* (Dallas: Word, 1991).

4. Se definitionen av »conspiracy« i Pipes, *Conspiracy*, ss. 20 ff. och i *The Random House Dictionary of the English Language*, 2:a uppl. (New York: Random House, 1987), s. 435. Jfr Karl Poppers beskrivning av »the conspiracy theory of society« som åsikten att alla oönskade ting som händer i samhället är resultatet av »direct

design by some powerful individuals or groups«. Karl Popper, *Conjectures and Refutations. The Growth of Scientific Knowledge* (London: Routledge and Kegan Paul, 1972), s. 341.

5. Utförligare om detta i Pipes, *Conspiracy*, ss. 21 ff. Karl Popper gör dock påpekandet att konspirationer sällan lyckas, och att när så sker blir resultatet ofta ett annat än det avsedda. Popper, *Conjectures and Refutations*, ss. 123 ff., 341 f.

6. Hofstadter använder termen »paranoid« i en »icke-klinisk« mening, för att beteckna ett tänkande av annars normalt funtade människor präglat av våldsamma överdrifter, stor misstänksamhet och livlig fantasi. Se Hofstadter, *The Paranoid Style in American Politics*, ss. 3 ff.

7. Här behöver man bara erinra om de många konspirationsteorier som förekommit i spekulationerna om vem eller vilka som låg bakom mordet på statsminister Olof Palme. För ett sådant exempel, se Gunnar Wall, *Mörkläggning. Statsmakten och Palmemordet*, 2 band (Göteborg: Kärret, 1997).

8. Hofstadter, *The Paranoid Style in American Politics*, ss. 6 f.; Pipes, *Conspiracy*, ss. 174 ff.

9. Mattias Gardell, *In the Name of Elijah Muhammad. Louis Farrakhan and the Nation of Islam* (Durham, N.C.: Duke University Press, 1996), s. 327.

10. Här tycks det inte hjälpa hur många dokument om mordet som myndigheterna efterhand frisläpper. I september 1998 publicerade en av kongressen tillsatt kommission, the Assassination Records Review Board, resultatet av sina efterforskningar. Kommissionen, som tillkom efter Oliver Stones uppmärksammade film *JFK*, tog avstånd från alla tankar om att mordet på Kennedy var frukten av en konspiration. Trots offentliggörandet av över 60.000 sidor nya dokument om mordet kunde kommissionen inte övertyga konspirationsanhängare om att Lee Harvey Oswald ensam hade utfört gärningen. Tim Weiner, »A Blast at Secrecy in Kennedy Killing. Panel on Assassination Evidence Wraps Up Its Six-Year Task«, *New York Times* 29/9 1998, s. A17. Jfr Gerald Posners uppgörelse med konspirationsteoretikerna i *Case Closed. Lee Harvey Oswald and the Assassination of JFK* (New York: Random House, 1993).

11. Pipes, *Conspiracy*, ss. 1–9, passim. Vid bombattentatet i Oklahoma City dödades 168 människor, däribland 19 barn, och 550 skadades. Bombdådet var den hittills värsta inhemska terroristhandlingen i USA. För en översikt över några av de böcker som utkommit i attentatets efterföljd, se Göran Dahl, »Högerradikal separatism bland USA:s bortglömda«, *Svenska Dagbladet* 14/2 1999.

12. Pipes, *Conspiracy*, ss. 9 ff.

13. Hillary Clinton framförde sin teori om en »vast right-wing conspiracy« i NBC:s »Today Show« den 27/1 1998. James D. Retter, *Anatomy of a Scandal. An Investigation into the Campaign to Undermine the Clinton Presidency* (Los Angeles: General Publishing Group, 1998), cit. baksidans omslag. Se även Michael Isikoff, »The Right Wing Web«, *Newsweek* 22/2 1999, ss. 26–28 och Ed Vulliamy, »Exposed. The Men out to Get Clinton«, *The Observer* 2/8 1998, ss. 1, 13–14.

14. Thomas C. Reeves, *The Life and Times of Joe McCarthy. A Biography* (New York: Stein and Day, 1982), kap. 11; Michael Miles, *The Odyssey of the American Right* (New York; Oxford: Oxford University Press, 1980), ss. 130 ff. Wheelingtalet finns i sina huvuddrag tryckt i George McKenna, red., *American Populism* (New York:

Capricorn Books, 1974), ss. 213–221.

15. Richard H. Rovere, *Senator Joe McCarthy* (New York: Harcourt, Brace, 1959), cit. i Michael Paul Rogin, *The Intellectuals and McCarthy. The Radical Specter* (Cambridge, Mass.: MIT Press, 1967), s. 1.

16. Miles, *The Odyssey of the American Right*, ss. 123 ff., 198; Lipset & Raab, *The Politics of Unreason*, ss. 212 ff.; Ronald Radosh & Joyce Milton, *The Rosenberg File. A Search for the Truth* (London: Weidenfeld and Nicolson, 1983), ss. 5 f. För en bakgrund, se även Richard M. Freeland, *The Truman Doctrine and the Origins of McCarthyism. Foreign Policy, Domestic Politics, and Internal Security, 1946–1948* (New York: Alfred A. Knopf, 1972), passim.

17. McCarthys seger i det republikanska primärvalet över den sittande senatorn Robert La Follette j:r, son till en av Wisconsins mest berömda politiker genom tiderna, var en första rangens sensation. Reeves, *The Life and Times of Joe McCarthy*, kap. 1–6; Miles, *The Odyssey of the American Right*, ss. 136 f.; Robert Griffith, *The Politics of Fear. Joseph R. McCarthy and the Senate* (Lexington: University Press of Kentucky, 1970), ss. 2–12.

18. Reeves, *The Life and Times of Joe McCarthy*, ss. 36 f., kap. 9, s. 420; Björn Kumm, »En amerikansk mardröm«, *Krig utan seger. 12 kapitel i det kalla krigets historia* (Stockholm: Sveriges Radios förlag, 1968), ss. 100 f.; Miles, *The Odyssey of the American Right*, ss. 137 f.

19. Närmare om McCarthys förhållande till den amerikanska pressen, se David Halberstam, *The Powers That Be* (London: Chatto & Windus, 1979), ss. 193 ff. och Reeves, *The Life and Times of Joe McCarthy*, ss. 191–197.

20. Lipset & Raab, *The Politics of Unreason*, ss. 221 f. (cit. s. 221); Rogin, *The Intellectuals and McCarthy*, ss. 228 f. (cit. s. 229).

21. McCarthys utskott var bara ett av många som i det kalla krigets upptakt undersökte frågan om kommunism och subversiva aktiviteter. Under den 79:e kongressen 1945–47 genomfördes fyra hearings om dessa saker. Under den 83:e kongressen 1953–55, som dominerades av republikanerna, hade antalet kongressförhör stigit till hela 51 stycken. Miles, *The Odyssey of the American Right*, ss. 209 f.

22. Ibid., ss. 198 f. (cit. s. 199).

23. McKenna, *American Populism*, s. 212; Richard Hofstadter, *Anti-intellectualism in American Life* (New York: Vintage Books, 1963), s. 13 (cit.).

24. Det följande avsnittet bygger främst på den idérika framställningen i Hofstadter, *The Paranoid Style in American Politics*, ss. 23 ff., 29–40; Richard Hofstadter, *The Age of Reform. From Bryan to F.D.R.* (New York: Vintage Books, 1955), ss. 70–81 samt Lipset & Raab, *The Politics of Unreason*, ss. 13 ff.

25. Hofstadter, *The Paranoid Style in American Politics*, ss. 26 f. (cit. s. 27); Miles, *The Odyssey of the American Right*, ss. 178 ff. Angreppet mot general Marshall utgavs senare i något reviderad form i Joseph R. McCarthy, *America's Retreat from Victory. The Story of George Catlett Marshall* (New York: Devin-Adair, 1951). Jfr David M. Oshinsky, *A Conspiracy So Immense. The World of Joe McCarthy* (New York: Free Press, 1983).

26. Lipset & Raab, *The Politics of Unreason*, s. 219.

27. Det var en allmänt spridd uppfattning att McCarthy genom 1952 års valresultat hade visat sin styrka som röstfångare och skalptagare. Nelson Polsby visar emellertid i sin »Towards an Explanation of McCarthyism«, *Political Studies* 3 (1960), ss. 264 ff., att denna uppfattning var överdriven för att inte säga felaktig. Därmed inte sagt att McCarthy under sin glans dagar inte hade stöd från en god del av den amerikanska befolkningen. Närmare om detta stöd och dess sociala bas, se Lipset & Raab, *The Politics of Unreason*, ss. 224–235; Seymour Martin Lipset, »Three Decades of the Radical Right. Coughlinites, McCarthyites, and Birchers (1962)«, i Daniel Bell, red., *The Radical Right* (Garden City, N.Y.: Anchor Books, 1964), ss. 391–421 samt Rogin, *The Intellectuals and McCarthy*, ss. 232–260.

28. Stephen E. Ambrose, *Nixon. The Education of a Politician 1913–1962* (New York: Simon & Schuster, 1987), ss. 310 ff.

29. Hofstadter, *The Paranoid Style in American Politics*, ss. 96 f. (cit. s. 97); Reeves, *The Life and Times of Joe McCarthy*, s. 624.

30. Reeves, *The Life and Times of Joe McCarthy*, kap. 23; Miles, *The Odyssey of the American Right*, ss. 215 ff. Av de 48 republikanska senatorerna röstade ungefär hälften emot och hälften för McCarthy. De som röstade emot kom från de östra delstaterna plus Michigan medan de McCarthytrogna emanerade från mellanvästern och västern. Lipset & Raab, *The Politics of Unreason*, s. 236.

31. Niels Bjerre-Poulsen, »Right Face. Organizing the American Conservative Movement 1945–1965«, opubl. manuskript, Copenhagen Business School, Copenhagen, 1999, s. 79. Man bör notera att prickningen av McCarthy inte avsåg senatorns häxjakt mot ofta helt oskyldiga individer utan gällde några punkter där denne ansågs ha brutit mot senatens regler.

32. Reeves, *The Life and Times of Joe McCarthy*, kap. 24; Kumm, »En amerikansk mardröm«, s. 106. Om McCarthys fall, se även I. F. Stone, *The Haunted Fifties* (New York: Vintage Books, 1969), ss. 62–72.

33. Reeves, *The Life and Times of Joe McCarthy*, s. 672.

34. Bjerre-Poulsen, »Right Face«, ss. 80 f.

35. Griffith, *The Politics of Fear*, s. 102; Bjerre-Poulsen, »Right Face«, s. 80; Erik Åsard, »Den tragiske McCarthy«, *Dagens Nyheter* 26/4 1983.

36. Cit. i Howard Zinn, *Postwar America: 1945–1971* (Indianapolis och New York: Bobbs-Merrill Company, 1973), s. 154.

37. Lawrence E. Walsh, *Firewall. The Iran-Contra Conspiracy and Cover-Up* (New York: W. W. Norton & Co., 1997); Gavin Esler, *The United States of Anger. The People and the American Dream* (London: Penguin, 1998), s. 241.

38. Jfr Gardell, *Rasrisk*, ss. 261 ff.

39. Popper, *Conjectures and Refutations*, s. 123; Esler, *The United States of Anger*, s. 246.

40. Erik Åsard & W. Lance Bennett, *Democracy and the Marketplace of Ideas. Communication and Government in Sweden and the United States* (Cambridge: Cambridge University Press, 1997), kap. 1, särsk. ss. 6 ff.

Transatlantic connections

Attitudes towards (Anglo-American) English in Sweden in the 1990s

SALLY BOYD

DURING THE PAST several years, a number of scholars have begun expressing serious concern about the prospects for the long term survival of the Swedish language in the future, or at least its survival as a »complete language.«[1] These concerns have led the government to ask the Swedish Language Council to formulate a policy »for the advancement of the Swedish language.« The results of these efforts were published in the Board's publication *Språkvård* during 1998.[2] A more detailed critique of certain aspects of this policy than space allows for here, has been submitted to and accepted for publication in *Språkvård*.[3] In that article, Leena Huss and I suggest that the focus of this policy document on Swedish alone and its status in regard to English, and the neglect of policy recommendations regarding languages other than Swedish make the document potentially damaging both to the new, slightly more secure position of minority languages in the country[4] and to the large number of »unprotected« mother tongues not accorded this status. What most of the policy measures recommend can be regarded as a return to the situation of a few decades ago, when Swedish enjoyed an unrivalled position as the official national language of Sweden and in fact exerted stronger assimilative pressure on other mother tongues than it does today.

The concerns expressed regarding the role of the national language, at least from about 1989 onwards, by scholars such as Ulf Teleman, Kenneth Hyltenstam and Margareta Westman,[5] regard what they see as the threat of Swedish becoming a secondary language in the country, with English taking over more and more official domains in the future. At the same time, most of them generally downplay the warnings of lay writers who deplore the influx of English origin loan words, loan translations and phenomena such as the writing of compounds as two separate words, all of which are attributed to the influence of English on Swedish. These latter processes they consider to be natural ones that affect all languages, and ones that in the past have led to large numbers of lexemes of German, French and Latin origin becoming an integral part of the language. To date, the contribution of English has yet to reach the proportions of that of German during the Middle Ages. Since I am in agreement with them about this standpoint, I will not discuss it further here.

Today's concerns for the role of Swedish vis-à-vis English arise due to several developments which seem to be affecting the number of domains that other languages, but primarily English, have started to be used in, reducing thereby the domains where Swedish has been used exclusively. The domains which have been discussed include science, education, entertainment and mass media, information technology, politics and the economy. This list represents both a considerable number of different domains and domains of major importance in the life of an established national language like Swedish and of its speakers. The concern is thus one of status planning, i.e. policy regarding the domains in which one or more languages are used, rather than corpus planning, policy having to do with the norms of correct use of a language, to use the terminology established by Robert Cooper.[6] The question is if the concerns of these scholars are justified, and, if so, what should be done about it? I will discuss my views on the first part of this question domain by domain. Where I feel the concerns are justified, I will also discuss measures which might improve the situation. I will also briefly examine what some theories of language maintenance and shift may be able to contribute to an accurate assessment of the threat to Swedish by English.

The domain of science

In the area of science, Teleman, Westman, Hyltenstam and others point to the increasing tendency for researchers to publish their findings in English, rather than in Swedish. The concern in the present is that research results will not be available to non-speakers (or at least readers) of English in Sweden, including many of those who indirectly finance this research by paying taxes. In the longer term, these writers fear that it will become increasingly difficult for Swedish researchers to be capable of presenting their research in a language other than English. In other words, in a longer perspective, there is a concern that Swedish scientists will no longer consider Swedish as suitable for expressing advanced scientific content and concepts. Hyltenstam compares this possible scenario with the situation of many languages around the world today, which are not used for any scientific purposes whatsoever. Speakers of these languages are surprised to learn that Swedish can be used for all these functions, a role speakers of these other languages believe to be reserved for a small number of European languages such as English, French, German, Spanish and possibly Portuguese. Teleman has presented figures for the publication language of doctoral theses in Lund during 1991, which shows a strong preference for English in the fields of medicine, engineering and mathematics/natural science.

But are not these defenders of Swedish as a scientific language confusing two different channels of scientific discourse? On the one hand, it is necessary for scientists in virtually all disciplines to communicate and share their results with each other over national and linguistic boundaries. Clearly, it is most efficient if this communication (at least in disciplines other than those concerning the languages themselves, i.e. Nordic languages in the case under discussion) takes place in English or another language of wider communication. It would surprise me if those scholars who have expressed their concern about the role of English in science have not had the experience I have had several times at international conferences: colleagues from different countries and with different first languages meet and discover a common interest which both have written about, but one or both then remembers that the articles in question were written in Swedish or Dutch, rather than English, French or German. Communication is made impossible (or at least very difficult) because one or both have written primarily for a domestic audience, in the national language.

On the other hand, it is our obligation as scientists to participate in another kind of scientific discourse, to present our research results for a more general public, primarily those in our own country. It is their democratic right, furthermore, to be able to obtain information about the research we do with the support of their tax money. This communication can take many forms, but clearly it is most efficient if it takes place in Swedish. In fact, in most cases, it goes without saying that this »third task« of universities must be carried out in the language of choice of the recipient of information. If it is the case that scientists no longer feel able to discuss their research in Swedish, then this is an indication that they are not taking this task seriously. Teleman's use of the language of doctoral dissertations as an indication of scientists' inability to present their research in Swedish confuses these two rather separate tasks we have as researchers. Doctoral dissertations belong primarily in the domain of the first kind of scientific discourse. I support the suggestion of Teleman and others, however, that doctoral dissertations written for a degree in Sweden should include a summary in Swedish.

It is another question the extent to which English really is taking over from Swedish as the major language of doctoral dissertations. A cursory examination of the titles of theses presented at Göteborg University since the medical faculty was integrated into the University in the mid-1960s indicates that English is dominant as the dissertation language in natural science and medicine, but not in humanistic and social science disciplines. Rather, the main development over the past 35 years is in the total number of dissertations defended. This has increased dramatically, from 21 in 1965 to 119 in 1985 and to 260 in 1999, and along with it the number of dissertations in Swedish as well as in English (see table below). The proportion of dissertations in English has also increased in recent years, but if the dissertations in natural science and mathematics (where the language is *required* to be English) are disregarded, then the number of dissertations in humanistic and social sciences in English is actually lower than the number in Swedish.

	Swedish	English	Total
1965			
Med., nat. sciences and math.	1	15	16
Human/social sciences	4	1	5
1998 (130 of a total of 260)			
Med., nat. sciences and math.	0	75	75
Human/social sciences	34	21	55

Doctoral dissertations in different languages and in different disciplines at Göteborg University 1965 and 1998.

The domain of education

Several of those concerned about the role of English in Sweden have also pointed to its increasing use as a (or the) medium of instruction both within higher education, at gymnasium level and even within compulsory school. Preschools and elementary schools with English, French, German and even other languages have existed for a long time, but have also become more numerous in recent years. Does this mean that English (perhaps complemented by other major European languages) is starting to take over as the language of education in Sweden?

In higher education, courses and educational programs in English have been started, in many cases to accommodate foreign students on EU-supported exchange programs. Hyltenstam cites Svenska institutet's catalog of courses and educational programs conducted in English, and expresses surprise over the extent to which Swedish higher education has accommodated to the demands of »international« students. This willingness to accommodate implies that Swedish university teachers must be prepared to hold courses in English, a demand that apparently is beginning to be made when new teaching positions are announced.[7] He also reviews a study by Gunnarsson and Öhman of the use of English at Uppsala University,[8] which indicates that teaching in English indeed constitutes a considerable portion of all teaching at certain faculties (between 10 and 15% of all teachers are expected to teach in English; about the same amount of teaching at most faculties on the undergraduate level takes place in English while up to 70% of the teaching at the graduate level in engineering and natural science is in English). At the graduate level, use of English is motivated by the presence of international researchers and graduate students who cannot provide or follow instruction in Swedish. Most of the departments investigated by these authors expressed an interest in continuing with current practice, rather than reducing English, or, for that matter, increasing the use of other languages such as French or German. Here, clearly, the choice is pragmatic. Foreign students and teachers usually have not studied Swedish. Swedish students and teachers at this level usually have studied English, and often have a good proficiency in the language. English becomes the only practical choice. Requiring Swedish as the only medium of instruction at the tertiary level would imply significant decreases in international contacts, which are a benefit not only to the visiting students and teachers, but also to the host departments, I would argue.

At the *gymnasium* level, there seems to be a considerable expansion of English-medium instruction, not only at independent schools, but also at certain public schools, but always on a voluntary basis. There is a strong demand for this form of education, even when it only involves Swedish-speaking pupils and teachers. In 1995, this form of instruction constituted approximately 5% of all pupils and 4% of all teachers, according to sources cited by Hyltenstam.[9] Even at the level of the lower secondary school (*högstadium*), it has become popular for Swedish speaking teachers to try teaching various subjects in English and even in other languages such as German. This type of education has sometimes been called »bilingval undervisning,« a confusing term, as it can so easily be equated with English »bilingual education,« which ordinarily refers to education in both majority and minority languages for children with minority languages as first languages. Hyltenstam presents evidence both supporting and questioning its efficiency in promoting knowledge both of English and the various disciplines.

What exactly are the critics of this form of education concerned about? Some debaters worry that the pupils' knowledge in the fields they have received this instruction in will be inferior to that of their fellow pupils, who have received instruction in their mother tongue. Others, e.g. Margareta Westman, have longer term worries and express concern for the ability of Swedish pupils to acquire knowledge and then to present this knowledge in fields in which they have received their education (only) in English. Hyltenstam also seems to be worried that Swedish will lose its role as a credible language in which to carry out studies in certain subjects, perhaps in a longer perspective in all fields of education.

These worries are reminiscent of the concerns expressed by members of immigrant and other minority communities with regard to their first languages: that their children will never be able to achieve comparable results in the subjects in which they have received instruction in another language (the majority language), and that minority languages will never achieve equal status to that of majority languages, as they are never used in certain scientific and cultural domains. This concern, when voiced by a researcher such as Hyltenstam, who has expressed the same views on behalf of minority language communities such as the Sami, gives the argument greater credibility than it would otherwise. But is the concern justified?

If we truly believe in the value of bilingual education in the strict sense, i.e. education through the medium of more than one language, then we should perhaps be somewhat more accepting of these new forms of bilingual education, at least when they are carried out in a truly bilingual manner. Of course, like the parents, pupils, administrators and others directly involved in the educational programs, we should place high demands on the quality of the programs in terms of curriculum, leadership and teaching, including the language skills of the teachers involved. Those of us who have argued for the value of bilingual education for minority pupils must also be willing to accept its potential value for majority pupils, even if the medium of instruction in this case is not a threatened minority language, but arguably the world's most powerful and dominating language. It could also be argued that minority children in Sweden with mother tongues other than Swedish may have a better chance for success in school if the curriculum is (partly) in a language which is not the mother tongue of the majority of the other pupils. This puts them in a more equal position to that of their classmates. In fact, in some areas, these forms of education have been welcomed by families where Swedish is not the primary language.

Although we may deplore the pressure English exerts on smaller, less powerful languages and its role in the demise of many of these languages around the world, the position of English as a powerful world language also makes it an indispensable asset in the labor market of the future in virtually all fields. But it is of course important that, if this education is to have a positive effect both for the participating students and a beneficial (or at least not detrimental) language political effect in a wider perspective, the education must be truly bilingual, i.e. instruction should be carried out not only in English but also in Swedish and preferably also in other languages, both European majority and local minority languages as well. An ideal program might be one in which the languages of instruction change from year to year in a particular subject, so that pupils receive instruction in for example chemistry one year in English or German and another year in Swedish, while the situation is reversed in another subject. This is the type of curriculum followed in schools such as the International School in Brussels. As in the area of science, discussed above, the aim is for pupils to develop skills in both (or several) languages, not in one language to the exclusion of the other.

The political and economic domains

As several writers have pointed out, the current globalization of the economy and the concurrent political integration of Europe have had their effects both on the Swedish language and on its use in Sweden. These traces include rather minor changes, like the substituting of the Swedish letters å, ä and ö with international ones (a and o) in company names like Skanska and Gotabank. Other companies have merged with or been bought up by foreign companies, and still others have changed their »company language« to English, despite their continued status as Swedish companies. Teleman, for example, wonders how long it still will be possible to obtain a position at such a company without excellent skills in English. These changes are seen by several writers as the first steps towards an anglification of working life in the private sector.

At the same time, Sweden has joined the European Union, which has led to the transfer of sovereignty and authority from the Swedish state to the various institutions of the European Union. Interestingly, to my knowledge anyway, the anti-EU political parties and movements did not use linguistic arguments such as the future reduction in importance of the Swedish language to further their cause during the campaign preceding the referendum for membership in 1994. Now, however, several authors warn for the expansion of English as the language of the European Union, and the negative effects of official documents of European origin translated into Swedish.[10] Swedes are with good reason proud of their syntactically and lexically relatively simple and transparent official documents, and deplore the relatively complicated prose typical of texts originally written in French or English and translated according to the norms of EU translation. These require, among other things, that a sentence in the source document is translated as a sentence in the target document. Although Swedish has the status of a working language, equal to that of the other ten working languages, several writers point to the unofficial language policy of EU meetings and committee work, where English, French and sometimes German are used to a much greater extent than other languages. Do these changes in the role of Swedish, in Sweden and in Europe, represent threats to its continued existence?

I am fully aware of the negative consequences of the globalization of the economy. For example, I realize that increased mobility is stimulating for economic elites, but often forced on other groups and that the gap between elites and others seems to be broadening. I find it a mixed blessing that goods are transported over large distances, that local products are outcompeted by multinational ones, and that Swedish industries now find it necessary to become increasingly multinational in order to survive competition in a globalized economy, an economy which seems to be increasingly difficult for democratic institutions like nation-states or even international organizations to regulate. The globalized economy seems increasingly to be one domain in which language policies formulated in Sweden have very little chance to have an impact. A minor comfort may be that Swedes are unusually well prepared for economic globalization, in that their proficiency in English is in many cases excellent. I find Teleman's fears that the Swedish economy will be in the hands of an English speaking (and foreign born?) elite exaggerated for the same reason. Swedish speakers of English are hardly an elite, rather, the level of skill in English among those who have gone to school in Sweden is generally high, and can be quickly improved when the need arises (viz. soccer players who get contracts in Britain). Furthermore, native English speakers in Sweden tend to speak Swedish also (see below).

In the political arena, at least within the European Union, there seems to be a very strong commitment to multilingualism, which several of the writers referred to underestimate. At a meeting I attended last fall in the Netherlands on language policy in Europe, there were no representatives present who seriously argued for a reduction in the number of working languages for the EU, although all were aware of the »problem« that some languages, not only English, but also French, tended to dominate the daily work of committees and informal gatherings as *lingua francas*. This fact undeniably gives speakers of these languages an undue advantage in making their voices heard in these contexts. Many argued strongly for the uniqueness of the political project that the EU represents and the necessity of creating something other than a super nation-state, whose inhabitants would have a homogeneous European cultural identity and speak a single language. There seems to be a strong commitment, at least for the foreseeable future, for a multicultural and multilingual European Union. More jaded observers often point out that the French and Germans would hardly, at least in the near future, allow English to take over as a sort of »supernational« language for EU. Furthermore, as Melander and others point out, participation in

EU institutions by Swedes involves a greater use of Swedish outside the country's borders, not only in EU institutions but also for example in international schools on the continent. Sweden's membership in EU has undoubtedly led to an increase in the number of people learning Swedish outside its borders.[11]

The domains of culture, entertainment, mass media and IT

The domains of culture, entertainment, mass media and IT are arguably in many respects like those of private business generally. They tend to follow the principles of supply and demand, and of survival of the fittest, which for some time, and independent of European integration, have led to an increased presence of English in Sweden. As with the doctoral dissertations, however, it is unclear the extent to which there has been a decrease in the amount of Swedish, as the increase in English has gone hand-in-hand with the increase in volume of these media generally. If we look at the area of television for example, we now have three ground-based and several satellite/cable television channels which broadcast in Swedish or with Swedish subtitles instead of the previous two, and at the same time there are now a large number of satellite/cable channels available to various viewers in a number of different languages, among them English. Some of these channels can also be viewed in Swedish and other languages (e.g. Cartoon Network and Nickelodeon, which cater to children). Have the number of hours of broadcasting in Swedish actually decreased, or is it the case that the increase in volume has been accompanied by an increase in the amount of broadcasting in other languages, mainly English? It seems as if the number of hours of broadcasting in Swedish has actually increased. An informal look at the »top ten« programs viewed each week in Sweden indicates furthermore that the Swedish programs are definitely holding their own in competition with Anglo-American or British programs.

Entertainment products such as music, television programs, computer programs and games, films etc. come in increasing numbers from North America, and although local products in some cases have shown a willingness and ability to compete with these successfully, there are many examples where even the local Swedish products use English (e.g. popular music), or show the influence of Anglo-American culture in how they present themselves. Books of all kinds in English are translated in great numbers into Swedish, others are bought or borrowed and read in the original language; few Swedish books ever reach readers in English-speaking countries. This lack of balance can only be regretted. Not only is it the case that Swedish artists, producers of films, writers, musicians etc. see the market (at least for products in Swedish) shrinking and being taken over by Anglo-American competitors, but the world market is missing great literature, music and entertainment because these cultural forms in Swedish and other languages never reach it. But as in the area of the economy discussed above, as regrettable as this situation is, it is difficult to see how it can be rectified with language political decisions in Sweden. Rather, the forms of support now available for production of new books, films, music, news media and so on in Swedish must continue to guarantee the production of these expressions of Swedish culture, just as the more modest forms of support should be maintained or increased for Sami, Meänkieli, Romany, Yiddish and the immigrant languages. Swedes with a good knowledge of English are at least in the advantageous position of being able to choose between forms of culture and entertainment in Swedish or in English, as long as the government lives up to its stated commitments to support the Swedish medium culture. Monolingual English speakers miss this opportunity to become acquainted with Swedish culture, except in the form of a few isolated book translations, an occasional film and a considerable amount of Swenglish popular music.

Language maintenance and language shift

Interestingly, few of the writers who have warned for the future role of Swedish in Sweden have attempted to apply existing theories of language maintenance and language shift, developed primarily to gauge the survival chances of minority languages, to the current situation for Swedish. Rather, it is assumed that a reduction in functional domains is »the beginning of the end,« an assumption which, as many scholars in the field of language contact have pointed out, is based on the dubious assumption that monolingualism is a normal and stable condition for societies, while bilingualism is abnormal and unstable. Björn Melander and Kenneth Hyltenstam are however exceptions to this. Melander examines Fishman's diglossia concept[12] and his later hierarchy of stages in language shift,[13] both of which suggest that Swedish is »on the strong side,« i.e. hardly in danger of glottofagia in the foreseeable future. Hyltenstam is more worried, as he compares the condition of Swedish on the one hand to minority languages within Sweden and on the other to languages in other parts of the world, e.g. Mozambique, where a colonial language has played a role similar to the one which English is beginning to play in Sweden, he argues.[14] In both cases, speakers of the weaker languages become marginalized victims of domination or repression by an elite who have greater access to the superposed language. Is this a realistic scenario for Sweden in the future?

Fishman posed the same question vis-à-vis Dutch rhetorically in 1990:

> Why English is generally not handed on by English-speaking parents among Netherlanders to their children, and why, therefore, it has to be learned anew by those children after Dutch has already been acquired, while the so »less useful« Dutch is handed on by these same parents to their children is a riddle worth pondering for all those interested in reversing language shift. Why isn't Dutch a threatened language, given that almost all middle-class Netherlanders past elementary school speak English too, and, indeed, do so rather well at that?[15]

Previous research in two different areas regarding two relevant groups might give us some information in answer to this question. The first source is research on language use among Americans living in Sweden, the other is research on language preference among well-educated immigrants in the Netherlands. In the late 1980s and early 1990s I led a research project on American, Finnish, Turkish and Vietnamese immigrants to (and within) the Nordic region. Each of these four »origin groups« was studied in at least two locations in the region. The three American groups—which it would seem that Teleman and perhaps others might expect to be acting as some sort of potential or actual linguistic elite in their respective host countries—turned out rather surprisingly to be among those who were most frequent users of the majority language. In fact, it was only one of the two Finnish groups in the study who on average used the respective majority languages more frequently than the Americans in each of the three locations. This was true both for parents and children in the study. Many American parents expressed problems in transmitting English to their children, despite the extensive support the language receives, its high status and the strong motivation to use the language actively.[16]

Another recent study of relevance for the question of the role of English in Europe was recently carried out in the Netherlands by Weltens and DeBot.[17] It addressed the question as to whether immigrants in that country saw as great a need to study Dutch as to study English, a language »sufficient for survival« in the Netherlands. The results of the study show unequivocally that the immigrants, who admittedly had very positive attitudes towards English, also had very positive attitudes towards and were highly motivated to learn Dutch. For these immigrants, who had little or no use for Dutch outside the Netherlands (or Belgium), Dutch was considered to be as useful and important to learn as English.

Putting the results of these two studies together, it is clear that minor national languages in European nation-states like the Netherlands and Sweden still have a remarkably strong position in the minds of migrants to both countries. Both English speakers in the Nordic region and speakers of other languages in the Netherlands realize that, although many of the natives whom these immigrants come in contact with *do* speak English, Dutch and the Nordic languages are at least as important to learn and to use in each of these countries. English is perhaps »sufficient for survival,« but being able to communicate in the national language is important for most purposes beyond that of mere survival. I would argue further that learning and using Swedish or Dutch indicates a commitment on the part of these groups to integration in the host society. The only migrants who deviated from this general picture were those who had a definite plan to return to their country of origin. This applied both to English-speakers in the Nordic region and the migrants in the Netherlands studied by Weltens and DeBot.

Furthermore, according to Fishman, the most crucial domain in a process of language shift is that of the home.[18] As long as we do not see Swedish (or Dutch) parents beginning to use English as the primary language of the home, we should agree with Melander's conclusion regarding the status of these languages in their respective nation-states. They are »on the strong side.«

Conclusion:
The perspective of both/and rather than either/or

I have tried to show that perhaps some of the fears expressed in the cited articles by Teleman, Westman, Hyltenstam and others may be exaggerated, at least in a short term perspective. At the same time, I understand their fears, although I do not share them. It is an easy conclusion to draw that this is because my own mother tongue is American English. My mother tongue probably plays an important role in my view, just as I am sure the mother tongues of the others play a role in their views. As Fishman's recent book clearly demonstrates,[19] most speakers of all but the most stigmatized vernaculars have a special feeling towards their mother tongue, not the least professors of Nordic languages and professional language cultivators.

But I hope they will seriously consider my views, as I have tried to consider theirs, despite my position as biased. Their position is equally biased. What I have tried to argue for, not only in this paper, but in much of my writing in the area of language contact and bilingualism is what bilingualism researchers repeat as a litany: the »both/and« perspective, rather than the »either/or« one. I think the linguistic life of virtually all Swedes can accommodate more than one language. There is an important and liberating role for English, although the authors I have cited have chosen to see its role more as that of an oppressor. English is the main vehicle for Swedes to communicate with people outside of Sweden, both in speech, writing, and via all the new means of communication from radio through TV and internet. Clearly this must be seen as being of enormous value to a large segment, indeed all of the population. Its role implies not only »transatlantic connections,« but also global ones. The position of Swedish, and the loyalty of its speakers, including those of us who speak it as a second language, guarantees a relatively secure future for the language, at least during the next hundred years. We can all both have our cake and eat it too by cultivating our first language and developing not only one but preferably several second or foreign languages.

Those of us who are concerned about the replacement of indigenous languages by European ones around the world should perhaps focus our attention instead on languages in much more serious circumstances than Swedish, and oppose the spread of English and other languages where they have the role of seriously threatening indigenous languages. It could be argued that the promotors of Swedish are trying to turn the clock back to a time when Swedish had a totally unrivalled position as the national language of a more monolingual country (both in terms of native speakers of other languages and in terms of proficiency in foreign languages) than the one we live in today. These defenders of Swedish run the very great risk of ending up in the dubious company of members of the »English only« movement in the U.S. and of the right-wing supporters of the French *loi Toubon* of 1994. This law made explicit the worst kept secret of France, namely that French is the language of the Republic. It was passed at the same time as France ratified the Maastrict convention by a narrow margin, and was aimed at the same sort of status planning as the Language Council's policy for promoting Swedish: »[To] make the use of French compulsory in several domains of society.« We can only hope that it is a mere coincidence that the Swedish policy document, like the French law, comes at the same time as the government submitted its proposal to ratify the Council of Europe's Charter for Regional or Minority Languages and Framework Convention for the Protection of National Minorities. If the policy document is misused by conservative groups, there is a grave risk that the positive effects of the Charter will be outweighed by the negative effects of the policy document.

Notes

1. Ulf Teleman, »Det svenska riksspråkets utsikter i ett integrerat Europa,« in J. Blomqvist & U. Teleman, eds., *Språk i världen: Broar och barriärer* (Lund: Lund University, 1993), pp. 127–141; Svenska Språknämnden, »Förslag till handlingsprogram för att främja svenska språket,« *Språkvård* 2 (1998); Kenneth Hyltenstam, »Svenskan i minoritetsperspektiv,« in K. Hyltenstam, ed., *Sveriges sju inhemska språk: Ett minoritetsperspektiv* (Lund: Studentlitteratur, 1999). Regarding other Nordic languages, see e.g. C. Laurén, »Alla nordbor minoriteter i Europa?,« in S. Løland et al., eds., *Språk i Norden 1992* (Oslo: Nordisk språksekretariat, 1992); K. Venås, »Nynorsk mål i eit integrert Europa,« in Løland, *Språk i Norden 1992*; E. Hansen, »Det danske sprogs fremtid,« in Løland, *Språk i Norden 1992*.
2. Svenska språknämnden, »Förslag till handlingsprogram.«
3. Sally Boyd & Leena Huss, »En helhetssyn på språken i Sverige behövs! Synpunkter på Svenska språknämndens förslag till handlingsprogram för att främja svenska språket,« *Språkvård*, forthcoming.

4. *Steg mot en minoritetspolitik: Europarådets konvention om historiska minoritetsspråk,* SOU 1997:192.

5. Westman is Secretary of the Language Council and main author, with Ulf Teleman, of the policy document.

6. Robert L. Cooper, *Language Planning and Social Change* (Cambridge: Cambridge University Press, 1989), pp. 31–33.

7. Hyltenstam, »Svenskan i minoritetsperspektiv,« p. 219.

8. B.-L. Gunnarsson & K. Öhman, *Det internationaliserade universitetet: En studie av bruket av engelska och andra främmande språk vid Uppsala universitet* (Uppsala: Forskningsgruppen för text- och fackspråksstudier, Institutionen för nordiska språk, Uppsala universitet 1997).

9. Hyltenstam, »Svenskan i minoritetsperspektiv,« p. 224.

10. See e.g. Björn Melander, »De små språken i den europeiska gemenskapen,« *Språk och stil* 7 (1997), pp. 91–113, for a balanced presentation.

11. Lars-Gunnar Andersson, »En stor stark: Om den svenska språkgemenskapen,« *Språkvård* 1 (1999), pp. 26–32.

12. Joshua A. Fishman, *The Sociology of Language: An Interdisciplinary Social Science Approach to Language in Society* (Rowley, Mass.: Newbury House, 1972).

13. Joshua A. Fishman, »What is Reversing Language Shift (RLS) and How Can it Succeed?,« *Journal of Multilingual and Multicultural Development* 11:1–2 (1994), pp. 5–36.

14. Hyltenstam, »Svenskan i minoritetsperspektiv.«

15. Joshua A. Fishman, *Reversing Language Shift* (Clevedon: Multilingual Matters, 1990), p. 356.

16. For more details, see S. Boyd, A. Holmen & J. N. Jørgensen, eds., *Sprogbrug og sprogvalg blandt indvandrere i Norden,* 2 volumes (København: Danmarks lærerhøjskole, 1994), and S. Boyd & S. Latomaa, »Language Contact in the Nordic Region: A Re-evaluation of Fishman's Theory of Diglossia and Bilingualism?,« *Nordic Journal of Linguistics* 19:2 (1996), pp. 155–182.

17. B. Weltens & K. DeBot, »Is Dutch Just Another Berber? An Investigation into the Language Preferences of Immigrants in the Netherlands,« *Language, Culture & Curriculum* 8:2 (1995). pp. 133–140.

18. Fishman, *The Sociology of Language* and Fishman, »What is Reversing Language Shift,« and as pointed out for example in Melander, »De små språken.«

19. Joshua A. Fishman, *In Praise of the Beloved Language: A Comparative View of Positive Ethnolinguistic Consciousness* (Berlin: Mouton de Gruyter, 1997).

En australisk historia?

CHARLES WESTIN

I.

VÄDRET ÄR KLART OCH sikten god under den tre timmar långa flyg-
ningen mellan Cairns och Sydney. Under inflygningen skymtar vi det
berömda operahuset på sin udde och den nästan lika berömda bron.
Sen tar skyskraporna i Sydneys centrum vid. Tre kvart senare sitter vi i
en taxi på väg över bron. En motorväg ansluter vid det norra brofästet.
Den hade inte funnits där på 1950-talet. Snart viker vi av motorvägen
och efter ytterligare ett antal svängar som gör att jag tappar oriente-
ringen kör taxin in på en otrafikerad gata kantad av typiska villor och
radhus efter brittisk förebild. Trädgårdarnas palmer, jakarandor, euka-
lyptusträd och tropiska blommor bryter dock tvärt med den typiska
bilden av en engelsk förstadsgata med sina välklippta gräsmattor, ansa-
de rosenrabatter och lövträd. Jag är inte säker på hur långt vi kommit
eftersom chauffören genar genom villaförstaden för att undvika den
hårt trafikerade huvudgatan till Neutral Bay, förorten där vi ska bo.
Plötsligt uppenbarar sig en skola på höger sida, med barn som just är på
väg därifrån. *Neutral Bay Public School* står det på en skylt – *Founded in
1892.* Jag hajar till. Den här skolan hade jag faktiskt gått i under mitt
första år i Australien. Jag hade börjat tredje klass i januari 1950.

Nästa dag promenerar jag till skolan, vågar mig in på skolgården
sedan det ringt in, söker minnas, fotograferar. Skolan har målats om
nyligen. Det ser fint ut, fräscht, trots att byggnaderna närmast är antika
i det korta australiska historiesammanhanget. En barackliknande pavil-
jong har kommit till sedan »min tid«. Annars är det mesta sig likt så
som jag minns de två huvudbyggnaderna och skolgården. Det framgår
av skylten som jag skymtat från bilen att det fortfarande är en mellan-
stadieskola (tredje t.o.m. sjätte årskurs). När barn flockas på skolgården

249

under rasten slås jag över hur små de är. Men det slår mig också, när jag spanar in över skolgården, att inslaget av barn med asiatiskt utseende är påfallande stort. De utgör kanske hälften av alla barnen på skolgården. Men då får jag titta ordentligt. Barnen bär skoluniformer. Om jag bara blickar ut över havet av barn som står i klungor och pratar, leker eller spelar »French cricket« precis som jag gjorde med mina klasskamrater framstår inte barnens fenotypiska drag som särskilt iögonenfallande.

Några dagar senare far jag till den andra skolan jag gått i under mina nästan fem barndomsår i Sydney. *Gordon Public School* hade också byggts vid slutet av 1800-talet när Sydneys norra förstäder expanderade längs den nyanlagda förortsbanan. Då var Gordon granne med vildmarken, nu är det en närförort. En plakett på sandstensmuren upplyser om att skolan lagts ned ett par år tidigare i brist på elever. Den skräpiga skolgården ligger helt öde. Några baracker, bland annat ett regnskydd i trä som funnits på min tid mer än fyrtiofem år tidigare, står kvar men är vandaliserade. På andra sidan vägen har IKEA etablerat sig. Det är säkert bara en tidsfråga innan den här marken tas i anspråk för bilparkering eller affärsetablering. Den ursprungliga skolbyggnaden är i gott skick och har integrerats med en nyuppförd modernistisk byggnad som fungerar som kommunalt bibliotek och lokalhistoriskt arkiv. Den gamla skolbyggnaden är kulturmärkt och får inte rivas. Klassrummen har byggts om för att husera arkiven.

Här får jag alltså en påminnelse om det märkliga med Australien. Det »vita« Australien, det på brittisk kolonisering, europeisk och numera också asiatisk invandring uppbyggda samhället har en ovanligt kort historia. Den är bara drygt två hundra år gammal. Den självständiga staten Australien är mindre än ett hundra år gammal. Det är ett samhälle vars historia är väl dokumenterad. Arkiven dignar av papper – protokoll, kontrakt, skildringar, artiklar, och inte minst brev till anhöriga där hemma. Det måste vara något speciellt med ett samhälle vars födelse kan fixeras exakt till tid och plats, i det här fallet till ett hejdundrande fylleslag som avhölls på stranden vid det som kom att kallas Sydney Cove kvällen den 26 januari 1788.

Med den här artikeln vill jag återbesöka min barndoms geografi- och historieundervisning, men formulera den utifrån min nuvarande förståelse.

2.

Varje försök att nå en förståelse av samhällslivet i Australien, ursprungs-befolkningens såväl som de europeiska och numera asiatiska invandrar-nas, måste utgå från kontinentens speciella geografiska betingelser. Här möter vi omedelbart en tidshorisont av nästan ofattbar utsträckning. Under miljoner och åter miljoner år har landskapet formats till sin nu-varande gestalt under inverkan av sol, vatten och vind. Ekologiska sys-tem har utvecklats inom vilka livets betingelser har anpassat sig till na-turens förutsättningar. Landskapet har stor betydelse som grund för samhällen, konkret med avseende på förutsättningarna för livets faktis-ka uppehälle och symboliskt med avseende på känslan av hemmahörig-het.

Mänskliga boningar är alltid situerade i landskap. De geografiska betingelserna är så att säga fundamentala. Det är av jorden och det som växer i jorden som människan i sista hand livnär sig. Det är av regnets vatten hon ytterst beror. Många faktorer som exempelvis topografi, omgivande hav och landmassor, luftströmmar och havsströmmar, sol-timmar per år och solens maximala höjd avgör hur livets nödvändighe-ter fördelas i ett landskap.

Det australiska fastlandet är beläget mellan den 10 och 38 sydliga breddgraden. Dess antipoder ligger i Atlanten. Vi kan bilda oss en upp-fattning om klimatzonerna genom göra oss en bild av Nordafrika, Sa-hara och steppen söder om Sahara. Landarealen, som dock är mindre än norra Afrikas, motsvarar ungefär det kontinentala USA:s. Tasmani-ens sydligaste punkt ligger på den 43:e sydliga breddgraden. Öns av-stånd till ekvatorn motsvarar ungefär Portugals men dess areal är något mindre. Tropiskt klimat råder i Australiens allra nordligaste områden. Det innebär riklig nederbörd året om. Klimatet i sydost och sydväst är tempererat. Vintern är förhållandevis mild medan sommaren kan vara ganska varm. Nederbörden i kontinentens sydostliga delar är relativt jämnt fördelad över årstiderna. Huvuddelen av den australiska land-massan ligger inom den världsomspännande torra klimatzon där öknar som Kalahari i Afrika och Atacama i Sydamerika återfinns på södra halv-klotet, och på norra halvklotet Sahara förstås, den arabiska öknen, Thar i Indien och de nordamerikanska öknarna. Till en stor del är det austra-liska fastlandet alltså öken eller halvöken. Emellanåt kan våldsamma sandstormar omskapa topografin.

Vad är då karakteristiskt för den australiska landskapsbilden och vilka är dess förutsättningar? Med vilka kategorier ska vi över huvud taget närma oss den? Nederbörd och jordmån, bergskedjor och slättland, kuster och inland, floder och sjöar, eller kanske mera betecknande för Australien, uttorkade flodbäddar och sjöar utan vatten, liksom den växtlighet och det djurliv som anpassat sig till dessa betingelser, utgör alltid grundvillkoren för mänskligt liv och samhällsorganisation. Det handlar om överlevnad, om vatten att dricka och föda att förtära, om kunskap att finna vatten och föda under de kargaste av yttre förhållanden. Och det handlar om social organisation: Att tillförsäkra samhället dessa livets förnödenheter och att föra kunskapen vidare till det uppväxande släktet. Det handlar kort sagt om betingelserna för en värld.

Australien räknas som en av jordens kontinenter, jämställd med Asien, Europa, Afrika och Amerika. Men vad står kategorin kontinent för? I en enkel bemärkelse är en kontinent en större sammanhängande landmassa. Den är fastland till skillnad från ö. I så måtto är kontinentbegreppet en geografisk kategori. Men det är avgjort också ett historiskt och antropologiskt begrepp, även om jag för min del snarare vill tala om världsdel då. I förhållande till Medelhavet låg den gamla världens tre delar i olika väderstreck, Europa i norr, Asien i öster och Afrika i söder. Begreppet världsdel manar fram bilden av länder under eller bortom horisonten i det centrala perspektiv som ett medelhav kan utgöra. Det är kategorin »bortom horisonten« jag vill hålla fram.

Som geografisk verklighet är den australiska kontinenten en relativt obetydlig landmassa i förhållande till den på 1600- och 1700-talen rådande idén om en jättelik okänd sydlig kontinent, *Terra Australis Incognita*. Under flera hundra år antog europeiska geografer att en sådan kontinent måste finnas som motvikt till det norra halvklotets landmassor. För 1700-talets geografer, och för de sjöfarare som hade föresatt sig att finna *Terra Australis*, måste verklighetens sydliga kontinent ha varit något av en missräkning. Den visade sig sannerligen inte vara det land av rikedomar, guld och ädelstenar som myter på Java visste att berätta om. De första europeiska sjöfarare att angöra den australiska kusten mötte ett föga inbjudande landskap. De såg ofruktbar mark och vad de uppfattade som primitiva människor. Det här kunde inte vara *Terra Australis*.

Det finns likväl goda skäl att räkna Australien som en kontinent. Utan tvivel omfattar den en förhållandevis stor sammanhängande landmassa. Geologiskt sett är Australien en gammal kontinent. En gång höga berg har bokstavligen förflackats under erosionens inverkan. Landmassan är del av en distinkt tektonisk platta. I det nästan ofattbart långa geologiska tidsperspektivet rör den sig i kollisionskurs med den eurasiska plattan. Geografiskt och geologiskt måste det australiska fastlandet anses utgöra en kontinent.

I zoologisk bemärkelse är det mera tveksamt om Australien ska klassificeras som kontinent. Den landbaserade faunan skiljer sig väsentligen från den övriga världens. På de amerikanska kontinenterna, där pungdjuren en gång hade sitt ursprung, har de på ett par undantag när konkurrerats ut av placentala däggdjur. Den australiska landmassan har emellertid under årmiljoner saknat landförbindelser med den övriga världens kontinenter. Placentala däggdjur kom inte förrän med de första människorna.[1] Fauna och flora som har anpassat sig till kontinentens speciella klimatologiska och geografiska förhållanden har få motsvarigheter på annat håll. Här utbildades ett ekologiskt system som slog de första européerna med häpnad. Australien är förvisso en mycket vidsträckt värld som uppvisar en betydande zoologisk artrikedom. Ändå är den egen på ett sätt som för tanken till biologiska livsbetingelser på isolerade öar.

Är Australien också en världsdel i historisk och antropologisk bemärkelse? Helt klart är att befolkningstalet är mycket lågt jämfört med populationen i andra världsdelar. Fler människor bor exempelvis i storstäder som Mexico City och Shanghai än i hela Australien. Nordens invånare är flera än Australiens. Befolkningstalet är inte oväsentligt när vi talar om världsdelen som hemvist för samhällen och kulturer. Innan européerna anlände var befolkningstalet avsevärt lägre än vad det är idag. Även om ett mycket stort antal språk talades av aboriginerna, och sedvänjor och stamorganisationer uppvisade stor variation, är det inte alldeles klart att Australien ska anses motsvara en världsdel i historisk och antropologisk bemärkelse. Där har knappast funnits någon myckenhet av länder eller mångfald av kulturer bortom horisonten. Inte heller har där funnits större befolkningskoncentrationer före européernas ankomst som har fungerat som kulturella, politiska och ekonomiska centra. Skillnader i språk, traditioner och social organisation som är omedelbart uppenbara kan skymma det faktum att det i ett mera övergripande perspektiv också råder stora likheter. De många aboriginska språken hör lingvistiskt sett till en familj. Likaså uppvisar myter och

253

föreställningar hos skilda stammar djupare sett likartade drag. Skillnader som noterats i utformning av verktyg, jaktvapen och materiella artefakter kan snarare ses som variationer av en fundamental förståelseform än som indikationer på grundläggande kulturella skiljaktigheter.

Till ytan är Australien en liten kontinent. Landmassan är mindre än Europas. Kartan visar samtidigt att Australien kan ses som en stor ö, om man så vill som den största av de sydasiatiska öarna. Ska Australien betraktas som ett bihang till den eurasiska landmassan? Inte geografiskt eller geologiskt, kanske inte ens zoologiskt, men historiskt och antropologiskt är det i varje fall inte ett helt orimligt betraktelsesätt.

Vad innebär det att Australien är en liten kontinent och samtidigt en stor ö? Kanske kan man uttrycka det så att Australien är en kontinent som aldrig riktigt utvecklades till världsdel. Historiskt och antropologiskt förblev den en ö, mer eller mindre avskild från världen i övrigt. Aboriginernas Australien kan förstås inte jämställas med andra ökulturer som historien och antropologin känner. Som ö är landmassan alltför stor för att någon stam vid den ena kusten skulle ha nära känndedom om den motsatta. Dock finns uppgifter om att betydande sträckor kunde tillryggaläggas i syfte att idka byteshandel. Ön kan alltså vara en mera träffande kategori än världsdelen för att karakterisera aboriginernas Australien. Det var en värld för sig. För aboriginerna låg den inte bortom världshändelsernas centrum, ty någon annan värld kände de förmodligen inte till. Det är nu i efterhand, med ett europeiskt 1900-tals perspektiv, som vi kan betrakta vissa drag i det aboriginska samhället som karakteristiska för en ökultur.

I en generell bemärkelse utgör ön ett sammanhängande mänskligt livsrum. Därigenom skiljer den sig från världsdelens mångfald och brokighet. Ett nyckelbegrepp är förstås isolering. Ett annat är begränsning, en begränsad folkmängd, begränsade naturresurser, ett begränsat territorium. En ö är en värld innesluten i sig själv. Isolering och begränsning skapar förutsättningar för arkaiska livsformer, ett fasthållande vid uråldriga produktionssätt och språkliga former. Naturen tillåter sällan radikala förändringar av levnadssätten. Samtidigt kan emellertid just dessa förhållanden också föranleda innovationer inom vissa speciella sektorer, exempelvis inom det som rör fartygsbyggande och sjöfart. I allmänhet synes samhällen som återfinns på mindre öar i varje fall kännetecknas av en utsatthet och kulturell bräcklighet när de konfronteras med fastlandskulturer, även om undantag givetvis inte saknas.

Kanske det mest utmärkande draget för ösamhället är en relativ enhet-
lighet i kultur och livsformer och en förhållandevis homogen befolk-
ning. Havet anger territoriets gränser och kampen att överleva är mera
påtaglig där, en kamp mot naturens krafter, än vad fallet är på fastlan-
det.

Till en viss del kan denna karakteristik möjligen stämma in på abori-
ginernas värld. Men bättre är kanske att betrakta det aboriginska Aus-
tralien som en serie »öar«, om jag nu får vidga begreppet ö till att stå
för isolerade världar på fastlandet. En stam levde naturligtvis inte ove-
tande om sina grannar. Avstånden mellan bosättningar var emellertid
som regel betydande, tungomålen många, och samfärdseln begränsad
till det nödvändigaste i fråga om rituell kontakt och byteshandel. Fient-
lighet förekom mellan olika grupper, men tvister exempelvis om rätten
till jaktmarker kunde ofta lösas utan strid. Även om strider förekom till
och från, var krig som metod att underkuva och härska över andra folk
närmast obekant.[2] Där fanns ingen institutionell organisation av kriga-
re och följaktligen ingen självklar beredskap för krig.[3] Detta kan ha
varit en bidragande orsak till att aboriginerna bjöd de europeiska kolo-
nisatörerna så litet motstånd. Kanhända är frånvaron av regelrätt krig-
föring mera typisk för ön än för fastlandet.

Nu är det här en spekulativ tolkning som jag har mycket lite täck-
ning för. Uppenbart är att någon brist på motexempel i den antropolo-
giska litteraturen inte föreligger. Låt mig därför säga så här: Även om vi
skulle betrakta aboriginernas Australien som en världsdel blev landet
avgjort en ö i och med européernas ankomst. Åren 1802–03 seglade
Matthew Flinders som den förste någonsin längs hela den australiska
kusten. Om inte förr blev landmassan en ö i samband med denna expe-
dition. Flinders gav landet dess namn, Australien.

3.

Liksom Sveriges, Frankrikes eller Irans historia är Australiens historia
intressant i sig själv. Varje lands historia har ett oskattbart egenvärde.
För att förstå vår samtid, och för att kunna relatera oss till de beslut
som måste fattas inför framtiden, både på det personliga och det sam-
hälleliga planet, är kunskap om historien, och en medvetenhet om his-
toriens gång av stor, för att inte säga omistlig betydelse. Därutöver har
emellertid Australiens historia också en särskild innebörd. Australien,

det moderna Australien som grundades som en brittisk straffkoloni, är alltså ett samhälle med kort historia, eller t.o.m. ingen »riktig« historia alls. Dess drygt två hundra år motsvarar ungefär sju generationer. Detta Australien är ett samhälle av sammanpressad tid. En tanke är att det specifika med hur detta samhälle har vuxit fram också speglar vissa allmänna drag i hur samhällen tillkommer men i en koncentrerad och kondenserad form. Det torde vara möjligt att här följa uppkomsten av ett modernt samhälle med tillgång till den bästa upptänkliga dokumentationen. Rent teoretiskt skulle man alltså kunna avtäcka processer av generell karaktär i statsbyggnad och nationsskapande som framträder tydligare i det australiska exemplet än annorstädes. Det skulle kunna uttryckas så att det här finns en identifierbar »historisk nollpunkt«, en utgångspunkt, från vilken spår framåt i tiden skulle kunna följas. Jag har ingen möjlighet att genomföra en sådan analys inom ramen för denna artikel, men jag vill ange möjliga riktlinjer.

Det moderna Australien daterar sin tillblivelse till tiden mellan de amerikanska och franska revolutionerna. Som samhälle är Australien jämngammalt med det moderna projektet. Även om det dröjde innan Australien själv industrialiserades, var industrialismen i Storbritannien åtminstone indirekt en orsak till att en straffkoloni anlades. När boken som den här artikeln publiceras i kommer av trycket är det nästan 212 år sedan kolonin vid Sydney Cove kom till. I Sverige regerade Gustav III och Svenska Ostindiska kompaniet (grundat 1731) hade redan varit verksamt i över femtio år.

Detta perspektiv negligerar totalt den australiska ursprungsbefolkningens historia, kultur och närvaro. Idag vet vi att ursprungsbefolkningen funnits åtskilliga tiotusentals år på kontinenten, och under den allt övervägande delen av denna tid utan kontakter med världen utanför. I det »vita« Australien räknades emellertid inte ursprungsbefolkningen. Aboriginerna fick sociala och politiska rättigheter först 1967, men då hade det »vita« Australien sedan länge format sin konstitution, sina institutioner och sin identitet. Ett viktigt spår att följa i det »vita« Australiens historia är således förringandet av ursprungsbefolkningen. Aboriginerna föreställdes som primitiva, som barn, såsom tillhörande en annan ras, som icke-personer. Framväxten av en australisk identitet innefattar sådana föreställningar, hur upprörande vi än tycker att de är. Se bara på populisten Pauline Hansens politiska framgångar de senaste åren, även om hennes stjärna dalade i det senaste parlamentsvalet.

Under mina år i australisk skola under första hälften av 1950-talet förekom praktiskt taget ingen undervisning alls om ursprungsbefolkningens villkor – det handlade om ett par lektionstimmar på fem år, för att ta till i överkant. Förhoppningsvis har detta ändrats idag. Under historieämnet på min tid behandlades framför allt brittisk historia – från den romerska koloniseringen, vikingatiden, den normandiska erövringen, de skotska krigen och vidare fram till Walter Raleigh, Elizabeth I och koloniseringen av Nordamerika. Det var annorlunda med geografiundervisningen. Den koncentrerades nästan helt till australiska floder, bergskedjor och öknar. Ett viktigt inslag i denna undervisning utgjorde den australiska upptäcktshistorien som alltså integrerades med geografilektionerna. Det var landskapets »layout«, som forskningsresorna bringade klarhet i, som lyftes fram i undervisningen, inte det faktum att dessa expeditioner också utgjorde en del av historien. Det är som om landets enorma yta men statsbildningens korta tillvaro speglades i läroplanens timfördelning mellan australisk geografi och australisk historia.

Låt mig nu gå vidare med den Braudelinspirerade beskrivningen av landet, en beskrivning vars rötter jag kan spåra tillbaka till min första geografilektion i Neutral Bay Public School.

4.

Det australiska landskapet har två ansikten, kustland och inland. Vad innebär ett kustland? Och vad innebär ett inland? Inom båda kategorierna förekommer naturliga variationer. Kustlandet är sig inte likt överallt och det stora inlandet uppvisar olika landskapstyper. Ett kustland är ett område där land och hav möts. Kusttrakter brukar i allmänhet vara gynnsamma för mänskligt liv. Temperaturvariationerna mellan sommar och vinter liksom mellan dag och natt är inte lika stora som i inlandet. Vid kusten finns som regel sött vatten i floder och bäckar. Havet erbjuder ett nästan outtömligt förråd av fisk, musslor och skaldjur. Havet längs kusten underlättar också kommunikationer över större avstånd för dem som äger farkoster. Tidvattnets cykliska rytm, ebb och flod, gör stranden till en alldeles egen livsmiljö. Människor har alltid bosatt sig i kustlandet. I denna mening erbjuder den australiska kusten ett ofullständigt kustland. I norr och öster finner vi ett kustland, men knappast i söder och väster annat än längst söderut i kontinentens östra och västra hörn. Delar av den norra kusten rymmer väldiga träskmarker av mangrove. Ett bälte av tropisk regnskog täcker kustlandet i nordost. Längs den långa östra kusten avbryts långa sandstränder av klippor och rev som bildar uddar. På sina håll kan klipporna nå imponerande höjder. Annorstädes kan de vara obetydliga och flacka och är knappast klippor alls.

Längs denna östra kust från norr till söder sträcker sig en bergskedja, *The Great Dividing Range*, några mil inåt landet. Mot havet rinner ett antal relativt korta, strida och vattenrika floder. Här, öster om bergskedjan, är livets förutsättningar relativt gynnsamma. Floderna är förhållandevis fiskrika. Tillgång till vatten året om har skapat förutsättningar för skogar, *bushen*, huvudsakligen bestående av olika eucalyptusarter. Bushen rymde en gång ett förhållandevis rikt djurliv. Där fanns mindre känguruer, wallabier, koalor, olika smådjur och fåglar. För människor innebar det en tillgång till villebråd. Jorden här utsätts inte för en lika kraftig erosion som landet väster om bergskedjan. Förutom i floddalarna är den dock inte särskilt bördig efter europeiska förhållanden. De återkommande översvämningarna utgjorde inget problem för aboriginerna men väl för de första europeiska odlarna. Ursprungsbefolkningen i dessa trakter var mer eller mindre bofast. Här fanns alltså god tillgång till vatten, fisk och musslor, ätbara växter och rötter, ätbara insekter och, före européernas ankomst, tillräckligt med villebråd för att försörja en bofast om än inte särskilt talrik befolkning.

Den långa bergskedjan i öster avgränsar kustlandet från inlandet. *The Great Divide* hör till ingetdera. På sätt och vis utgör bergskedjan ett undantag i det australiska landskapet. På andra håll i världen har bergstrakter ofta varit tillhåll för maktens utmanare och opponenter. Bergen har också varit tillflyktsort för stråtrövare och banditer. De första européerna som sökte sig till bergen var förrymda straffångar som åtminstone en tid kunde hålla sig undan. Det dröjde innan bergen korsades av en expedition som myndigheterna hade sanktionerat.

I tre väderstreck gränsar den australiska kontinenten till världshaven. Öar ligger visserligen utanför kusten men de är förhållandevis fåtaliga. Endast i norr finns land under horisonten varifrån strandhugg på det australiska fastlandet har kunnat utgå. Längs den östra kusten vid dess flodmynningar finns en del skyddade vikar med goda hamnmöjligheter. Men före européernas ankomst fanns inga mål till vilka resor över havet skulle ha kunnat företas. Eftersom havsgående farkoster inte behövdes, utvecklades heller inga sådana. Flodmynningar och mindre vikar förekommer längs kusten men kartan uppvisar inga medelhav, innanhav eller större havsvikar av den typ som förekommer i gamla världen (Medelhavet, Östersjön, Svarta havet, Röda havet, Persiska viken, Sydkinesiska sjön, Gula havet), med undantag, möjligen, för Carpentariaviken i norr. Länge närde dock upptäcktsresanden förhoppningen om att finna ett stort innanhav.

Havets horisontlinje, såsom den syntes från kusten, utgjorde världens definitiva gräns. Bortom denna horisontlinje fanns ingen värld som människor kände till. Världen bortom var mytologisk. Medan innanhavens och flodernas farleder sammanband bosättningsplatser till samhällen och samhällen med varandra i den gamla världen, där skogar, bergskedjor och öknar snarare utgjorde hinder för samfärdsel, var förhållandena de motsatta för aboriginerna.

Utmed den östra och norra kusten finner vi alltså ett antal korta floder. Endast ett större flodsystem rinner emellertid västerut från bergskedjan. Det är floden Murray med dess bifloder i sydöstra Australien. Murray är den enda flod som alls kan mäta sig med världens stora floder. Norr om dess nordligaste biflöde, Darling, som långa sträckor går igenom halvöken, utgår ett antal vattendrag från bergen. De når inte öppet hav. De rinner ut i öken och mynnar i intet. Vattnet avdunstar helt enkelt. Under korta perioder kan de fyllas av oerhörda vattenmängder som forsar fram, välter träd och omskapar landskapet. Grunda ökensjöar återuppstår för en kort tid. Väster om bergskedjan sträcker sig en vid savann innan halvöken och sedan öken tar vid.

Detta är det australiska inlandet som i allt väsentligt är kustlandets motsats. I söder och i väster når denna inlandets öken ända fram till kusten. Väster om Murrays mynning i havet nära staden Adelaide mynnar ingen flod förrän i närheten av Albany längst bort i sydväst. Denna ökenkust på mer än 2.000 kilometer utgör ungefär två tredjedelar av sydkustens hela sträckning. Man skulle kunna uttrycka det så att här har inlandet trängt undan kustlandet. Om något förhållande särskilt utmärker Australiens geografiska betingelser är det alltså den relativa avsaknaden av stora floder och insjöar. Inte bara har det betydelse för arten av växtlighet och djurliv i det stora inlandet. I alla tider av mänsklig historia och förhistoria har floder varit centrala kommunikationsleder som möjliggjort samfärdsel, handel och kulturutbyte. Med undantag för Murray har Australien inga större eller längre floder att skryta med. I själva verket är Murray ett undantag i det australiska landskapet.

Den mest karakteristiska landskapstypen i det australiska inlandet är slätten. Bergskedjor förekommer visserligen. Där finns höjdsträckningar som går under namn som McDonnel, Musgrave, Peterman, King Leopold, Hammersley, Robinson, Gregory, Selwyn och åtskilliga till. Men det rör sig om lågsträckta höjder, som en gång för hundratals miljoner år sedan skulle ha kunnat mäta sig med Alperna, Pyrenéerna, Karpaterna, Kaukasus och den skandinaviska fjällkedjan i vår tid och i vår del av världen för att inte tala om Anderna, Kordillererna och Himalaya. Snarare är det så att dessa förhållandevis flacka berg är en del av slätten, variationer av slätten, och på sätt och vis förutsättningar för slätten. Allra tydligast ser vi detta i den märkliga klippformationen Ayers rock i centrala Australien. Det är en helig klippa för stammarna i området, som av dem kallas Uluru. Ayers rock, eller Uluru, framhäver mycket påtagligt slättens till synes ändlösa plan. Andra namn, som vart och ett står för mycket vidsträckta landområden, är mera signifikativa: Barkley Tableland, Kimberley Plateau, Great Australia Basin, Lake Eyre Basin, Desert Basin, Murray River Basin och Nullarbor Plain.

Även om inlandet inte är alltigenom platt är den skoglösa slätten den dominerande landskapstypen. Det är ett naket landskap. Enstaka träd, akacior mest, återfinns i närheten av vattenhål och uttorkade flodfåror. Annars består vegetationen mest av fläckvis förekommande busk- och rissnår och tåliga gräs. Halvöknen är ett enahanda landskap som på åtskilliga ställen avbryts av eller övergår i ren öken: Sturt Desert, Simpson Desert, Gibson Desert, Great Victoria Desert, Great Western Desert och Great Sandy Desert. Hettan i detta landskap av halvöken och öken, de stora avstånden mellan vattenhålen, vattenhål som ofta torkar ut, liksom frånvaron av större och segelbara floder angav förutsättningarna för mänskligt liv i inlandet. De centrala delarna av kontinenten har alltid varit glest befolkade, men människor lärde sig att överleva även under dessa karga förhållanden. Insekter och mindre djur väl anpassade till öknens speciella ekologi återfinns där. Och aboriginerna orienterade sig mellan vattenhålen och livnärde sig på halvöknens växter och smådjur. När uttorkade sjöar återuppstår efter våldsamma skyfall, som kanske bara inträffar vart tionde år, sjuder sjöarna plötsligt av liv, liv som på något märkligt sätt gått på sparlåga under de långa torrperioderna. Det vimlar av fisk som plötsligt bara finns där. Förekomsten av fisk lockar till sig fåglar och annat djurliv liksom människor.

Vad innebär ett slätt landskap? I den gamla världen förknippar vi slättbygden med odlingsbygd. Så är det inte i Australien. Inte ens de stora slätterna, ännu inte halvöken, närmast väster om *The Great Divide*, lämpar sig för odling. Liksom havet ger slätten en obruten horisontlinje, en horisontlinje på land. Bortom den horisonten levde andra folk med sina jaktmarker. Bortom den horisonten fanns ett »där« till skillnad från det »här« där betraktaren befinner sig. För aboriginerna kan vi möjligen tänka oss att slättlandets horisontlinje kan ha varit vad innanhavets horisontlinje var för den gamla världens kulturer och samhällen. Öknens och halvöknens slätter är som ett hav, vattenhålen som öar. Öknen som ett hav och kamelen som öknens skepp är en välkänd metafor. Expeditioner som utforskade det stora inlandet på 1800-talet kom i flera fall också att utrustas med dromedarer som hämtades från Indien.

5.

Asiatiska sjöfarare besökte den nordaustraliska kusten flera århundraden före de europeiska upptäcktsresandena. Dessa tillfälliga besök ledde inte till bestående kontakter eller handelsmässigt utbyte i större omfattning. Många europeiska sjöfarare seglade i närheten av de australiska farvattnen under femton- och sextonhundratalet. Kryddöarna – Ostindien – hörde sedan urminnes tider till den kända världen.[4] Holländaren Dirk Hartog på väg till Java år 1605 kom ur kurs och landsteg som förste europé på den australiska västkusten. Andra holländare siktade delar av samma kust 1623 och 1629. Dessa återkommande observationer föranledde en holländsk forskningsexpedition 1642–43 som utgick från Batavia. Abel Tasman lyckades med konststycket att segla runt hela kontinenten utan att träffa på den, trots att han »upptäckte« de betydligt mindre landmassorna van Diemens land (senare kallat Tasmanien) och Nya Zeeland. I den australiska kontexten är han alltså något av en anti-hjälte. Den engelska piraten William Dampier hamnade också av misstag på kontinentens västra kust 1688. Varken holländarna eller Dampier imponerades av den natur eller de människor de såg. Spanjoren Torres, som kartlade sundet mellan Nya Guinea och Australiens nordspets, bör ha siktat land utan att närmare bekanta sig med det. Det har spekulerats i om portugiser kan ha seglat längs den australiska ostkusten redan på femtonhundratalet. Visst stöd för hypotesen ger den s.k. Dieppe-kartan. Originalet förstördes dessvärre vid Lissabons jordbävning. Portugiserna lär ha hållit tyst om sina eventuella resor i dessa otillåtna farvatten, otillåtna i enlighet med fördraget i Tordesillas 1494 mellan Spanien och Portugal. Tillfälligheter förde dessa sjöfarare till den australiska kontinenten. De fann inget av värde och for vidare. För den australiska eftervärlden ligger deras betydelse framför allt i att »den egna historien« kan föras tillbaka till början av 1600-talet i stället för till slutet av 1700-talet.

Det moderna Australien har sin egentliga grund i James Cooks seglats längs ostkusten från Cape Howe i söder till Cape York längst i norr år 1770. Cook tog hela den australiska ostkusten i anspråk för Storbritanniens räkning. Det dröjde emellertid arton år innan en kolonisering kom till stånd. Den direkta anledningen till britternas något senkomna intresse var att Storbritannien just förlorat sina nordamerikanska besittningar. England, som befann sig i den tidiga industrialismens svåra samhällsomvandlingar, befolkningsexplosion, urbanisering och sociala oro hade tidigare exporterat fångar till de nordamerikanska besittningarna. Detta var nu inte längre möjligt. I stället vände man blickarna mot den plats som Cook rekommenderat för kolonisering, Botany Bay, strax söder om dagens Sydney.

Det blev inte Botany Bay. Platsen för den australiska identitetens nollpunkt, utgångsläget, eller vad vi nu vill kalla den, var belägen vid Sydney Cove, en mindre vik i den större havsvik som James Cook siktade och gav namnet Port Jackson under förbiseglingen en bit ut till havs. Vad kännetecknade själva utgångssituationen? Det engelska språket, brittiska institutioner och brittiskt styrelsesätt utgjorde grundelement. De existentiella, materiella och politiska förhållandena kan sammanfattas på följande sätt: förvisning, isolering, beroende, fåtalighet, demografisk obalans, umbäranden, nöd, militärlagar och okunnighet om platsen.

Det australiska samhället började med att både vara helt avskuret från omvärlden och samtidigt fullständigt beroende av försörjning utifrån – från England. Det styrdes med järnhand av en guvernör. Arthur Phillip var den första. Det nya samhället koncentrerades till ett *här* och ett *nu*. Något samhälleligt förflutet på just den här platsen fanns inte. Det förflutna levde i människors kunskap, färdigheter, minnen, sedvänjor och inbördes organisation från England. Å andra sidan var framtiden helt öppen. Inga materiella strukturer, traditioner eller investeringar fanns knutna till platsen. De strukturer som formade framtiden fanns primärt hos människorna själva – i deras normer och värderingar, initiativ, vilja och fantasi.

Till ytan omfattade det allra tidigaste samhället inte mer än en hektar – två fotbollsplaner. Enkla boningar byggdes av trä. En bäck – *Tank Stream* – försörjde kolonin med färskvatten. Allt bortom den mark som tagits i besittning var *icke-samhälle*. Fångar kunde följaktligen släppas fria. Det fanns ingenstans dit de kunde rymma annat än ut ur samhället, exit ut i en okänd och farlig bush, där de snart dukade under i brist på föda, och där de föll offer för attacker från ursprungsfolk. Allt bortom den första bosättningsplatsen förblev obekant för de första invånarna under förhållandevis lång tid. Bushen var svårgenomtränglig och få vågade sig ut på egen hand. Utforskning av den närmaste omgivningen skedde till en början med mindre farkoster längs vattendragen i Port Jackson. Trots initiala svårigheter expanderade dock samhället sakta men säkert. Invånarna flyttade gradvis fram sina positioner, utvidgade den mark som tagits i besittning, utforskade omgivningarna, banade sin väg genom bushen, skapade nya platser. Så småningom uppstod både ett *här* och ett *där*. Ny mark bröts, nya hus byggdes, platser uppstod och namngavs och jordbruksprojekt initierades. Interna kommunikationer utvecklades och samhällelig infrastruktur skapades.

Från denna inympning av ett samhälle i en »historielös« kontext kan vi följa olika spår framåt i tiden. Ett spår handlar således om territoriell expansion. Det började med de närmaste omgivningarna för att så småningom utsträckas till att omfatta hela kontinenten. Ett annat spår handlar om det gradvis utvecklade oberoendet. Hur kom en fungerande självförsörjning och ekonomi till stånd? Ett tredje spår gäller befolkningsutvecklingen. Befolkningen ökade på naturlig väg, men också, och främst, genom nya fångtransporter från England. Ett fjärde spår handlar om hur förvaltning och politisk styrning utvecklades från autokrati till demokrati. Inom vart och ett av dessa huvudspår kan ett otal underspår, grenar och avknoppningar följas. De centrala elementen i nationsutvecklingen och statsbyggnad är territorium, folk, ekonomi och styrning. Dessa fanns i embryonal form redan i januari 1788.

Rekonstruktioner av en australisk identitet måste söka sig tillbaka till denna nollpunkt, och sedan ta fasta på unika erfarenheter under de två följande århundradena. Vad betyder den ursprungliga uppdelningen av befolkningen i två kategorier – fångar och väktare? Ursprungsbefolkningen utgjorde en tredje kategori som dock inte räknades. Det australiska samhällets historia började således med en djup klyfta mellan fria och ofria, mellan fångar och väktare, mellan privilegierade och oprivilegierade. Har denna kategorisering givit bränsle åt senare tiders sociala stratifiering? Hur har förmedlingsprocesserna över tid gått till? Vilka mentaliteter har cementerats?

Även om kolonin präglades av ett överskott av män under lång tid, fanns också kvinnor med bland fångarna. En inte helt obetydlig faktor var då den s.k. demografiska obalansen med allt vad den innebar av sexuell nöd, familjebildningsmönster och separationer. Till utgångsläget hörde vidare att samtliga medlemmar av den första kolonin var »utlandsfödda« (även om de naturligtvis inte själva betraktade sig så), dvs. födda i Storbritannien. Redan från första början föddes emellertid barn i kolonin. Det är oriktigt att kalla dem *infödda australier*, eftersom kolonin på den tiden inte uppfattades som del av en blivande stat. Det är en efterhandskonstruktion. Länge kom andelen »infödda« att understiga andelen »utlandsfödda« på grund av att nya straffångar kontinuerligt tillfördes kolonin.

Efterhand inrättades nya straffkolonier, bland annat på Norfolk Island, en isolerad ö utanför den australiska ostkusten, och på van Diemens land/Tasmanien. Straffångar som skötte sig väl frigavs med tiden. Endast i sällsynta fall kunde någon återvända till Storbritannien eller Irland. Frigivna fångar fick tillstånd att slå sig ned i samhällets utkanter där de gavs möjlighet att bryta mark. De tidiga försöken att odla jorden mötte dock betydande svårigheter. Det var först sedan kolonin utvidgats till att omfatta bördigare marker ett tiotal kilometer västerut som jordbruket gav ordentlig avkastning. Boskapsskötsel och djurhållning blev så småningom viktiga inslag i ekonomin. Straffångarna hade i allmänhet varit stadsbor med ursprung i de växande engelska industristädernas fattigkvarter. För dem var jordbruk en främmande sysselsättning. Det dröjde en bit in på 1800-talet innan den första generationen »infödda« australier nådde vuxen ålder. Under lång tid kom identitetsdistinktionen mellan »sterling« (brittiskfödda) och »currency« (Australienfödda) att vara betydelsefull. Man kan fundera över benämningarna – sedlar respektive växelmynt.

Den moderna australiska självstereotypen är den av en människa som ofta vistas i naturen, är förtrogen med naturen och behärskar naturen. Stereotypen har populariserats av författare som Banjo Paterson och

Patrick White, men också av britten Nevil Shute. Australien har blivit en stor producent av TV-serier, inte minst av berättelser som anknyter till nybyggarsamhället. I dessa serier odlas och förvaltas stereotypen väl. De omåttligt populära filmerna om Crocodile Dundee från slutet av 1980-talet med Paul Hogan i huvudrollen parodierar samtidigt som de bekräftar stereotypen. Verkligheten är emellertid en annan. Dagens Australien är världens mest urbaniserade samhälle. Den stora majoriteten australier bor i ett litet antal storstäder. Få australier har djupare kontakt med naturen annat än genom bilfönstret. Stereotypen kan föras direkt tillbaka till straffkolonins hårda villkor. Den har senare förstärkts och vidareutvecklats med berättelserna om upptäcktsresandenas strapatser.

6.

Den verkliga historieundervisningen under min skolgång som direkt rörde australiska förhållanden inriktades till stor del på upptäcktshistorien.[5] Den var tacksam att undervisa om. Där fanns en fläkt av äventyr som tilltalade de flesta unga pojkar. Som jag ser det nu låg betydelsen av denna undervisning i att den bidrog till stolthet över australisk identitet. Det »vita« Australien har inga mytologiserade folkliga frihetshjältar som Robin Hood eller Wilhelm Tell som utmanat överheten. Där finns inga hjältekonungar, imperiebyggare, korsriddare eller vikingar. De australiska hjältarna – upptäcktsresanden – finns mycket närmare nutiden, så nära att de har drag av verkliga, levande personer. 1800-talets upptäcktsresanden gav sig ut i okänt land i syfte att vidga kunskapens gränser. De kartlade landet och beskrev varje dag den aktuella expeditionens framfart. Ofta återfinns iakttagelser rörande flora, fauna, markbeskaffenhet och mineralförekomster. Ett återkommande inslag i texterna är att författaren namnger berg och bergskedjor, floder och sjöar. Så gjordes landet känt. Så togs det i besittning. Journalerna sammanställdes och publicerades av *The Royal Society* i London.

Många av texterna har alltjämt stort läsvärde. De har som sagt något av pojkboksäventyr över sig. Upptäcktshistorien är också i högsta grad en männens historia. Inte bara handlar den om män, och grupper av män, som färdas tillsammans, den handlar påtagligt om manliga dygder – målmedvetenhet, uthållighet, styrka, hjältemod, lojalitet och kamratskap. Kvinnor har givetvis spelat en minst lika viktig roll som män för det australiska samhällets framväxt, även om rollen varit mera perifer just i fråga om upptäcktshistorien.[6] Manlighetens respektive kvinnlighetens roller i samhällsutvecklingen är spår som behöver följas.

Till en början utforskades Sydneys nära omgivningar, framför allt kusten. Det dröjde innan man vågade sig inåt landet. Först 1813 korsades *Blue Mountains* av Blaxland, Wentworth och Lawson dit Sydneys västra förorter numera sträcker sig. Nästa »generation« expeditioner syftade till att kartlägga flodsystem och söka betesmarker längre inåt landet. Det dröjde till 1830 innan Charles Sturt kunde konstatera att en av den stora bergskedjans västliga floder med flöde i nordlig riktning hör till flodsystemet Murray–Darling som mynnar i havet i söder. Föreställningen om ett innanhav levde dock kvar. Nya färder in mot det centrala Australiens öknar företogs på 1840-talet av Sturt och Edward Eyre oberoende av varandra. Den senare är känd för att 1840–42 ha tagit sig längs den mer än 3.000 kilometer långa ökenkusten mellan Adelaide och King George's Sound i Australiens sydvästra hörn. I norr kartlade den tyskfödde Ludwig Leichhardt 1844–45 den ännu längre sträckan mellan de nuvarande städerna Brisbane och Darwin. Det fanns också andra. Expeditionerna var i allmänhet välutrustade men långtifrån riskfria. Den för eftervärlden troligen mest kända expeditionen leddes av Robert O'Hara Burke 1860–61, en expedition som slutade ödesdigert, och dessutom på ett sätt som kan föra tankarna till klassiska tragedier. Vid det här laget handlade det om färder som hade till mål att sträcka sig över kontinenten från kust till kust.

Några ord om den tidsanda som drev fram expeditionen. Fram till 1840-talet hade Sydney varit den helt dominerande staden, ett ekonomiskt, kulturellt och politiskt centrum och den naturliga samlingsplatsen för planering av den geografiska explorationen, även om staden inte längre utgjorde själva utgångspunkten för expeditionerna. Kolonier hade också grundats i söder (Melbourne, Adelaide), på Tasmanien (Hobart), i väster (Perth) och i norr (Brisbane). En väldig förändring av relationerna mellan kolonierna inträffade när guld upptäcktes 1851 i kolonin (och sedermera delstaten) Victoria. De stora fyndigheterna utlöste en veritabel guldrush. Victorias och Melbournes befolkning mångdubblades på kort tid. Fyra år senare erhöll flera av kolonierna självstyre inom ramen för det brittiska samväldet, bland annat just Victoria och South Australia. Dessa *settlements* konkurrerade med varandra – och med Sydney – om anseende, inflytande, investeringar, utveckling och betydelse för Australien som helhet. Det ekonomiska och befolkningsmässiga uppsving som Victoria hade fått genom guldfyndigheterna föranledde de styrande där att ta upp konkurrensen om utforskningen av Australiens inre. Den enda stora utmaning som nu återstod var att korsa kontinenten från söder till norr genom inlandet. Frågan om existensen av ett innanhav skulle därefter definitivt kunna klarläggas och avföras från dagordningen. South Australia syntes ha goda förutsättningar att ta hem spelet i kraft av Eyres och Sturts framgångsrika expeditioner. De styrande i Victoria tog upp kampen.

Robert O'Hara Burke har beskrivits som äventyrare och opportunist. Man har efteråt ifrågasatt hans erfarenhet och kompetens att leda den stora expeditionen vars mål var att korsa kontinenten. Till vetenskaplig ledare och kartläggare utsågs den unge William John Wills. I sin enkelhet var planen att ett *basläger* skulle etableras vid floden Darling på den plats där staden Menindie idag ligger. Sedan skulle ett *framskjutet läger* etableras vid Cooper's Creek, och slutligen, i mån av behov, ett *toppläger* någonstans i närheten av målet – Carpentariaviken i norr. (Det kan vara bra att lägga dessa tre läger på minnet.) William Wright utsågs att ansvara för baslägret. Hans uppgift var att flytta det närmare det framskjutna lägret vid Cooper's Creek för att snarast möjligt etablera och sedan upprätthålla en fungerande förbindelselinje med det framskjutna lägret. Till Wrights uppgifter hörde vidare att upprätthålla förbindelserna bakåt med uppdragsgivarna i Melbourne. William Brahe utsågs att föra befäl över det framskjutna lägret. Hans uttryckliga uppgift var att underhålla detta läger, att rekvirera förråd och djur vid behov genom linjen bakåt.

Hela styrkan nådde Darling och baslägret kunde etableras utan problem. Efter en tids vistelse där med omlastning och förberedelser fortsatte en pionjärgrupp på åtta man under Burkes ledning med hästar och dromedarer (och betydligt lättare last) den ungefär lika långa förflyttningen till Cooper's Creek och det framskjutna lägret. Cooper's Creek ligger ungefär halvvägs mellan Melbourne och Carpentariaviken i norr. Denna mindre styrka nådde etappmålet på kort tid och utan problem. Efter vila, omlastning och nya förberedelser begav sig nu fyra man av med några hästar och dromedarer mot Carpentaria – Burke, Wills, John King och djurskötaren Charles Gray. Fyra man lämnades kvar vid Cooper's Creek-lägret under Brahes ledning. De förfogade över sex dromedarer och tolv hästar. Brahes order var att förbli vid sin plats som en sista utpost i försörjningslinjen bakåt, och att invänta Burke-gruppens återkomst.

Under stora strapatser och i möte med avsevärda svårigheter lyckades Burke och hans följeslagare ta sig igenom öken och halvöken den cirka 1.300 kilometer fågelvägen men i verkligheten betydligt längre sträckan till målet (minst 1.400 km). Efter sju veckor nådde sällskapet en punkt där ett toppläger etablerades vid stranden av en flod med nordligt flöde. King och Gray lämnades med dromedarerna som inte kunde ta sig fram i den sanka marken den sista spurten fram till målet. Efter en vecka nådde Burke och Wills Carpentariaviken, dvs. de kom aldrig fram till en strand utan till ett svårforcerat mangroveträsk där tidvattnets rörelser dock var fullt märkbara. De återvände nästan omedelbart och förenades med King och Gray efter bara några dagar. Sedan började den mödosamma vandringen tillbaka till Cooper's Creek. Förflyttningen till Carpentaria hade genomförts i rekordfart på 66 dagar, vilket motsvarar en färdsträcka på i genomsnitt 21 kilometer per dag. Återresan till lägret vid Cooper's Creek tog 77 dagar. Det betyder att de fyra männen färdades i genomsnitt 18 kilometer per dag.[7] Återresan genomfördes också i högt tempo under svåra yttre förhållanden. Män och djur var redan hårt ansträngda efter färden norrut. Det var sensommar. Tillgången till vatten var god under större delen av återfärden. Dessvärre var det sämre beställt med jaktbyte och bete till djuren, särskilt under färdens senare del. Två av de fyra dromedarerna förlorades samt den kvarvarande hästen, detta till följd av utmattning och svält. På återresan dog också Gray i dysenteri.

När Burke, Wills och King bokstavligen stapplade in till lägret vid Cooper's Creek på eftermiddagen den 21 april 1861 hade det övergivits av Brahe och hans tre kompanjoner. De hade grävt ned ett mindre förråd av förnödenheter och ett skriftligt meddelande. Platsen utmärktes med en skylt, »DIG!«. Ödet ville att Brahe givit sig av bara några timmar före Burkes ankomst. Brahe färdades långsamt tillbaka mot baslägret. I sitt meddelande till Burke hade han skrivit: »We have six camels and twelve horses in good working condition.« Detta var nu inte med sanningen överensstämmande. Djuren liksom manskapet var i dålig kondition till följd av alltför ensidig mathållning.

Burke förstod att de tre var alldeles för utmärglade att söka hinna ifatt Brahe som tydligen förfogade över »sex dromedarer och tolv hästar i god kondition«. Hade Burke vetat att Brahe då endast hade hunnit några kilometer, att han färdades långsamt, och att djurens kondition inte var den bästa är det möjligt att dramat fått en annan upplösning. De tre männen återhämtade till någon del sina krafter tack vare matförråden som lämnats kvar. Burke bedömde det alltså som ogörligt att hinna ifatt Brahe. En bättre strategi, resonerade han, vore i stället att följa Cooper's Creek nedströms en bit, och sedan ett mindre biflöde uppströms, för att därefter gena något hundratal kilometer över öknen förbi Mount Hopeless. Bosättningar i South Australia skulle nås snabbare än via den betydligt längre rutten över Darling. I något bättre kondition än tidigare gav sig männen av i en riktning nästan diametralt motsatt den Brahe färdades. Till en början gick det bra. Vatten fanns i Cooper's Creek och dess biflöden. Efterhand började det dock minska betänkligt för att sedan helt upphöra tidigare än vad Burke kalkylerat med. De gjorde ändå ett försök att ta sig över öknen, men insåg redan efter någon dag att planen var ogenomförbar till följd av den dåliga kondition de själva befann sig i, på grund av hettan och bristen på vatten. Männen återvände ånyo utmattade till Cooper's Creek. Nu var dessvärre matförråden tömda.

Under tiden hade Brahe på ungefär 120 kilometers avstånd från det framskjutna lägret anslutit sig till Wrights karavan som slagit läger vid ett annat vattendrag – Bullo River – och blivit kvar där. Efter överläggningar beslöt Brahe och Wright att de båda borde återvända till Cooper's Creek för att kontrollera en sista gång att Burke och hans män inte hade återkommit. De fann lägret vid Cooper's Creek tomt och övergivet. Brahe och Wright stannade inte längre än en kvart. Det undgick dem att Burkes grupp hade grävt upp de planterade förråden. Objektivt sett måste flera tecken ha funnits att lägret hade besökts efter Brahes reträtt, men Brahe och Wright uppmärksammade dem inte. När sedan Burke med kompani återvände insåg han inte att Brahe hade varit där på återbesök.

De tre männen livnärde sig därefter på enstaka kråkor som de lyckades skjuta och på att samla in gräsfrön – *nardoo* – som kunde stötas till ett slags mjöl. Det var bland annat på denna växt som traktens aboriginer livnärde sig. Det var emellertid tidsödande och energikrävande att samla in dess frön. Det arbete som gick åt till att samla in och bearbeta växten kostade mera energi än vad kroppen sedan tillfördes genom födan. För aboriginerna, som visste exakt var de skulle söka den, var energibalansen väsentligt gynnsammare. I slutskedet splittrades gruppen.

Wills orkade inte av egen kraft ta sig tillbaka till lägerplatsen efter en utflykt för att söka föda. Burke dog av svält och utmattning den 30 juni, tio veckor efter återkomsten från Carpentaria-viken. Wills hade dött någon dag tidigare. King, nu helt på egen hand och döende även han, sökte sig till de lokala aboriginerna. De tog väl hand om honom, såg till att han fick föda och vila. Sedan han återgäldat deras vänlighet med att rengöra ett svårt infekterat och plågsamt sår hos en kvinna fick han stanna hos dem. Två och en halv månad senare återfanns han av en undsättningsexpedition. Han var medtagen och svag men utom all fara. Redan nästa dag skrevs hans berättelse ned om vad som förevarit. Wills journaler återfanns i det närmaste kompletta. Aboriginerna belönades rikligt. King mottogs som hjälte i Melbourne samtidigt som allmänheten chockades över expeditionens tragiska öde.

Inför den undersökningskommission som senare tillsattes påtalade Brahe att de befintliga förråden vid Cooper's Creek höll på att sina. Om han blivit kvar med sina mannar skulle matförråden inte räcka till för Burke och hans sällskap, som Brahe uppfattade var »försenade« (i förhållande till Burkes överoptimistiska och orealistiska kalkyler över den tidsåtgång som fordrades för spurten till Carpentaria tur och retur). Brahes främsta skäl att bryta ordern var att förbindelselinjen bakåt inte hade etablerats. Färska förråd hade inte anlänt och manskapet led av skörbjugg. Den allvarliga skada som en av männen ådragit sig vid en ridolycka var också ett skäl som enligt Brahe motiverade en reträtt. Kommissionen fann att Brahe brutit order och därför var medskyldig till den ödesdigra utgången.

Skulden befanns emellertid också ligga hos William Wright. Wrights misslyckande att etablera kontakt med det framskjutna lägret förklarades delvis av sjukdom, desorganisation och missnöje bland manskapet. Den bakre förbindelselinjen fungerade emellertid och från Melbourne kom oroande uppgifter om att Burke överskridit sina ekonomiska ramar med god marginal. En starkt bidragande orsak till missnöjet var osäkerhet om expeditionens fortsatta ekonomi. Finansiärer och banker var mycket återhållsamma med, nästan direkt ovilliga, att släppa till ytterligare medel. Därför var det ingalunda givet att manskapet skulle kunna avlönas enligt överenskommelse. I denna situation fick Wright svårt att motivera sina män att fortsätta färden i riktning mot Cooper's Creek. Den ekonomiska krisen kunde till slut avvärjas, men skadan var redan skedd. Förflyttningen av baslägret till en nordligare position fördröjdes flera månader. Kraftigt försenade kom man iväg men utan att hinna etablera den livsviktiga förbindelsen med det framskjutna lägret.

Burke själv var offer, men liksom i ett grekiskt drama också ansvarig för utgången genom en serie missgrepp som präglade hans ledarskap alltifrån ekonomiskt lättsinne och tveksamma utnämningar (av Brahe och Wright) till allvarliga felbedömningar av sakliga förhållanden, bland annat av tidsåtgången som fordrades för den långa färden tvärs över kontinenten. Han chansade helt enkelt för mycket. Han var övermodig. Till slut hann chanstagningarna ifatt honom. Entusiasterna i Melbourne som ställt medel till förfogande hade också ett stort ansvar för utgången genom att dra öronen åt sig när expeditionen redan dragits igång och människor befann sig i utsatta förhållanden och var beroende av fungerande kommunikationer. Att ifrågasätta expeditionen på detta stadium undergrävde moralen och förlamade verksamheten vid baslägret under en längre tid. Men frågan är om inte expeditionens politiska förutsättningar var det som ytterst bidrog till dess undergång. Expeditionen motiverades mera av tävlan efter prestige än av geografisk utforskning. De styrande i Melbourne hoppades på en stor prestigevinst. Någonstans i förlängningen härav fanns tanken att Melbourne skulle göra Sydney rangen stridig som Australiens främsta stad. Genom guldet hade de styrande i Melbourne gripits av hybris.

7.

Man bör kanske inte tala om en australisk nationalitet i betydelsen av nationell identitet eftersom Australien inte är en nationalstat utan en stat som har byggts upp genom invandring. Likafullt har en *australisk identitet* utvecklats med starka s.k. anglo-keltiska drag. Jag har hört en australisk sociolog hävda att den t.o.m. måste betraktas som en etnisk identitet därför att den så märkbart utestänger grupper med annat än brittiskt och irländskt ursprung. De starka banden med Storbritannien har inte bara varit officiell politik utan har varit djupt känd hos den breda allmänheten ända in i modern tid. Den var alltjämt mycket påtaglig på 1950-talet under min skoltid. Australiens deltagande på de europeiska slagfälten i båda världskrigen har bidragit till att stärka såväl banden till Storbritannien som den australiska identiteten. Slaget vid Gallipoli vid Dardanellerna 1915, då tusentals unga australiska och nyzeeländska män stupade mot en övermäktig turkisk armé, blev ett nationellt trauma kring vilket den unga australiska staten samlades. Varje år den 25 april högtidlighålls åminnelsen av landstigningen vid Gallipoli. Det är sedan länge en nationell helgdag – Anzac-day.[8] Upptäcktshistorien, och det är väl poängen med min artikel, har spelat en liknande roll.

Ernest Gellner betonar industrialiseringens, folkbildningens och urbaniseringens betydelse för nationalitetskänslans organisation.[9] Som jag tidigare nämnt är det australiska exemplet intressant att följa eftersom samhället uppstod ungefär samtidigt som nationsbegreppet började aktualiseras i Europa. En nationell identitetskänsla handlar emellertid också om en *föreställd* gemenskap, som Benedict Anderson påpekar.[10] Den handlar i hög grad om symboler för det som är gemensamt – ett territorium, en konstitution, ett språk, en historia, ett folk. Den australiska upptäcktshistorien har fungerat som en uppenbar nationell symbol genom att binda samman både territorium och historia med enskilda människors bedrifter. Upptäcktshistorien heroiserar nybyggarsamhällets anda och drar ut det i sina yttersta konsekvenser. De ofta dramatiska färderna ut i okänd mark speglar väsentliga existentiella frågor om det goda mot det onda, styrka kontra svaghet, den lilla människan mot de stora krafterna, kultur och natur. Historien om Burke och Wills-expeditionens tragiska undergång lyfter fram ödet, offret och martyrskapet. Den uppfyller nästan alla kriterier på en nationell legend.

Det australiska samhället har emellertid undergått stora förändringar sedan mitten av 1960-talet då den s.k. *White Australia*-politiken började ifrågasättas. Officiellt övergavs den 1973. Sedan dess har invandringen från Sydostasien varit stor. Man kan då fråga sig vad de tidigare så starka brittiska anknytningarna och traditionerna idag har att säga dem som invandrat från Vietnam, Thailand, Malaysia och Indonesien? Vad betyder James Cook för dem? Vilka vibrationer får de av Burke och Wills-legenden? Betyder Anzac något för dem? Idag har Australien antagit en mångkulturell politik. Dess tidigare invandrings- och minoritetspolitik hade vissa klart etnocentriska, för att inte säga rasistiska inslag. Det gäller till exempel det i mer än hundra år verksamma förbudet mot icke-europeisk invandring, och det gäller i all synnerhet i relationerna till den egna ursprungsbefolkningen. Hur fungerar de nationella legenderna när politiken slagits om så markant? Står Burke och Wills-legenden för en barlast av anglo-keltisk överhet och förtryck, eller kan legenden läsas på annat sätt?

En mycket viktig uppgift för det mångkulturella samhället är att reparera relationerna till aboriginerna så långt det bara är möjligt. Det är en svår uppgift, för här finns en historia fylld av övergrepp, missriktad humanitet, och direkt folkmord. Utrotningen av ursprungsbefolkningen på Tasmanien var lika systematiskt och konsekvent genomförd som någonsin förintelsen av den öst- och centraleuropeiska judenheten under nazismen, om än i en annan skala. De tasmanska aboriginernas antal har uppskattats till mellan tre och fyra tusen individer vid 1800-talets början.[11] När alla barn, och män och kvinnor i reproduktiv ålder skjutits ihjäl (några gamlingar skonades) kring mitten av 1800-talet hade ett folk och en helt unik kulturform som utvecklats isolerad från omvärlden under tiotusentals år raderats ut. Praktiskt taget inga materiella spår har bevarats. Oerhörda grymheter mot ursprungsbefolkningen förekom också på det australiska fastlandet. Det är inte förrän idag som aboriginernas existens börjar räknas, och åtminstone på vissa håll söker man trevande ta upp frågan om den kollektiva skuld man har till dem, en skuld som måste genomlysas ordentligt. En medvetenhet om ursprungsbefolkningens del i det framtida mångkulturella australiska samhället börjar gry.

I historien om Burke och Wills har en omständighet som åtminstone indirekt bidrog till männens död i allmänhet inte betonats, nämligen Burkes beslutsamhet att köra iväg aboriginer som sökte kontakt med lägret vid Cooper's Creek. En grupp aboriginer levde och livnärde sig i den här trakten och klarade sig väl. Deras närvaro skymtar här och var i Wills journal. De fanns i bakgrunden hela tiden men de räknades inte. Burke brukade skjuta luftskott efter dem för att skrämma iväg dem. Han litade inte på dem och ville inte ha kontakt med dem ens i döende stund då de eventuellt kunde ha räddat även honom och Wills. Burke avvisade dem och blev därigenom ett offer för sin egen xenofobi. Legenden kan om man så vill återberättas ur Kings perspektiv med tonvikten på aboriginernas omhändertagande av honom. Humanitet och försoning tonar då fram. Den kan också berättas med aboriginernas perspektiv och vi kan möjligen ana att för dem framstod de vita männens förehavanden och handlingar som minst sagt egendomliga. Det blir en annan historia, men kanske behöver den återberättas så för att mera stå i samklang med det moderna Australiens mångkulturella målsättningar.

Det nya mångkulturella Australien behöver kunna integrera sin tidigare historia med dagens etniska mångfald. Det finns hopp om att morgondagens Australien, som kanske också är minoriteternas Australien, ger utrymme för individer och grupper med mångfaldiga identiteter.

Vidare läsning

Berndt, R. & C. Berndt, *The World of the First Australians. Aboriginal Traditional Life: Past and Present* (1964; Canberra: Aboriginal Studies Press, 1992).

The Burke and Wills Exploring Expedition. An Account of the Crossing the Continent of Australia from Cooper's Creek to Carpentaria (Melbourne: Wilson & Mackinnon, 1861).

Carter, P., *The Road to Botany Bay* (London: Faber & Faber, 1987).

Elkin, A. P., *The Australian Aborigines* (Sydney: Angus & Robertson, 1961).

Eyre, E. J., *Journals of Expeditions of Discovery into Central Australia and Overland from Adelaide to King George's Sound in the Years 1840-1* (London: T. & W. Boone, 1845).

Flinders, M., *A Voyage to Terra Australis Undertaken for the Purpose of Completing the Discovery of that Vast Country...*, 2 band, Australiana Facsimile Editions 37 (1814; Adelaide: Libraries Board of South Australia, 1966).

Hughes, R., *The Fatal Shore* (London: PAN Books, 1988).

Jupp, J., *Immigration. Australian Retrospectives* (Sydney: Sydney University Press, 1991).

Kapferer, B., *Legends of People, Myths of State. Violence, Intolerance and Political Culture in Sri Lanka and Australia* (Washington, D.C.: Smithsonian Institution Press, 1988).

Leichhardt, L., *Journal of an Overland Expedition in Australia from Moreton Bay to Port Essington* (London: T. W. Boone, 1847).

Moorehead, A., *Cooper's Creek* (London: Hamish Hamilton, 1963).

Rickard, J., *Australia. A Cultural History* (London: Longman, 1988).

Ryan, C., *The Aboriginal Tasmanians* (St. Lucia: University of Queensland Press, 1981).

Sherington, G., *Australia's Immigrants, 1788-1988* (London: Allen & Unwin, 1990).

Sturt, C., *Journal of the Central Australian Expedition, 1844-1845* [Publicerad 1849 som *Narrative of an Expedition into Central Australia*] (London: Caliban Books, 1984).

Westin, C., »Tankar efter ett besök i Australien, juni 1996«, i F. Oddner & B. Isenberg, red., *Seendets pendel. Festskrift till Johan Asplund* (Stockholm: Brutus Östlings Bokförlag Symposion, 1997).

Westin, C., »Vad betyder Huvudskalleplats?«, i idem, red., *Hermeneutikens väg. Om ton, text och tolkning. En vänbok till Per-Johan Ödman* (Stockholm: HLS Förlag, 1998).

Wills, W. J., *A Successful Exploration through the Interior of Australia, from Melbourne to the Gulf of Carpentaria. From the Journals and Letters of William John Wills* (London: Richard Bentley, 1863).

Noter

1. Ett undantag utgör de flygande hundarna och andra fladdermössarter.
2. A. P. Elkin, *The Australian Aborigines* (Sydney: Angus & Robertson, 1961).
3. R. Berndt & C. Berndt, *The World of the First Australians. Aboriginal Traditional Life: Past and Present* (1964; Canberra: Aboriginal Studies Press, 1992); J. Rickard, *Australia. A Cultural History* (London: Longman, 1988).
4. På återfärden till Venedig hade Marco Polo på 1290-talet passerat Malacka och Sumatra.
5. Det kan naturligtvis också vara så att det är denna del av historie- och geografiundervisningen som jag minns, medan jag lyckats glömma bort andra aspekter.
6. Ett exempel är den form av »brev till sin hustru« som Charles Sturt gav resejournalen under sin expedition in i den centralaustraliska öknen. Se C. Sturt, *Journal of the Central Australian Expedition, 1844–1845* [Publicerad 1849 som *Narrative of an Expedition into Central Australia*] (London: Caliban Books, 1984).
7. Detta kan jämföras med den tyskfödde naturalisten Ludwig Leichhardts elva kilometer per dag under expeditionen från Moreton Bay (Brisbane) till Port Essington (Darwin) som genomfördes åren 1844–45 i bitvis mera svårforcerad terräng, men å andra sidan med full tillgång till vatten och gott om villebråd.
8. Anzac är en förkortning av Australian and New Zealand Army Corps.
9. E. Gellner, *Nations and Nationalism* (Oxford: Blackwells, 1983).
10. B. Anderson, *Imagined Communities. Reflections on the Origin and Spread of Nationalism* (London: Verso, 1983).
11. C. Ryan, *The Aboriginal Tasmanians* (St. Lucia: University of Queensland Press, 1981).

III.

NORDEN OCH ÖSTERSJÖOMRÅDET

Ingenjörsemigrationen från Finland till Ryssland före första världskriget

MAX ENGMAN

MANUFAKTURDIREKTIONEN I FINLAND föreslog 1857 inrättandet av ett polytekniskt institut. Förslaget kritiserades av J. V. Snellman, som ansåg att den planerade läroanstalten var för brett upplagd och för kostsam. Hans huvudargument gällde behovet:

> Den viktigaste frågan är dock; hvad skall landet med alla dessa agronomer, teknologer, bergsmän, mekanici, ingeniörer och arkitekter uträtta? Hvar skola de användas, och huru skola de försörja sig? Kan för stunden ens ett dussin af hvarje slag här vinna anställning, finna arbete och utkomst? Och en sådan läroanstalt borde dock *årligen* dimittera åtminstone *ett tietal* af hvarje slag. Med kännedom om industrins närvarande ståndpunkt och förhållanden i öfrigt i landet, bör hvar och en inse, att ett teknologiskt institut härstädes såväl som en högre läroanstalt för landtbruket endast skulle komma att uppfostra fabriksföreståndare och landtegendomsinspektorer för Ryssland.[1]

Snellman gjorde narr av behovet: landet behövde inte mer än ett par arkitekter, och »en civilingeniör för något enskildt företag har ännu aldrig kräfts. En sådan skulle behöfvas, först då privata eller bolag anlägga jernvägar, kanaler, bygga vägar och broar på spekulation... För ångmachiners uppsättande till fabriksbehof är säkert en tillräcklig.« Pengarna kunde bättre användas i form reseunderstöd för studier utomlands. Den år 1849 grundade tekniska realskolan i Helsingfors utvecklades emellertid genom omorganisationer och namnbyten till Polytekniskt institut och slutligen till Tekniska högskolan i Helsingfors.

Nationalfilosofen hade som synes inte någon större tilltro till Finlands framsteg på det tekniska området och till behovet av högre utbildning där inom. Här misstog han sig, men hans prognos att ingenjörer från Finland skulle finna ett arbetsfält i Ryssland slog in.

Utbildningsvägar

Det är svårt att exakt uppskatta antalet finländska ingenjörer och andra tekniskt utbildade som sökte sig till Ryssland. Begreppet ingenjör var flytande och utbildningsvägarna många: civila och militära, i Finland och andra länder.

Man kan skilja mellan åtminstone fem utbildningsvägar: 1) Polyteket i Helsingfors, 2) civila tekniska utbildningsanstalter utanför det ryska riket eller 3) i Ryssland, 4) militära eller halvmilitära utbildningsanstalter i Ryssland samt 5) utbildning på arbetsplatsen eller vid icke-tekniska läroanstalter. Det förekom att samma person använde sig av flera vägar.

Endast för den första utbildningsvägen föreligger ett enhetligt källmaterial i form av polytekniska institutets elevmatriklar.[2] De ger en bild av de i Finland utbildade *civilingenjörernas* verksamhet och flyttningar – matriklarna upptar också ett antal personer som inte var finländska undersåtar eller som var födda utanför Finland. De upptar likaså personer som inte avlagt examen, men detta är av mindre intresse i sammanhanget. Kategorin ingenjör var relativt oklar, yrkets professionalisering pågick; den tekniska utbildningen och det tekniska kunnandet var mera avgörande än en examen. Antalet tidigare elever vid Polyteket som i något skede arbetade i Ryssland uppgår till minst 334 (tab. 1). Siffran är uppenbart en minimisiffra.

Systematiska uppgifter saknas om utbildning utanför Finland och om officerare som slog sig på tekniska och industriella banor. En del av dessa kom i sin verksamhet rätt nära vad vi skulle kalla ingenjörsverksamhet och en del blev företagare i industribranscher. En del officerare var verksamma och utbildade inom de militärt organiserade väg- och vattenbyggnadskårerna.

Särskilt den femte utbildningsvägen är svår att få ett grepp om. Vid sekelskiftet fanns det en grupp »ingenjörer, tekniker, mekaniker och maskinister« födda i Finland inskrivna i församlingarna i Petersburg: 39 i finska församlingen och 84 i svenska, tillsammans 123. Bland drygt 3.000 män födda i Finland och verksamma inom »hantverk och industri« utgjorde de endast liten del.[3]

Teknisk personal från Finland arbetade på olika håll i Ryssland och skymtar slumpmässigt fram i källorna, såsom då Nobel-direktören K. W. Hagelin berättar att han i sin ungdom arbetade på en verkstad i Kostroma under »finnen Papunen«, som monterade maskiner på ångbåtar. När studenten Fredrik Puputti immatrikulerades i Helsingfors 1846 uppgavs att han var född i Moskva och att hans far med samma namn var mekaniker.[4] Mekanikern H. Paatoja arbetade vid sekelskiftet som arbetsledare vid Atlas mekaniska verkstad i Petersburg och blev känd genom att han utan ersättning undervisade finländska unga fabriksarbetare i räkning och teckning ett par kvällar i veckan.[5]

Helsingfors universitets studentmatrikel upptar ett femtontal personer som enligt matrikelns knapphändiga uppgifter verkat i olika slag av industriella eller motsvarande uppgifter i Ryssland, men som inte återfinns i polytekets matrikel. En del av dem verkade på kontorssidan; Karl Kyander, senare Finlands handelsombudsman i Petersburg, var korrespondent hos Nobel i Baku, medan Torsten Strandberg var bokhållare hos Nobel i Baku och därefter företagets kontorschef i Petersburg 1892–1917. Andra var sannolikt entreprenörer eller företagsledare utan formell teknisk utbildning. Härtill kommer ett svåruppskattat antal mekaniker, tekniker o.a. som fått sin utbildning huvudsakligen på arbetsplatsen. Karl Westling, som immatrikulerades vid universitetet i Helsingfors 1861, verkade därefter som tekniker i Ryssland, synbarligen utan formell teknisk utbildning.

Det är i det närmaste omöjligt att uppskatta antalet i Ryssland verksamma finländska civilingenjörer som gick den andra utbildningsvägen, dvs. fick sin utbildning utanför det ryska riket. Några kan spåras via universitetets matriklar och mer eller mindre slumpmässigt i andra källor. Herman Gummerus blev ingenjör från polytekniska institutet i Zürich 1867 och verkade därefter som järnvägsingenjör i Ryssland, medan Karl von Weissenberg utbildade sig till maskiningenjör i Sachsen innan han anställdes vid ett järnbruk i Novgorodska guvernementet. Uno Sarén blev åter ingenjör i Dresden innan han flyttade till Ryssland. Kristian Fredrik Bruun från Fredrikshamn avlade civilingenjörsexamen i Dresden och anställdes vid Nottbecks pappersbruk i Annalovo i Petersburgska guvernementet innan han flyttade tillbaka till Finland 1875. Erik Aminoff avlade examen vid bergsakademin i Freiburg i Sachsen och ledde därefter ett guldvaskningsbolag i Sibirien, medan tidigare Fredrikshamnskadetten Bernt Ivar Aminoff blev civilingenjör i Stockholm och därefter en kort tid anställd vid järnvägsundersökningar i Ryssland.

Ingenjörer utbildade i Ryssland

Det är svårt att säga hur många finländare som valde den tredje utbildningsvägen, utbildning vid civila ryska ingenjörsutbildningsanstalter, men det förefaller som om de inte skulle ha varit alltför talrika.[6] Här utgjorde bristande språkkunskaper uppenbarligen ett hinder; för officerarna erbjöds möjligheter till språkundervisning. Få kunde som Viktor Napoleon Federley först utnyttja universitetets resestipendium för studier i ryska och därefter studera vid Bergsinstitutet i Petersburg; efter studierna ägnade han sig åt guldletning i Sibirien.

De ryska civila utbildningsanstalterna stod annars i praktiken främst öppna för andra generationens rysslandsfinländare. Artur Henrik Gustav Tigerstedt föddes 1865 i Astrakan då hans far var kapten på en ångbåt på Volga. Han blev ingenjör från polytekniska institutet i Riga och doktor i kemi i Tyskland innan han blev direktör för en manufaktur och senare en kattunfabrik i Moskva. I Riga studerade även officerssonen Georg Adolf Malm, som var född i Polen och blev stadsingenjör i Libau. Apotekaren Carl Emil (Kyrill) Synnerberg var verksam på olika håll i Ryssland. Hans söner Feodor och Alexander utbildade sig båda till ingenjörer i Petersburg. Feodor övergav dock arkitektbanan för att bli skådespelare, medan Alexander blev järnvägsingenjör.

Skiljelinjerna mellan civil och militär teknisk utbildning var inte skarpa under 1800-talet. Av kadetterna vid Finska kadettkåren i Fredrikshamn blev sålunda 19 ingenjörer vid väg- och vattenkommunikationerna i Finland och 19 civilingenjörer i finska statens tjänst. När kadettkåren upplöstes 1902 sökte sig 40 kadetter till utländska tekniska högskolor och 13 till polyteket i Helsingfors. Av dessa tidigare kadetter tog få tjänst i Ryssland, men gränsen mellan militärt och civilt var vacklande också bland dem som fick en militärteknisk utbildning i Ryssland.[7]

I den militärt organiserade Finska strömrensningskårens reglemente 1837 reserverades en utbildningsplats, »vakans«, på finländsk bekostnad vid väg- och vattenkommunikationskårens institut i Petersburg. Vakanserna utökades 1857 till tre; de var företrädesvis reserverade för finländska adelsmän, men undantagsvis kunde även ofrälse elever antas. De första finländska eleverna togs in vid institutet redan på 1810-talet. Carl Arvid Nordenstam antogs 1818, blev fänrik vid kåren 1820 och underlöjtnant följande år. Han byggde broar för Moskvachaussén innan han 1823 kommenderades till tjänstgöring vid strömrensningsdirektionen i Finland. Vid kåren utbildades sannolikt några tiotal finländska ingenjörer.[8]

Väg- och vattenbyggnadskåren utförde uppdrag som närmast var civila, även om den var militärt organiserad. Officerare som fått en rent militär utbildning kunde kommenderas till krigsingenjörs- eller fortifikationsutbildning och senare slå in på en annan bana. Odert Sebastian Gripenberg tog löjtnants avsked, utbildade sig till arkitekt i Helsingfors samt blev överdirektör för byggnadsstyrelsen och senator 1904. Alexander Leonard Gripenberg tog avsked som överstelöjtnant och blev intendent vid industristyrelsen och överdirektör vid väg- och vattenbyggnadsstyrelsen samt senator 1896.

Officerare sysselsattes i tekniska och administrativa uppdrag utan formell ingenjörsutbildning. Flera officerare i aktiv tjänst utförde t.ex. viktiga topografiska uppdrag i rikets avlägsna delar, såsom Kaukasus, Turkestan och Sibirien.[9] Nils Johan Ursin studerade i Helsingfors under Krimkriget och gick i rysk tjänst; efter sitt avsked 1870 blev han tjänsteman vid ministeriet för väg- och vattenkommunikationerna. Vägen till civil verksamhet kunde ibland vara betydligt krokigare. Fredrikshamnskadetten Adolf Vilhelm Severin Tigerstedt sårades som frivillig i serbiska armén 1876, deltog i rysk-turkiska kriget och avancerade till kapten i bulgarisk tjänst innan han återinträdde i rysk tjänst 1884. Han tog gardeskaptens avsked och var en tid förvaltare innan han på 1890-talet blev verkställande direktör för Ural-Caspian Oil Co.

Hur många var då de finländska ingenjörerna i Ryssland? Som ovan framgått är det i det närmaste omöjligt att få fram fullständiga uppgifter för samtliga utbildningsvägar. Antalet är också beroende av hur man definierar ingenjör. Ifall kriteriet är avlagd slutexamen vid teknisk högskola eller motsvarande blir antalet ganska litet. Ifall man accepterar en bredare definition kan man uppskatta det sammanlagda antalet finländare i Ryssland i mera krävande tekniska och motsvarande uppgifter till omkring 600–700.

Civilingenjörer till Ryssland

Den största gruppen ingenjörer var de som utbildades i Helsingfors. En del av dem företog studieresor och motsvarande, som inte kan anses vara anställning i Ryssland – sålunda hör t.ex. arkitekten Yrjö Blomstedts resa i Ryska Karelen snarare hemma i karelianismens än i emigrationens historia. Om dylika resor utelämnas kan man i polytekniska institutets matriklar identifiera 334 elever som arbetat i det ryska riket utanför storfurstendömet (tab. 1).

Man bör beakta att ett drygt tjugotal av eleverna sökte sig till banor, framför allt militären, där ingenjörsutbildningen inte hade direkt relevans. Bland de elever som studerat före 1900 och sökte sig till Ryssland hade bara drygt hälften avslutat lärokursen.

Antalet ingenjörer som sökte sig till Ryssland var störst bland dem som utdimitterades eller avgick under läroanstaltens första tider och under de sista femton åren före världskriget. Sammanlagt sökte sig en tiondedel av eleverna till Ryssland; andelen var störst under de första decennierna, då närmare en fjärdedel i något skede arbetade i Ryssland. Strömmen av ingenjörer österut uppmärksammades av samtiden. År 1869, då fabrikören Putilov värvade arbetare till Petersburg, skrev Fredrika Runeberg att det inte bara var arbetare som rest, utan »härifrån fara ingeniörer i parti till Ryssland«. Under kortare perioder kunde andelen som sökte sig till Ryssland vara hög; på 1860-talet sökte sig hälften av de med examen utdimitterade till Ryssland. Möjligheterna

Tabell 1. Helsingforsutbildade ingenjörer i Ryssland, 1852–1918

	Utexaminerade / avgångna					
Praktik eller	1852–70	1871–80	1881–90	1891–1900	1901–14	S:a
under 1 år	4	13	6	7	27	57
1–5 år	19	15	9	10	37	90
över 5 år	46	31	14	13	34	138
?	19	7	9	5	9	49
Summa	88	66	38	35	107	334
% i Ryssland	24	22	9	4	10	11

KÄLLA: *Matrikel öfver Tekniska realskolans och Polytekniska skolans i Helsingfors samt Polytekniska institutets i Finland lärare och elever, 1849–1897* (Kotka 1899) och Sulo Heiniö, red., *Matrikel öfver Polytekniska Institutets i Finland lärare och elever 1898–1908* (Hämeenlinna, u.å.).

Anmärkning: Uppgifterna är av mycket varierande kvalitet. Matriklarna ger inte i alla fall uppgifter om vistelser i Ryssland; likaså är uppgifterna om vistelsens längd samt om anställningar respektive uppdragsgivare i Ryssland starkt varierande. Uppgifterna har kompletterats ur andra källor (litteratur, uppslagsverk, tidningspress, bl.a. via Brages urklippsverk, m.m.).

att få arbete i Ryssland varierade beroende på utbildningen. Verksamhet i Ryssland var mycket vanlig bland maskinbyggare och senare bland kemister. Av 30 maskinbyggare utexaminerade 1878–1881 sökte sig två tredjedelar (19) till Ryssland.[10] Det fanns däremot ingen större efterfrågan på arkitekter och lantmätare; personer med sådan utbildning sökte sig sällan till Ryssland.[11]

Av ingenjörerna hade en sjättedel arbetat i Ryssland endast en kort tid, en del i form av praktik under eller omedelbart efter studietiden, vanligen i den närbelägna rikshuvudstaden. Enligt tidens sed arbetade ingenjörer upp sig från verkstadsgolvet. Andra utförde kortvariga uppdrag. Många ingenjörer arbetade emellertid länge i Ryssland, över en tredjedel i minst fem år. Om en del kan man säga att de gjorde sin livsinsats i Ryssland.

Matriklarnas uppgifter om ingenjörernas arbetsgivare och uppdragsgivare i Ryssland varierar och många arbetade på olika sektorer och i olika delar av riket, men det är uppenbart att civilingenjörerna från Finland i huvudsak placerade sig i tre branscher: ett åttiotal vid mekaniska verkstäder i Petersburg, ett sjuttiotal vid järnvägs- och i någon mån hamnbyggande på olika håll i det enorma ryska riket och närmare femtio inom oljeutvinningen i södra Ryssland, särskilt Baku. Drygt tjugo arbetade inom bergs- och stenindustri, under tio inom träförädling.

En del ingenjörer arbetade för finländska företags avdelningar eller dotterbolag i Ryssland. Åtta ingenjörer arbetade i Petersburg eller Moskva för bolaget Granit, som före och under första världskriget hade en omfattade verksamhet i Ryssland.[12] Bolaget grundades av den tidigare Fredrikshamnskadetten och eleven i pagekåren Anton von Alfthan, som bl.a. deltog i rysk-turkiska kriget och var adjutant hos generalguvernören i Finland innan han blev företagare. Fem ingenjörer arbetade för Åbo-företaget Crichtons fabrik och varv i Petersburg. Några ingenjörer vistades längre tider i södra Ryssland för att ta emot skenor för statsjärnvägarna i Finland.

Mekaniska verkstäder

Den oftast nämnda arbetsgivaren är Nobel; ett sextiotal ingenjörer hade i något skede arbetat för någon del av det man kunde kalla Nobel-koncernen, ungefär hälften arbetade i Petersburg och hälften i Baku eller inom oljetransporterna. Nobel-bolagen fick sin början då Immanuel

Nobel, efter en tids verksamhet i Åbo, 1842 grundade en mekanisk verkstad, som framför allt tack vare vapentillverkning (bl.a. minor) under Krimkriget expanderade starkt till över tusen anställda. Företaget gick i konkurs 1859, men sönerna började på nytt 1862. Verksamheten var länge koncentrerad kring bolagets mekaniska verkstad i Petersburg, som specialiserade sig på vapen, hjul och axlar. Senare tillkom separatorer och dieselmotorer. Bolaget hade, liksom andra storföretag i Ryssland, ofta problem med att staten, närmast militären, var en så stor uppdragsgivare med snabbt växlande behov. Bolaget hade emellertid genomgående svårigheter också på personalsidan, som en medlem av familjen beskrev på följande sätt:

> En fabriksidkares svårigheter i Ryssland minskades icke av landets notoriska brist på kunnig arbetskraft och pålitligt folk i allmänhet.[13]

Nobel-koncernen värvade, liksom andra storföretag, kontinuerligt högre teknisk och administrativ personal samt fackarbetare utanför Ryssland. För Nobels del innebar detta Sverige och Finland, varifrån koncernen regelbundet fick en stor del av sina ledare, ingenjörer, tekniker och fackarbetare. Dessa utgjorde endast en ringa del av koncernens vid sekelskiftet tusentals anställda, men de präglade framtoningen, även om bolaget med K. W. Hagelins ord såg sig som en värld för sig:

> Vi hade i vår tjänst svenskar, danskar, norrmän och finnar, rikstyskar, balter, ryssar, armenare, perser, grusiner, ja t.o.m. en fransman. Men alla dessa olika nationaliteter voro först och främst nobeliter.[14]

Fabriken i Petersburg hade flera chefer från Finland. Harald Berg s:r var direktör 1872–1888 och efterträddes senare av Herman Kaufmann, som tidigare arbetat vid Tammerfors Jern-Manufaktur och verkade i Petersburg till sekelskiftet. Kaufmann värvade medvetet ingenjörer, arbetsledare och fackarbetare från Finland. Julius Caesar Holmström var 1887–1893 chef för fabrikens maskinavdelning.[15]

Finländska ingenjörer arbetade vid de flesta viktiga mekaniska verkstäderna i Petersburg, bl.a. vid Lessner, Petersburgska metallfabriken och Parviainens fabrik. Av de fem ingenjörer som flyttade till Ryssland på 1850-talet sökte sig tre till Leuchtenbergska fabriken, som drevs av furst Maximilian av Leuchtenberg och av de finska arbetarna kallades för »prinsens fabrik«. Där arbetade på 1850-talet också den unge Gustaf Törnudd som lärling.[16]

Hos arbetsgivare där det fanns finländska ingenjörer fanns det ofta också arbetare från Finland, t.ex. vid Nobels och Lessners fabriker. I vissa fall anställde arbetsgivaren både ingenjörer och arbetare från Finland, i andra anställde arbetsgivaren ingenjörerna som sedan värvade arbetare från Finland. Ibland uppstod spontant koncentrationer av finländska arbetare i arbetslag och i fabriksavdelningar ledda av finländska ingenjörer. Ett exempel är den Bairdska fabriken; en stor del av fabrikens tekniska experter var engelsmän. När bolaget – som ombildats till Fransk-ryska fabriken – år 1879 i Alexandrovsk invid Petersburg uppförde en ny fabrik med Siemens-Martin-ugnar för tillverkning av skenor och granater, leddes arbetet av den finländske ingenjören Alfred Lundgren och det uppgavs att närmare hälften av arbetarna var finländare. Lundgren arbetade för att få till stånd en skola för de finska arbetarna i Alexandrovsk och hans hustru samlade in medel för att grunda ett bibliotek.[17]

Vid de stora Putilov-verken arbetade endast få finländska ingenjörer. Där tjänstgjorde Ernst Albert Sundgren, vars far Albert Ferdinand Sundgren samarbetade med Nobel och var en av grundarna av oljebolaget Nobel. Ernst Albert Sundgren sändes senare av Putilov till Kamenskoje vid Dnjepr för att bygga upp en fabrik; den hade en företrädesvis polsk arbetarstyrka, men där arbetade också ingenjör Konstantin von Schoultz och en finsk mästare vid namn Tolonen.[18]

Järnvägar och kanaler

De militärt utbildade ingenjörerna verkade framför allt inom kommunikationssektorn. Vid väg- och vattenkommunikationskårens institut utbildades bl.a. Clas Alfred Stjernvall, Johan Ulrik von Törne och Julius Mickwitz (adlad von Minkwitz); de ledde byggandet av Saima kanal och von Törne blev dess första chef. Mickwitz blev överdirektör för väg- och vattenkommunikationerna i Finland.

Sammanlagt fem medlemmar av ätten Stjernvall gjorde karriär inom de ryska kommunikationerna. Den mest kände är Knut Stjernvall som genomgick väg- och vattenkommunikationskårens institut. Han var chef för byggandet av ett av avsnitten på järnvägen Petersburg–Moskva 1852 och därefter chef för ingenjörskåren för väg- och vattenbyggnaderna i Finland och ledare för de första järnvägsbyggnaderna i Finland. Han återgick i rysk tjänst och beklädde höga poster inom järnvägsförvaltningen, bl.a. som inspektör för de ryska järnvägarna. Han sårades svårt vid attentatet mot det kejserliga tåget vid Borki 1888.

Gustav Alexander Robert Stjernvall gjorde militär karriär innan han efter överstelöjtnants avsked tjänstgjorde som chef för järnvägsstationer i Moskva och Sevastopol. Kanalbyggaren Clas Alfred Stjernvalls söner Fridolin och Rudolf föddes i Ryssland och inledde militära karriärer i Fredrikshamn. Den förre tjänstgjorde vid ingenjörskåren och deltog i byggandet av järnvägen från Finland till Petersburg, medan Rudolf först tjänstgjorde vid det ryska telegrafverket och därefter vid järnvägar i olika delar av riket.

Konstantin Ruin gick i kadettkåren, studerade 1872–1878 vid Polyteket och därefter vid institutet för kommunikationsingenjörer i Petersburg, där han avlade examen 1882. Han var expert på tunnelbyggande och byggde bl.a. Suram-tunneln i Kaukasien. Han tjänstgjorde vid flera järnvägsbyggen, vid förvaltningen av flera järnvägar och slutligen fram till 1917 vid inspektionen över de ryska järnvägarna. Vid hans begravning 1922 konstaterade brodern, pedagogikprofessorn Waldemar Ruin:

> Så blev han ingeniör i dubbel måtto, från tvenne högskolor. Sedan föll det sig honom lika lätt och naturligt att trampa tvenne världsdelars mark, att kvarlämna märkliga spår av sitt arbete i Kaukasiens berg, i Bajkals storvulna ödebygd, i söder och i nord, alltifrån Turkestans heta stepper upp till Vita havets kulna kust.[19]

Ruins bana kröntes med statsråds titel och det uppges att han flera gånger skulle ha erbjudits också politiska uppdrag. Han var en man av stora vyer och utvecklade efter revolutionen en plan för en frihamn i Åbo, som skulle ha blivit Finlands kommunikationscentrum för världshandeln, en uthamn för Sibirien. Ruin anställde vid sina järnvägsbyggen alltid ingenjörer från Finland då det var möjligt.[20]

Järnvägsbyggande och järnvägsdrift i Ryssland lockade en mängd civilingenjörer utbildade i Helsingfors, sammanlagt ett sjuttiotal. Hälften tjänstgjorde enbart vid Finska Statsjärnvägarnas bana till Petersburg inom Petersburgska guvernementet, vid stationen i Petersburg, vid bandistriktet eller vid järnvägarnas mekaniska verkstad i Petersburg. Dessa ingenjörer flyttade alltså till Ryssland inom ramen för en karriär i finländsk statstjänst.

De ryska järnvägsbyggnaderna lockade också ingenjörer från Finland:

Allt flera av våra finska civilingenjörer – företrädesvis de från tekniska skolan utexaminerade – börjar styra kosan till Ryssland för att motta anställning vid de många järnvägar som byggs där. Penningvillkoren synas i allmänhet vara ganska förnämliga och finnarna är åtminstone hittills väl ansedde för pålitlighet och oegennytta.[21]

År 1894 reste tre finländska ingenjörer till byggandet av Arkangelska banan; en av dem var ingenjör Carl Alfred Wiklund från Vasa som senare dessutom skaffade plats för banmästarna Saari och Ström.[22]

Frans Edvard Edelheim var 1876–1894 överingenjör vid olika bolag (Putilov, Clark, Ponchard & Co., Maximovitj), vid byggandet av Petersburgs marinkanal och Gutujevskij-hamnen, hamnar i Marionopel vid Svarta havet och Libaus krigs- och handelshamnar och byggde dessutom järnvägsbroar. I ett Petersburgsbrev konstaterades att han efter kanalbygget »förwärfwat sig ett utomordentligt aktadt namn som människa och tekniker«.[23]

Nikolai Winogradoff var son till en rysk handlande i Helsingfors och gjorde från 1890-talet framåt en betydande insats vid järnvägsbyggnader i Kaukasus, senare i Dagestan för Vladikavkas-bolaget och som chef för konstruktionsbyrån vid banbolaget Moskva–Jaroslavl–Arkangelsk.

Oljebranschen

På 1870-talet etablerade sig bröderna Nobel inom oljeutvinningen i Baku, snart inom ramen för bolaget Branobel (Bröderna Nobel, gr. 1876, aktiebolag 1879), som vid sekelskiftet sysselsatte 3.800 man på oljefälten. Bolaget stod i ett skede för en fjärdedel av världsproduktionen av petroleum. Det gjorde även en banbrytande insats inom oljetransporterna, bl.a. med en omfattande egen flodtankerflotta och med ett distributionsnät över hela Ryssland. De långa transporterna innebar att bolaget också hade mekaniska verkstäder och varv i Astrakan, Tsaritsyn och Nizjnij-Novgorod. År 1915 hade bolaget 315 fartyg.[24]

Aktiebolaget Nobels första disponent i Baku efter Robert Nobel blev 1880 Carl Ullner från Finland, men han avled redan 1881. Han efterträddes 1882 av Gustaf Törnudd, som efter lärlingsår i Åbo och Petersburg, utbildning i London, befattningar som järnvägsingenjör vid banan Moskva–Nizjnij Novgorod och chef vid Viborgs Mekaniska Verkstad kallades till chef för oljefälten, en post som han beklädde till 1887. Han värvade sedermera bergsrådet och chefen för Sandvikens skeppsdocka Edvin Bergroth, som hade avbrutit sina ingenjörsstudier i Helsingfors och utbildat sig till civilingenjör i Hannover 1860. Han förestod Nobels petroleumfabrik i Baku 1884–1890.[25] Bolagets verkstad och varv i Tsaritsyn förestods av Frans Ekman från Björneborg, medan tidigare löjtnanten Onni Ernst Tawaststjerna anställdes av Branobel 1897 och avancerade till chef för dess filialkontor i Rostov.[26]

Ingenjören Felix Hedman trädde i Branobels tjänst 1902 och var först avdelningschef vid naftagruvorna i Balahany, sedan 1907–1917 chefsdirektör för bolagets oljefält i Kaukasien, Transkaspien och på Krim. Han kvarstod i bolagets tjänst till 1920 och blev senare chef för statens svavelsyre- och superfosfatfabrik i Finland. Lars Stigzelius var övermekaniker vid Branobels fabriker i Baku i över ett decennium från 1892.

Kemisten Frans Evald Pyhälä studerade i Helsingfors och med statsstipendium vid Bergshögskolan i Stockholm. Han arbetade en tid i Finland och Moskva innan han 1906 anställdes hos Nobel i Baku där han blev laboratorieföreståndare. Han publicerade flitigt i tekniska tidskrifter och betraktades som en av de främsta kännarna på petroleumkemins område.

Nobel var den stora arbetsgivaren för finländska ingenjörer i Baku, men en del arbetade även för andra uppdragsgivare. Åtminstone sex ingenjörer från Finland arbetade för firman S. J. Feigl & Co:s kemiska fabrik i Baku (svavelsyra och soda), vilket måhända berodde på att Eugen Alfthan, som själv studerat vid Polyteket och på 1880-talet arbetade hos Nobel i Baku, blev delägare och verkställande direktör 1888. Som tekniska ledare vid fabriken verkade bl.a. Helsingforsingenjörerna Karl Lindblad och Mikael af Forselles.

Ingenjör Lars Eklundh »med sina finska ingenjörer« arbetade för Shell;[27] han var efter kompletterande studier i Tyskland och USA teknisk platschef vid Ural-Caspian Oil Co. i Dossor. Vid samma bolag arbetade Yrjö Nenonen från 1912, efter att först ha arbetat vid Lessner och Itä-Suomen Graniitti i Petersburg. Jakob Estlander, en av estetikprofessorn C. G. Estlanders söner, grundade efter arbete hos Nobel och Rothschilds raffineri en fabrik i Baku; den återvann med en av Estlander uppfunnen metod svavelsyra ur det avfall som uppstod vid petroleumfabrikation. Fabriken gick omkull i den stora finanskrisen i Baku 1891, varefter Estlander arbetade en tid i Wien, Böhmen, Rumänien och Galizien innan han 1898 återvände till hemlandet för att bli disponent för Jokkis gods Ab:s industrier, för vilka han bl.a. uppförde Ferrarias fabrik i Tammerfors.

De finländska ingenjörerna och teknikerna i Baku bildade en grupp med ett eget socialt liv. År 1907 ordnades på Nobels klubb i Balahany en Runebergsfest för ett sjuttiotal finländska och skandinaviska deltagare:»Ingenjör E. Pyhälä talade på svenska till Runebergs minne och till fosterlandet; ingenjör A. Tommila talade på finska om Runeberg som det finska folkets skald. Hornorkestern spelade Vårt land, Björneborgarnas marsch m.m.« Fosterländsk sång framfördes av ingenjör Einar Kahelin.[28]

Ingenjörsbyråer

Vad blev det av dessa ingenjörer, hur många uppnådde höga poster eller blev framgångsrika företagare? En civil ingenjörsutbildning och ingenjörskarriär ledde sällan till en hög tjänst inom storfurstendömets förvaltning – några ingenjörer nådde dock höga poster i det självständiga Finland. I fråga om karriärer hade officerare betydligt bättre utgångspunkter. Tidigare officerare, en del av dem med teknisk utbildning, besatte guvernörs- och generaldirektörsposter.[29]

Om ingenjörsutbildningen inte ledde till lysande tjänstemannakarriärer ledde den överraskande sällan till företagarverksamhet i större skala i Ryssland – en del ingenjörer återvände och blev företagare i Finland. Några ingenjörer etablerade dock självständiga byråer.

Bland 1850-talets ingenjörer finns August Herman Bade, hemma från Reval och en tid delägare i Osberg & Bades mekaniska verkstad i Helsingfors. När bolaget upplöstes 1882 gick han först i tjänst hos Nobel och grundade därefter i Petersburg en »engrossaffär i oljor, petroleum, metallvaror m.m. under firma Handelshuset M. Bade & Co.«. År 1899 tvangs han emellertid »av omständigheterna« att avveckla affären, som bl.a. haft stor omsättning på Finland.

Fredrik Mehring, som hade studerat i Hannover på 1860-talet och etablerat en mekanisk verkstad i Narva, grundade en teknisk byrå i Moskva. Birger Rosenius drev en agentur- och kommissionsaffär i Petersburg 1891–1893, medan Johan Nissinen var delägare i tekniska affären I. F. Huuri i Petersburg. Oskar Wilhelm Fagerholm grundade i Moskva en firma »F. Hartman & O. Fagerholm« i centralvärmelednings- och ventilationsbranschen. Efter hemkomsten till Finland 1905 blev han en av de drivande krafterna i Helsingfors krematorieförening.

I början av seklet var Aleksanteri Huuri en kort tid självständig entreprenör i stenbranschen 1911–1913 mellan en tid som verkställande direktör för Itä-Suomen Graniitti Oy i Viborg och en period som chef för Granits avdelning i Petersburg.[30] Som avdelningschef vid samma firma i Moskva verkade Jalo Oiva Antti Viljanen, som 1912–15 arbetade som enskild arkitekt och ägare av byrån »Arkk. Viljanen & Rammi« i Petersburg. Vietti Brynolf Nykänen, guldsmedsson från Petersburg, arbetade som filialchef för stenföretaget Koneellinen Kiviveistämös avdelning i Petersburg, men samtidigt som självständig järnbetongingenjör.

I huvudsak är det alltså fråga om kortvariga och inte särskilt framgångsrika företag – tekniskt kunnande garanterade inte kapital. Ett undantag är »Bureau Vega, teknisk konsultation och agentur«, som verkade i nästan fyra decennier. Byrån grundades 1881 av nationalskaldens son Jakob Robert Runeberg, i Ryssland vanligen kallad Robert Ivanovitj Runeberg. Efter studier i tekniska realskolan praktiserade och studerade han i England och Frankrike, där han utbildade sig till skeppskonstruktör. Runeberg var en ytterst mångsidig man. Han tjänstgjorde flera gånger som finländsk kommissarie vid industri- och världsutställningar, i Paris 1878, Moskva 1882 och Paris 1900, försökte uppfinna en flygmaskin, företog en upptäcktsfärd i Sibirien och konstruerade isgående fartyg, bl.a. Finlands första vinterfartyg, *Express*, och isbrytare samt bedrev en betydande publicistisk verksamhet.[31]

Bureau Vega var ett uttryck för en ny tid på det tekniska området, tidigare ingenjörer hade varit praktiskt utlärda mekaniker, fabriksledare eller anställda av kronan inom fortifikation, väg- och vattenbyggnader. Runeberg var agent, planerare och entreprenör. Han producerade planer och projekt. Hans byrå sysslade med ångbåtstrafik i Petersburg, försäljningar av turbiner, ångmaskiner, lokomobiler, fartyg och ångpannor, men även torv, betong, granit och stenkrossar. Han handhade stenläggning av gator, asfalteringsuppdrag, var agent för ett flertal finländska företag i metallbranschen samt sålde finländska harvar i Ingermanland. Bureau Vega sysselsatte ett flertal finländska ingenjörer.

Kolleger som skeppskonstruktörer hade Runeberg i Ernst Bäckström och Karl Albin Johansson, som gjorde parallella karriärer. Båda studerade i Helsingfors varefter Bäckström avlade examen i Karlsruhe och Jansson vid Chalmers i Göteborg. Båda arbetade som konstruktörer vid Crichtons i Petersburg och senare vid A. G. Böcker & Co:s varv i Reval. Bäckström blev med tiden överingenjör vid Wärtsilä och ledde konstruktionsarbetena för bl.a. statsisbrytarna *Sisu* och *Voima*. Jansson arbetade likaså inom Wärtsilä-koncernen och med isbrytare som chef för Sandvikens skeppsdocka. Båda förlänades professors titel 1954.

Industriföretagare och chefsingenjörer

De mest framgångsrika finländska företagarna i Ryssland hade inte gått i tekniska realskolan eller dess efterträdare. Hugo Standertskiöld var artilleriofficer och fick kompletterande teknisk utbildning på gevärs-faktoriet i Tula, varifrån han 1872 på rekommendation av Ludvig No-bel kommenderades till gevärsfaktoriet i Izjevsk, som han ledde till 1880. Härefter arrenderade han fabriken till 1884 och levererade bl.a. den värnpliktiga finländska arméns gevär. Han tog 1884 avsked ur militär tjänst, men övertog ammunitionsfabriken i Tula. Standertskiöld drev sina företag med stor framgång och samlade en betydande förmögen-het som han småningom överförde till hemlandet och placerade bl.a. i ett stort stenhus vid Salutorget invid kejserliga palatset (idag Högsta domstolen), egendomen Karlberg (Aulanko) nära Tavastehus samt trä-förädlingsföretaget Kaukas Ab. Standertskiöld var även en betydande donator, som skänkte pengar till kulturella och välgörande ändamål.[32]

Fabrikören Johan Henriksson Parviainen hade en helt annan bak-grund. Han började som gjutare och övertog ett gjuteri och en meka-nisk verkstad som grundats av den finländske ingenjören Otto Brun-ström i Poljustrovo norr om Nevan i Petersburg 1899. I början av sek-let hade fabriken drygt hundra arbetare. Efter Parviainens död 1912 övertogs driften av hans svärson F. Tiiainen och son Werner Alexander, som hade fått sin utbildning vid finska samskolan i Petersburg och Tek-nologiska institutet i Petersburg. Firman samarbetade med storkoncer-nen Schneider och specialiserade sig på vapenproduktion. Den var så känd att Solsjenitsyn i *Oktober sexton* förargar sig över att man på Nev-skij prospekt såg hur »alla Parviajnens och Ajvaz och Nobels och Ro-sencrantzar kommer åkande i sina ekipage«.[33] Parviainens chefsingen-jör 1902–1912 var Oskar Gros från Närpes, som efter studier i Hel-singfors arbetat bl.a. hos Lessner och i Amerika.

Även om de självständiga företagarna var få uppnådde flera ingenjö-rer chefsposter i Ryssland, också vid andra bolag än Nobel. Carl Oswald Bonsdorff blev, efter anställning hos Nobel, 1888 överingenjör hos ångbåtsbolaget »Kavkas & Merkuri« med verkstäder bl.a. i Astrakan och Baku.

En omväxlande karriär hade Julius Gefvert, som under tre längre perioder i Ryssland hann verka bl.a. vid ett träsliperi, vid kanontillverkning, som montör, verkmästare och konstruktör hos Nobel i Petersburg, som byggare av ångsågar för ryska kronan i Ufa, som biträdande ingenjör vid Alexandrovska stålrails- och kanonfabriken i Petersburg och som ledande ingenjör vid Siemens & Halske i Petersburg. Till hans mera betydande uppdrag hörde vidare uppförandet av ett större vattendestillationsverk med 16 ångpannor i Turkestan samt konstruktion av maskineriet och ångpannorna för Branobels flytande skeppsdocka i Astrakan. Hugo Lindeberg var 1896–1898 ledande ingenjör vid Robert Kolbes tekniska byrå i Petersburg, som även sysselsatte några andra finländska ingenjörer.

Berndt von Haartman dimitterades från Polyteket i Helsingfors och studerade därefter i Dresden. Han verkade först som järnvägsingenjör och sedan som verkställande direktör för läderfabriken Bröderna Åström i Uleåborg innan han 1912 utnämndes till motsvarande post vid pappersbruket Dubrovka vid Nevan nära Ladoga, ett bruk som drevs av norska och finländska ägare. Som brukets flottnings- och skogschef verkade ingenjören J. E. Roschier.[34]

I rikets utkanter

Även om de flesta ingenjörerna var verksamma i Petersburg och Baku fanns det finländska ingenjörer på många håll i riket. Björn Aminoff utbildades vid kadettkåren i Fredrikshamn och vid väg- och vattenkommunikationskårens institut. Han ledde undersökningar för sjöfart på floden Angara i östra Sibirien och arbetena för anläggandet av en kanal mellan floderna Ob och Jenisej samt utsågs 1893 till chef för kommunikationslederna i Tomska kommunikationsdistriktet. Kosti Veltheim arbetade under och efter studietiden hos Nobel i Petersburg och verkade 1904–1920 som teknisk ledare för Branobel i Sibirien och Transbajkal-regionen.

Minst tre finländska ingenjörer etablerade sig i Vladivostok. Karl Alexis Nordqvist verkade vid järnvägsbyggnader i Ryssland och hade en teknisk agentur i Helsingfors innan han flyttade till Vladivostok och startade en cementfabrik. Carl Jahn, som var född i London, studerade vid Polytekniska institutet 1891–1896 och flyttade därefter till Vladivostok där han blev fästningsingenjör vid Amurska krigsingenjörsdistriktet och en tid extra stadsingenjör i Vladivostok. Sedan anställdes han vid de stora hamnbyggnaderna i Port Vladivostok och konstruerade en smalspårig järnväg till Sachalin. Han deltog även i byggandet av frihamnen Dalnij (senare det japanska Dairen), som avbröts av ryskjapanska kriget.[35] Jahn lyckades fly ur det belägrade Port Arthur och återvände till hemlandet där han tjänstgjorde vid statsjärnvägarna.

Nordqvist och Jahn drog nytta av den ryska kronans strategiska satsning på Vladivostok, medan Toivo Koivisto arbetade som ledare, ägare och arrendator av guldvaskerier och guldgruvor i Amurlandet.[36]

Död i Ryssland

Många ingenjörer återvände till hemlandet, men en del förblev resten av sitt liv i Ryssland och somliga fann sin grav där. Carl von Schoultz försökte vinna anställning hos Nobel i Baku, men blev i stället järnvägsingenjör och stationerades som överkontrollör vid banbygget vid gränsen mot Persien. Där bortrycktes han och hans hustru av koleran 1892. Över dem restes en obelisk och de fem föräldralösa barnen skickades till Finland försedda med adresslappar.[37]

Ingenjören Dmitri Nyberg, en bror till den socialdemokratiske lantdagsmannen Santeri Nuorteva, blev skjuten av arbetare i Petersburg 1907. Han var utbildad vid väg- och vattenbyggnadsinstitutet i Petersburg och hade bl.a. arbetat vid den sibiriska banan. Vid sin död var han chef för en bibana nära Petersburg.[38] Under de våldsamma oroligheterna i Baku 1907 råkade flera av ingenjörerna vid Nobel illa ut. Ingenjör Carl Löthberg blev skjuten av en okänd man, medan ingenjör Forsman sårades livsfarligt. Ingenjör Felix Sundqwist flydde åter till Tiflis och hem till Finland efter att en svensk ingenjör i hans sällskap hade blivit skjuten.[39]

Edvin Svedberg från Oravais slutförde inte sina studier vid polyteket, men arbetade först hos Nobel och tog senare anställning vid asbestgruvan i Bahenovo på Urals östra sluttning. Gruvan började utnyttjas på 1880-talet och under Svedbergs tid arbetade där flera finländare. Svedberg ledde gruvan ännu på 1920-talet, men blev skjuten 1930.[40]

Karriärer i hemlandet

Bland de finländska ingenjörerna i Ryssland gjorde flera en bemärkt insats i hemlandet. Fyrväsendet utvecklades kring sekelskiftet med stor energi av två ingenjörer som båda varit verksamma i Ryssland. Senare sjöfartsrådet Ernst Fredrik Andersin arbetade bl.a. i Sverige och Frankrike, men också en kort period hos Robert Runeberg i Petersburg. En av Andersins medarbetare var Karl R. Pettersson, som ledde uppförandet av en stor del av landets fyrar – han torde vara den ende som i Finland fått en fyr uppkallad efter sig, ledfyren »Ingenjör Pettersson« nära Själö vid infarten till Åbo. Före sin bana som fyrbyggare arbetade han – en del av tiden som praktikant – i uppgifter från filare till konstruktör vid Petersburgs metallfabrik, Phoenix Mechanical Works i Petersburg, S:t Petersburg Eisen & Drahtwerk samt vid Putilov.

Anders Ahonen arbetade sju år som baningenjör i Petersburg och vid statsjärnvägarnas distrikt inom Petersburgska guvernementet innan han 1908 blev generaldirektör för statsjärnvägarna i Finland. Industrirådet Hugo Blankett var, efter studier i Helsingfors och utomlands, 1897–1899 teknisk ledare för Putilov-koncernens järnbruk i Videlits i Olonetska guvernementet. Han blev därefter chef för Finska Stenindustri samt bergsintendent vid industristyrelsen och verkade i början av 1920-talet som chef för handels- och industristyrelsen. Senare generaldirektören i tullstyrelsen Kullervo Killinen arbetade 1904 kortare perioder vid den elektriska avdelningen av kronans varv i Kronstadt och vid Östersjöflottan innan han återvände till Finland. Han var bl.a. handels- och industriminister i T. M. Kivimäkis regering 1932–1936.

Några av de ingenjörer som arbetade i Ryssland återvände hem till lysande karriärer i industrins tjänst. Bergsrådet Wilhelm Schauman arbetade som ritare och verkmästare vid en metallfabrik i Petersburg innan han återvände till Finland där han drev produktion av cikoria, socker, tobak och virke samt fattade beslutet att grunda landets första fanerfabrik, som förverkligades efter hans död. Bergsråden Albert Lindsay von Julin och Ernst Grönblom hade båda arbetat i Baku. von Julin arbetade fem år som kemisk ingenjör hos Nobel i Baku innan han återvände hem till en framgångsrik bana som ledare för Fiskars. Grönblom var 1908 t.f. teknisk ledare vid Feigl & Co. och blev chef för metallföretaget Vuoksenniska. Han var medlem av vapenstilleståndsdelegationen i Moskva 1944. Bergsrådet Lauri Helenius var konstruktör på No-

bel Diesel under världskrigets första år och blev senare chef för Loko-
mo, Tammerfors Linne och Jernmanufaktur, chefdirektör för Fiskars
och direktör i Finlands Industriförbund. Dubble olympiske guldme-
daljören i brottning, ingenjören Werner Weckman arbetade som tek-
nisk ledare under Svedberg vid asbestgruvan i Ural 1909–1921. Han
var verkställande direktör vid Finska kabelfabriken 1937–1955.

De flesta ingenjörer som var verksamma i Ryssland vid revolutionen
tog sig hem på ett eller annat sätt. Resultatet kunde bli koncentrationer
av rysslandsveteraner vid vissa firmor. Flera av de ledande ingenjörerna
vid Pargas Kalkberg på 1920-talet hade arbetat i Ryssland: Gabriel
Geitlin vid Bureau Vega, Einar Kahelin, Torsten Winter och Max Can-
delin i Baku.

Erfarenheter

Forskningen har rätt ensidigt fäst uppmärksamhet vid de stora migra-
tionsströmmarna, framför allt de transatlantiska. De är naturligtvis vik-
tiga, men som Harald Runblom visat bör man också uppmärksamma
företagsetableringar och överföring av kunnande och expertis över grän-
ser. Den finländska ingenjörsemigrationen till Ryssland var inte kvanti-
tativt stor vare sig jämfört med massmigrationen till Ryssland eller med
det ryska rikets behov av teknisk expertis. Behoven öppnade emellertid
möjligheter för ingenjörer från Finland trots att landet självt importe-
rade tekniskt kunnande. Ingenjörerna var en ytterst rörlig yrkesgrupp
och rörligheten till Ryssland var synbarligen mindre än till Västeuropa.
Som Snellman förutspådde kunde de finländska civilingenjörerna – och
de militärt eller halvmilitärt utbildade ingenjörerna – emellertid finna
en nisch i Ryssland. Nischen omfattade några för kejsardömet ytterst
viktiga industrigrenar: mekaniska verkstäder, oljeindustri och kommu-
nikationer.

Noter

1. *Litteraturblad för allmän medborgerlig bildning* 5 (1858), s. 199.
2. När annat inte anges bygger uppgifterna på matriklarna kompletterade med annat material (se tab. 1) samt ättartavlor, Helsingfors universitets tryckta studentmatriklar samt genealogisk litteratur. Ett tiotal av polytekets lärare, som inte var ingenjörer utan t.ex. språklärare, hade verkat i Ryssland.
3. Max Engman, »Finnar och svenskar i S:t Petersburg«, i S. Carlsson & K. Å. Nilsson, red., *Sverige och Petersburg. Vitterhetsakademiens symposium 27–28 april 1987*, Kungl. Vitterhets-, historie- och antikvitetsakademien, Konferenser 20 (Stockholm 1989), ss. 72–73. I svenska församlingen fanns ytterligare 51 män i dessa yrkeskategorier som var födda i Sverige.
4. Ida Bäckman, *Från filare till storindustriell i Naftabolaget Nobels tjänst. Ett utdrag ur generalkonsul K. W. Hagelins memoarer* (Stockholm 1935), ss. 33–37, 89, 120, 122, 236, 256. Fredrik Puputti d.y. slutade sina dagar som tiggare i Petersburg. Finländare var relativt vanliga inom flodsjöfarten i Ryssland, bl.a. som mekaniker och maskinister, se Max Engman, manuskript till delen om Ryssland i den finskspråkiga serien om den finländska emigrationens historia.
5. *Työmies* 30/11 1899.
6. *Jubilejnyj sbornik svedenij o dejateljnosti byvsjih vospitannikov Instituta grazjdanskih inzjenerov, 1842–1892* (S. Peterburg 1892) upptar endast en handfull finländare, likaså den märkliga matrikeln A. I. Melua, *Inzjenery Sankt-Peterburga* (Sankt Peterburg; Moskva 1996), som ger uppgifter om petersburgska ingenjörer från Peter den store till Jorma Ollila.
7. Sigurd Nordenstreng, »Finska kadettkårens insats i fosterlandets historia, 1812–1912. Ett hundraårsminne«, *Finsk Tidskrift* 73 (1912), ss. 353, 361. Henrik Akates Gripenberg blev efter kadettkårens upplösning ingenjör vid polytekniska institutet i Neustadt och arbetade därefter i Nordamerika, Reval och Åbo.
8. Reglemente 26/4 1837, *Samling af Placater, Förordningar, Manifester och Påbud*, s. 225; Statssekretariatets akt 365/1857, RA; J. E. O. Screen, red., »Våra landsmän«. *Finnish Officers in Russian Service, 1809–1917. A Selection of Documents*, Meddelanden från Stiftelsens för Åbo Akademi forskningsinstitut 91 (Åbo 1983), ss. 42, 192; *Spisok okontjivsjix kurs v Institute inzjenerov putej soobsjtjenija Imperatora Aleksandra I, 1810–1910* (S. Peterburg, u.å.). Ett exakt antal kan inte anges på basis av matrikeln eftersom det i många fall är osäkert ifall ifrågavarande elev var finländare; vakanserna var inte alltid besatta och delar av anslaget kunde användas för att bereda elever för inträdesexamen.
9. Pentti Aalto, *Oriental Studies in Finland, 1828–1918*, The History of Learning and Science in Finland, 1828–1918, band 10b (Helsinki 1971), ss. 138–142.
10. Max Engman & Sune Jungar, »Flyttningsrörelsen från Finland till Ryssland, 1809–1917«, *Historiallinen Arkisto* 75 (1980), s. 43; Fredrika Runeberg, *Brev till sonen Walter, 1861–1879. Köpenhamn, Rom, Paris*, Skrifter utgivna av Svenska litteratursällskapet i Finland 447 (Helsingfors 1971), s. 257; Max Engman, »De Putilovska värvningarna 1869«, *Historisk Tidskrift för Finland* (1976), ss. 289–306.

11. Ett tidigt undantag var åren kring 1840 då ett antal lantmätare flyttade till Ryssland. Några arkitekter arbetade i Ryssland. Carl Theodor Mellgrén, som var född i Stockholm, var elev i Helsingfors 1849–1852, varefter han studerade vid konstakademin i Stockholm. I Ryssland arbetade han vid järnvägsbyggen och var tjänsteman för särskilda uppdrag hos generalguvernören i Moskva. Han blev 1879 akademiker vid konstakademin i Moskva. Albert Mellin byggde med arkitekten Huhn några byggnader i Petersburg på 1870-talet. C. G. Nyström uppförde före första världskriget ett boningshus i Petersburg för doktor Nobel-Oleinikoff samt en kirurgisk klinik och poliklinik för kvinnomedicinska institutet.

12. Mikael Korhonen, *Finlands ryska fordringar. Ekonomisk uppgörelse med Ryssland efter 1917. Privata ersättningsfrågor i ett jämförande internationellt perspektiv* (Åbo 1998), ss. 185–186.

13. M. Nobel-Oleinikoff, *Ludvig Nobel och hans verk. En släkts och en storindustris historia* (Stockholm; Helsingfors 1952), ss. 119–120.

14. Bäckman, *Från filare till storindustriell*, ss. 162 och 86, 89–90, 121–122, 201, 208, 235–236. Jfr Nobel-Oleinikoff, *Ludvig Nobel och hans verk*, ss. 68, 119–120, 300, 490, 509, 531–533; Robert W. Tolf, *The Russian Rockefellers. The Saga of the Nobel Family and the Russian Oil Industry* (Stanford, Calif., 1976), ss. 26, 122, 137 och passim; Max Engman, *S:t Petersburg och Finland. Migration och influens, 1703–1917*, Bidrag till kännedom av Finlands natur och folk 130 (Helsingfors 1983), ss. 360–363; Gustaf Törnudd, *I oljans och vindarnas land. Brev från Baku, 1882–1886* (Helsingfors 1956), ss. 18–19,72, 82–83, 92, 95–96, 98, 116, 120.

15. Nobel-Oleinikoff, *Ludvig Nobel och hans verk*, ss. 490, 513; Sulo A. Heiniös inledning till Herman Kaufmann, *Hauskoja muistoja Tampereen tienoilta*, 2:a uppl. (Porvoo 1967), ss. 8–9.

16. Engman, *S:t Petersburg och Finland*, s. 362. Törnudd, *I oljans och vindarnas land*, s. 8.

17. *Pietarin Wiikko-Sanomat* 10/5 1879 och 15/12 1882; Engman, *S:t Petersburg och Finland*, ss. 362–363.

18. Elna Schdanoff & Christian Sundgren, *Brevet från Sibirien* (Esbo 1997), ss. 11–18, 21.

19. *Hufvudstadsbladet* 18/1 1922.

20. Ibid.; Dagmar Ruin Ramsay, *Mina ryska år* (Stockholm 1962), ss. 37, 52, 112–113, 133; Sune Jungar, »Åbo – Sibiriens uthamn. Kring en plan att göra Åbo till världshamn«, *Från medeltid till 1900-tal*, Skrifter utgivna av Historiska Samfundet i Åbo IX (Åbo 1977), ss. 49–63.

21. *Helsingfors Dagblad* 4/11 1868.

22. *Pohjalainen* 14/3 1895; *Hufvudstadsbladet* 17/3 1895.

23. *Hufvudstadsbladet* 28/4 1886.

24. Tolf, *The Russian Rockefellers*, ss. 136–137, 174; Max Engman, »Sjömän från Finland i Ryssland«, *Historisk Tidskrift för Finland* (1988), ss. 418–421.

25. Gunnar Mårtenssons inledning till Törnudds *I oljans och vindarnas land*, ss. 8–19 och 82–83, 92, 95–96, 116, 120.

26. *Uusi Suometar* 6/8 1905.

27. Bäckman, *Från filare till storindustriell*, s. 256. Landsmännen som arbetade under

Eklundhs ledning nämns även i nekrologen i *Svenska Pressen* 23/2 1943.

28. *Uusi Suometar* 15/2 1907.

29. Två tidigare teknologer i Helsingfors blev höga tjänstemän i Finland på 1910-talet. Paul Kraatz blev minofficer och medlem av den s.k. »amiralssenaten« – den senat av tidigare officerare i rysk tjänst som styrde Finland på 1910-talet. Jalmari Vuolle-Apiala (f.d. Lindeman) slog om till juridik och blev efter tjänstgöring vid justitieministeriet i Petersburg justitieråd vid senaten i Helsingfors.

30. Huuri var klasskamrat med Väinö Tanner och avled i samband med ett ammunitionsförråds explosion på Sveaborg. Väinö Tanner, *Näin Helsingin kasvavan* (Helsinki 1947), s. 266.

31. Max Engman, »Robert Ivanovitj Runeberg – ingenjör«, *Festskrift till Johan Wrede 18.10.1995* (Helsingfors 1995), ss. 75–90. Om Runeberg och världsutställningarna, se Kerstin Smeds, *Helsingfors–Paris. Finlands utveckling till nation på världsutställningarna 1851–1900*, Skrifter utgivna av Svenska litteratursällskapet i Finland 598 (Helsingfors 1996), passim.

32. Hugo Pipping, »Hugo Standertskiöld«, *Finlands Adelsförbunds årsskrift* 6 (1931), ss. 183–204.

33. Alexander Solsjenitsyn, *Det röda hjulet. Andra knuten: Oktober sexton*, band I (Stockholm 1984), s. 449; Peter Gatrell, »Industrial Expansion in Tsarist Russia, 1908–14«, *The Economic History Review* 25 (1982), s. 106 och idem, *Government, Industry and Rearmament in Russia, 1900–1914. The Last Argument of Tsarism* (Cambridge 1994), ss. 213, 219–220, 223, 229, 236; Korhonen, *Finlands ryska fordringar*, s. 158.

34. Paul Gustafsson, *Tie Dubrovkaan* (Helsinki 1987), ss. 408–426; *Inkeri* 17/1 1912. Till intressenterna hörde bl.a. överste Fredrik Sohlberg och konsul Alexander Gullichsen. Vid bruket arbetade också ingenjören Helge Godenius.

35. C. Jahn, »Hamnstaden Dalnij«, *Nya Svenska Läroverket, 1882–1907* (Helsingfors 1907), ss. 118–124.

36. Toivo Koivisto, *Seikkailuja villissä idässä* (Jyväskylä 1929).

37. Törnudd, *I oljans och vindarnas land*, s. 98; Ruin Ramsay, *Mina ryska år*, s. 52; Aalto, *Oriental Studies in Finland*, s. 140; Carl von Schoultz, »Transkaspien«, *Finsk Tidskrift* 28 (1890), ss. 13–28, 110–123.

38. *Hufvudstadsbladet* 4/6 1907, 2/6 1907.

39. *Uusi Suometar* 18/1 och 16/10 1907; Tolf, *The Russian Rockefellers*, ss. 150–163.

40. Jaakko Numminen, »Suomalaiset soturit Uralin rinteillä«, *Kanava* (1998), s. 530. Sigurd Langhoff arbetade också vid en asbestgruva i Ural 1904–1921 och återvände efter »en strapatsrik färd till hemlandet«. *Hufvudstadsbladet* 23/10 1939.

Landscapes in exile

Latin Americans in Sweden

MARÍA LUJÁN LEIVA

Introduction

DURING MY FIRST VISIT to Sweden, in the winter of 1990, I got in contact with Latin Americans there. The idea of writing a history of those men and women occurred to me when, at the end of my first short visit, I understood that the Latin American community had a strong desire to interpret the past and present, and to confront the meaning of their exile in Sweden.

At the Centre for Multiethnic Research at Uppsala University there was strong enthusiasm for promoting research on this topic by a scholar who had not been part of the exile experience in Sweden, but who had studied another exile—that of Republican and anti-fascist Italians—and who could thus contribute a different perspective on the lives of the exiles and immigrants in Sweden.

Through academic materials as well as interviews, the contradictory images that Swedes and Latin Americans have of themselves and others began to emerge. I observed that the social pressures and significant changes in politics and ideology in local and international spheres during the 1980s were affecting the vision that the Latin American community had of itself. Furthermore, the social flux of this decade shaped the way the community interpreted its own history.

The Latin American community in Sweden differs not only from other immigrant communities in Sweden but also from other groups in the larger Latin American diaspora, which emerged in the last quarter of the twentieth century. This, in turn, was part of a massive immigration from the Third World to developed countries with institutional systems offering asylum in the face of human rights violations. The origin of the Latin American presence in Sweden stems from political exile. It is an exile characterized by young individuals, most of whom are of middle class background, identifying with militant political trends inspired by nationalism or internationalism, and sharing the experience of trying to re-install Latin American democracy and to recover a Latin American culture. In Sweden, the exile has been distinguished both by a strategy of integration and participation in Swedish society and by the idea of returning to and keeping the ties with the countries of origin.

This particular exile experience has produced richly creative cultural activities—very politically committed in its initial stages—in the fields of literature, theatre, and the arts. It involves production that has been directed towards three audiences: compatriots in Sweden, Swedish society itself, and the people of Latin America. From the mid-1970s and on, these cultural practises were favoured by the Swedish government's new multicultural policy. This re-direction of cultural policy has been described by Harald Runblom in the following way:

> As a result of this change of direction, immigrants were granted certain cultural rights. The cultural ambitions of immigrants were protected in the constitution. The Swedish Instrument of Government [*Regeringsformen*] of 1974 give support for linguistic, religious, and cultural groups who prefer to maintain their characteristics. A series of programs was designed, accepted and implemented. Support for journals produced in immigrant languages, support for the instruction in home languages in the public schools system, and even the right to participate in political elections on the municipal level were included. Also, qualifying for Swedish citizenship was made easier.[1]

The Latin American migratory process in general involved descendants of European immigrants who had settled in Latin American countries, particularly in Argentina, Uruguay, and Chile, in search of jobs and/or freedom from political and religious persecutions. Prior to their exile, the majority of the Latin American emigrants—independent of their ethnic origins—had always maintained close contacts with the current of contemporary European thought and with social and political movements of the »old« continent. The exiles who sought refuge in Sweden, however, arrived in a country with which most of them had no ties, neither of intellectual, cultural or economic character, nor of a family nature—as Scandinavian immigration to Latin America had been relatively minor.[2] »Of the roughly 1.2 million people who emigrated from Sweden between 1850 and 1930,« writes Runblom, »only around 5,000 left for destinations in Latin America,«[3] to settle mainly in Brazil. In Misiones in Argentina, the Swedes maintained a strong ethnic cohesion, although the second and third generation married outside their ethnic group and the Swedish associations opened to people for other nationalities.[4] Still, it should be noted that since the 1960s, Swedish theatre and films had begun to gain recognition in Latin America, especially among young intellectual people.

Within my field of research—Latin Americans in Nordic countries—my main focus has been, and will continue to be, to trace the history of the Latin American exile community from below, and to listen to voices that are seldom heard but frequently stereotyped by the media. In order to carry out this research, I had to change my methods and draw new intellectual maps. Over the course of my research I used non-traditional sources, and the literature and art produced in Sweden by Latin Americans emerged as source materials which documented the experience of entering a new country. They also recorded the trauma of learning a new language and new codes of communication and behaviour, and the authors and artists transmitted an ambivalence inherent to the exile condition, including the sense of loss and the act of creation.

In-depth interviews became a powerful and fundamental research tool. The artists, writers, and performers modulated their voices, their personal and group experiences; they expressed the common realities of exiles and immigrants, and through the participation in interviews they permitted me access to the aims and expectations of the community. I was thus able to discover their subjective experiences of the Swedish landscapes—urban and natural—and the memories of the land and cities the exiles no longer traversed, yet continued to inhabit during their waking and dreaming hours.

Exiles and landscapes

In 1978, Julio Cortázar read a paper at the Colloquium »Latin American Literature Today« in Cerisy-La Salle in France, in which he defined the exile experience as a rupture of contact of the roots and the foliage from connatural earth and air. He further characterized the exile as »bereft of all possessions, of the rhythm of life, the familiar fragrance of the air, the colour of the sky, the customs of the homes, the streets, the dogs and the cafés.«[5]

303

Cortázar places us in the process of Latin American exile that began with the coming of military governments in Latin America; a process first inaugurated by the *coup d'état* in Brazil in 1964, precisely during the decade that witnessed the growth and expansion of Latin American popular movements. The *coup d'état* in Chile in 1973, which overthrew Salvador Allende, marked the end of the democratic experiment in Chile and the brutal termination to a hopeful vision held by millions of Latin Americans. The Pinochet dictatorship in Chile, like the Brazilian dictatorship before it, condemned anyone who opposed it to death, imprisonment, or exile. The closing of Parliament in Uruguay in June of 1973 made the unions, the university, the cooperatives and the cultural community into targets of Bordaberry's military regime. The establishment of the military dictatorship in Argentina in the same year forced Argentineans and refugees from Chile and Uruguay to seek refuge in other countries in order to escape prison and torture. By 1976, South America had, with the exception of Venezuela, become a continent of dictatorships or governments so dependent on their military forces that few alternatives existed for refugees. The possibilities for seeking refuge had been reduced to Venezuela and Mexico, or to the option of emigrating to Europe.

The reasons behind the refugee's choice of Sweden as a country of asylum had to do with actions of solidarity by the country's government and its organized labour and religious institutions. The government of Olof Palme, which had selected Chile as a country targeted for development aid, reacted quickly in order to help the victims of the Pinochet *coup d'état*. The Swedish embassy functioned as a refuge, while ambassador Harald Edelstam, under express orders from his government, assisted many who needed to get out of the country. This attitude marked the beginning of a Swedish open-door policy for refugees from Latin America and other continents. Residence in Sweden was one of the options that the United Nations could offer to political prisoners and refugees—a tribute to the reputation of the Swedish health system and social assistance programs that offered relief to individuals and their families who had recently suffered severe traumatic experiences.

The significance of the special relationship between Sweden and the Latin American refugees can be seen by comparing the number of Latin American refugees in Sweden to the total Swedish population. But it can also be seen by comparing the number of refugees to Sweden, with its weak cultural and economic ties with Latin America, to the number of Latin American refugees in other European countries with which Latin American countries, particularly Chile, Argentina, Bolivia and Uruguay, have long maintained cultural, linguistic, and economic ties. The Swedish humanitarian policies toward refugees activated a sort of summons to other exiles and family members in Latin America, as well as in other European countries, where refugees had difficulties in legalizing their residency and in escaping the vicious circle common to illegal/undocumented immigrants and illegal workers.

Latin Americans in Sweden represented, therefore, a political immigration with clearly defined features. The refugees belonged to a generation that lived at a time when political participation and activism had become widespread, and to many politically active Europeans, Latin America, Africa, and Asia became an alternative to their current economic, political and social system.

Exile identity

Exile is a peculiar and painful migratory experience. The Latin American exile experience that took place beginning in the mid-1970s assumed dimensions never before known in the history of the continent. Under the threat of death, prison or the denial of work, thousands of individuals were forced to leave for countries in which they would not have voluntarily chosen to live, and to stay there for an indefinite time, impeded from returning to their home countries.

Three key elements differentiate exiles from immigrants: the imposition of the country of residence, the impossibility of return, and the lack of a rite of farewell. In effect, this constitutes a forced migration. In the processes of emigration, whether for political or economic reasons, the preparations for leave-taking, the possibility of bidding farewell to one's loved ones and resolving practical considerations for the future, are fundamental. None of this was possible for the majority of these exiles. More commonly, unwanted situations were the norm and, in many cases, the situations were unforeseen and people were unprepared for them.

The experience of exile in Sweden at the beginning of the period can be interpreted as a denial of the experience of transplantation. The roots continued to cling to the home country, and one walked in one country while thinking of another: »I close my eyes to be a horse / sweetly grazing in a place / where I lived long ago / where the stars were not of neon,« as one author put it.[6]

As revealed in oral and written testimonies, exiles experienced sensation of living death and unreality for months and even years after first arriving to Sweden. They felt that they could disappear without anyone noticing their absence;[7] the streets were roads towards unknown points of reference. The Uruguayan poet Graciela Taddey captured it in the following way: »Only memories / without country or future / only a sky / unknown / without cardinal points and without wind / in this absurd and desolate place.«[8]

Memory became the instrument for reinvesting life with meaning. Sergio Infante, a Chilean poet, defined memory in various texts over the years as »a heavy box without surcharge on the airlines / easy to smuggle through into exile«,[9] and in his *Retrato de época* (Portrait of an Era) from 1982, it is already a form of resistance against forgetfulness and relocation: »What is the memory if not the eyes fixed upon the map, abandoned / and not wishing to completely surrender to alienation...?«[10] The need to remember constitutes the manifestation of melancholy when exiles are faced with losses, destruction of one's plans in life and politics, denial of closeness to one's loved ones, and the loss of a familiar landscape and those elements which contribute to the formation of identity.

In exile, the homeland acquires a profound significance; it is the land of one's parents and one's commitments. It is the territory of one's infancy. Ideological as well as affective contents converged in this evocation: »[T]he homeland is memory. We carry our memories with us, like nomads.«[11] The idea of the homeland found in the testimonies of expatriate artists and poets living in Sweden does not appear to derive from historic epics, from military victories, or from national pride or geopolitical spaces. It is the memory of the people, the women, »those old obstinate women [...] who continue to sweep [...] their sidewalks,«[12] and the everyday men (»perhaps that is homeland / that man who walks there / with the old hat like bread«),[13] the neighbourhoods, the train stations, the seagulls, the *araucaria* and hazelnut trees of the Chilean poet Adrián Santini,[14] or the *patios* visualized as nests by the Uruguayan poet María Gianelli.[15] The exiles lived through a period of great confusion, of ideological debate, and of reordering of their lives. The idealization of their homelands served as a sort of refuge in the face of a difficult reality.

Exile as a situation of drastic expulsion, implies a reordering of life in a new country, integration into a new human group, and into new social categories. Persons are forced to assume a new identity: that of a *foreign refugee*. In the face of this traumatic situation of unfamiliarity with the social milieu—Sweden and its customs, the language—and the discovery of the unknown northern landscape, the testimonies document diverse survival strategies for overcoming personal losses and defending one's sense of self. In this attempt to transform the unknown into something familiar, a juxtaposition of landscapes is produced, including the fantasy of recognizing the faces of people left behind in Latin America among the new faces glimpsed in Sweden. Literary testimonies document this attitude, such as in the poem »Recuerdos de Carmona« (Memories of Carmona) by the Chilean poet and mime Jesús Ortega, who believes he has recognized his own house in Chile and a friend of his in a Malmö street,[16] or that of Sergio Infante who converts the murmur of the Scandinavian pines into the more familiar murmur of the ocean at Chiloé.[17]

Julio Fernández Baraibar is an Argentine journalist and militant who arrived in Sweden »empty and trembling« in 1977, and who voluntarily and conscientiously tried to root himself in Sweden. He studied the Swedish language and the country's history and sought to get to know the Swedish people.[18] In his short story »La primera nevada de invierno« (The First Snow of Winter) he transforms the voyage by commuter train from Jakobsberg to the Central Station in Stockholm into a voyage to a populous metropolitan station in Buenos Aires.[19] The result is that the two realities become intertwined and confused, resisting any attempts of maintaining a separation between them.

The visual arts also give testimony to this attempt to familiarize new experiences, to preserve a sense of balance in the midst of this ambivalence. Pedro Da Cruz, in his figurative oil painting »Made in Sweden« from the early 1980s, juxtaposes elements of the two realities—Sweden and Uruguay—which co-exist in the painter's world. Here we find a common sea which borders the two countries, Swedish supermarket boxes, clocks, fishes, a candle lamp, a key, the moon and sailboats, and a compass whose North points toward the South. Clearly, there are influences in his work from the constructivist painter Joaquín Torres García

(1879–1949) who already in the 1940s in Montevideo proposed a North–South dichotomy in his work.

There exists among exiles a need to remember and a tendency toward solitude which complicates their interaction with and integration into the new social environment. For exiles in Sweden, the adaptation to the new country could have taken more time than for other immigrants. Reasons for this include the special conditions of their arrival there, their response to the different Swedish cultural patterns, and the conviction—partly ingenuous and partly deliberately optimistic—that their residence in Sweden was to be only a brief parentheses before their return to their home countries.

It is evident that exiles require long periods for adaptation and integration owing to the emotions that arise in reaction to accelerated processes of integration. Efforts to abolish the past, and one's own history, to give up affective ties left at home and to suppress memories on behalf of the realism of one's current situation, appear to be formulas for blocking out the reality of the pain, the sense of loss and the difficulties encountered in the necessary adaptation to the new environment. The inherent ambivalence in all humans manifests itself with renewed insistence in exiles as both gratitude and bitterness toward the land of refuge and toward the assistance received.[20] The Argentine poet Christian Kupchik draws on metaphors to express this emotion of contradiction among exiles, speaking of them—and himself—as »amphibians in the air,«[21] inhabitants of a Mesopotamia, reliving the banishment of the Jews deported by Nebuchadnezzar, finding themselves »between two uncertain lands.«[22]

The Latin American exiles in Sweden were faced with social and psychological difficulties; living in a present imbued with the past, in a land which they traversed but did not recognize. Both individually and in groups, they forged a new identity, that of the exile, responding to the new realities of banishment and to the need for a strategy to overcome depersonalization and the loss of social significance of the exile experience.

The Swedish landscape viewed in exile

Porque a mí
que me gusta la miel
me dan este bosque?
que otros cuiden el bosque
donde me perdí por el gusto
[de la miel]
Mario Romero[23]

Why to me
who loves honey
are these woods given?
that others care for these woods
where I lost myself for the love
of [honey]

El exilio es otra manera
de vivir pero puede llenarse
de un contenido positivo.
Julio Cortázar[24]

Living in exile is another way
to live but it can be filled
with positive content.

The experience of exile is traumatic in that it provokes a response of alienation and confusion among those who live through it. Exiles encounter alienation with respect to the landscapes »without signs of filth or deterioration, tranquil, eternal,«[25] often not even knowing the names of the elements that make up the landscape: »[T]hat bird / that raps at my window / in spring / I don't even know its name.«[26]

The new residents often wonder at novel elements in the Scandinavian natural landscape, »the snow / to bury oneself in that white marvel / [...] to be dazzled on an otherwise grey day.«[27] Another side of the anguish of losing a familiar landscape is the wonder and marvel of the aromas, of the colours of the sky and the vegetation, of the bars and the street corners, of recognizable voices. The anguish of loss is constructed and contained with the recurrent juxtaposition of situations in which every exile emotionally returns to his or her original country.

For the Argentine poet Marisa Villagra, her native Tucumán appears to her through a window which frames the frozen and solitary coast of Lake Mälaren; in her memory »this part of the world draws toward that other where arms wave high / clothes recently washed by hand and on the mountainside.«[28] To Graciela Curbelo, a Uruguayan agrarian technician who arrived in Sweden in 1973 from Chile and for whom nature had always been of the utmost importance, the Swedish natural landscape never felt as if it belonged to her. She found the woods were distressing, although she was moved by »the snowfall more than the snow itself.«[29] In her memory she would return to her Uruguayan ridges, and in her new country of residence it struck her that even the universal moon appeared to have two distinct identities, the »warm moon of the south« and a »moon of cold Scandinavian milk.«[30]

For the Chilean Sergio Infante, with six years of exile shared between Argentina and Sweden, the juxtaposition continues in an almost inexplicable way as a snowy and silent December and a Chilean meadow, about which Infante wrote in 1979: »[A]lthough the summer dates these verses [...] snow is falling.«[31]

The changing seasons and nature of Sweden are observed and discovered by the exiles. The landscapes personify the bodies of the emigrants, interpret their states of mind, and mimic their spirits. The exiles experienced the Swedish summer with fascination, as well as with sorrow due to its brevity.[32] Neither the Swedes nor the Latin Americans—who are accustomed to spring-like Septembers—could easily resign themselves to the inevitable succession of the seasons, to the end of summer and the arrival of autumn. In 1984, Sergio Altesor captured the feeling: »[T]he sun of September gives no warmth / although it lays golden needles on my eyelids.«[33]

The ochre and golden colours, the attenuated colour-range of the Swedish autumn, also signified the destiny of man, particularly of the exiles. In the words of Hebert Abimorad, »we are surrounded / by dry leaves / of many shades / short lives [...] the rain / humiliates them / until they are lost / beneath the snow.«[34] Graciela Curbelo draws parallels between the migratory birds and the emigrants in her poem »Autumn«: »[O]ne small human being among the thousands of birds that emigrate.«[35] Swedish autumn appears in the poetry of the exiles as a metaphor for the end of a historic moment of great expectations for social and political change in Latin America. However, the migratory birds and the flight of the leaves are also converted into a parable of the possible and eager return.

The juxtaposition of landscapes, memories, the anguish before the arrival of winter with its darkness and isolation, accented the sensation of exile. Though the refugee children would be the first to enjoy the snow, eventually the adults also would be initiated in its luminosity and discover its possibilities for artistic creation.

The symbolic appropriation of urban spaces was delayed by the type of activities of the exiles, and by their spatial distribution, but slowly the city and its corners were converted into the substance of literary and artistic production. This also reflected the gradual occupation of new spaces and the transformation of the surroundings that resulted from the continuing arrival of refugees—new colours, other voices, other faces. Visually, the cities were modified through the impact of the presence of these new residents. The Uruguayan artist Edda Ferreira created a series of figurative engravings—»Stockholm« and »Us in Stockholm«—in which we first see the initial separation in the face of an impenetrable city, solid in its foundations, with moored ships. In the second engraving there is a convulsed city, wrapped in fallen leaves of various trees that try to cling on for dear life, with the subtitle, »to the inhabitants of these countries without intending to confuse their landscapes.«[36]

The neighbourhoods and streets emptied of bustle and population heighten the exiles' sense of alienation. Instead it was the noisy, cosmopolitan and often marginal spaces of the train stations and underground that became the preferred spaces of the poets and writers. The Uruguayan Roberto Mascaró enters into the symbolic and social underground of Stockholm's subterranean stations where he is moved by the solitary humanity he sees from the windows of an underground car, like if he was on a ship anchored in the streets of Gamla Stan: »[I]mpossible loves / together with ships of fleeting / signals in the windows.«[37] Those radiant lights, symbolizing the juxtaposition of countries and of political arenas, carries him back to Nicaragua in the midst of the Sandinista struggle.[38]

Central stations are the urban spaces where two social climates coexist: there, people short on time clash with solitary foreigners with an abundance of available time but little space of their own. It is the latter who occupy and transform the bars and cafés into significant social environments. Sergio Altesor portrays those spaces and the emotions which enclose them in the poem »Horse in a Café«: »[I]n the rear of the stations / where the herds take by assault / the stairs and swinging doors / there remains the bed of a river […] where I drink coffee / in order to never sleep the dream of yesterday…«[39]

The train and underground stations increasingly became meeting places for Third World peoples at the same time as being arteries of transportation to and from work. »I would go from Slussen to the other point of the city of Stockholm by underground. There was a sepulchral silence. That's how it is from Monday to Thursday. It appears to be a promise to the gods, this sustained silence. Or, perhaps I should say, muteness,«[40] writes the Peruvian poet Arias Pollack, who has lived almost thirty years in Sweden.[41]

Almost all of the Latin American exiles come from urban environments and even large metropolitan areas. This helps explain their interest in the large Swedish cities of Stockholm, Uppsala, Göteborg, and Malmö as possible places in which to find work and interesting social lives, and material for artistic creation. José Da Cruz, an Uruguayan poet and geographer, who was a member of one of the first contingents to arrive in Sweden in 1973, describes the Stockholm he first encountered in this way: »Together with the freezing current of the Riddarfjärden, the city is an archipelago of tall islands crowned by apartments, a large inhabited park. All of the surfaces to which the snow clings are hidden beneath this subtle sugar, which lifts in flight at the movement of a finger.«[42] The Stockholm captured in the poetry of another Uruguayan poet, Juan Carlos Piñeyro, may be dark, hostile, and almost deserted,[43] or empowered with a loving preoccupation: »[F]rom island to island I go / waylaid by greenery, besieged / by magpies and sparrows / while the city flees / [...] the automobiles assassinate her.«[44]

The literature of the Latin Americans abounds with concise descriptions of places that the exiles are gravitating toward and beginning to recognize. Graciela Taddey speaks of *colonization*, and in her manuscript »500 years after the discovery of Europe« she subtitles one section »Discovery and attempt at a pacific conquest.« This section includes a poem entitled »Then,« in which she writes that »on any given day the black and white city / had blacks that were even more black / and some colour from your native country or the window smiles [...] and permits a glimpse of a pale summer sky / which in a certain way pertains to me today.«[45] The broadening of the immigrants' mental map can be seen in the writings of two Uruguayan poets, Carlos Liscano and Sergio Altesor, in which they tell about their entries into significant social and cultural locales in Stockholm—at Södermannagatan, Mosebacke, the church of St. Catherine, and at the Northern Cemetery, where »the famous members of the Stockholm bourgeoisie are buried / among fine woods and bronzes... Mozartian world / of sweet little dames dancing minuet, / no Andean cholo's foot / no pardo's from La Teja would tread on here.«[46] But the two poets share the same attitude toward the city, which also allows them to return to their origins in the neighbourhood of La Teja in Montevideo: »I walk in Södermalm / This is my barrio, say / the words. / No, I am from La Teja, I reason.«[47]

The city, as a bohemian and mostly masculine environment, must be discovered, conquered, and experienced through the privacy of its cafés, not only for artists and writers, but also for the many others: the Argentinean, Chilean, Bolivian and Uruguayan exiles whose political and student lives had taken place in Buenos Aires, Cordoba, Santiago, Montevideo, La Paz, and so on. The port town of Göteborg, a more cosmopolitan city because of its direct relations with continental Europe, became one of the most important places for Latin American exiles. Explanations for this include its university, the more communicative mood of the city's people, and employment opportunities. The urban poet and Uruguayan teacher Hebert Abimorad dedicated a book to the city. *Göteborg, Love and Destiny* appeared in 1982, and in it Abimorad speaks of a gradual entrance into the city—»I caress you with my feet«[48]—and of his and other Latin Americans' concern for socially significant urban spaces. In Abimorad's book, a Göteborg appears that has today all but disappeared, with bars and symbolic characters, such as the blues singer Annika, the *clochard* of Brunnsparken, or the Pustervik Cultural Centre, the latter since then closed by the Gothenburg authorities.[49]

The south of Sweden, with its milder climate, proximity to continental Europe and the prestige of the Lund University, attracted an active nucleus of Latin Americans. Juan Cameron, a Chilean poet and lawyer from Valparaiso, defines himself as an urban poet whose subject matter concerns man and the city, and love and politics. »The life in exile changes the landscape for me. I have no base, I don't know the people. I begin to write from back to front, from my memories.«[50] Upon being given the suggestion that he should enter the Scandinavian woods as a preparation for his life in the new country, he writes in »El Derecho al bosque« (The Right to the Woods): »The woods are no tranquillity for me. / To a sunset I prefer a taxi… The mushrooms only summon suicide / and the hare is a mockery of the appetite…«[51]

Gradually the Latin Americans began to instil their creativity—not only their presence—into the urban and natural space of Sweden. Vanguard artists working in the environmental and installation art fields developed an active relationship with the space, one of deliberate transformation or alteration of the landscape, of breaking out of the role of *transient spectators*. The chosen mode of expression and the longer duration of their residence in Sweden helped them overcome the initial and total sense of alienation. Juan José Liard, an Uruguayan musician and artist of the expressionist school, created an allegorical mural with recognizable influences from Fernand Léger in a Trelleborg plaza in the south of Sweden in 1981. In the mural he draws on the bright colours of the plazas of Buenos Aires during the 1970s, producing a notable visual impact in the almost monochromatic environment.[52] The group FAW 1, composed of Ingrid Falk, Gustavo Aguerre and Daniel Wetter, toying with natural elements such as snow and trees, presented a series of human silhouettes distributed throughout the parks in Stockholm called White Shadows–Hugs in March of 1993.[53] These installations constituted an attempt by the artists to shake off the sadness of the enclosure of winter, to make people lift their gaze from the ground, to modify the rigid corporal attitude of people during the winter, and to anticipate the budding springtime. Gustavo Aguerre explains that »it was a kind of scream, a necessity of existence, but, at the same time, [a] toying with the given elements of snow and trees.«[54]

Together with the interviews, the interpretation of these literary and artistic sources support the view that the Swedish landscape—urban and pastoral—increasingly gains a place in the narrative, poetic and visual compositions of the exiles in proportion to the period of residence in the asylum country. At the same time, the works are infused with emotions and symbols originating from other times and other environments with the purpose of recreating them in the new environment.

Immigrants and landscapes

The Latin American community in Sweden has undergone significant transformations during its twenty-five year history. A large portion of its earliest members have returned to their countries of origin. The return of Uruguayans and Argentines immediately after the democratic transitions in their countries (1983–1985) further underscored the significance of the Chilean community, the exile of which lasted much longer—until the election of President Patricio Aylwin in 1990. The Latin American community has been renewed both in terms of national origins and of reasons behind the migration to Sweden. The vulnerability of the democracies in Latin America, the constant violation of human rights, the collapse of Latin American economies due to overwhelming foreign debts, the process of deindustrialization during the 1980s and the implementation of agri-business programs which destroyed regional balances, were all factors which resulted in the emigration of large numbers of Guatemalans, Venezuelans, Colombians, Salvadorans and Peruvians, who sought political and/or economic refuge outside their home countries.

Nonetheless, the changes in the Latin American community have not altered the patterns of Chilean international migration. The continued Chilean emigration to Europe and Australia can be explained by economic factors: between 1983 and 1987 the Chilean economy collapsed, and at the end of that period 44.6% of the population lived below the poverty line. This also meant further economic and social divisions in the Chilean community in Sweden.

As has been shown above, and elsewhere,[55] the most prevalent forms of expression during the initial stages of the history of Latin Americans in Sweden were poetry and theatre. At the present time, other symbolic forms of expression have come to the fore, largely due to obstacles of integration, unemployment, cultural differentiation and racism against immigrants. The novel, poetic prose, and visual arts installations appeared to be more adequate forms of expression for the new problems that the immigrants faced in a situation of a deteriorating economy and changing social conditions. These aesthetic forms also constitute tools for restating the debate between the centre and the periphery, and between the domestic and international spheres in a world that it is both integrated and asymmetrical at the same time.

The poetic work of Harold Durand can be seen as a representation of the process of leaving the refugee status and becoming an immigrant. The refugee, in this case the poet, recreates his homeland in another part of the world. In Durand's work, the juxtaposition of landscapes is shown in the construction of a mythical Chillán—his native town in Chile—where it snows and where there are magpies and crows.[56] »But the order of the world changes again in the Chillán where you live, for the snow falls, now, lightly, on the bell-towers spattered by crows and magpies,«[57] Durand writes. This mythical Chillán is characterized by a longing for a land that no longer exists; it is a rejection of the new Chile that has emerged after seventeen years of dictatorship. The poet converts Högdalen (a suburb of Stockholm) into a new poetical locus which he calls Valle Alto (High Valley = Högdalen), where he recreates his place of birth, although influenced and enriched by the Nordic landscape. The mythical Chillán and the Valle Alto of Stockholm are constructions which rescue the illusion; the rejection of a reality of estrangement in both countries: »Why do you stare at me, Birch trees, with those eyes? Permit me to enter the woods, to traverse these green shadows... I am one of you; you cannot deny it.«[58]

Neither of Durand's books, *El libro de los corazones solitarios* (The Book of the Solitary Hearts) or *El sueño de los ababoles* (The Dream of the Poppies), celebrate the hybrid nature of the exile existence. It is rather the anguish of life at the margins which the poet manages to transform into something creative. The mythical Chillán is a testimony to the reality of exiles, which includes unemployment, disenchantment and the impossibility of returning.

In the fine arts, a testimonial narrative is produced out of a recognition of the diversity of and will to participate in Swedish society, and of the need to express the artist's interpretation of socio-political and cultural problems in his or her new land. It seems possible to argue that there exists a public arena in which the artists interviewed can present their works. Jonas Peirone, an Argentinean who was among the first Latin Americans to seek asylum in Sweden and who attended the Graphic Arts School of Malmö, has developed a project for the construction of ovens in various countries. Thus, he has installed a Creole oven in the central plaza of Lund, to serve as an act of visible participation. It is an attempt to change a public space in order to bring attention to the presence of those persons who are usually unseen or ignored. This represents a shift toward an art set within a more engaged discourse, where the objectives include the right to social inclusion and the rejection of the categorization of art produced by immigrants as »ethnic art« or »immigrant art« rather than universal art.[59]

The Uruguayan Carlos Capelán produced works in »the emblematic woods« during the years 1984 and 1985 by engraving and painting on rocks and organic elements, thus leaving his mark, or his presence, behind. In the exhibition »Maps and Landscapes,« held in Lund between December 1992 and January 1993, he examined landscapes as regions and the world at the same time, as well as questions of identity, a problem he brought to Sweden from Uruguay.[60] In his work »North–South,« a self-portrait of the artist is superimposed on a map of South America with the cardinal points inverted. The artist values drawing, engraving and installations as languages and materials which permit disputing occidental norms. He attempts to shape the existence of cosmopolitan identities which maintain a Latin American vision.[61]

316

Through a sequence of installations, Gustavo Aguerre and his group FAW display a theoretical and ideological critique of the establishment of an enclosed European space and programs of formal multiculturalism. During The Nordic Festival of Culture in Stockholm in March 1994, FAW 4 held an exhibition at central meeting points, erecting structures of metal bars and grillwork. The intent behind these works, called »Entrance Prohibited to Foreigners,« was clearly to use the bars as a symbol of enclosure and discrimination, provoking in the spectators—no one who passed by these urban spaces could avoid seeing the exhibitions—to reflect on the situation of immigrants in contemporary Sweden and Europe.[62] The following year, the group continued with this theme and erected an enormous pyramid structure in the centre of Stockholm entitled »The House of Cards.« In this case, the bars were used to build an open construction which, although monumental and impressive, permitted people to pass through; »the frontiers are houses of cards.«[63] The installations became the medium of expression for cultural and political themes in the hope of creating a discussion of these issues. The installations functioned as a forum in which the artists and the public could debate themes that are frequently discussed only by specialists or politicians and/or presented only in a biased manner by the media.

Conclusion

The analysis of the material from literary sources, art production and oral testimonies—that kind of excavation which is the historian's *métier*, when he or she uses non-traditional source materials—allows me to argue that the landscape or the external reality of the exile is perceived in a unique way. The perception of the new country is conditioned by the loss of one's own landscapes and by one's vulnerability in relation to the new country of residence. This is a relation that is not only determined by the greater or lesser degree of objective strangeness of the landscapes, but by the social networks of participation which are experienced to either gain or lose structure.

The exiled person does not set out to conquer the new environment. He or she is not a traveller or colonist, but lives in ambivalence—wonder or panic—in the face of novelty and self-absorption in his or her situation of extreme loss. The relationship of immigrant women and men to their new territory does not follow linear evolutionary stages in a one-way direction from the initial sense of estrangement toward a progressive acceptance of, and incorporation into, the new environment. This relationship is criss-crossed by individual and group strategies, by the awareness of their condition in Sweden, by the changes in attitude of Swedish society towards the foreigners, by the opportunities for gaining entrance into the various social and cultural milieus, and by the conditions for returning offered or denied to them by their countries of origin.

Notes

1. Harald Runblom, »Swedish Multiculturalism in a Comparative European Perspective,« in Sven Gustavsson & Harald Runblom, eds., *Language, Minority, Migration: Yearbook 1994/1995 from the Centre for Multiethnic Research* (Uppsala 1995), pp. 199–218.

2. Magnus Mörner, *Adventurers and Proletarians: The Story of Migrants in Latin America* (Pittsburgh 1985); idem, »Latinoamerica y Suecia, 1600–1945,« in Weine Karlsson, Åke Magnusson & Carlos Vidales, eds., *Suecia–Latinoamérica. Relaciones y Cooperación* (Estocolmo 1993), pp. 13–24; Harald Runblom, *Svenska företag i Latinamerika: Etableringsmönster och förhandlingstaktik, 1900–1940* (Uppsala 1971).

3. Harald Runblom, »Swedish Emigration to Latin America,« in Harald Runblom & Hans Norman, eds., *From Sweden to America: A History of the Migration* (Uppsala 1976), p. 301.

4. Ibid., pp. 309–310.

5. Julio Cortázar, *Argentina: Años de alambradas culturales* (Barcelona 1984), p. 18.

6. Sergio Altesor, *Archipiélago* (Stockholm 1984), p. 73.

7. Interview with Igor Cantillana, Stockholm, February 1994.

8. Graciela Taddey, *La galaxia y el tiempo* (Estocolmo 1983).

9. Sergio Infante, *Sobre exilios / Om exilen* (Stockholm 1979), p. 54.

10. Sergio Infante, *Retrato de época* (Stockholm 1982), p. 42.

11. Chiche Diamanario, *Bien armados los que sufren* ([Stockholm] 1979). p. 48.

12. José Da Cruz, *Documento de viaje y fotografías* (Estocolmo 1991), p. 18.

13. Ibid., p. 24.

14. Adrián Santini, »Prólogo,« in Infante, *Sobre exilios / Om exilen*, p. 7.

15. María Gianelli, *Macaneos* (Estocolmo 1993), p. 13.

16. Jesús Ortega, »Recuerdos de Carmona,« *Cincuenta poetas latinoamericanos en Escandinavia: Recopilación de Juan Cameron* (Malmö 1990), p. 7.

17. Sergio Infante, *El amor de los parias* (Santiago 1990), p. 14.

18. See Daniel Parcero et al., *La Argentina Exiliada* (Buenos Aires 1985).

19. Julio Fernández Baraibar, »La primera nevada de invierno,« *Hoy y Aquí* (Stockholm) 3 (1981).

20. Juan Carlos Piñeyro, »Bajo la corteza del abedul,« Manuscript.

21. Christian Kupchik, *Mesopotamia* (Rosario 1988), p. 29.

22. Interview with Christian Kupchik, Buenos Aires, April 1994.

23. Mario Romero, *Pintura ciega* (Madrid 1982), p. 85.

24. Cortázar, *Argentina*, p. 41.

25. Jose Da Cruz, *Sin Patria ni tumba* (Lund 1988), p. 68.

26. Hebert Abimorad, *Voces ecos / Röster ekon* (Stockholm 1988), p. 62.

27. Graciela Curbelo, *Tiempo de monstruos* (Montevideo 1990), p. 13.

28. Marisa Villagra, *La lengua del gato* (Stockholm 1988), p. 31.

29. Interview with Graciela Curbelo, Montevideo, July 1994.

30. Curbelo, *Tiempo de monstruos*, p. 12.

31. Infante, *Sobre exilios / Om exilen*, p. 38.

32. Interview with Edda Ferreira, Gothenburg, January 1994.

33. Altesor, *Archipiélago*, p. 33.

34. Abimorad, *Voces ecos / Röster ekon*, p. 44.

35. Curbelo, *Tiempo de monstruos*, p. 11.

36. Edda Ferreira, Series of engravings.

37. Roberto Mascaró, *Estacionario* (Stockholm 1983), p. 25.

38. Ibid., p. 26.

39. Altesor, *Archipiélago*, p. 72.

40. Arias Polack, »Raúl,« Manuscripts.

41. Interview with Arias Pollack, Stockholm, February 1994.

42. Da Cruz, *Sin Patria ni tumba*, p. 22.

43. Juan Carlos Piñeyro, *Schizofoni: Dikter / Esquizofonía: Poemas* (Stockholm 1990), p. 26.

44. Juan Carlos Piñeyro, *La máquina escindida* (Montevideo; Stockholm 1986), p. 73.

45. Graciela Taddey, »Manuelita en el país de las Maravillas o en lo 500 Años del Descubrimiento de Europa,« Manuscript.

46. »...mundo de Mozart, / de dulcecitas damas blancas bailando minuet; / ningún pie de cholo de los Andes / de pardo de La Teja te pisaría.« Altesor, *Archipiélago*, p. 11.

47. Carlos Liscano, in *Ocho Antologías Personales: Poesía uruguaya en Suecia. Selección José Da Cruz y Leonardo Rossiello* (Estocolmo 1992), p. 85.

48. Hebert Abimorad, *Göteborg kärlek och öde / Gotemburgo amor y destino* (Göteborg 1982).

49. Ibid., pp. 8, 12, 18, 16.

50. Interview with Juan Cameron, Malmö, January 1996.

51. Juan Cameron, *Video Clip* (Estocolmo 1989), p. 61.

52. Interview with Juan José Liard, Lund, January 1996.

53. *Svenska Dagbladet* 6 March 1993.

54. Interview with Gustavo Aguerre, Stockholm, December 1993.

55. María Luján Leiva, *Latinoamericanos en Suecia. Una historia narrada por artistas y escritores* (Uppsala 1997).

56. Interview with Harold Durand, Stockholm, January 1996.

57. Harold Durand, *El sueño de los ababoles*, Author's edition (Stockholm 1994), p. 18.

58. Harold Durand, *El libro de los corazones solitarios*, Author's edition (Stockholm 1996), p. 51.

59. Interview with Jonas Peirone, Lund, January, 1996.

60. Interview with Carlos Capelán, Lund, March 1997.

61. Rudyard Pepe Viñoles, »Los caminos de Capelán,« *Heterogénesis* (Lund) 2 (Enero 1993), pp. 21–22.

62. Interview with artists of FAW, Stockholm, March 1994.

63. Interview with Gustavo Aguerre, March 1996.

Language contacts between Swedes and Estonians

Historical and typological perspectives

RAIMO RAAG

In the past, the shores of the Baltic Sea have attracted the attention of various major powers. The repeated clashes of interests resulting from this attention have led to an ever-changing balance of power in the region. This in turn has had its inevitable impact on the local population in shaping the relations that exist between the different peoples and nations, and in promoting large-scale migration.[1]

Migration is a major factor that brings people into contact with each other. If the contacting parties do not speak the same language, they are likely to try to overcome the language barrier by catching words and phrases from the other language or learning one another's language altogether. This will certainly happen if the contact is recurrent or sustained, particularly if the interaction involves a certain amount of (imagined or real) material or intellectual advantages.

Often the social position of one of the contacting parties is higher than that of the other. If so, the weaker party is likely to feel pressured to accommodate itself to the stronger party. In language, such adaptation manifests itself as adstrate phenomena, i.e. language transfer which occurs in the target language, first and foremost in the form of borrowed lexical items. In case of intense contacts, the result may be language shift. This implies that one of the contacting parties acquires the language of the other and either abandons its own language or at least does not transmit the knowledge of the first language to subsequent generations of speakers. In the long run, this may lead to the decline or even extinction of the first language. Linguistic peculiarities of an extinct language often, however, survive as substrate phenomena in the language that gains the upper hand. History also knows instances of the opposite occurrence: the occupying or winning party learns the language of the original inhabitants and forgets its own, although the forgotten language may leave traces in the form of certain superstrate phenomena in the language that is acquired.

Varied types of relationships between speakers of different languages lead to varying types of language contact. On the basis of studies devoted to language contacts between peoples speaking major Finno-Ugric languages and peoples speaking various Indo-European languages, first and foremost Germanic or Slavic languages, István Bátori has discerned four categories of language contact:[2]

    a) contacts between neighbours in frontier areas,

    b) contacts without hinterland,

    c) contacts in diaspora,

    d) contacts due to schooling.

The first type of language contact applies to contacts which are due to social interaction between people living in a frontier area where two or more different languages are spoken. A case in point (not mentioned by Bátori) is the area south of Lake Pskov, where speakers of Balto-Finnic, Baltic and East Slavic varieties have intermingled for at least a thousand years. Essentially the same applies to the coexistence of Swedes and Finns on the Swedish side of the land-frontier between Sweden and Finland in the Torne Valley area.

The second category of language contact occurs when speakers of a language surround another language community in its entirety. The speakers of the enclosed language live as a minority group and lack linguistic support in the form of a hinterland—a mother country—where their language is the dominant language. An example of this in the Baltic region (not mentioned by Bátori) is Livonian, a Balto-Finnic language that is enclosed—or rather was, since Livonian nowadays is spoken only by a handful of people—mainly by Latvian, a language that belongs to the Baltic branch of Indo-European. Other examples of enclosed languages without hinterland are Ingrian and Votic, the original languages of the St. Petersburg region, which are enclosed by Russian. In addition, Sami languages exemplify this type of language contact. The Sami languages are mainly spoken in the Arctic area of the Scandinavian countries and the Kola Peninsula and are enclosed by Norwegian, Swedish, Finnish and Russian. As long as the Soviet Union existed, one could perhaps also claim (although Bátori did not) the Estonian and Latvian territories to form such enclaves in the sphere of influence of Russian—this language being the *de facto* prime language of the Soviet Union, the *primus inter pares*.

A third type of language contact, according to Bátori, occurs when speakers of a certain language for one reason or another come to live outside the main territory of their language, scattered abroad, and with varying degrees of contact with the mother country. Such enclaves may originate either in migration or in the perhaps less common case of gradual drift of a linguistic frontier. In the Baltic region, Estonian-speaking enclaves in northern Latvia, Swedish-speaking enclaves in northwestern Estonia, and Russian-speaking communities in Estonia and Latvia exemplify this type of contact. The Estonian communities in Latvia are believed to be remnants of prehistoric Estonian settlement in areas which later were Latvianized, whereas the Swedish and Russian settlements in Estonia arose due to migration. Swedes settled in Estonia during the late Middle Ages and came from both Sweden proper and Swedish-speaking areas in Finland. The Russian-speaking communities in rural East Estonia along the shores of Lake Peipus were founded by immigrants from Russia dating back to the seventeenth or eighteenth centuries, whereas the urban Russian communities in present-day Estonia (Narva, Kohtla-Järve, Sillamäe, and Tallinn) are due to immigration during Soviet rule.

The last category of language contact distinguished by Bátori emerges from foreign language teaching. A striking example of this (not accounted for by Bátori) occurred in the Baltic provinces of Russia during Russification attempts at the end of the nineteenth and beginning of the twentieth centuries, i.e. immediately before Estonian and Latvian independence. During the Russification, the language of instruction in all schools in Estonia and Latvia became Russian. It is important to point out that this type of language contact must not necessarily be associated with force and compulsion. After all, many people learn foreign languages of their own free will; scholars in the field of language ought to be among the first to confirm this.

The classification presented by Bátori seems to cover most imaginable cases of language contact. In this article I will apply the classification by Bátori to the various instances of language contact between Estonians and Swedes in order to demonstrate that the categories are not always very clear-cut. On the strength of the Swedish-Estonian example, I will argue those contacts due to authority and contacts owing to the printed medium also ought to be included as fifth and sixth categories in the classification.

Contacts between Swedes and Estonians: Clear-cut cases

Both Swedish and Estonian are native languages of the northern Baltic area that are spoken on either side of the Baltic Sea. Contacts between speakers of those languages are likely to have taken place for as long as we can talk about Swedish as a language in its own right among other North Germanic varieties and Estonian as a separate Balto-Finnic tongue. In this article I will not attempt to establish the time when each language actually emerged; this issue is surrounded by controversy and cannot be dealt with on this occasion. Instead I will confine myself to the more or less safe assertion that Swedish-Estonian language contacts date back at least to the early Middle Ages. Contacts that took place prior to that time should be regarded as connections between Scandinavians and Balto-Finns rather than between Swedes and Estonians.

After the Estonians were defeated by German and Danish crusaders in the beginning of the thirteenth century, Swedes started to settle in Estonia. In some cities, including first and foremost Tallinn (Reval), the Swedes for the most part constituted an urban middle class. The Swedish population constituted approximately one-sixth of the population of late medieval Tallinn, a proportion which can be related to the share of Germans (one third) and that of Estonians (half).[3] Accordingly, a small number of Swedish loanwords in Estonian have been connected with urban Swedes in medieval Estonia, e.g. Est *pagar* »baker« < Old Sw *bag(h)are* id. and Est *parkal* »tanner« < Old Sw *barkare* (Standard Swedish *garvare*) id.[4]

Most of the Swedes who settled in Estonia in the Middle Ages were, however, fisherman and farmers on the western coast and islands. In contrast to their Estonian neighbours who gradually were enslaved by the Germans, the Swedes managed to hold their position as free men. Thus the Swedes took up an intermediate social position between the German-dominated ruling classes that consisted of nobles and clergymen, and the Estonian-dominated lower classes comprised the majority of the population. The presence of Swedes in the Estonian countryside lasted for seven hundred years. Not until the Second World War did more or less the whole Swedish-speaking population leave Estonia and settle in the land of their ancestors.

The expected linguistic outcome of the prolonged coexistence of Estonians and Swedes in western Estonia is mutual linguistic influences, lexical as well as grammatical. Such phenomena have certainly not escaped the attention of linguists, although the subject has by no means been exhaustively treated.[5] A category of words borrowed from Swedish (spoken in Estonia) to Estonian that especially attracts one's attention is words for holidays and supernatural (mythological) beings like Est *kratt* »device, endowed with life by the devil for collecting treasures« < Sw *skratten* id., Est *nuudi(päev)* »Canute's day, the last Christmas holiday« < Sw *knut(sdagen)* id., Est *näkk* »evil (mostly female) water spirit« < Sw *näcken* »evil (mostly male) water spirit« and Est *tont* »ghost« < Sw *(hus)tomte* »brownie.« The borrowing of such words probably presupposes close relations between donor and recipient languages.

Words for maritime and fishing activities predominate over other categories of lexical items borrowed from Swedish to Estonian. One third of all loanwords borrowed from Swedish (spoken in Estonia) recorded by Paul Ariste, or 88 words out of a total of 253, pertain to this particular sphere of life. Cases in point are Est *haalama* »to haul a boat« < Sw *hala* id., Est *norss* »smelt« < Sw *nors* id., Est *trään* »train oil, fish oil« < Sw *trœn* id. (Standard Swedish *tran*), Est *viik* »bay« < Sw *vik* id. The dominating semantic spheres to which the loanwords belong undoubtedly reflect the social environment in which the social intercourse between Swedes and Estonians took place. It is clear that the dealings fit well into the classification of language contacts as proposed by Bátori since they obviously represent an instance of Swedish diaspora in Estonia.

Another rather similar but less discussed and for that reason also lesser known instance of Swedish/Estonian language contact has taken place on the shores of the Gulf of Finland. The contacting parties in this case have been the Swedes living in southern-most Finland (Finland Swedes) and Estonians on the Estonian north-coast. In spite of the fact that these contacts are known to Estonian and Finnish ethnographers, they have been treated only sporadically in linguistic literature.[6] Examples of Finland Swedish words that have been incorporated in North Estonian vernacular speech are Est *hambüüs* »thief, bandit; murderer; vicious animal« < Sw *hamnbus* (Standard Swedish *hamnbuse*) »waterfront bum« and Est *leetes* »float attached to a net« < Sw *flöit ~ flet ~ flöt* (Standard Swedish *flöte*) »float.«[7] Consequently this is an obvious example of what Bátori certainly would have called borderland contacts, or to be more precise, borderland contacts between two distinct fishing populations.

Problematic or ambiguous cases

Somewhat harder problems arise when one tries to classify other historical situations that have created opportunities for Swedish/Estonian language contact. In 1561 North Estonia came under Swedish rule. As a result of the continued efforts by the Swedish king, practically the whole Estonian-speaking territory was incorporated into the Swedish realm. Swedish rule in the province of Estonia (which corresponds to present-day North Estonia) was to last for some hundred and fifty years whereas Livonia—only the northern part of which was inhabited by Estonians—experienced Swedish domination for roughly a century, that is to say (in both cases *de facto*) until 1710. During this period Swedish served, in addition to German, as the administrative language of the region.

Apart from the fishing and farming population in western Estonia, the Swedish presence in Estonia was rather modest as compared to that of the Germans but certainly not negligible. The King sent some leading administrators to the Baltic provinces in order to conduct the incorporation and reconstruction. Swedish and Finnish military units were at times stationed in Estonia or Livonia. A number of clergymen from Sweden proper and Finland attended to the improvement of the religious life of the natives of the provinces. Swedish craftsmen and merchants established themselves in trading centres like Tallinn and Narva. Several young Swedes, especially from the province of Småland, registered as students at the university in Tartu, which had been established by King Gustavus Adolphus.

All in all, this paved the way for further Swedish linguistic influence on Estonian. Such influences have been established in the scholarly literature, e.g. as military and societal loanwords like Est *kadalipp* »gauntlet« < Early Modern Sw *gatulopp* id., Est *kindral* »general« < Early Mod. Sw *general* id., Est *kompanii* »company« < Early Mod. Sw *kompani* id., Est *kroonu* »the Crown« < Early Mod. Sw *kronan* id., Est *musket* »musket« < Early Mod. Sw *musköt* id. and Est *patrull* »patrol« < Early Mod. Sw *patrull* id.[8] All the quoted words are considered to be part of the vocabulary of Modern Standard Estonian. In addition, analyses of texts that were written in Estonian during Swedish rule have evidenced a rather large number of Swedish loanwords that are not generally used any more, e.g. Est *friiherra* »baron« < Early Mod. Sw *friherre* id. (Modern Standard Estonian favours a translation loan, *vabahärra*), Est *landshövding* »governor« < Early Mod. Sw *landshövding* id. and Est *länsman* »county sheriff« < Early Mod. Sw *länsman* id.[9]

Considering this particular case of Estonian/Swedish language contact, the closest category in terms of Bátori's classification seems to be Swedish diaspora in Estonia. In that case one would argue that the Swedish element in Estonian lands (except for the fishermen and farmers in western Estonia) was represented by all the Swedish administrators, clergymen, officers and soldiers, students, and townspeople who lived in Estonia or Livonia in those days. Direct social contact between the native population and the Swedes was probably limited in the first place to the lower strata in society, the Swedish warriors with families (who in old times used to accompany the army) and townspeople. But there is no getting away from the fact that the Swedes who represented higher strata in society also exerted influence on Estonian, as evidenced by the last-mentioned category of Swedish loanwords in Estonian. Regarding the contacts between the higher strata and the natives, the clergy seems to have been the intermediary link. It fell on the local clergymen to preach, baptise, confirm, marry people, and to commit them to the final rest. The clergyman was further obliged to hear confessions of his parishioners, to comfort, to lead the parochial work, and to teach youth to read and write. It was, finally, also his duty to make official proclamations and edicts known in the congregation.[10] All these activities implied, of course, knowledge of Estonian on part of the clergy. The situation also implied a high degree of authority. In my opinion, the influence of Swedish on Estonian would in this case have been practically non-existent were it not for the strong prestige that was linked to the relations between Estonian subjects and Swedish authorities. This speaks in favour of distinguishing prestige as a separate factor in language contact.

Another occurrence that is not absolutely clear-cut when it comes to Bátori's classification commenced during the Second World War when tens of thousands of Estonians fled Nazi and Soviet occupation and took refuge in the West. Owing to its proximity to Estonia, Sweden became one of the central countries for Estonian exile settlement. Here an Estonian community developed that included numerous political, ecclesiastical, and cultural organisations, publishing houses, newspapers, magazines and schools. Together with similar Estonian communities in a few dozen other countries such as Canada, the USA, Australia, Argentina, Great Britain, the Netherlands and France, they formed an international Estonian network. For example, a book published in Sweden or Italy by an Estonian publisher was read in a few dozen countries all over the world. On the whole, and in spite of certain internal political antagonism, the Estonian refugees managed to hand down their language and ethnic heritage to subsequent generations, at the same time as they devoted themselves to activities that eventually aimed at the re-establishment of Estonian independence.

The Estonians who settled in Sweden during the war, and their offspring, became the receiving party of a multitude of Swedish linguistic influences, lexical as well as grammatical.[11] In many respects they were similar to the earlier Swedish fishermen and farmers in Estonia, although they settled almost exclusively in urban areas of Sweden and thus as a group did not form dense population areas. From the point of view of language contact, they form a diaspora group. But one can argue that the post-war Estonian refugees together with their descendants actually lacked hinterland, in a manner of speaking. As the Estonians in the West were political refugees, their links to the old country—occupied by the Soviets—were largely limited to informal correspondence with friends and relatives, books and newspapers and to radio broadcasts from Tallinn. But they could also—when political liberalisation took place in the Soviet Union beginning with the late 1950s—meet visitors from Soviet Estonia to the West (a very rare event) or travel to Soviet Estonia. However, the latter channel of contact caused much controversy among Estonians in the West. Many influential refugees placed a visit to Soviet Estonia on an equal footing with treason. The cause for this opinion was the fact that every visitor to the Soviet Union had to apply for a visa, an act that was considered to give legal legitimacy to the Soviet occupation of Estonia. This was not only a question of principle. The Soviet occupation was not recognised by all countries in the West, above all the USA, where an Estonian legation operated during the whole post-war period—to the annoyance of Soviet officials and authorities. But for this reason many Estonians in the West preferred not to make use of the opportunity for contact with the native country by going there. Accordingly, it can be maintained that the Estonians in Sweden (and elsewhere in the West) in principle were cut off from their native country and lacked a proper linguistic hinterland as long as Soviet rule lasted. Thus one has to conclude that the type of language contact they participated in must be assigned to rather the second (contact without hinterland) than the third (contact in diaspora) category according to Bátori.

An instance of Swedish/Estonian language contact that does not seem to fit in the classification of Bátori at all is the translation of a classical Swedish cookery book, Cajsa Warg's *Hielpreda I Hushållningen för Unga Fruentimber*, into Estonian. The Estonian translation, *Köki ja Kokka Ramat, mis Rootsi Kelest Eesti-ma Kele üllespandud on*, »A Kitchen and Cookery Book Translated from Swedish into the Language of Estonia,« by Johan Lithander—one of the numerous Swedish-speaking clergymen in Estonia—was published in 1781. As a matter of fact, this voluminous and influential work introduced a number of international words related to the sphere of cooking into Estonian. A few dozen of the neologisms were words of French origin, e.g. Est *kastrul* »(sauce)pan« < Fr *casserole* id., Est *omlett* »omelette« < Fr *omelette* id. and Est *raguu* »ragout« < Fr *ragoût* id.[12] But as the words in fact were introduced into Estonian from a book that originally was written in Swedish, and what is more, via a translator who was a Swede, the immediate source of the loanwords in question is Swedish; cf. Sw *kastrull, omelett, ragu*.

The peculiar circumstances that actually created an opportunity for Swedish culinary terms of (mostly) French origin to enter Estonian usage can perhaps be placed on a par with Bátori's category of contact due to schooling. If so, the category ought to be renamed and the definition rephrased accordingly. But the two situations are quite different from each other in at least one essential respect. A teacher who teaches a foreign language is usually not a native speaker of the language being taught. The learning of a foreign language without guided instruction is surely not impossible, although certainly an onerous and time-consuming endeavour, and definitely not the customary practice. As a contrast, spread of the Swedish-French cooking terms in Estonian was linked to the written medium and did not imply the presence of a mediating person, in this case the translator Lithander. This speaks in favour of keeping Bátori's category of language contact due to schooling untouched and to introduce a separate category for contacts that account for the medium of reading the written or printed word.

Conclusion

The above sketch of historical contacts between Swedes and Estonians has illuminated the grounds for a revision of the classification of language contacts presented by István Bátori. It appears that not only the geographical circumstances in which contacts take place are crucial for the categorisation of contacts and the linguistic outcome of such contact, but also the actual medium and social setting.

In the opinion of the present writer, one should distinguish between two main types of contact: direct and indirect ones. Direct contacts happen when people who speak different languages interact with each other on a more permanent basis. Such contacts are

    a) contacts between neighbours in frontier areas,
    b) contacts without hinterland, and
    c) contacts in diaspora.

Indirect categories of contacts, on the contrary, do not necessarily presuppose the physical presence of a native speaker of the influencing language. The types of contacts that fall into this main category are

    a) contacts due to schooling,
    b) contacts via reading, and
    c) contacts through political domination.

As also evidenced by this contribution, the various dealings of Swedes and Estonians fall into almost all types of language contact that has been distinguished. Contacts between neighbours in frontier areas are exemplified by the encounters of the Swedish-speaking population in South Finland with the Estonian-speaking fishermen in North Estonia. Contacts without hinterland is the type that appears to be the most adequate category for the Estonian refugees and their offspring in postwar Sweden. The Swedish-speaking fishermen and farmers in western Estonia illustrate a typical case of contacts in diaspora. The perhaps more rare case of contacts via reading is illustrated by the translation of a Swedish cookery book into Estonian in the eighteenth century. Finally, Swedish rule in Estonia and Livonia in the seventeenth century paved the way for linguistic influences due to the political domination of Swedish administrators and officials.

The only type of language contact that not has been accounted for in the present Swedish/Estonian context is contacts due to schooling. However, such contact takes place in present-day Estonia. In one boarding school in western Estonia, the language of instruction is Swedish, although the native tongue of the pupils as well as most teachers is Estonian. Swedish is also taught in a number of other Estonian schools to Estonian children. The number of Estonian school children who are taught Swedish as a foreign language in school amounts to almost one thousand. It remains to be seen what the possible future effects in terms of Swedicisms in Estonian of this teaching will be—if any. But the fact that this category of Swedish–Estonian language contact exists cannot be denied.

In conclusion it might be asserted that the linguistic diversity of and the many political changes that have taken place in the Baltic Sea region have been, and by all probability will continue to be, fertile ground for various types of language contact. As has been demonstrated in this article, even the seemingly restricted case of dealings between two peoples—the Swedes and the Estonians—living on either side of this remote hydrospace—the Baltic Sea—can yield some unexpected results in terms of linguistic contact and change.

Notes

1. For a survey of the coexistence of the different peoples in the Baltic area, see Harald Runblom, *Majoritet och minoritet i Östersjöområdet: Ett historiskt perspektiv* (Stockholm 1995). A more detailed general survey of the political history of the region is David Kirby, *Northern Europe in the Early Modern Period: The Baltic World,*

1492–1772 (London; New York 1990), and idem, *The Baltic World, 1772–1993: Europe's Northern Periphery in an Age of Change* (London; New York 1995).

2. István Bátori, »Versuch einer Typologie des Sprachkontaktes anhand der finnisch-ugrischen Sprachen,« in P. Sture Ureland, ed., *Die Leistung der Strataforschung und der Kreolistik: Typologische Aspekte der Sprachkontakte. Akten des 5. Symposions über Sprachkontakt in Europa, Mannheim 1982*, Linguistische Arbeiten 125 (Tübingen 1982), pp. 355–370.

3. The total population in Tallinn was approximately 7,000. See Heinz von zur Mühlen, »Versuch einer soziologischen Erfassung der Bevölkerung Revals im Spätmittelalter,« *Hansische Geschichtsblätter* 75 (1957), pp. 48–69 (here p. 67), and Paul Johansen & Heinz von zur Mühlen, *Deutsch und Undeutsch im mittelalterlichen und frühneuzeitlichen Reval*, Ostmitteleuropa in Vergangenheit und Gegenwart 15 (Köln; Wien 1973), pp. 124 ff.

4. Raimo Raag, »*Nunn, prilla, koka* ja teised: Eesti keele rootsi laensõnadest,« *Keel ja Kirjandus* 31 (1988), pp. 655–664, 725–732 (here p. 660).

5. See Herbert Lagman, *Svensk-estnisk språkkontakt: Studier över estniskans inflytande på de estlandssvenska dialekterna*, Stockholm Studies in Scandinavian Philology, New Series 9 (Stockholm 1971) for elucidation of Estonian influence on Swedish (spoken in Estonia) and Raag, »*Nunn, prilla, koka*« for a survey of Swedish influence on Estonian (with further references). The extent of Swedish/Estonian contacts in western Estonia is evident from the fact that Swedish has even caused changes in the case marking of the object in the local Estonian vernaculars. See Evi Juhkam, »Rootsipärane objekt eesti murretes,« *Keel ja Kirjandus* 26 (1983), pp. 122–125. The following exemplification of loanwords stems from Paul Ariste, *Eesti-rootsi laensõnad eesti keeles*, Acta et Commentationes Universitatis Tartuensis B 29:3 (Tartu 1933). The English translations are mine throughout the article.

6. The most detailed analysis (so far) can be found in Raag, »*Nunn, prilla, koka*,« pp. 727–731 (with further references). See also Tiina Söderman, *Lexical Characteristics of the Estonian North Eastern Coastal Dialect*, Studia Uralica Upsaliensia 24 (Uppsala 1996), pp. 157–158.

7. The examples are quoted from Raag, »*Nunn, prilla, koka*,« p. 731.

8. Examples from Paul Ariste, *Keelekontaktid: Eesti keele kontakte teiste keeltega*, Emakeele Seltsi toimetised 14 (Tallinn 1981), pp. 148–157.

9. For further examples see Paul Ariste, »Rootsi mõjust vanimas eesti kirjakeeles,« *Eesti Keel* (Tartu) 10 (1931), pp. 1–11; idem, »Svenska lånord från svensktiden i estniska språket,« *Svio-Estonica 1936* (Tartu 1936), pp. 185–200; and Ariste, *Keelekontaktid*, esp. pp. 148–157. A fact that I think must strike everyone who compares loanword sources for Estonian with those of Latvian—the latter being a language that has developed in a historical context that is very similar to the circumstances that formed Estonian—is the complete absence of Swedish loanwords in Latvian, or perhaps rather a lack of linguistic studies devoted to this subject.

10. My analysis of the roll of clergymen in the province of Estonia (present-day North Estonia), published by Hugo Richard Paucker, *Ehstlands Geistlichkeit in geordneter Zeit- und Reihefolge* (Reval 1849), shows that 40 persons who served in Estonia in

the sixteenth, seventeenth and eighteenth centuries were born in Sweden and that at least ten further clergymen were Swedes.

11. See Virve Raag & Raimo Raag, »Språkbevarande och språkbehärskning hos esterna i Sverige,« in Raimo Raag & Harald Runblom, eds., *Estländare i Sverige: Historia, språk, kultur,* Uppsala Multiethnic Papers 12 (Uppsala 1988), pp. 131–140, and Raimo Raag, »Linguistic Tendencies in the Estonian Language in Sweden,« *Linguistica Uralica* 27 (1991), pp. 23–32, for exemplification and reference.

12. See Raag, »*Nunn, prilla, koka,*« pp. 662–663.

The Baltic Sea region and
the relevance of regional approaches

LARS RYDÉN

A divided region[1]

»DOES THE BALTIC region exist?« The title of the seminar in Poznań in Poland in the fall of 1998[2] was slightly provocative and meant to be. The question was raised and required an answer. The people taking part came from several of the countries around the Baltic Sea. They certainly existed but in what sense did they constitute a community? Just as colleagues, friends, and Europeans or did they share some kind of a »Baltic« identity? Very few came from the famous university right in Poznań. Apart from some trivial explanations, the main reason for this, we were told later, was that nobody identified him- or herself as »Baltic.« They were Poles, or perhaps Central Europeans, but not Balts. As someone said, »Baltic« refers to the Baltic Sea itself. The event was probably perceived as a seminar for sailors.

Since the dramatic events of 1989–91 when the »old world« was deconstructed, much has been written about the Baltic region and the countries around the Baltic Sea. The »region« has proved to be a dramatic object of study for historians, political scientist, scholars of ethnicity, and so on. In a longer perspective this part of the world has not had a stable identity, as among others Harald Runblom has shown.[3] Its history, though, has in many ways been regional, such as during the Viking Era, the Hanseatic League and during several later periods when states or groups of states have attempted to make the Baltic Sea a single political unit. One simple explanation for this state of affairs is, of course, that it was much easier to travel over water than on land. Thus the »basin« in the geographical sense—a region where all water flows to a common sea—tended to be a cultural, political and economic unit in addition to a geographical one. We have all learned about the classical basins, not the least the Mediterranean basin. Interestingly enough we know much less about the Baltic basin, but hopefully that will now slowly change.

Beginning in 1991 colleagues and I at Uppsala University have developed and coordinated a cooperative program for universities in the Baltic Sea basin, called the Baltic University Programme.[4] It has focused on environmental issues and democracy, but also on the common culture, history, and in particular, the peoples living here. A course on these subjects,[5] was created to the benefit of thousands of students in the 14 countries that take part in the cooperation.

In a historical and cultural sense there is thus a sense of regional identity to be analyzed and discussed. But what is the situation today, following seventy years of Soviet regime, fifty years of Cold War and an almost impenetrable iron curtain in the Baltic Sea itself?

The first time I visited one of the three Baltic States was when Harald Runblom asked me to take part in the Baltic Family conference in Kaunas in Lithuania in the fall of 1990, arranged by our common friend Lucia Baskauskas.[6] At the time Lithuania was not recognized as an independent country, but was still part of the Soviet Union. There were no arrangements for international traffic at the airport in Vilnius, today the country's capital. The rather large group coming from West was taken directly from Sweden with a charted Aeroflot airplane. In Vilnius we were moved directly from the plane to a bus, examined by military or military-looking personnel, and then brought with the bus to Kaunas.

During the conference we had the opportunity to visit the coast at Klaipeda, which was by some remembered as pre-war Memel in East Prussia, where I and two Swedish geographers were able to take the small ferry to the northern tip of the Curonian spit, the unique 96 km long strip of land along the Baltic Sea coast, previously closed for defense purposes. We had never thought we would be able to set our feet here, at a place so close, yet so far away.

Clearly, if there is a Baltic region, it has not been easy to travel within the area for a long time. I will leave to others to discuss in which sense the political divide and its practical consequences have been decisive for regional identity. Obviously the Baltic regions shares a common history and other common experiences through, for example, migration and refugee patterns. There is, however, also much diversity, and the region might even be one of the most diverse areas in Europe, where East meets West, and South meets North. The »iron curtain« was not only a political divide but also a boundary for languages, religions and economy. If we look at these aspects, then the sense of regional identity is weak. In a physical sense, as the drainage area of the Baltic Sea basin, the region obviously exists. In this article I will examine the region from a strategic—as an object of policy-making—rather than descriptive perspective: In which contexts is it crucial to pursue a regional approach, rather than more local or global policies? My thesis is that there are certain well defined advantages to regional approaches. We might also ask if it is likely that certain aspects of a regional identity will develop as a result of such policies. If so, these identities might be more connected to common interests, responsibilities, and resources, rather than to common languages, religions, and ethnicity.

The question may also be stated in a more general way. We live in a time when expressions such as »the global village« or »think globally and act locally« are common jargon. Are only the local and global, sometimes called »glocal,« aspects important or is the regional dimension more relevant as a unit of cooperation in some contexts? That this is so, is, in fact, one of the basic assumptions of the Baltic University initiative.

The observations in this article are based on experiences from eight years of travel and work in the region, and on discussions with hundreds of students and colleagues. Much of the article reflect the concerns and interests of select groups in the area, and may be seen as proposals for interesting future research.

Which level is relevant: From local to global

Sweden is an unusually globally oriented country. Every day on TV and in newspapers we learn about important events all over the globe, and many of us read electronic mail from all parts of the world when we log on to Internet in the morning. The number of young people traveling to far distances is staggering. Many spend one year working hard and saving the money to be able to travel for a few months with backpack in Vietnam, to dive at India's West coast, or to join a theater school outside Moscow, to mention a few examples from close friends.

Some argue that global rather means American or British. American-style English is the common language for the young and practically all international communication nowadays. Youth culture is certainly full of Americanisms, from telling jokes to drinking cokes, and so is the language of the ever present international pop music. But one might also argue that English has become a language without a culture as an explanation why it works as an international means of communication.

In which way is this relevant? It seems that many young Swedes see their identity as both »global« and »Swedish.« I do not know of any research corroborating this, but it would certainly be a relevant topic. The more important question would be if the nation state is still needed; if it still is relevant or carries legitimacy to a new generation. Limiting ourselves to the instrumental aspects we might ask what issues are best managed on the national level, and what issues are better dealt with on the local, regional or global levels?

If we compare Swedish globalism with impressions from the »newly independent states« (NIS) on the other side of the Baltic Sea, the picture is partly different and partly the same. For the somewhat older generation, those who still have Soviet or communist experiences, the legitimacy of the nation state is not in doubt. Rather, the state is exactly what they fight for, and see as a guarantee for their future security. For the students and the younger generation, however, the question of national security is not as germane as the wish to belong to »the modern world,« something which could be interpreted as a sign of globalism. Among the Baltic University students traditional national disputes between e.g. Poland and Lithuania are considered irrelevant while global culture, music and environment are topics which can be discussed without end.

Together with the trend toward globalism there is an increasing tendency for identies to be based on the culture, history, language and economic life of the »region« from where people come, rather than its political life. Areas referred to as »regions« might then be smaller than states but larger than one or a few municipalities. Such regions are not always situated in a single country, and may transcend borders. Thus Sweden and Finland share the archipelago region in the Baltic. The Green Lung of Europe, as it is sometimes called, is shared between Poland, Belarus and Lithuania, and »Skåneland« is shared between Sweden and Denmark. In fact the European Commission has identified twelve such regions within the larger Baltic Sea area. The support for increased cooperation that such regions receive from within the EU trans-border cooperation programme appears very timely.

337

Today, it is all too well-known that there is a dark side of nationalism and ethnicity. But it is a fact that within the Baltic University context we have seen almost nothing of this. This may be because the students that we recruit and are attracted to the Programme are somewhat special in that they have an interest in international issues, are more likely to be tolerant of others and are interested in getting to know their neighboring countries. The trend to express local culture, to be proud of local traditions and even dialects co-exists and even lives in harmony with the move towards internationalization. This is not difficult to understand. It is like having a family and a home but also wanting to be part of the larger community. Let us hope that the many thousands of students who take part in international university exchange every year help to solidify this attitude even more.

The role of the environment

What are, then, the answers to the questions about the legitimacy of the nation state? Why is it needed? Clearly one possible answer has to do with environmental protection: we would like to see our Swedish— or Polish or Lithuanian—nature intact and not destroyed. Safeguarding the environment is seen as a very important task for the nation. The traditional answers that the state should safeguard international security, protect its citizens against crime and provide for social security are less common. In fact, the perceived threats of today more often have to do with the environment than issues of war and peace. It may also be that several of the traditional functions of the state are considered more relevant for other levels than the national. Moreover, it seems as if there is a decreased confidence in the ability of the state to ensure those functions.

Interestingly enough environmental protection was clearly connected to a national identity in the independence movement in the former Soviet Union. It is probably best documented in the three Baltic States. In the 1980s the independence movement in Estonia adopted the fight against increased phosphorite mining, proposed by the Soviet »all-union mining authority« in Moscow, as one of its main questions.[7] As strip mining was the only alternative, dramatic increases in phosphorite mining would have destroyed vast areas of land and have threatened the ground water with radioactive pollution. One might also assume that it also would lead to further large-scale immigration of Russian workers. The identity of the Estonian nation was thus threatened: its people stood the risk of being »diluted,« its water supplies could have been poisoned and the very soil on which it had existed for thousands of years was about to be penetrated by the huge pieces of machinery required for strip mining.

There had been protests against the mining of phosphorite since 1983, but beginning in 1986 they grew more intense. Researchers at Tartu University, for example the plant ecologist Professor Hans Trass, were key persons in the protests. Similar issues of environmental protection, although not as symbolically rich, were adopted by the independence movements in Latvia (regarding the construction of a large hydropower station in Daugava) and Lithuania (concerning the enlarging of the Ignalina atomic power plant). Naturalists in the three Baltic states cooperated in the fight against the Soviet/Marxist ideology of ruthless exploitation of the environment.[8]

Environmental protection is not nationalistic *per se*. Rather, it is an area where we more easily seem to accept a higher authority than the nation. In a series of interviews in the spring of 1999, Swedish members of the European Parliament were asked about the issues in which they had voted in favor of EU legislation, thus supporting the notion of federalism over nationalism. It turns out that environmental issues is the area where federalism is accepted among Swedish EU politicians, even among members of the Green and Left parties, which oppose the Union as a part of their party platforms. This is also evident on the global level. The most important global environmental event so far might be the UN conference on environment and development in Rio de Janeiro in 1992, the »Earth summit.« A key document signed by the close to 170 heads of states taking part in the conference was the so-called »Agenda 21«—an action program for the 21st century, focusing on environmental protection, and long term, sustainable, use of natural resources. »Agenda 21« is a good example of how global or at least trans-national authority is accepted in the field of environmental protection.

Sweden, a country in which UN decisions enjoy great respect, played a major role in the Rio conference. It is thus perhaps not surprising that together with Finland, Sweden is the country in the world where Agenda 21 has been most successfully implemented. In addition the Baltic

Sea region is the only region in the world where an regional Agenda 21 has been in effect since 1998, and signed by the 10 participating states. The secretariat for its implementation is symbolically located in Stockholm at Strömsborg, a small island in the stream connecting lake Mälaren to the Baltic Sea.

The reason for this trend to accept regional, supranational or global rules for the environment seems clear. Environmental protection is an area where a single country is limited in what it can achieve. Pollution does not recognize borders and cooperation is simply required to protect the environment from harm caused by other countries. The importance of cooperation for the protection of the environment was recognized early on in the Baltic Sea region. The so-called Helsinki Convention for the protection of the Marine Environment of the Baltic Sea and the Helsinki Committee, or Helcom—the Committee created to supervise it—was created already in 1974. It seems to have been the first agreement of its kind between the West and the Soviet world. A second and more forceful version of this convention was signed in 1992 and its implementation has resulted in huge investments in the Eastern and Central European countries in the region. The efforts on the global arena have been similar but of a later date. The Rio conference provided a scene for establishing several of the global conventions on environmental issues that play an increasingly important role in our world today.

Security community: A key notion for regions

The politics of Baltic Sea region have been a key component in the foreign policy of all the Nordic countries since 1990. Already in 1989, the Swedish government set aside 300 million Swedish *kronor* for environmental projects in Poland. Later, investments increased to the order of 1,000 million *kronor* annually. (At this point, however, it seems as if the investments are decreasing.) If the contributions from counties, municipalities, various associations, and many individuals are added, the sum is certainly much larger. How can these considerable efforts be explained? Is this old imperialism, wishing to make the Baltic Sea a Swedish »Mare Nostrum« again, regaining the lost territories not through military invasion but through political, economical, environmental, and cultural projects? Or is it altruism, a sincere desire to help neighbors in need?

Judging from official documents, the answer is clear, and not entirely altruistic: It has to do with security concerns. The goal for the Swedish Baltic Sea policy is to promote regional security in order to avoid further East–West confrontation, a backlash of the Cold War. Instead of a military threat and the possibility of a costly confrontation across the Baltic Sea, Sweden seeks cooperation and market possibilities.

This is the »*realpolitik*« dimension. In addition, I am sure that there is a very real human dimension to the Swedish interest in cooperation and investing in the region. Countless individuals are motivated by a concern for fellow human beings in neighboring countries who had suffered greatly for many years. This is a concern particularly relevant for all of those who have some kind of a refugee background, and who may still have family and friends in one of the former communist countries.

The security dimension of the regional identity was addressed in the Baltic University Programme course called »Peoples of the Baltic.« The small book on security in the area by Peter Wallensteen and his coworkers at the Department of Peace and Conflict Research at Uppsala University introduced the concept of »Security Community« in the Baltic context.[9] A security community is a region in which disputes are not expected to escalate to armed conflict but to be settled through various peaceful means, such as common institutions. A survey of such »security regions« in the world shows that they are characterized by democratic institutions, economic integration, and well developed and broad cooperation. »Security community« became an often repeated notion in official policy declarations by the Swedish government in the following year (with an implicit reference to the Baltic University?).

Seen from this perspective, today's politics in the Baltic Sea region are not very different from what happened in continental Europe in the aftermath of the Second World War. There was economic support to the new German *Bundesrepublik*, efforts to increase the cooperation between the two main warring parties France and Germany, and support of democracy and the creation of common international institutions. These efforts lead up to the establishment of coal and steel agreement, and the Rome Convention in 1957, and eventually the European Union.

There are different opinions about many aspects of the European Union. I do not think, however, that anybody expects a conflict between member states to result in an armed conflict. The European Union is, in fact, a security community. Will the Baltic region ever become one? Up until the present time, a number of common institutions have been created, such as the Council of Baltic Sea States. Also, cooperation and attempts toward incorporation between the newly independent states in the region and already existing structures such as the Nordic Council can be noticed. In the future, the enlargement of the European Union and NATO will include parts of the region. The question of how positive this is might be raised, considering that not all of the region will be part of these institutions. We do not want a new iron curtain, not even if it is further away.

Traditionally security was considered to depend on military might. The assumption was that an aggressor could be »fended off« at the border, and that a country's »defense« capacity was proportional to its military strength. This is obviously no longer so. Security cannot be achieved through national politics, but rather through agreements and cooperation, making security matters regional or global issues.

Sustainability and choosing the level for developmental strategies

So far we have identified two areas in which regionalism and even globalism seem both rational and accepted: environmental protection and international security. Is there a theoretical framework for judging when regional cooperation is a preferred strategy? I would like to advance two such frameworks. The first is sustainable development, and the second issues of global ethics. As we will see, the two are connected since sustainability is very much based on global ethics.[10]

Sustainable development was the key concept put forward at the Rio Conference in 1992 and is also the framework for Agenda 21. What does it mean? Without carrying the discussion too far, suffice it to say that the concept refers to long term stability in resource use, environmental protection, as well as in institutions and societies.

One aspect of sustainability is thus physical, having to do with material flows in the ecosystems. We might take waste management as an example. Accumulation of waste into landfills, dumps, has become a symbol for the unsustainable use of resources. It is clear that this can not go on forever, or we would eventually drown in our own waste.

Land fills are the result of linear material flows, while sustainability requires cyclic material flows. A long term strategy requires recycling. An elaborated materials flows perspective shows that materials flows over large areas is costly and often leads to non-sustainable linear flows. In fact a completely sustainable system would require a much higher degree of local flows and local self sufficiency than we have today.

Another dimension of sustainability refers to the democratic character of its implementation. Sustainable development requires a myriad of changes in our societies; most of them connected to everyday life of people. Sustainability needs to be implemented on the local level, in municipalities, in smaller towns and even in individual homes. An important message in the Agenda 21 document is that sustainable development requires that inhabitants are involved in the process; participatory democracy becomes a key concept.

The arguments for the necessity of local strategies for the implementation of sustainability can be multiplied. In fact, many scholars in this field stress that sustainability would require a considerable strengthening of the local or municipal level. In the Nordic countries this is almost already the case. Since over a century ago, we do have a system with strong municipalities. This includes the right to local taxation as well as a planning monopoly. There is thus great economic and legal expertise among the municipalities. A third kind of skill, the »know-how,« is at present lacking in many municipalities. Still the strong status of Agenda 21 in Finnish and Swedish municipalities suggests that this is now improving. In the post-communist states, the situation is the reverse. There is a long centralist tradition, and it is only recently that the local level has been strengthened.

Today, we can also see an interesting tendency of an internationalization of Swedish municipalities. Coming from a culture where municipalities were not even allowed to work together with towns and cities in other countries, this is now becoming very common, not the least in the system of sister cities or friendship towns. Sustainability requires that the slogan »think globally act locally« is put to use in a concrete fashion.

One might say that local self-sufficiency might seem scary or even dangerous; an example like North Korea is certainly terrifying. However, sustainability does not require closed borders. It should instead be stressed that the larger weight the material flows represents the more important it is that flows are cyclic and local. Waste water treatment is best done in the neighborhood. Basic food supplies should come from the local provider. If we break the rule we have to pay correspondingly. If costs for environmental impact were included in the price of the products, self-regulation would occur. A concept pair once suggested by Johan Galtung might be useful in this context, *holonomy vs. autonomy:* Holonomy refers to the fact that a function is provided on the larger scale, or in the larger unit. Autonomy means that the need is provided for locally, within the small system. Using these terms, we could argue that basic functions such as water and production of staple food should be autonomous, while functions not requiring large material flows, such as sending an e-mail, could be a holonomous function. Galtung also argues that if basic functions are provided for locally, the risk for international conflict decreases. His best cases are in the domain of energy.

Local, regional or global ethics

Values are culture-specific as we see daily in a country where immigration from other cultures is part of everyday life. Still we have to ask ourselves in which contexts it is acceptable to act according to such values, if other, »higher,« values are violated. Value differences is part of diversity, but there is also, in the midst of diversity, much communality in values. This communality takes us all the way from the local, to the national, regional and global levels. On which level should values be accepted and argued for?

In the spring of 1999 the challenge of global values has been present in the public debate more than ever before. Through the United Nations war tribunal in the Hague for Yugoslavia and Rwanda we are implementing international law on war crimes; in fact a global ethics. The case of immunity for General Pinochet in London also exemplifies the pursuit of international law and obviously a global ethics. Finally one might argue that the NATO attack on Yugoslavia in response to the policy in Kosovo was based on denial of the »right« of a government to act indiscriminately: Global ethics overrule national integrity if central values are strongly violated.

In all these cases, the starting point is human rights as declared and defined by the United Nations in the now 50 year old Universal Declaration of Human Rights. We should salute the United Nations for developing and now also starting to implement a global ethics, mostly concerning human rights, but also in other areas of society, such as conditions for children, labor practices, and health care. In environmental protection, however, no global ethics has developed so far. An attempt to create a basic document for a global environmental ethics is the Earth Charter process.[11] The Earth Charter is a text of the same character as the Declaration of Human Rights, but including the ethics of humans in relation to the living environment. The intention is to present this text to the United Nations General Assembly in 2001 to be accepted as a global document and to become valid in the context of international law.

It is interesting to trace the roots of this movement. Already in 1980 the International Union for the Conservation of Nature, IUCN, published a book called Caring for the Earth.[12] This was the first time when the notion of sustainable development was detailed in an international document. It was also the first time that strong arguments were made for the necessity of a global environmental ethics. There is, in addition, *de facto* a strong link between human rights and environmental rights. In practice the most dreadful acts against nature also damage the poorest and least »developed« of the human societies. Included on the list of crimes of this nature are large scale destruction of tropical forests, which also affects human societies living in these forests, and mining in the Pacific and southern Africa,[13] which also destroys the possibilities for life to continue as before.

These acts are supported by the responsible governments, mostly for economic reasons. There are no possibilities to stop them, unless we can create a sense of global ethics, and global values, as has been recently done in Yugoslavia.

Again we can see that approaches based on nation states are limited in those cases when national interests overrule international values. The most clear cases are global, but we have regional examples as well. In the Baltic region they are connected to the protection of biodiversity. One example is the protection of the uniquely large share of migrating birds in the Baltic Sea, which requires the conservation of a few key resting places in for example Estonia, Russia and Sweden. This is achieved through economic support and international agreements. The national exploitation of the areas are today also counterbalanced by the potential of earning money through ecotourism.

Conclusion

In this chapter I have attempted to argue that the pursuit of a policy and actions on a regional level is beneficial and even necessary in two areas: environmental protection and international security. In some instances the regional approach has to be complemented with strong local or global policies. Thus there are strong arguments that implementation of sustainable development requires a strong local level with economic, legal and know-how competence, while a global policy is required to combat violation of human rights and environmental ethics. The aspects of regional identity that we might see develop from these policies are rather connected to common interests, responsibilities, and resources, than common languages, religions, and ethnicity.

Local, regional and global approaches thus all have their roles in the development of a more secure, more just and better world to live in. They are connected and do not need to be in conflict.

Notes

1. I thank Peter Wallensteen for reading the manuscript and providing constructive criticism.
2. »Is there a Baltic Region?,« Seminar arranged by Adam Mickiewicz University in Poznań and the Baltic University Programme in Poznań, October 18, 1998. Witold Maciejewski was head of the seminar.
3. Harald Runblom, *Majoritet och minoritet i östersjöområdet: Ett historiskt perspektiv* (Stockholm: Natur och Kultur, 1995); Harald Runblom & Hans Ingvar Roth, *The Multicultural Baltic Region. P1: Peoples, Migrations and Ethnic Coexistence*, Peoples of the Baltic 3 (Uppsala: The Baltic University Programme, Uppsala University, 1993); Harald Runblom, Mattias Tydén & Helene Carlbäck-Isotalo, *The Baltic Region in History*, The Baltic Sea Environment 4 (Uppsala: The Baltic University Programme, Uppsala University, 1991).
4. Lars Rydén. »The Baltic University Programme: A Five Year Perspective,« in H. Runblom, M. Nurek, M. Burdelski, T. Jonter & E. Noreen, eds., *Fifty Years*

after World War II: International Politics in the Baltic Sea Region, 1945–1995. International Conference 21st–24th September 1995, Gdańsk–Sopot (Gdańsk: Gdańsk University Press, 1997). See also <http://www.balticuniv.uadm.uu.se>.

5. »Peoples of the Baltic: A Course on Culture, History, Democracy and Security in the Baltic Sea Region,« The Baltic University Programme, Uppsala University, 1993–94. See also <http://www.balticuniv.uadm.uu.se>.

6. »The Baltic Family Conference,« Kaunas, Lithuania, October 1990.

7. Ülo Ignats, *Fosforitbrytningen i Estland: Ett hot mot livsmiljön i Estland och Östersjön* (Göteborg: MH Publishing, 1988).

8. Kristian Gerner, personal discussions.

9. Peter Wallensteen, Kjell-Åke Nordquist, Björn Hagelin & Erik Melander, *Towards a Security Community in the Baltic Region: Patterns of Peace and Conflict*, Peoples of the Baltic 7 (Uppsala: The Baltic University Programme, Uppsala University, 1994).

10. Lars Rydén, »The Faces of Sustainability,« in P. Smith & A. Tenner, eds., *Dimensions of Sustainability* (Baden-Baden: Nomos Verlagsgesellschaft, 1997); Lars Rydén, »Faces of Sustainability,« in Anders Nordgren, ed., *Science, Ethics, Sustainability: The Responsibility of Science in Attaining Sustainable Development*, Studies in Bioethics and Research Ethics 2 (Uppsala: Uppsala Univ. Library, 1997), pp. 211–220.

11. The Earth Charter Process, Boston Research Centre for the 21st Century, Cambridge 1998.

12. International Union for the Conservation of Nature, *Caring for the Earth: A Strategy for Sustainable Living* (Gland: IUCN, 1991); *World Conservation Strategy: Living Resource Conservation for Sustainable Development* (Gland: IUCN, 1980); Lars Rydén, ed., *Foundations of Sustainable Development: Ethics, Law, Culture and the Physical Limits*, A Sustainable Baltic Region, Session 9 (The Baltic University Programme, Uppsala University, 1997).

13. Tom Draisma, »The Ecological Consequences of Mining in Developing Countries: Of Actors, Ethics and Environmental Policy,« in Smith & Tenner, *Dimensions of Sustainability*.

Finska och tornedalsfinska
ortnamn i Sverige

ERLING WANDE

SVENSKA SPRÅKNÄMNDEN OCH Lantmäteriverket i Sverige gav för några år sedan ut en skrift med titeln *Svenska ortnamn. Uttal och stavning* (Stockholm 1991).[1] Av introduktionen i boken framgår att man tolkat titelns *Svenska ortnamn* som identiskt med »ortnamn i Sverige« och innehållet i boken bekräftar den tolkningen. I skriften finns inte endast svenskspråkiga ortnamn upptagna utan även samiska och finska ortnamn i Sverige. De finska namnformerna i skriften kommer att diskuteras i avsnitt I av denna uppsats. För jämförelsens skull redovisas i det avsnittet även de finska namnformer för svenska orter som förekommer, dels i den av professor Göran Karlsson redigerade *Stora svensk-finska ordboken* (1982–87), dels i den nyaste finsk-svenska ordboken från 1997. I avsnitt I tar jag också upp det sverigefinska ortnamnsbruket och den sverigefinska språkvårdens principer för dessa samt slutligen även ortnamnssituationen i svenska Tornedalen. I avsnitt II diskuteras frågor om ortnamnens status, speciellt i relation till sverigefinskans och tornedalsfinskans (meänkielis) situation.

I.
1. Finska namnformer för svenska orter

1.1. Stora svensk-finska ordboken (1982–87)
Den av professor Göran Karlsson redigerade *Stora svensk-finska ordboken*[2] tar upp ett relativt litet antal svenska ortnamn, närmare bestämt 38. Det totala antalet upptagna utländska ortnamn är 785. En av de principer som tillämpats av Karlsson är att namn som Kemi, Göteborg och Leningrad, vilka ortografiskt (men inte alltid uttalsmässigt) är identiska i finskan och svenskan, inte har tagits upp i förteckningen. De i

Karlssons ordbok upptagna namnen på orter i Sverige ges i Appendix I, nedan.

1.2. Stora finsk-svenska ordboken (1997)

I en särskild bilaga, Appendix II, redovisas de finska namnformer för svenska orter som förekommer i den nyutgivna *Stora finsk-svenska ordboken*,[3] som är den mest omfångsrika finsk-svenska ordbok som hittills givits ut. Jag anger också i vissa fall de variantformer som sedan gammalt används på tornedalsfinska (meänkieli), framförallt i svenska Tornedalen, för en del av de förtecknade orterna. Det totala antalet ortnamn och geografiska namn i förteckningen i *Stora finsk-svenska ordboken* uppgår till 1345, de finländska orterna med både finska och svenska namn inräknade, ett betydligt större antal än Karlssons ordbok ger. Av dessa 1345 namn är dock bara 41 namn på orter eller geografiska områden i Sverige, men för några av dessa gäller att benämningarna också kan avse orter i Finland. I de flesta av de senare fallen är det fråga om gamla byar eller församlingar som har samma finska namn på båda sidor om Torne älv och som ursprungligen utgjort samma by/församling men som genom gränsdragningen 1809 blev delade: *Alatornio* Nedertorneå, *Juoksenki* Juoksengi och *Ylitornio* Övertorneå. I ett fall, *Hietaniemi*, kan namnet stå både för en ort i svenska Tornedalen, på svenska numera Hedenäset, och för en stadsdel i Helsingfors, Sandudd. Ett ortnamn som *Korpilompolo* Korpilombolo förekommer i både finska och svenska Tornedalen. Landskapet Lappland heter både i Finland och Sverige på finska *Lappi*, även om tornedalsfinsktalande också kan använda *Laplanti*, åtminstone för svenska Lappland. Utöver dessa 41 namn förekommer sådana som geografiskt delvis ligger i eller gränsar till båda länderna, dvs. som sedan gammalt av den anledningen har både ett finskt och ett svenskt namn: *Itämeri* Östersjön, *Perämeri* Bottenviken och *Tornionjoki* Torne älv (i svenska Tornedalen dock vanligare *To/o/rnionväylä*; tornedalsfinska/meänkieli *väylä* 'älv; farled').

Länsipohja finns upptaget, översatt till Västerbotten. I historisk och språkvetenskaplig litteratur på finska används denna term för att beteckna de finskspråkiga delarna av Norrbotten, ofta också betecknat som Tornedalen, tidigare benämnd Norrbottens finnbygd (det senare en i Sverige numera arkaistisk benämning). Eftersom varken benämningen Tornedalen eller landskapsbeteckningen Norrbotten finns upptagna i förteckningen kan man förmoda att det är Norrbotten som av-

ses och inte det moderna svenska landskapet Västerbotten.⁴ Flera namn
på svenska län och landskap saknas. Dessa tar jag upp separat nedan i en
redovisning av Sverigefinska språknämndens ställningstaganden beträf-
fande dessa (stycket 2 nedan).

1.3. Svenska ortnamn. Uttal och stavning (1991)⁵

I enlighet med syftet tas i boken bara upp inhemska, sedan gammalt
använda finska namn på orter i Sverige. De finska ortnamnen i förteck-
ningen hör följaktligen hemma i norra och östra Norrbotten och är
alltså definitionsmässigt inte utländska men sammanfaller till formen i
flera fall med de i Finland använda namnen. Finska namnformer för
svenska orter i andra delar av landet anges alltså inte. De uttalsuppgif-
ter som ges baseras helt på uppteckningar inom detta område.⁶ Uttals-
beteckningarna är i första hand avsedda för dem som behärskar svensk-
ans uttalssystem eller i övrigt känner svenskans uttalsvanor. I förteck-
ningen här intill återfinns de finska eller tornedalsfinska namnformer,
41 till antalet, som ges i skriften.

Flera av orterna har dubbelnamn, tornedalsfinska och svenska for-
mer, som båda finns upptagna och av vilka en del skiljer sig från var-
andra ortografiskt och uttalsmässigt (t.ex. *Korpilompolo~Korpilombolo*,
Junosuanto~Junosuando), andra enbart uttalsmässigt (t.ex. *Pajala*, *Pello*).
Alternativa uttal har angetts i en del fall och den vanligaste lokala varian-
ten har angivits med en asterisk (*, se *Kiruna*). Ortografiskt har torne-
dalsfinskt *k~p~t* ofta i svensk version återgetts med *g~b~d*. Närmast re-
gelmässigt förekommer detta för namn som i finsk form slutar på *-nki >
-ngi*. I andra fall, där dessa kvarstår, är de ofta i svenskt uttal aspirerade
som de normalt är i vissa ställningar i svenskan, t.ex. *Korpilombolo* [kʰ-].
Ortnamn på finskt *-nen* motsvaras, som ofta är fallet i finländska namn,
av *-s*, t.ex. *Jarhoinen~Jarhois*, *Kaartinen~Kardis*.

I en del fall har orten ifråga ursprungligen haft eller i något skede av
historien givits ett finskt namn, som sedan översatts eller modifierats.
Ibland kan en ort däremot ha fått ett helt nytt namn utan någon direkt
anknytning till det ursprungligen finska namnet. Exempelvis anger man
för orten *Kangos* i övre Tornedalen och för *Båtskärsnäs* vid Bottenviks-
kusten nära Kalix »finskt namn: Kangonen« respektive »finskt namn:
Paaskeri«.

1.4. Jämförande kommentar

Inte i något av de tre citerade verken är namnurvalet särskilt stort, ± 40. Det förefaller inte som om man haft ambitionen att vara fullständig och urvalet verkar i viss mån godtyckligt. I Karlssons förteckning saknas följande namn, som i gengäld finns med i den nya finsk-svenska ordboken: *Ala-Kainuu* Nederkalix, *Hakkanen* Hakkas (ort i Gällivareområdet), *Hietaniemi* Hedenäset (ort vid Torne älv, söder om Övertorneå), *Itä-Götanmaa* Östergötland, *Juoksenki* Juoksengi, *Kiirunavaara* Kirunavaara, *Länsi-Götanmaa* Västergötland, *Paaskeri* Båtskärsnäs (ort i Norrbottens kustland, nära Kalix), *Tornionjärvi* Torneträsk, *Vanha-Upsala*

AHO ['aːhå]

HAKKANEN ['hakːanen] ~ Sv. *Hakkas* (fiT: Hakanen)[7]

HIETANIEMI ['hietaniemi] ~ *Hedenäset*

JARHOINEN ['jarhåinen] ~ Sv. *Jarhois*

JUKKASJÄRVI ['jokːasjærvi]

JUNOSUANTO ['jonåsuantå] ~ Sv. *Junosuando* [jɵnosɵ'andå]

JUOKSENKI ~ Sv. *Juoksengi*

KAARESUVANTO ~ Sv. *Karesuando* (fiT: Karesuanto)

KANGONEN ~ Sv. *Kangos*

KARUNKI ['karonki] ~ Sv. *Karungi* ['karːɵngi][8]

KASSA

KERÄNTÖJÄRVI

KERÄSJOKI

KERÄSJÄNKKÄ

KIHLANKI

KIIRUNA ['kiːrona] ~ Sv. *Kiruna* ['kiːrɵna]* el. ['kirːɵna] (fiT: Kiruna ['kirona])

KITKIÖJOKI

KITKIÖJÄRVI

KIVIJÄRVI

KOLARI ['kålːari; fiT: 'kålari]

KORPILOMPOLO ['kårpilåmpålå] ~ Sv. *Korpilombolo* [kårpi'låmbålå, äv. 'kårpilåmbålå]

KUKKOLA ['kokːåla]

KUMMAVUOPIO

KUTTAINEN (fiT: Kuttanen]

LAINIO ['lajniå]

LIMINGOJOKI ~ Sv. *Limingoån*

MARKITTA

MERASJÄRVI

MUODOSLOMPOLO

MUONIONALUSTA

NATTAVAARA

NIKKALA

NILIVAARA

PAASKERI ~ Sv. *Båtskärsnäs*

PAJALA ['pajːala]

PELLO

SAMMAKKO

SVAPPAVAARA

TEURAJÄRVI ['teorajærvi]

TÄRÄNTÖ ~ Sv. *Tärendö*

ULLATTI ['olːatːi el. ɵlːatːi]

VITTANKI ~ Sv. *Vittangi*

Anmärkning om uttalet: (i) Enkelt anföringstecken ['] anger vilken stavelse i ordet som har huvudbetoningen och placeras då omedelbart före den betonade stavelsen. (ii) Kolon [ː] efter ljudsymbol anger långt uttal. (iii) Svenskt *u*-ljud som i *buss* har fonetiskt angivits med tecknet [ɵ]. (iv) Aspiration hos svenskt *k*, *p*, *t* markeras inte. (v) * markerar det vanligaste lokala uttalet.

Gamla Uppsala. Det omvända gäller för följande orter, som finns i Karlsson men inte i den nya ordboken: *Daljoki* Dalälven, *Muonionjoki* Muonio älv, *Sarektunturit* Sarekfjällen, *Sveanmaa* Svealand, *Ångermanjoki* Ångermanälven. Karlsson tar endast upp Uppsala med den gamla stavningen på finska, *Upsala*, i den nya ordboken ges som alternativ *Uppsala*.

Anmärkningen ovan (avsn. 1.2) om det gamla landskapsnamnet *Länsipohja*, Västerbotten, torde vara relevant också för Karlssons ordbok.

Ett problem i finskans ortografi är hur det svenska grafemet <å> eller det svenska [å]-ljudet ska återges. Karlsson har använt <å> för kort ljud som i *Ångermanjoki* Ångermanälven, men båda ordböckerna har, i strid mot språkvårdens rekommendationer, använt <oo> för långt ljud i *Smoolanti*, *Skoone* i stället för *Småland*, *Skåne*.[9]

Det kan påpekas att sedan gammalt etablerade finska namn för orter som Kalix, Luleå och Umeå, fiT *Kainus* (fiSt *Kainuu*), *Luulaja* och *Uumaja*, inte är kända bland alla finsktalande i Finland eller Sverige. I stället används ibland de svenska namnen med lätt förfinskat uttal (*Kaaliks*, *Lyyleå*, *Yymeå*; oaspirerat *k* i Kaaliks; finskt *y*, som liknar [u]-ljudet i det tyska och det franska *Bühne* resp. *mur*).[10] Båda ordböckerna har dock tagit upp de äldre formerna.

Syftet med boken *Svenska ortnamn* var, som framgått ovan, ett annat än det som är naturligt för standardfinskt baserade ordböcker vad gäller urvalet av namn. Följaktligen förekommer inte namnformer som *Tukholma* för *Stockholm*. Med tanke på koncentrationen till Tornedalen vad beträffar namnurvalet hade man dock kunnat tänka sig att de finska namnen för exempelvis *Gällivare*, fiSt *Jällivaara*, fiT *Jellivaara*, och *Haparanda*, *Haaparanta*, hade angetts (och för Gällivare dessutom samiska varianter).

2. Finska namn för landskap och län i Sverige

I de båda ordböckerna har vissa men ganska få svenska läns- och landskapsnamn tagits med, eftersom de inte enbart omfattar ortnamn utan även geografiska benämningar (av förklarliga skäl gäller detta dock inte *Svenska ortnamn*). De finska motsvarigheterna till läns- och landskapsnamnen har vid ett par olika tillfällen behandlats av Sverigefinska språknämnden. Förteckningar över dessa finns redovisade i nämndens tidskrift *Kieliviesti* 2/1981 och *Kieliviesti* 2/1994. Skillnaderna mellan 1981 års och 1994 års beslut om rekommendationer innebär en harmonisering med de former som rekommenderas av Forskningscentralen för de inhemska språken, Finska avdelningen, i Finland, nämligen, att

(i) genitivformerna av länsnamn av typen Södermanlands län ändras: i stället för *Södermanlannin lääni* (enligt 1981 års rekommendation) används nu *Södermanlandin lääni*;

(ii) nominativformer som enligt 1981 års rekommendation har ändelsen *-lanti* skall skrivas *-land*, t.ex. *Gästriklanti > Gästrikland*. Undantag utgör dock sådana för vilka nominativformerna på *-lanti* sedan mycket lång tid tillbaka varit etablerade i finskan, nämligen *Gotlanti, Uplanti, Vermlanti* och *Öölanti* samt *Norlanti*;

(iii) Norrland skrivs *Norlanti* (1994), med ett *r*, och inte som tidigare *Norrlanti* (1981).

För det nybenämnda *Dalarnas län* (tidigare Kopparbergs län) och det nybildade *Skånes län* (tidigare Kristianstads och Malmöhus län) rekommenderar Sverigefinska språknämnden namnformerna *Taalainmaan lääni* respektive *Skånen lääni*.

Som nämnts utgör den 1994 beslutade förändringen en anpassning till den norm som gäller för standardfinskan i Finland. Denna anpassning är i linje med den grundprincip som gäller för språkvården för den skrivna sverigefinskan, nämligen att den så långt det är möjligt skall följa samma regler som den skrivna finskan i Finland.[11] Å andra sidan strider den mot en i Sverige, särskilt i talspråket, etablerad tradition. Reglerna kan ses som en parallell till förhållandet vad gäller användningen av de nya svenskbaserade formerna för de ovan nämnda orterna Kalix, Luleå och Umeå. Även i fallet med landskaps- och länsbeteckningarna kan man konstatera att en modern språkvårdsprincip, paradoxalt kan det tyckas, lett till att en etablerad inhemsk (i Sverige), »finskklingande« namnform, fått ge vika för en mera »svenskklingande« form. Historiskt-socialt kan en av orsakerna till detta vara att de gamla formerna antingen inte alls varit kända för efterkrigsgenerationerna i Finland, de som utgjort en stor del av dem som under de senaste decennierna invandrat till Sverige, och att de för de lingvister som svarat för språkvården i Finland börjat kännas arkaistiska. Det mentala avståndet till den historiska gemenskapen med Sverige har vuxit och de svenska namnen tycks bli betraktade som vilka främmande namn som helst och har genomgått en »modernisering« och behandlas språkvårdsmässigt på samma sätt som andra icke-finska namn. Undantag finns, som framgått ovan, bland de väletablerade namnen (Vermlanti etc.). En påtryckargrupp vad gäller 1994 års beslut i Sverigefinska språknämnden utgjorde en del yngre sverigefinska journalister, av vilka många hade fått större delen av sin utbildning i Finland. De har antingen inte alls haft någon kännedom om de gamla, i Sverige använda formerna eller så har dessa känts arkaistiska. De kan också genom sitt eget språkbruk inte minst i radio och TV ha påverkat de sverigefinska språkvanorna i allmänhet på detta område. Å andra sidan finns det i dag sverigefinska journalister som vill återgå till ett konsekvent bruk av de äldre formerna enligt den modell som tillämpades vid 1981 års beslut.[12]

3. Finska lokalkasusformer för ortnamn

3.1. Yttre eller inre lokalkasus?

Enligt standardfinska regler böjs majoriteten av finska ortnamn och geografiska namn i inre lokalkasus. Undantag utgör namn vars efterled, när de förekommer som självständiga appellativer, utgör beteckningar för naturformationer, lokaliteter eller andra företeelser i naturen, *joki* 'å, älv', *järvi* 'sjö', *lahti* 'vik', *maa* 'land(område)', *meri* 'hav', *mäki* 'backe, kulle, höjd', *niemi* 'udde', *saari* 'ö' och *vuori* 'berg'. För sådana genuint finska ortnamn har i Karlssons ordbok angetts den standardfinska regeln, att namnet böjs i yttre lokalkasus, medan man i andra fall angivit att inre lokalkasus gäller (ordboken har i sådana fall den kasusform som anger befintlighet, dvs. adessiv eller inessiv). Ett par exempel: *Seinäjoki~Seinäjoella* 'i Seinäjoki', *Helsinki~Helsingissä* 'i Helsingfors'. Regeln tillämpas givetvis i finskspråkiga texter i Sverige och även för de finska namnen i Sverige. Det bör påpekas att talspråket har en viss variation för sådana namn som enligt huvudregeln ska ha yttre lokalkasus och att man ofta differentierar mellan namnet på själva orten, för vilken inre lokalkasus då används, och exempelvis en intilliggande sjö eller höjd, som får yttre lokalkasus, t.ex. *Riihimäkeen* (illativ) 'till Riihimäki' för orten.

Den finska språkvården rekommenderar för dessa namnformer användning av det språkbruk som gäller på respektive ort, förutsatt att den enskilde språkanvändaren känner till bruket på orten ifråga.

I svenska Tornedalen är huvudregeln även för dessa namn snarast att inre lokalkasus används, med en del specifika undantag, t.ex. *Haaparannala* 'i Haaparanda' (för *Haaparannassa*), *Morajärvelä* 'i Morjärv' (för

Morajärvessä el. *Morjärvessä*; den senare formen är en standardfinsk variant. fiT har kort *l* i dessa former).

3.2. Illativ av svenskspråkiga ortnamn[13]

En speciell svårighet utgör bildningen av illativformer (»inre lokalitet, riktning till«) av svenskspråkiga ortnamn, beroende dels på illativens relativt komplicerade bildning, dels på att svenskans ortografiska regler kan råka i konflikt med finskans uttalsregler:

1) Den ortografiska huvudregeln för svenska namn är att man bibehåller namnens svenska form även i finskspråkig text, t.ex. *Skåne* och inte *Skoone*.

2) Generellt för icke-finska namn gäller att ändelsen väljs på grundval av uttalet i ursprungsspråket.

Vidare påverkas valet av illativändelse av om namnet (ordstammen) slutar på konsonant eller vokal:

(i) Namn som slutar på konsonant får alltid ändelsen *-iin*: *Lundiin* 'till Lund', *Vätterniin* 'till Vättern'.

Namn som slutar på vokal bildar illativformen enligt finskans normala regler:

(ii) Namn med kort slutvokal får denna vokal förlängd före ändelsens *n*, t.ex. *Haninge* : *Haningeen* 'till Haninge', *Hedemora* : *Hedemoraan* 'till Hedemora'.

(iii) Namn som slutar på långt vokalljud får ändelsen *-hVn* (V = vokal), där vokalen är identisk med den som namnet uttalsmässigt slutar på, t.ex. *Hjohun* 'till Hjo', *Storåhon* 'till Storå'. Trots att själva namnet skrivs med svensk ortografi får ändelsen det för finskan normala vokalgrafemet. Alla svenska ortnamn som slutar på *-bo*, *-bro*, *-by*, *-mo*, *-sjö*, *-å* och *-ö* följer denna regel, eftersom slutvokalen i dessa är lång.

4. Ortnamnen i Tornedalen och angränsande områden

Tornedalen utgör det område som idag har den största koncentrationen av namn med finskt ursprung som enda namn på en ort. Relativt många orter har också en svensk variant, som antingen är en lätt modifiering av den ursprungliga tornedalsfinska benämningen, uttalsmässigt eller ortografiskt (se avsnitt 1.3), eller utgör försvenskning i varierande grad. Försvenskade ortnamn är från tornedalsfinskan helt eller delvis översatta namn som *Granhult* (< fiT *Kuusihuornas*; *kuusi* 'gran', *huornas*, *huornanen* 'mindre berg vid sidan av ett större berg')[14] eller namnformer som är konstruerade utifrån den ursprungliga tornedalsfinska formen med en viss bevarad ljudlikhet men utan betydelselikhet, vilket gör dem till nonsensöversättningar. Detta gäller t.ex. namnen på de gamla järnvägsstationerna *Alkullen* (< fiT *Alkkula*), *Bäckesta*[15] (< *Päkkilä*) mellan Karungi och Övertorneå. Ett annat exempel på järnvägsmyndigheternas namngivning är *Bäverbäck* för hållplatsen vid byn *Vojakkala*.

Ibland förekommer en kombination av konstruktion och kvasiöversättning som i *Hedenäset* (< fiT *Hietaniemi*; *hieta* 'sand', *niemi* 'udde, näs'), som betecknar själva byn,[16] eller *Långheden* (fiT *Halme*; *halme* 'växande sved'). I andra fall har man till ett finskt appellativ, oftast ett efterled, lagt ett svenskt efterled med samma betydelse, t.ex. *Äijävaaraberget* (»Gubbergsberget«; *äijä* 'gubbe', *vaara* 'berg'). Vissa av de svenska namnformerna har införts av järnvägs- eller postmyndigheterna, eller av den kyrkliga administrationen. Dessutom har, under den period då nya s.k. kolonat grundades, dåvarande Domänverket gett svenska namn åt nyupprättade kolonat, t.ex. *Nytorp* vid Kompelusvaara (mellan Tärendö och Ullatti) eller *Brobacken* norr om Korpilombolo. Kronotorpet *Rautakko* norr om Korpilombolo har av myndigheterna döpts till *Smedberget*, som är ett slags kvasiöversättning (*rauta* 'järn', -*kko* är en kollektivbeteckning, som anger 'mängd eller anhopning av något'). I motsats till de ovannämnda namnen på kronotorp och järnvägsstationer används inte det översatta namnet Smedberget av lokalbefolkningen.

Vad gäller gatu- och vägnamn har tornedalskommunerna hittills använt endast svenska benämningar, vilket betytt att de tornedalsfinska namnformerna i regel översatts till tidigare aldrig använda namn, även i sådana fall där lokala svenska namn existerar och används vid sidan av de tornedalsfinska. Exempelvis har bydelen *Leppäniemi* [»aludden«] på Seskarö alltid även i svenskspråkigt tal kallats för Leppäniemi, medan huvudgatan i området döpts till det främmande *Aluddsvägen*. I Korpilombolo har *Rantatie*, den väg som följer sjöstranden nedanför den sluttning på vilken byn är belägen, genom en ordagrann översättning fått det fashionabla namnet *Strandvägen*, trots att byn på svenska alltid kallats *Nedre vägen*, i kontrast till *Övre vägen* (*Mäkitie* »Backvägen«), som går uppe på sluttningen.

II.
5. Ortnamnens officiella status

Finland har två officiella språk, finska och svenska. Norge har likaledes två officiella språk, bokmål och nynorsk. I Danmark är språksituationen något mera komplicerad: på fastlandet Danmark är danska det enda officiella språket, på Färöarna och Grönland är det lokala språket huvudspråk men danska det andra officiella språket. På det tämligen enspråkiga Island är isländska det enda språket och i Sverige är svenska det enda officiella språket (men bara »inofficiellt«, inte grundlagsfäst). I Sverige talas dock mellan 150 och 200 olika språk av större eller mindre populationer, inhemska eller invandrade. Vissa av dem används också som skriftspråk. Svenska är dock det enda språk som kan användas i alla sammanhang, officiella som inofficiella (den nordiska språkkonventionen medger dock avvikelser från denna princip). De flesta ortnamn i Sverige anges alltså officiellt, t.ex. i olika dokument, på ortsskyltar och kartor, på svenska. Undantag utgör dock en del ortnamn främst i de områden där det talats eller sedan gammalt talas finska eller samiska (t.ex. *Pilkalampinoppi* i Orsa finnmark, *Kaunisvaara* i Tornedalen eller *Saltoluokta* i Lule lappmark).

5.1. Estocolmo och Tukholma: Status visavi Stockholm
Om man jämför rubrikens två icke-svenska namnformer med den officiella svenska kan man till att börja med konstatera att både *Estocolmo* och *Tukholma* är namnformer som används för vår huvudstad i länder utanför Sverige, och i länder där respektive språk är officiellt språk. I den meningen är de utländska namnformer för en svensk ort i Sverige. Man kan vidare anse det som mer eller mindre självklart att utländska namnformer inte har samma officiella status som de inhemska namnformerna på landets officiella språk. Men man kan också fråga sig om *Estocolmo* och *Tukholma* är jämförbara sinsemellan vad gäller status. Man kan då slå fast att båda namnformerna inte används enbart i ett utrikes perspektiv utan också inom landet av invandrare – som är invånare i vårt land men har sitt ursprung i länder där språken är huvudspråk – och vidare av deras ättlingar när de talar om Sveriges huvudstad på sitt modersmål eller det ena av sina förstaspråk. Man kan också konstatera att deras respektive modersmål inte är officiella språk i vårt land och att namnformerna ur den aspekten därför kan jämställas inbördes men inte

357

ses som likvärdiga med den svenska namnformen Stockholm. De bör eller behöver därför av så att säga officiella skäl exempelvis inte tas upp i inhemska förteckningar över ortnamnen i Sverige (men väl som översatta namn i lexika och andra icke-officiella publikationer) eller förekomma på de officiella kartorna eller på vägskyltar. Detsamma torde kunna sägas om de flesta av de övriga 150–200 språk som talas i Sverige i dag.

5.2. Estocolmo och Tukholma: Inbördes status

Hur förhåller det sig då vad gäller den inbördes statusen om man jämför det spanska *Estocolmo* med det finska *Tukholma* lite närmare? Oavsett om man ser på saken historiskt eller i dagsläget kan man argumentera för att det egentligen inte råder någon skillnad dem emellan, om man som kriterium väljer status som officiellt språk i landet. Spanskan som språk i Sverige är i stort sett en efterkrigstida företeelse och aldrig under den långa period som nuvarande Finland och Sverige utgjorde ett rike var finskan officiellt språk i detta rike. En skillnad mellan spanskan och finskan är naturligtvis att finska alltid har talats av en avsevärd andel av befolkningen i Sverige och att dess faktiska status, ur språkanvändningssynpunkt, har varit en annan än spanskans. Detta kan sägas gälla även i dag: finskan har alltid varit och är fortfarande det näst svenskan vanligaste modersmålet i vårt land. Om man sedan gör argumentationen kort, kan man hävda att ett språkanvändningskriterium, ett historiskt kriterium och ett kvantitativt kriterium (andelen talare i vårt land i dag) gemensamt skulle kunna användas som grund för att ge namnformen *Tukholma* en annan status än *Estocolmo*.

5.3. Finskans officiella ställning i Sverige

Frågan är dock om *Tukholma*[17] med hjälp av de ovannämnda kriterierna skulle kunna upphöjas till officiellt namn i Sverige (vid sidan av Stockholm). Även om *Tukholma* är en namnform som faktiskt används av en stor mängd talare i Sverige i dag, kan man hävda att så länge finska inte är officiellt språk i landet kan man inte heller anse att *Tukholma* är en officiell form eller ens en variantform till Stockholm. Detta gäller under förutsättning att man betraktar kriteriet »officiell status« som ett kriterium som (juridiskt sett) är överordnat alla andra kriterier, som de ovannämnda språkanvändningskriteriet, kvantitetskriteriet eller det historiska kriteriet.

358

I debatten om finskans ställning i Sverige under de senaste åren har såväl företrädare för sverigefinnarna som framträdande politiker i Sverige ofta åberopat den långa gemensamma finsk-svenska historiska samhörigheten som motiv för att ge finskan speciella rättigheter i Sverige, som andra, nyare invandrarspråk inte kan ges. Detta skedde exempelvis vid Nordiska rådets session i Oslo 1994, vid statsbesök i Finland och i valrörelsen 1995 genom dåvarande statsministern Carl Bildt. En följd av detta delvis nya betraktelsesätt var tillsättandet av den s.k. Eikenska gruppen, en departemental arbetsgrupp med uppdrag att studera finskans ställning i landet och komma med förslag rörande denna. Gruppen presenterade sitt förslag i en utredningspromemoria, *Finska i Sverige. Ett inhemskt språk* (Utbildningsdep., Ds 1994:97) och i en skrivelse till regeringen. Regeringen gick i sin tur vidare med förslaget till riksdagen, som i ett beslut den 14 december 1994 antog detta. I konsekvens med detta beslut bekräftade efter valet hösten 1995 den nyvalde statsministern, Ingvar Carlsson, den i riksdagsbeslutet fastställda statusen, en särställning för finskan, och utlovade åtgärder i enlighet med denna inriktning. Likaså har sverigefinnarna allt kraftigare börjat opponera mot den officiella inställning som man under flera decennier haft i Sverige, vilken inneburit att man behandlat de finska efterkrigsmigranterna på i princip samma sätt som invandrare från andra länder, dvs. som invandrare och inte som en inhemsk minoritet med historiska rötter i landet.

Med riksdagsbeslutet som grund kunde man hävda att finskan har en annan officiell status än exempelvis spanskan och att det i konsekvens med detta vore berättigat att t.ex. på officiella kartor ange de finska namnen för orter som har sådana. En annan omständighet, som kunde åberopas som argument för att finskan *de facto* har en annan status än spanskan och ett stort antal andra språk i landet är att finskan är det enda språk vid sidan av svenskan som har en statsunderstödd språknämnd.[18]

Indirekt har svenska staten bl.a. genom sitt stöd redan före riksdagsbeslutet 1994 erkänt att finskan har en viss faktisk särställning i landet. Hittills har denna proklamerade särställning dock inte inneburit något annat nämnvärt ekonomiskt stöd som unikt varit riktat till finskan än just detta till språknämnden, inte heller att de finska namnformerna för orter med ursprungligen svenska namn används på kartor eller att dubbelspråkiga vägskyltar satts upp, inte heller att finska eller tornedalsfinska använts i gatu- och vägnamn på orter där finska dominerar som

359

regionalt språk (angående ortnamn i Tornedalen, se dock nedan). Det är dock möjligt att sverigefinskan och tornedalsfinskan/meänkieli får en radikalt annorlunda situation om den sommaren 1999 avgivna regeringspropositionen om nationella minoriteter i Sverige antas av riksdagen.[19]

6. De sverigefinska och tornedalsfinska ortnamnens ställning idag

När det gäller sverigefinska, tornedalsfinska och samiska namn på orter i landet har dessa i svenskt medvetande i första hand utgjort ibland svåruttalade men kanske lite spännande, nästan exotiskt klingande namn på orter i den svenska fjällvärlden, det har funnits och finns alltjämt förklaringar till framförallt samiska ortnamnselement på våra svenska fjällkartor. Även Svenska turistföreningens skrifter har ibland innehållit artiklar om dessa namn och ett annat exempel i samma genre som kunde nämnas är den legendariske svenske professorn Björn Collinders artikel med titeln »De finska och lapska ortnamnen på våra kartor«, publicerad i en festskrift till den kände tornedalske skolmannen William Snell.[20]

I dagens situation kan man problematisera ortnamnsfrågan utöver det för svensken i gemen exotiska. Man kan urskilja flera olika typer av finska namnformer för orter i Sverige, som varierar vad gäller ursprung, användning och status.

1. För det första givetvis namn av typen *Tukholma*, som för de flesta svenskar självklart är ett sekundärt namn, dvs. en gammal, numera standardfinsk, benämning på en ort i ett svensktalande område, som historiskt sett först haft enbart ett svenskt namn.[21] Förmodligen är den historiska tolkningen riktig, Stockholm grundades av svenskar, men ändå kan man nog hävda att staden under så gott som hela sin historia haft en viss andel av finskspråkig befolkning.[22] Definitivt hör till den här kategorin exempelvis de finska namnformerna för *Skåne* och *Småland* eller *Göta älv*.

2. Den andra kategorin utgörs av inhemska finska eller tornedalsfinska namnformer för orter som inte har mer än detta enda namn. *Noppikoski* i Orsa finnmark kan tjäna som ett exempel, det tornedalska *Muodoslompolo* som ett annat.

3. En tredje kategori utgörs av namn på platser som ursprungligen haft ett finskt namn, men som senare antingen fått en helt ny svensk

360

benämning eller en lätt modifierad svensk namnform eller uttalsvariant som för de flesta svenskar i dag uppfattas som den korrekta eller genuina eller rentav ursprungliga. Hit kan man förmodligen räkna en mängd finskbaserade namn exempelvis i Värmland men också i de andra finnmarkerna i Sverige samt en del namn i svenska Tornedalen (*Bäckesta* etc.).

4. En fjärde namntyp utgör sådana namn som av de finsktalande givits för orter som ursprungligen haft svenska eller samiska namn, t.ex. i gränsområdena mellan svenskt och samiskt i norra och västra Sverige, och mellan svenskt och finskt/tornedalsfinskt. Hit hör uppenbarligen också vissa öar i gränsområdena mellan Sverige och Finland i nordligaste Bottenviken samt namn i Värmland[23] och andra s.k. finnmarker i mellersta Sverige.

5. Som en femte kategori, som möjligen kan ses som en underkategori till kategori 4 ovan, kunde man se sådana namn som av svenskspråkiga uppfattas som rent svenska eller, mera specifikt, t.ex. av överkalixeller kalixdialekttalande i gränsområdena mellan Tornedalen och kalixområdet uppfattas som ursprungligen dialektala kalixnamn men som kanske etymologiskt sett har samiskt eller finskt ursprung. Hit kunde man kanske räkna en del tornedalsnamn som det tidigare nämnda *Kangos*, och *Pajala*, överkalixnamn som *Lansjärv* och *Morjärv* eller /neder/kalixnamn som *Korpikå* och *Ryssbält*. Åtminstone i fallet Morjärv finns exempelvis en särskild finsk, eller rättare sagt tornedalsfinsk, namnform, *Morajärvi*, som faktiskt används.

7. »*Ortnamns värde och vård*« – stöd till minoritetskulturerna

Den statliga ortnamnsutredningen, *Ortnamns värde och vård*,[24] diskuterade och presenterade förslag rörande de finska och samiska ortnamnen i Sverige. Beträffande de finska (tornedalsfinska) namnen i Norrbotten anser utredningen, med hänvisning till en FN-rekommendation om standardisering av geografiska namn och Finlands geografiska närhet, att den gällande principen också fortsättningsvis bör vara att dessa återges enligt (standard)finska skrivregler.[25] Principen, som dock knappast på någon samhällsnivå har tillämpats konsekvent, har på senare år ifrågasatts bl.a. av den tornedalska intresseorganisationen Svenska Tornedalingars Riksförbund-Tornionlaaksolaiset (STR-T). Principen innebär att t.ex. ett ortnamn, för vilket det lokala tornedalska uttalet är

Lahenpää [lahenpä:], i skrift, på kartor och vägskyltar samt i officiella dokument skall återges enligt standardfinska regler, *Lahdenpää* [lahden-pä:]. I det aktuella fallet varierar dock praxis: vägverkets ortsskyltar har formen *Lahdenpää* medan en del kartor, bl.a. *Sveriges Nationalatlas*, har formen *Lahenpää*.[26]

Utredningen rekommenderar vidare att man i flerspråkiga områden i större utsträckning än vad som idag är fallet sätter ut flera namn på kartor, vägvisningsskyltar, ortsskyltar och liknande. Man ser detta som ett stöd för de berörda minoritetskulturerna, och att dessa används så mycket som möjligt också i officiella sammanhang ses dessutom som en förutsättning för att de icke-svenskspråkiga namnen i norra Sverige ska överleva.[27]

Den nämnda utredningen har ännu knappast haft någon betydelse för praxis ifråga om ortnamnsskicket i de geografiska områden som

För ett par år sedan byttes svenska ortsskyltar inom Övertorneå kommun ut mot tvåspråkiga skyltar, där myndigheternas införda svenska översättningar (som i flera fall är nonsensöversättningar) kompletterats med byarnas ursprungliga tornedalsfinska namn. Upphovet till denna förändring var att bybor i byn *Päkkilä/Bäckesta* i början av 1980-talet egenhändigt ersatte vägverkets officiella ortsskylt med en tvåspråkig. Namnformerna har återgetts med standardfinsk ortografi, som i några fall skiljer sig från den tornedalska formen (t.ex. standardfinska *Vitsaniemi* för tornedalsfinska *Vittaniemi*, »Risudden«). (Foto: Erling Wande)

främst varit föremål för dess förslag om namnens relation till minoritetskulturerna, så inte heller det riksdagsbeslut som i december 1994 togs om finskans särställning som inhemskt språk i Sverige.

Det återstår att se vilken effekt regeringsförslaget angående minoritetsställning för bl.a. den sverigefinska och den tornedalsfinska minoriteten, om förslaget går igenom i riksdagen, kan komma att få för ortnamnsskicket i officiella och informella sammanhang liksom för bruket av gatu- och vägnamn. Detta regeringsförslag, ortnamnsutredningen och 1994 års beslut talar alla i princip i samma riktning, dvs. för en ökad användning, även om riksdagsbeslutet och det nya regeringsförslaget inte explicit uttalar sig om ortnamnen på samma sätt som ortnamnsutredningen gör.

Att de närmast berörda, dvs. användarna av de aktuella språken, inte är likgiltiga för hur namnen behandlas officiellt och offentligt framgår av ett exempel från Tornedalen, som jag avslutningsvis vill nämna. Troligen som en effekt av den tornedalska revitaliseringsrörelse som fick sin början kring 1980, ersatte bybor i början av 1980-talet vägverkets officiella ortsskylt *Bäckesta* (se ovan, avsnitt 4) med en egenhändigt tillverkad, tvåspråkig skylt med byns ursprungliga finska namn, *Päkkilä*, överst och målat med större stiltyp än det svenska namnet. Efter något år bytte vägverket tillbaka till en officiell, enspråkig skylt med namnet *Bäckesta*. Senare har dock samtliga större byar längs gränsälven inom Övertorneå kommun fått tvåspråkiga ortsskyltar, dvs. de av järnvägsmyndigheten införda svenska namnen har kompletterats med byarnas ursprungliga finska namn, med standardfinsk stavning. Man kan nu fråga sig: kommer denna revitalisering av det gamla namnskicket att sprida sig till övriga delar av Tornedalen och påverka bruket av tornedalsfinska och finska namnformer i Sverige överhuvudtaget?

APPENDIX I

Finska namnformer för orter i Sverige i *Stora finsk-svenska ordboken*
(del 1–2; 1997, huvudred. Birgitta Romppanen)

Finska[28]	Svenska	Finska	Svenska
Ala-Kainuu	NEDERKALIX	Norlanti	NORRLAND
Alatornio	NEDERTORNEÅ	Paaskeri	BÅTSKÄRSNÄS
Gotlanti	GOTLAND	Piitime	PITEÅ
Götajoki	GÖTA ÄLV	Piitimenjoki	PITE ÄLV
Götan kanava	GÖTA KANAL	Ruotsi	SVERIGE
Götanmaa	GÖTALAND	Skoone	SKÅNE
Haaparanta	HAPARANDA	Smoolanti	SMÅLAND
Hakkanen	HAKKAS	Taalainmaa	DALARNA
Hietaniemi	HEDENÄSET	Tornionjoki	TORNE ÄLV
Itä-Götanmaa	ÖSTERGÖTLAND	Tornionjärvi	TORNETRÄSK
Juoksenki	JUOKSENGI	Tukholma	STOCKHOLM
Jällivaara	GÄLLIVARE	Täräntö	TÄRENDÖ
Kainuu	KALIX	Uplanti	UPPLAND
Kiiruna	KIRUNA	Up[p]sala	UPPSALA
Kiirunavaara	KIRUNAVAARA	Uumaja	UMEÅ
Korpilompolo	KORPILOMBOLO	Uumajanjoki	UME ÄLV
Lapinjärvi	LAPPTRÄSK	Vanha-Upsala	GAMLA UPPSALA
Lappi	LAPPLAND	Vermlanti	VÄRMLAND
Luulaja	LULEÅ	Vittanki	VITTANGI
Luulajanjoki	LULE ÄLV	Ylitornio	ÖVERTORNEÅ
Länsi-Götanmaa	VÄSTERGÖTLAND	Öölanti	ÖLAND
Länsipohja	VÄSTERBOTTEN		

APPENDIX II

Finska namnformer för orter i Sverige i *Stora svensk-finska ordboken*
(del 1–3; 1982–1987, huvudred. Göran Karlsson)

Svenska	Finska[29]	Svenska	Finska
Dalarna	TAALAINMAA, -maalla	Piteå	PIITIME
		Sarekfjällen	SAREKTUNTURIT
Dalälven	DALJOKI [daal-]	Skåne	SKOONE
Gotland	GOTLANTI	Småland	SMOOLANTI
Gällivare	JÄLLIVAARA, fiT: JELLIVAARA -vaarassa	Stockholm	TUKHOLMA fiT: Stokholmi
Göta kanal	GÖTAN KANAVA [jöö-]	Svealand	SVEANMAA, -maalla
Göta älv	GÖTAJOKI [jöö-]	Sverige	RUOTSI
Götaland	GÖTANMAA [jöö-]	Torne älv	TORNIONJOKI fiT: To/o/rnion-väylä
Haparanda	HAAPARANTA, -rannassa fiT: -rannala	Tärendö	TÄRÄNTÖ, -nnössä fiT: Täränössä
Kalix	KAINUU fiT: KAINUS Kaihnuu+ssa	Ume älv	UUMAJANJOKI
		Umeå	UUMAJA
Kiruna	KIIRUNA	Uppland	UPLANTI, -nnissa
Korpilombolo	KORPILOMPOLO	Uppsala	UPSALA
Lappträsk	LAPINJÄRVI, -järvellä	Vittangi	VITTANKI, -ngissa
Luleå	LUULAJA	Värmland	VERMLANTI, -lannissa
Lule älv	LUULAJANJOKI fiT: Luulajanväylä	Västerbotten	LÄNSIPOHJA, -pohjassa
Muonio älv	MUONIONJOKI fiT: Muonionväylä	Ångermanälven	ÅNGERMANJOKI
Nedertorneå	ALATORNIO, -torniolla, fiT: [-to/o/r]	Öland	ÖÖLANTI, -lannissa
Norrland	NORLANTI, -nnissa fiT: Norrlantissa	Övertorneå	YLITORNIO, -lla fiT: [to/o/r-]; fiT: Matarinki/ Matarenki; M-ngissä

Noter

1. Claes Garlén, Ann-Christin Mattisson & Leif Nilsson, *Svenska ortnamn. Uttal och stavning*, Utgiven av Lantmäteriverket och Svenska språknämnden (Stockholm: Norstedts, 1991).

2. Göran Karlsson, red., *Iso Ruotsalais-Suomalainen Sanakirja/Stora svensk-finska ordboken*, band 1–3, Suomalaisen Kirjallisuuden Seuran Toimituksia 338 (Helsingfors: SKS, 1982–1987). Ortnamnen presenteras i avsnittet »Maantieteellisiä nimiä – Geografiska namn« i band 3 (1987), S–Ö, ss. 1019–1028.

3. Birgitta Romppanen, red., *Suuri Suomi-Ruotsi-Sanakirja/Stora finsk-svenska ordboken*, band 1–2, Utg. av Forskningscentralen för de inhemska språken, Svenska avdelningen, och Werner Söderström Ab (Helsingfors: WSOY, 1997). Ortnamnen presenteras i avsnittet »Paikannimet – Ortnamn«, ss. 1167–1180.

4. Jfr Erling Wande, »Tornedalen«, i Jarmo Lainio, red., *Finnarnas historia i Sverige*, band 3 (Helsingfors och Stockholm: Finska Historiska Samfundet och Nordiska museet, 1997), ss. 229–254 (se s. 232 och not 6).

5. Följande förkortningar används i texten för standardfinska resp. tornedalsfinska: fiSt = standardfinska, fiT = tornedalsfinska/meänkieli.

6. Jag har här och på övriga ställen, där jag antytt hur namn uttalas, följt den konvention som tillämpats i den nämnda skriften, dvs. uttalsbeteckningarna är med få undantag angivna med symboler hämtade ur det internationella fonetiska alfabetet, IPA.

7. Parentesformerna anger uttal som enligt min mening är vanligare i fiT.

8. Det vanliga svenska uttalet i Tornedalen är [kaːrɯŋgi].

9. Sara Welin, »Ruotsin paikannimien taivuttamisesta. Mennään Mörköhön, ei Mörköön«, *Kieliviesti* 1 (1982), ss. 15–16; jfr också avsnitt 3.2 nedan.

10. För en tornedalsfinsktalande kan detta förhållande språkpsykologiskt te sig märkligt: den svenskliknande formen uppfattas av standardfinskans representanter som »mera finsk«, dvs. standardfinsk, och de gamla, till formen mera genuint finska formerna som antingen lokala (för Tornedalen) eller arkaistiska.

11. Omvänt gäller detta också för finlandssvenskan, där högspråksformen officiellt har samma norm som »rikssvenskan«, dvs. den svenska högspråksnormen är på samma sätt enhetlig som den finska.

12. Uppgift från föreståndaren vid Sverigefinska språknämnden, Paula Ehrnebo.

13. Framställningen i detta avsnitt bygger i huvudsak på Welin, »Ruotsin paikannimien taivuttamisesta«, ss. 15–17.

14. Erik Wahlberg, *Finska ortnamn i norra Sverige. Förberedande studier med introduktion till utforskningen av ortnamnen i Torne älvdal med angränsande områden*, Tornedalica 2 (Luleå: Tornedalica, 1963), s. 180.

15. Genuina *-sta*-namn förekommer i Sverige bara upp till södra Västerbotten. Bengt Pamp, *Ortnamnen i Sverige*, Lundastudier i nordisk språkvetenskap, Serie B Nr 2 (Lund: Studentlitteratur, 1979), s. 38.

16. Byns ursprungliga namn är *Koivukylä* (fiT: *Koijukylä*; fiSt *koivu*/fiT *koiju* 'björk', *kylä* 'by'), som nu införts med standardfinsk ortografi på den tornedalsfinska ortsskylten

vid sidan av det sv. *Hedenäset.*

17. Stockholm heter på tornedalsfinska *Stokholmi,* en form som är snarlik den estniska för samma ort.

18. Nämnden får stöd både över den finska och den svenska statsbudgeten. Enligt uppgift har representanter för de båda staterna någon gång i samband med att nämnden bildades 1975 kommit överens om en fördelning, innebärande att Finlands bidrag skulle vara en fjärdedel av det sammanlagda statsbidraget från de båda länderna. Denna uppgift har dock inte gått att dokumentera. Fortfarande bidrar Finland, men med betydligt mindre än en fjärdedel. Röster har främst i Finland höjts för att Sverige ensamt borde svara för statsbidraget till nämnden. I de svenska regleringsbreven antecknas statsbidraget till sverigefinska språknämnden under samma titel som bidraget till svenska språknämnden.

19. Prop. *Nationella minoriteter i Sverige,* 1998/99:143.

20. Björn Collinder, »De finska och lapska ortnamnen på våra kartor«, *Till William Snell,* Tornedalica 1 (Uppsala: Tornedalica, 1962), ss. 15–27. Collinder var professor i finsk-ugriska språk i Uppsala mellan 1933 och 1961.

21. Staffan Högberg, *Stockholms historia* (Stockholm: Bonniers, 1981), s. 13.

22. Sten Carlsson, »Stockholm som finnarnas huvudstad«, i Sulo Huovinen, red., *Mitt, sa' finnen om Stockholm. Glimtar ur finnarnas historia i Stockholm* (Stockholm: Kulturfonden för Sverige och Finland, 1984), ss. 13–28.

23. Se Julius Mägiste, *Värmlandsfinska ortnamn,* band I–III, Commentationes Humanarum Litterarum XXXV (Helsingfors: Societas Scientarium Fennica, 1970).

24. SOU 1982:45.

25. Ibid., s. 118.

26. *Sveriges Nationalatlas,* Sveriges kartor, SNA:s Sverigekarta (1990).

27. Jfr också Eivor Nylund Torstensson, »Myndigheterna och våra ortnamn«, *Tornedalen/MET* 18:3–4 (1986), ss. 57–60.

28. I ordboken görs ingen skillnad mellan finska och meänkieli.

29. I ordboken görs ingen skillnad mellan finska och meänkieli. Lokalkasusformerna på *-llA* resp. *-ssA* anger befintlighet (»i Dalarna« etc.).

Professor H. Arnold Barton, historiker, Southern Illinois University

Docent Sally Boyd, lingvist, Göteborgs universitet

Fil. lic. Tordis Dahllöf, etnolog, Uppsala

Professor Max Engman, historiker, Åbo Akademi

Professor Sven Gustavsson, slavist, Uppsala universitet

Professor Tomas Hammar, internationell migration och etniska
relationer, Stockholms universitet

Licenciada María Luján Leiva, historiker, Universidad de
Buenos Aires

Professor Einar Niemi, historiker, Universitetet i Tromsø

Docent Hans Norman, historiker, Uppsala universitet

Professor Rolf Nygren, rättshistoriker, Uppsala universitet

Professor Thorleif Pettersson, religionssociolog, Uppsala universitet

Docent Raimo Raag, fenno-ugrist, Uppsala universitet

Professor Lars Rydén, biokemi, miljövetenskap, Uppsala universitet

Docent Ingmar Söhrman, romanist, Göteborgs universitet

Professor Sven Tägil, historiker, Lunds universitet

Professor Rudolph J. Vecoli, historiker, University of Minnesota

Professor Erling Wande, fennist, Stockholms universitet

Professor Charles Westin, internationell migration och etniska
relationer, Stockholms universitet

Docent Erik Åsard, statsvetare, Uppsala universitet

Professor Orm Øverland, amerikanist, Universitetet i Bergen

Tabula gratulatoria

Erik Allardt, *Helsingfors*

Leif Alsheimer, *Svedala*

Gunnar Alsmark, *Lund*

Phil och Karna Anderson, *Chicago*

Bo Andersson, *Göteborg*

Katarina Andersson, *Ystad*

Rolf Andersson, *Uppsala*

Sölve Anderzén, *Jukkasjärvi*

Göran Andolf, *Stockholm*

Carl Göran Andræ, *Uppsala*

Eva Aniansson, *Umeå*

Peter Aronson, *Växjö*

Gösta Arvastson, *Göteborg*

Björn Asker, *Uppsala*

Jennifer och Brian Attebery, *Pocatello, Idaho*

Thomas Aurelius, *Uppsala*

Kenneth Awebro och Ann Hörsell, *Luleå*

Sigbert Axelson, *Uppsala*

Arne Axelsson, *Uppsala*

Monica Axelsson, *Hässelby*

Azril Bacal, *Uppsala*

Gunnar Barke, *Stockholm*

Aina och H. Arnold Barton, *Carbondale, Illinois*

Ulf Beijbom, *Växjö*

Miguel Benito, *Borås*

Jan-Åke Berg, *Uppsala*

Ragnar Bergling, *Uppsala*

† Jan Bergman, *Uppsala*

Malin Bergner, *Uppsala*

Göran Bexell, *Lund*

Helena Bicer, *Uppsala*

Maria Bjerg, *Buenos Aires*

Ragnar Björk, *Uppsala*

Jan Olof Björkman, *Uppsala*

Monica Blom, *Uppsala*

Ann och Kjell Blückert, *Uppsala*

Karin Borevi, *Uppsala*

Lars-Erik Borgegård, *Gävle*

Rut Boström Andersson, *Uppsala*

Sally Boyd och Åke Sander,
Göteborg

Bengt Brattberg, *Uppsala*

Gunnar Broberg, *Lund*

Gabryela Bromberg, *Uppsala*

Agnieszka och Michał Bron,
Uppsala

Stéphane Bruchfeld, *Stockholm*

Carl Reinhold Bråkenhielm,
Uppsala

Dan Brändström, *Spånga*

Tom R. Burns, *Uppsala*

Thord Bylund, *Härnösand*

Terry Carlbom, *Knivsta*

Helene Carlbäck-Isotalo,
Stockholm

Wilhelm Carlgren, *Stockholm*

Marie Carlson och
Bengt Jacobsson, *Göteborg*

Carl Henrik Carlsson, *Uppsala*

Per Clemensson, *Göteborg*

Göran Dahlbäck, *Täby*

Tordis och Urban Dahllöf,
Uppsala

Eva Dahlstedt, *Stockholm*

Åke Daun, *Stockholm*

Eric De Geer, *Uppsala*

Christina Dorph och
Hans Ingvar Roth, *Stockholm*

Karsten Douglas, *Landskrona*

Karel Durman och Jarmila
Durmanová, *Uppsala*

Carl-Martin Edsman, *Uppsala*

Erik J. Ehn, *Djursholm*

Rikard Ehnsiö, *Uppsala*

Curt Ekholm, *Uppsala*

Sten Eklund, *Järlåsa*

Lars Elenius, *Luleå*

Sven Eliæson, *Grythyttan*

Jan Eliasson, *Stockholm*

Leif Eliasson, *Lund*

Lennart Elmevik, *Uppsala*

Agneta Emanuelsson Blanck,
Stockholm

Marja och Max Engman, *Åbo*

Ellen Erbes, *Uppsala*

Scott Erickson,
Concord, New Hampshire

Lars Ericson, *Stockholm*

Maja Kirilova Eriksson, *Uppsala*

Margaretha Eriksson, *Uppsala*

Margarita Eskenazi, *Norsborg*

Lars Fransson, *Uppsala*

Ruth Franzén, *Uppsala*

Bertil och Lola Friberg, *Linköping*

Björn Fryklund, *Lund*

Anders Fröjmark, *Kalmar*

Lars Furuland, *Uppsala*

Mehari Gebre-Medhin, *Uppsala*

Kristian Gerner och
Kerstin Nyström, *Uppsala*

Jan Glete, *Stockholm*

Inga Gottfarb, *Stockholm*

Claes-Göran Granqvist, *Uppsala*

Gunilla Gren-Eklund, *Järlåsa*

Curt Grundström, *Lidingö*

Satu Gröndahl, *Uppsala*

Anita Olson Gustafson,
Clinton, South Carolina

Anders Gustavsson, *Henån*

Erik Gustavsson, *Munkfors*

Marianne och Sven Gustavsson,
Uppsala

Roger Gyllin, *Uppsala*

Ulf Göranson, *Uppsala*

Eva Helene Haagensen, *Hebekk*

Karl Reinhold Hællquist, *Hjärup*

Jan-Olof Hagelin, *Uppsala*

Carl-Eric Hagström, *Karlskoga*

Carl F. och
Katharina Hallencreutz, *Uppsala*

Kerstin Hallert, *Årsta*

Tomas Hammar, *Stockholm*

Ulf Hannerz, *Stockholm*

Nils-Erik Hansegård, *Uppsala*

Anne-Charlotte Hanes Harvey,
Lemon Grove, California

Nils Hasselmo, *Washington, D.C.*

Eva Haxton, *Uppsala*

Peter Hedberg, *Uppsala*

Johanna Hedenquist, *Växjö*

Rune Hedman, *Uppsala*

Anna-Britta Hellbom, *Stockholm*

Kjell Herberts, *Vasa*

Anna-Greta Heyman, *Stockholm*

Ulf Himmelstrand, *Uppsala*

Ulla Hjelmqvist, *Björklinge*

Sven Hjelmskog, *Norrköping*

Claes E. Hogbäck, *Bjärred*

Göte Holm, *Uppsala*

Inga Holmberg, *Halmstad*

Martin H:son Holmdahl, *Uppsala*

Hernán Horna, *Uppsala*

Ulla och Rudolf Hultkvist, *Lund*

Leena och Göran Huss, *Uppsala*

Tore Hållander, *Uppsala*

Julian Ilicki, *Uppsala*

Lennart Ilke, *Uppsala*

Anna Ivarsdotter, *Uppsala*

Annika Jansson, *Stockholm*

Olof Jansson, *Rönninge*

Kurt Johannesson, *Uppsala*

Eric Johansson, *Solna*

Kjell Johansson, *Uppsala*

Rolf Johansson, *Alvesta*

Rune Johansson, *Linköping*

Kjell Jonsson, *Västerås*

Thomas Jonter, *Johanneshov*

Sune Jungar, *Åbo*

Arne Järtelius, *Malmö*

Dan-Erik Jönsson, *Lund*

Hans Jörgensen, *Umeå*

Ada och Aleksandr Kan, *Uppsala*

Karlis Kangeris, *Stockholm*

Klas-Göran Karlsson, *Skanör*

Pia Karlsson, *Uppsala*

Åsa Karlsson, *Bromma*

Gert Kennarthsson, *Jämshög*

Volkmar Kettnaker, *Kista*

Anders Kjellberg, *Lund*

Christina Kjellson, *Bandhagen*

Olga Klauber, *Uppsala*

Barbro Klein, *Stockholm*

Wuokko Knocke, *Stockholm*

Helen Krag, *Köpenhamn*

Janis Kreslins, *Danderyd*

Jørgen Kühl, *Harrislee*

Anu Mai Köll, *Spånga*

Jarmo Lainio och
Kyoko Lainio-Maeda, *Vallentuna*

Dick Lange, *Uppsala*

Lars-Gunnar Larsson, *Uppsala*

Marie-Louise Latorre, *Uppsala*

Michał Legierski, *Uppsala*

Ann Legreid,
Warrensburg, Missouri

María Luján Leiva, *Buenos Aires*

Józef Lewandowski, *Skogås*

Leif Lewin, *Uppsala*

Bert Liljeqvist, *Skarpnäck*

Lennart Limberg, *Göteborg*

Birgitta och Sverker Lindblad,
Uppsala

Hans Lindblad, *Gävle*

Lena Lindholm, *Örebro*

Ragnhild och Arne Lindholm,
Östra Husby

Thomas Lindkvist, *Göteborg*

Daniel Lindmark, *Umeå*

Göran Lindqvist, *Enskede*

Jan Lindroth, *Stockholm*

Erling Lindström, *Uppsala*

Jeannette Lindström, *Stockholm*

Joy Lintelman och Rick Chapman,
Moorhead, Minnesota

Annika och Nicklas Ljungberg, *Norrköping*

Lars Ljungmark, *Göteborg*

Aleksander Loit, *Uppsala*

Odd S. Lovoll, *Northfield, Minnesota*

Nils Lundahl, *Uppsala*

Rolf Lundén, *Uppsala*

Thomas Lundén, *Järfälla*

Hans Lennart Lundh, *Östra Ljungby*

Stig Lundström, *Lidingö*

Erik Lönnroth, *Göteborg*

Ivana Maček, *Uppsala*

Görel och Kjell Magnusson, *Uppsala*

Margareta Matović, *Stockholm*

Curt Mejàre, *Vällingby*

Gunnel Melchers, *Bromma*

Lars Mellin, *Johanneshov*

Michael F. Metcalf, *Oxford, Mississippi*

Michele Micheletti, *Stockholm*

Klaus Misgeld, *Uppsala*

Karl Molin och Berit Rönnstedt, *Stockholm*

Helmut Müssener, *Uppsala*

Bert och Elisabeth Mårald, *Luleå*

Magnus Mörner, *Mariefred*

Ana Maria Narti, *Stockholm*

Tekeste Negash, *Uppsala*

Marie C. Nelson, *Linköping*

Clara och Torgny Nevéus, *Uppsala*

Einar Niemi, *Tromsø*

Lars Nilsson, *Sollentuna*

Thaly Nilsson, *Uppsala*

Thomas Nilsson, *Heby*

Madlena Norberg, *Potsdam*

Viveca Halldin Norberg och Anders Norberg, *Uppsala*

Bengt Nordberg, *Uppsala*

Gullög Nordquist, *Uppsala*

Kjell-Åke Nordquist, *Uppsala*

Byron Nordstrom, *St. Peter, Minnesota*

Erik Noreen, *Uppsala*

Gunilla och Hans Norman, *Uppsala*

Harald och Eva Norström, *Stockholm*

Dan Nosell, *Uppsala*

György Nováky, *Uppsala*

Ulla och Rolf Nygren, *Uppsala*

Anders Ohlsson, *Lund*

Els Oksaar, *Hamburg*

Lars Olsson, *Lund*

Nils William och Dagmar Olsson, *Winter Park, Florida*

375

Sven-Olof Olsson, *Varberg*

Sverker Oredsson, *Lund*

Birgitta Ornbrant, *Stockholm*

Jan Ovesen, *Uppsala*

Malgorzata Anna Packalén,
Uppsala

Karl Pekkari, *Haparanda*

Bo Persson, *Linköping*

Hans-Åke Persson, *Södra Sandby*

Lennart Persson, *Haninge*

Thage G. Peterson, *Nacka*

Ann-Marie Petersson, *Uppsala*

Thorleif Pettersson, *Uppsala*

Ulf G. Pettersson, *Uppsala*

Virve och Raimo Raag, *Uppsala*

Ingrid Ramberg, *Stockholm*

Lars Rask, *Uppsala*

Margareta Revera, *Uppsala*

Kurt och Margot Rodin, *Linköping*

John Rogers, *Kista*

Christina Rogestam, *Göteborg*

Allan Rostvik, *Uppsala*

Elyce Rotella,
Bloomington, Indiana

Margot och Nils Runeby, *Uppsala*

Lars Rydén, *Uppsala*

Göran Rystad, *Lund*

Kim Salomon, *Lund*

Folke Sandgren, *Stockholm*

Eva Sandstedt, *Gävle*

David Schwarz, *Vällingby*

Larry E. Scott, *Rock Island, Illinois*

Omar Sheikhmous, *Johanneshov*

Magnus Sjödin och
Ellen König Sjödin, *Göteborg*

Annick Sjögren, *Djursholm*

Mikael Sjögren och
Åsa Karlsson Sjögren, *Umeå*

Folke Skog, *Mora*

Ann Christin Skoglund, *Uppsala*

Bengt Spowe, *Uppsala*

Tobias Stark, *Lund*

Michael Stjernfeldt, *Linköping*

Gabriele Winai Ström, *Bromma*

Gunilla och Stig Strömholm,
Uppsala

Lennart Ståhle, *Uppsala*

Kerstin Sundborn, *Göteborg*

Elisabeth och Jan Sundin,
Linköping

Bo Sundqvist, *Uppsala*

Kay Svensson, *Uppsala*

Elżbieta Szwejkowska-Olsson,
Solna

Ingmar Söhrman, *Göteborg*

Per Sörbom, *Sala*

Marina Taloyan, *Huddinge*

Marika Tandefelt, *Helsingfors*

Caroline Taube, *Uppsala*

Liliane och Adam Taube, *Uppsala*

Brita och Lars-Göran Tedebrand,
Umeå

Eva Tedenmyr, *Stockholm*

Alf Tergel, *Sigtuna*

Mariann Tiblin, *Minneapolis*

Kerstin och Mats Thelander,
Uppsala

Elisabeth Thorsell, *Järfälla*

Alberto Tiscornia, *Uppsala*

Anders och Mary Ellen Tomson,
Delmar, New York

Daniel och Kerry Tomson,
New York

Ingegerd och Louis Tomson,
Voorhesville, New York

Jarl Torbacke, *Tyresö*

Claes Torkeli, *Stockholm*

Tamara och Rolf Torstendahl,
Uppsala

Thomas Tottie, *Uppsala*

Cenap Turunç, *Göteborg*

Mattias Tydén och Maria Södling,
Stockholm

Sven Tägil, *Lund*

Margaretha och Andrzej Uggla,
Uppsala

Kersti Ullenhag, *Uppsala*

Bo Utas, *Uppsala*

Lena och Peter Wallensteen,
Uppsala

Erling och Raili Wande, *Uppsala*

Jill och Rudolph J. Vecoli,
Minneapolis

Evert Vedung, *Uppsala*

Lars Wendelius, *Uppsala*

Charles Westin, *Stockholm*

Anders och Berit Wigerfelt, *Råå*

Anna och Henrik Williams,
Uppsala

Gunilla Wrede, *Uppsala*

Rochelle Wright, *Urbana, Illinois*

Ulf Zander, *Lund*

Ingrid Åberg, *Örebro*

Lars-Olof Åhlberg, *Uppsala*

Sune Åkerman, *Umeå*

Margareta Åman, *Uppsala*

Erik Åsard, *Uppsala*

Gunnar Åselius, *Stockholm*

Sture Öberg, *Uppsala*

Bo Öhngren, *Uppsala*

Eva Österberg, *Lund*

Anders Östnäs, *Lund*

Orm Øverland, *Bergen*

INSTITUTIONER OCH ORGANISATIONER

Konung Gustaf VI Adolfs Fond för svensk kultur, *Stockholm*

Svenska kommittén, Swedish-American Historical Society

Riksföreningen Sverigekontakt, *Göteborg*

Avdelningen för forskning och utbildning i modern svenska (FUMS),
Uppsala universitet

Biblioteket, Högskolan i Kalmar

Biblioteket, Örebro universitet

Bishop Hill-sällskapet, *Örsundsbro*

CEIFO, Stockholms universitet

Center for Minoritetsstudier ved Københavns universitet

Centrum för kvinnoforskning, Uppsala universitet

Centrum för studier av kulturkontakt och
internationell migration (KIM), Göteborgs universitet

Det norsk-amerikanske historielaget – avd. Norge (NAHA-Norway)

Det norske utvandrersenteret, *Stavanger*

Emigrantregistret i Karlstad

Finsk-ugriska institutionen, Uppsala universitet

Folkuniversitetet, *Uppsala*

Forskningsprojektet Göteborgs-Emigranten, *Göteborg*

Historielärarnas förening

Historiska institutionen, Göteborgs universitet

Historiska institutionen, Lunds universitet

Historiska institutionen, Uppsala universitet

Högskolan Dalarna

IMER, Malmö högskola

Immigrant-institutet, *Borås*

Institutet för svenska som andraspråk, Göteborgs universitet

Institutionen för freds-och konfliktforskning, Uppsala universitet

Institutionen för idé- och lärdomshistoria, Uppsala universitet

Institutionen för nordiska språk, Uppsala universitet

Institutionen för slaviska språk, Uppsala universitet

Institutionen för östeuropastudier, Uppsala universitet

Integrationsenheten, Uppsala kommun

Integrationsverket, *Norrköping*

Invandrare & Minoriteter

Landsarkivet i Härnösand

Landsarkivet i Uppsala

Landsarkivet i Östersund

Mångkulturellt Centrum, *Botkyrka*

Minoritetsspråksredaktionen, Sveriges Radio, *Stockholm*

Norsk utvandrermuseum, *Ottestad*

Pedagogiska institutionen, Uppsala universitet

Pedagogiska institutionen, Örebro universitet

Riksarkivet, *Stockholm*

Riksbankens jubileumsfond, *Stockholm*

Romanska institutionen, Uppsala universitet

Seminariet för nordisk namnforskning, Uppsala universitet

Stiftelsen Dag Hammarskjöldbiblioteket, *Uppsala*

Svenska Emigrantinstitutet, *Växjö*

Svenska Institutet för Nordamerikastudier, Uppsala universitet

Svenska Peter Casselsällskapet, *Kisa*

Svenska språknämnden, *Stockholm*

Swedish Fulbright Commission, *Stockholm*

Swedish-American Historical Society, *Chicago*

Swenson Swedish Immigration Research Center, Augustana College,
Rock Island, Illinois

Södertörns högskola

Teologiska institutionen, Lunds universitet

University of Minnesota Libraries, *Minneapolis*

Uppsala universitetsbibliotek

Växjö universitet

UPPSALA MULTIETHNIC PAPERS

ISSN 0281-448-X

REDAKTÖR:

Harald Runblom

1. *Multiethnic Research at the Faculty of Arts, Uppsala University.* 1984. (Slut)

2. Kjell Magnusson, *Migration, nation, kultur. En bibliografi över invandrar- och minoritetsfrågor med Jugoslavien som exempel.* 1984. (Slut)

3. Ingvar Svanberg & Eva-Charlotte Ekström, *Mongolica Suecana. A Bibliography of Swedish Books and Articles on Mongolia.* 2:a uppl. 1988.

4. Ingvar Svanberg, *Invandrare från Turkiet. Etnisk och sociokulturell variation.* 2:a uppl. 1988.

5. Tordis Dahllöf, *Identitet och antipod. En studie i australiensisk identitetsdebatt.* 4:e uppl. 1991.

6. Sven Gustavsson & Ingvar Svanberg, *Jugoslavien i april 1984. Rapport från en multietnisk resa.* 1986.

7. Harald Runblom & Dag Blanck, red., *Scandinavia Overseas. Patterns of Cultural Transformation in North America and Australia.* 2:a uppl. 1990.

8. Mattias Tydén, *Svensk antisemitism, 1880–1930.* 1986. (Slut)

9. Aläqa Tayyä Gäbrä Maryam, *History of the People of Ethiopia,* i översättning av Grover Hudson & Tekeste Negash. 2:a uppl. 1988.

10. Uno Holmberg, *Lapparnas religion.* Med inledning och kommentar av Leif Lindin, Håkan Rydving & Ingvar Svanberg. 1987.

11. Ingvar Svanberg, red., Adam Heymowski & Kerstin Ankert, *I samhällets utkanter. Om »tattare« i Sverige.* 1987. (Slut)

12. Raimo Raag & Harald Runblom, red., *Estländare i Sverige. Historia, språk, kultur.* 1988.

13. Ingvar Svanberg & Mattias Tydén, red., *Multiethnic Studies in Uppsala. Essays Presented in Honour of Sven Gustavsson, June 1, 1988.* 1988. (Slut)

14. Ingvar Svanberg, *The Altaic-Speakers of China. Numbers and Distribution.* 1988.

15. Jarmo Lainio, *Spoken Finnish in Urban Sweden.* (Diss.) 1989.

16. Eric De Geer, *Göteborgs invandrargeografi. De utländska medborgarnas regionala fördelning.* 1989.

17. Kjell Magnusson, *Jugoslaver i Sverige. Invandrare och identitet i ett kultursociologiskt perspektiv.* (Diss.) 1989. (Slut)

18. Ingmar Söhrman, *Sverige och de romanska kulturerna.* 1989.

19. Nils-Erik Hansegård, *Den norrbottensfinska språkfrågan. En återblick på halvspråkighetsdebatten.* 1990.

20. Lars Wendelius, *Kulturliv i ett svenskamerikanskt lokalsamhälle: Rockford, Illinois.* 1990.

21. Dag Blanck & Harald Runblom, red., *Swedish Life in American Cities.* 1991.

22. Bahdi Ecer, *I fikonträdets skugga. Ett syrianskt utvandrarepos.* Med efterskrift av Carl-Martin Edsman. 1991. (Slut)

23. Ingrid Lundberg & Ingvar Svanberg, *Turkish Associations in Metropolitan Stockholm.* 1991.

25. Ingvar Svanberg, red., *Ethnicity, Minorities and Cultural Encounters.* 1991. (Slut)

26. Anders Berge, *Flyktingpolitik i stormakts skugga. Sverige och de sovjetryska flyktingarna under andra världskriget.* 1992.

27. Ingrid Lundberg & Ingvar Svanberg, *Kulu. Utvandrarbygd i Turkiet.* 1992.

28. Karin Borevi & Ingvar Svanberg, red., *Ethnic Life and Minority Cultures.* 1992. (Slut)

29. Ingmar Söhrman, *Ethnic Pluralism in Spain.* 1993.

30. Tordis Dahllöf, *¿Antipodenses? Un Estudio Acerca de la Idendidad Australiana.* 1993.

31. Henrik Román, *En invandrarpolitisk oppositionell. Debattören David Schwarz syn på svensk invandrarpolitik åren 1964–1993.* 1994.

32. Karin Borevi & Ingvar Svanberg, red., *Multiethnic Studies. Report on Research and Other Activities from the Centre for Multiethnic Research.* 1994.

33. Tamás Stark, *Hungary's Human Losses in World War II. With an Introduction by Karl Molin: The Raoul Wallenberg Archive at Uppsala University.* 1995.

34. Sven Gustavsson & Harald Runblom, red., *Language, Minority, Migration. Yearbook 1994/1995 from the Centre for Multiethnic Research.* 1995.

35. Sven Gustavsson & Ingvar Svanberg, red., *Bosnier. En flyktinggrupp i Sverige och dess bakgrund.* 1995.

36. Kjell Magnusson, Midhat Medić & Harald Runblom, red., *Krig, exil, återvändande. Den bosniska konflikten och flyktingproblematiken.* 1996.

37. María Luján Leiva, *Latinoamericanos en Suecia. Una historia narrada por artistas y escritores.* 1997.

38. Leena Huss, red., *Många vägar till tvåspråkighet. Föredrag från ett forskarseminarium vid Göteborgs universitet den 21–22 oktober 1994.* 1996.

39. M. M. Jocelyne Fernandez & Raimo Raag, red., *Contacts de langues et de cultures dans l'aire baltique. Contacts of Languages and Cultures in the Baltic Area. Mélanges offerts à Fanny de Sivers.* 1996.

40. Andrzej Nils Uggla, *I nordlig hamn. Polacker i Sverige under andra världskriget.* 1997.

41. Masoud Kamali, *Distorted Integration. Clientization of Immigrants in Sweden.* 1997.

42. Dag Blanck & Per Jegebäck et al., red., *Migration och mångfald. Essäer om kulturkontakt och minoritetsfrågor tillägnade Harald Runblom.* 1999.

Centrum för multietnisk forskning, Box 514, SE-751 20 Uppsala, tfn: 018 471 23 59, fax: 018 471 23 63, e-post: multietn@multietn.uu.se